한국 인권문제

아동 권리에 관한 협약 가입

한국 인권문제

아동 권리에 관한 협약 가입

| 머리말

일제 강점기 독립운동과 병행되었던 한국의 인권운동은 해방이 되었음에도 큰 결실을 보지 못했다. 1950년대 반공을 앞세운 이승만 정부와 한국전쟁, 역시 경제발전과 반공을 내세우다 유신 체제에 이르렀던 박정희 정권, 쿠데타로 집권한 1980년대 전두환 정권까지, 한국의 인권은 이를 보장해야 할 국가와 정부에 의해 도리어 억압받고 침해되었다. 이런 배경상 근대 한국의 인권운동은 반독재, 민주화운동과 결을 같이했고, 대체로 국외에 본부를 둔 인권 단체나 정치로부터 상대적으로 자유로운 종교 단체에 의해 주도되곤 했다. 이는 1980년 5·18광주민주화운동을 계기로 보다 근적인 변혁을 요구하는 형태로 조직화되었고, 그 활동 영역도 정치를 넘어 노동자, 농민, 빈민 등으로 확대되었다. 이들이 없었다면 한국은 1987년 군부 독재 종식하고 절차적 민주주의를 도입할 수 없었을 것이다. 민주화 이후에도 수많은 어려움이 있었지만, 한국의 인권운동은 점차 전문적이고 독립된 운동으로 분화되며 더 많은 이들의 참여를 이끌어냈고, 지금까지 많은 결실을 맺을 수 있었다.

본 총서는 1980년대 중반부터 1990년대 초반까지, 외교부에서 작성하여 30여 년간 유지했던 한국 인권문제와 관련한 국내외 자료를 담고 있다. 6월 항쟁이 일어나고 민주화 선언이 이뤄지는 등 한국 인권운동에 많은 변화가 있었던 시기다. 당시 인권문제와 관련한 국내외 사안들, 각종 사건에 대한 미국과 우방국, 유엔의 반응, 최초의 한국 인권보고서 제출과 아동의 권리에 관한 협약 과정, 유엔인권위원회 활동, 기타 민주화 관련 자료 등 총 18권으로 구성되었다. 전체 분량은 약 9천여 쪽에 이른다.

2024년 3월

한국학술정보(주)

| 일러두기

· 본 총서에 실린 자료는 2022년 4월과 2023년 4월에 각각 공개한 외교문서 4,827권, 76만 여 쪽 가운데 일부를 발췌한 것이다.

· 각 권의 제목과 순서는 공개된 원본을 최대한 반영하였으나, 주제에 따라 일부는 적절히 변경하였다.

· 원본 자료는 A4 판형에 맞게 축소하거나 원본 비율을 유지한 채 A4 페이지 안에 삽입 하였다. 또한 현재 시점에선 공개되지 않아 '공란'이란 표기만 있는 페이지 역시 그대로 실었다.

· 외교부가 공개한 문서 각 권의 첫 페이지에는 '정리 보존 문서 목록'이란 이름으로 기록물 종류, 일자, 명칭, 간단한 내용 등의 정보가 수록되어 있으며, 이를 기준으로 0001번부터 번호가 매겨져 있다. 이는 삭제하지 않고 총서에 그대로 수록하였다.

· 보고서 내용에 관한 더 자세한 정보가 필요하다면, 외교부가 온라인상에 제공하는 『대한 민국 외교사료요약집』 1991년과 1992년 자료를 참조할 수 있다.

| 차례

정 리 보 존 문 서 목 록

기록물종류	일반공문서철	등록번호	23806	등록일자	2005-03-08
분류번호	742.14	국가코드		보존기간	영구
명 칭	아동의 권리에 관한 협약 한국 가입, 1991.12.20. 전3권				
생 산 과	국제협약과/국제연합과	생산년도	1987~1991	담당그룹	
권 차 명	V.1 1987-90.8월				
내용목차	* 1989.11.20 New York에서 채택 1990.9.2 발효 1991.11.20 비준서 기탁 1991.12.20 한국에 대하여 발효 (조약 제1072호)				

0001

대 통 령 비 서 실

대비의(일) 0125-190   770-0079   1987. 6. 27

수신   외무부장관

참조   국제기구조약국장

제목   서한 이송

     독일의 QUICK사 편집장이 대통령각하께 보내온 서한을 별첨
이송하오니, 검토후 필요한 조치를 취하고, 결과 보고하시기 바랍니다.

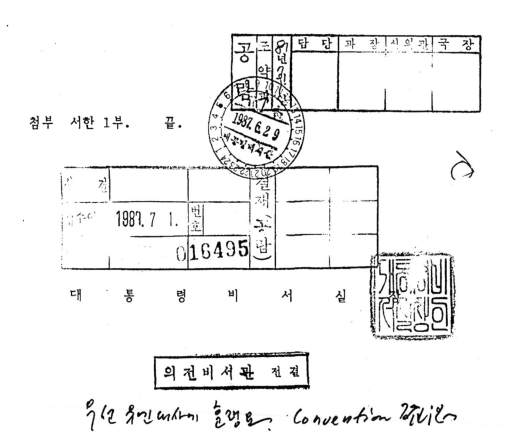

첨부   서한 1부.   끝.

대 통 령 비 서 실

의전비서관 전결

OC02

EGON F. FREIHEIT
CHEFREDAKTEUR QUICK

His Excellency
Chun Doo Hwan

Excellency!   June 15, 1987

        May I take the liberty of drawing your
        attention to a campaign, which QUICK, a
        major German magazine, will start within
        the next weeks:

        It is a project in aid of the poorest of
        the poor, in favour of those children, who
        have - due to war or riots - lost everything
        in their native country: Food, a place to
        stay, the security of their homes, their
        friends, their parents - their future.

        QUICK will, together with other leading
        media of the Federal Republic of Germany,
        organise a great fund-raising campaign for
        these children of the wars.

        But money alone will not do to alleviate
        the hard fate of the boys and girls. It
        will be more important to make the public
        realize their need - and a convention for
        the protection of these children from
        encroachments during their escape - from
        violence, injuries, and death - will be
        of equal significance.

        Thank God, international protective
        agreements have meanwhile been entered
        into for prisoners of war. Adequate
        agreements, which the belligerent parties
        would have to observe, concluded in favour
        of the principal victims of all wars and
        riots, however, the little sons and
        daughters, who are not at all to blame
        for this situation, do not exist.

                                    - 2 -

CHARLES-DE-GAULLE-STRASSE 8
8000 MÜNCHEN 83
TELEFON: 089/67 86 62 90
TELEFAX: 6 37 27 53
TELEX: 5 23 600

OCC3

This is the reason for which I would
like to approach you in my capacity as
editor-in-chief of QUICK, and ask you
to back up the efforts for such a
convention, which is intended to protect
all children concerned in any country -
independent of the fact which party
is responsible for the wars and riots.
QUICK does not want to interfere, QUICK
wishes that these children will be
given a guarantee.

May I therefore approach you with the
request to have your Ambassadors at the
United Nations instructed to give their
support to such guarantee. It would even
be greater if precisely your country
would be prepared to file a corresponding
application with the United Nations.
Whatever you may consider appropriate -
I am already today particularly grateful
to you for all activities and proposals
intended to alleviate the difficult
situation of the children in the war
zones, irrespective of the continent.

I would be glad if you had your comments
forwarded to us. I will publish them
in QUICK, and make them accessible also
to the other media of the Federal Republic
of Germany, als well as to the international
press agencies.

Sincerely Yours,

P.S. A letter as above reaches also the
     Heads of the other UN-member-states.

0004

27190

기 안 용 지

| 분류기호
문서번호 | 법규 20420- | (전화 :) | 시 행 상
특별취급 | |

분류기호 문서번호	법규 20420-		
보존기간	영구·준영구. 10. 5. 3. 1.	**장 관**	
수 신 처 보존기간			
시행일자	1987. 7. 3.		

보조기관	국 장	전 결	협조기관		문 서 통 제 금 연 1987.7.0 4 동 제 관 10 11 12 13 14 15 6 발 송송송 1987. 7.01 의 계 과
	심의관	Park			
	과 장	대휘.			
기안책임자		박상훈			

경 유 수 신 참 조	대통령비서실장 의전비서관	발신명의	

제 목	서한처리 결과보고

대: 대비의(일) 0125-190

대호 지시와 관련, 당부는 우선 별첨과 같이 주유엔대표부에

지시하여 관련사항을 조사토록 하였음을 보고드립니다.

첨부: 주유엔대표부에 대한 지시공문 사본 1부. 끝.

0005

대 한 민 국
외 무 부

법규 20420-   (720-4045)   198 7 . 7 . 4 .

수신 대통령비서실장

참조 의전비서관

제목 서한처리 결과보고

    대: 대비의(일) 0125-190

    대호 지시와 관련, 당부는 우선 별첨과 같이 주유엔대표부에
지시하여 관련사항을 조사토록 하였음을 보고드립니다.

첨부: 주유엔대표부에 대한 지시공문 사본 1부. 끝.

외 무 부 장 관

국제기구조약국장

대 한 민 국
외 무 부

021195

법규 20420-

198 7 . 7 . 4 .

수신 주유엔대사

제목 어린이 보호를 위한 협약

　　1. 독일의 Quick 사 편집장은 별첨 1 대통령각하앞 서한을
통하여 전쟁 또는 폭동 등으로부터 어린이를 보호하기 위한 협약의
필요성을 강조하면서 이러한 협약채택을 위한 아국의 협조를 요청하여
왔읍니다.

　　2. 이와 관련, 상기와 같은 성격의 협약이 유엔의 Context 에서
거론되고 있는지 여부를 조사, 보고하시기 바랍니다.

첨부: 1. 동 서한사본 1부

　　　 2. 어린이와 관련된 국제협약 현황 1부. 끝.

외　무　부　장

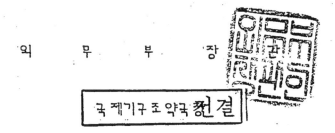

국제기구조약국 전결

0007

첨부 1.

His Excellency
Chun Doo Hwan

Excellency!   June 15, 1987

May I take the liberty of drawing your
attention to a campaign, which QUICK, a
major German magazine, will start within
the next weeks:

It is a project in aid of the poorest of
the poor, in favour of those children, who
have - due to war or riots - lost everything
in their native country: Food, a place to
stay, the security of their homes, their
friends, their parents - their future.

QUICK will, together with other leading
media of the Federal Republic of Germany,
organise a great fund-raising campaign for
these children of the wars.

But money alone will not do to alleviate
the hard fate of the boys and girls. It
will be more important to make the public
realize their need - and a convention for
the protection of these children from
encroachments during their escape - from
violence, injuries, and death - will be
of equal significance.

Thank God, international protective
agreements have meanwhile been entered
into for prisoners of war. Adequate
agreements, which the belligerent parties
would have to observe, concluded in favour
of the principal victims of all wars and
riots, however, the little sons and
daughters, who are not at all to blame
for this situation, do not exist.

- 2 -

CHARLES-DE-GAULLE-STRASSE 8
8000 MÜNCHEN 83
TELEFON: 089/6786290
TELEFAX: 6372753
TELEX: 523600

0008

This is the reason for which I would
like to approach you in my capacity as
editor-in-chief of QUICK, and ask you
to back up the efforts for such a
convention, which is intended to protect
all children concerned in any country -
independent of the fact which party
is responsible for the wars and riots.
QUICK does not want to interfere, QUICK
wishes that these children will be
given a guarantee.

May I therefore approach you with the
request to have your Ambassadors at the
United Nations instructed to give their
support to such guarantee. It would even
be greater if precisely your country
would be prepared to file a corresponding
application with the United Nations.
Whatever you may consider appropriate -
I am already today particularly grateful
to you for all activities and proposals
intended to alleviate the difficult
situation of the children in the war
zones, irrespective of the continent.

I would be glad if you had your comments
forwarded to us. I will publish them
in QUICK, and make them accessible also
to the other media of the Federal Republic
of Germany, als well as to the international
press agencies.

Sincerely Yours,

P.S. A letter as above reaches also the
     Heads of the other UN-member-states.

0009

International Convention for the Suppression of
Traffic in Women and Children and 1947 Protocol
30 Sep. 21, Geneva

Convention and Statute Establishing an International
Relief Union
12 July 27, Geneva

Convention on the Law Applicable to Obligations to
Support Minor Children (Hague VIII)
24 Oct. 26, The Hague

Convention Concerning the Recognition and
Execution of Decisions Involving Obligations to
Support Minor Children (Hague IX)
15 Apr 58, The Hague

Convention Extending the Competence of Authorities
Qualified to Record the Affiliation of Illegitimate Children
14 Sep. 61, Rome

Convention Relating to the Establishment of
the Maternity of Illegitimate Children
12 Sep. 62, Brussels

European Convention on the Adoption of Children
24 Apr. 67, Strasbourg

European Convention on the Repatriation of Minors
28 May 70, The Hague

European Convention on the Legal Status of
Children Born out of Wedlock
15 Oct. 75, Strasbourg

European Convention on Recognition and Enforcement of
Decisions Concerning Custody of Children and on
Restoration of Custody of Children
20 May 80, Luxembourg

Convention on the Civil Aspects of International
Child Abduction (Hague XXVIII)
25 Oct. 80, The Hague

분류기호 법규 2042 ꠢ21195

분류기호 문서번호	법규 2042 ꠢ21195	(전화 :)	시 행 상 특별취급	
보존기간	영구·준영구. 10. 5. 3. 1.	장 관		
수 신 처 보존기간				
시행일자	1987. 7. 3.			

기안용지

보 조 기 관	국 장	전 결	협 조 기 관	문 서 통 제
	심의관	*Park*		
	과 장	대효.		
기안책임자	박상훈			

장 관

론

경 유 수 신 참 조	주유엔대사	발 신 명 의	

제 목	어린이 보호를 위한 협약

1. 독일의 Quick 사 편집장은 별첨 1 대통령각하앞 서한을

통하여 전쟁 또는 폭동 등으로부터 어린이를 보호하기 위한 협약의

필요성을 강조하면서 이러한 협약채택을 위한 아국의 협조를 요청하여

왔읍니다.

2. 이와 관련, 상기와 같은 성격의 협약이 유엔의 Context

에서 거론되고 있는 지 여부를 조사, 보고하시기 바랍니다.

/ 계 속 /

0011

1505-25 (2-1) 일(1)갑
85. 9. 9. 승인

190mm×268mm 인쇄용지 2급 60g /㎡
가 40-41 1986. 4. 8.

첨부 : 1. 동 서한사본 1부

2. 어린이와 관련된 국제협약 현황 1부. 끝.

0012

대 한 민 국
외 무 부

법규 20420-   198 7 . 7 . 4 .

수신 주유엔대사

제목 어린이 보호를 위한 협약

　　　1. 독일의 Quick 사 편집장은 별첨 1 대통령각하앞 서한을
통하여 전쟁 또는 폭동 등으로부터 어린이를 보호하기 위한 협약의
필요성을 강조하면서 이러한 협약채택을 위한 아국의 협조를 요청하여
왔읍니다.

　　　2. 이와 관련, 상기와 같은 성격의 협약이 유엔의 Context 에서
거론되고 있는지 여부를 조사, 보고하시기 바랍니다.

첨부: 1. 동 서한사본 1부

　　　2. 어린이와 관련된 국제협약 현황 1부. 끝.

　　　　　　　　외　무　부　장　관

　　　　　　　　국제기구조약국장

                                              0013

His Excellency
Chun Doo Hwan

Excellency!   June 15, 1987

May I take the liberty of drawing your
attention to a campaign, which QUICK, a
major German magazine, will start within
the next weeks:

It is a project in aid of the poorest of
the poor, in favour of those children, who
have - due to war or riots - lost everything
in their native country: Food, a place to
stay, the security of their homes, their
friends, their parents - their future.

QUICK will, together with other leading
media of the Federal Republic of Germany,
organise a great fund-raising campaign for
these children of the wars.

But money alone will not do to alleviate
the hard fate of the boys and girls. It
will be more important to make the public
realize their need - and a convention for
the protection of these children from
encroachments during their escape - from
violence, injuries, and death - will be
of equal significance.

Thank God, international protective
agreements have meanwhile been entered
into for prisoners of war. Adequate
agreements, which the belligerent parties
would have to observe, concluded in favour
of the principal victims of all wars and
riots, however, the little sons and
daughters, who are not at all to blame
for this situation, do not exist.

- 2 -

CHARLES-DE-GAULLE-STRASSE 8
8000 MÜNCHEN 83
TELEFON: 089/6 78 02 90
TELEFAX: 6 37 27 53
TELEX: 5 23 000

0014

This is the reason for which I would
like to approach you in my capacity as
editor-in-chief of QUICK, and ask you
to back up the efforts for such a
convention, which is intended to protect
all children concerned in any country -
independent of the fact which party
is responsible for the wars and riots.
QUICK does not want to interfere, QUICK
wishes that these children will be
given a guarantee.

May I therefore approach you with the
request to have your Ambassadors at the
United Nations instructed to give their
support to such guarantee. It would even
be greater if precisely your country
would be prepared to file a corresponding
application with the United Nations.
Whatever you may consider appropriate -
I am already today particularly grateful
to you for all activities and proposals
intended to alleviate the difficult
situation of the children in the war
zones, irrespective of the continent.

I would be glad if you had your comments
forwarded to us. I will publish them
in QUICK, and make them accessible also
to the other media of the Federal Republic
of Germany, als well as to the international
press agencies.

Sincerely Yours,

P.S. A letter as above reaches also the
Heads of the other UN-member-states.

0015

첨부 2.

International Convention for the Suppression of
Traffic in Women and Children and 1947 Protocol
30 Sep. 21, Geneva

Convention and Statute Establishing an International
Relief Union
12 July 27, Geneva

Convention on the Law Applicable to Obligations to
Support Minor Children (Hague VIII)
24 Oct. 26, The Hague .

Convention Concerning the Recognition and
Execution of Decisions Involving Obligations to
Support Minor Children (Hague IX)
15 Apr 58, The Hague

Convention Extending the Competence of Authorities
Qualified to Record the Affiliation of Illegitimate Children
14 Sep. 61, Rome

Convention Relating to the Establishment of
the Maternity of Illegitimate Children
12 Sep. 62, Brussels

European Convention on the Adoption of Children
24 Apr. 67, Strasbourg

European Convention on the Repatriation of Minors
28 May 70, The Hague

European Convention on the Legal Status of
Children Born out of Wedlock
15 Oct. 75, Strasbourg

European Convention on Recognition and Enforcement of
Decisions Concerning Custody of Children and on
Restoration of Custody of Children
20 May 80, Luxembourg

Convention on the Civil Aspects of International
Child Abduction (Hague XXVIII)
25 Oct. 80, The Hague

0016

주 국 련 대 표 부

주국련 20420- 594

수신 장관

참조 국제기구조약국장

제목 어린이 보호를 위한 협약

대 : 법규 20420-021195 (7·4)

1. 유엔에서 현재 토의되고 있는 어린이 관련 협약은 Convention on the
   Rights of Child 가 있는바, 인권위원회는 유엔총회 결의에 따라
   1978년이래 동협약 문안 작성을 추진중에 있읍니다·

2. 독일 Quick 사가 대호 협약 채택 추진을 위하여 유엔과 협의한바 있는지를
   사무국의 담당관 Borg Olivier 에게 문의한바, 아직 동잡지사의
   접촉이 없었다고 합니다·

3. 동협약 채택 문제가 유엔에서 거론 되기 위하여서는 유엔 회원국이 총회
   의제로 제의해야 하므로 당지 독일 대표부의 담당관 U. Hochschild
   1등 서기관에게 동잡지사의 협조요청이 있었는지 문의한바, 현재까지는
   없었다고 합니다·

4. Hochschild 1등 서기관은 Quick 사는 인기에 치중하는 잡지사이므로
   동사와의 관계에 있어 이점을 고려하는것이 좋을것이라고 하였음을 참고로
   첨언합니다·

   첨부 : 어린이 권리에 관한 협약 초안· 끝·

선결		주관호	결재 (공람)		편	대
집수일시	1987.7. 20					
처리과	043769					

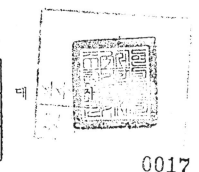

0017

30216

<table>
<tr><td colspan="3">분류기호
문서번호</td><td colspan="2">법규 20420-</td><td colspan="3">기 안 용 지
(전화 :   )</td><td colspan="2">시 행 상
특별취급</td><td></td></tr>
<tr><td colspan="3">보존기간</td><td colspan="2">영구·준영구.
10. 5. 3. 1.</td><td colspan="5" rowspan="2">장   관</td><td></td></tr>
<tr><td colspan="3">수 신 처
보존기간</td><td colspan="2"></td></tr>
<tr><td colspan="3">시행일자</td><td colspan="2">1987. 7. 22.</td><td colspan="5"></td></tr>
<tr><td rowspan="3">보
조
기
관</td><td colspan="2">국 장</td><td colspan="2">전 결</td><td rowspan="3">협
조
기
관</td><td></td><td></td><td colspan="2">문 서 통 제</td></tr>
<tr><td colspan="2">심의관</td><td colspan="2"></td><td></td><td></td><td colspan="2">접 수
1987.7.23
문제관</td></tr>
<tr><td colspan="2">과 장</td><td colspan="2"></td><td></td><td></td><td colspan="2" rowspan="2">발 송 인
발 송
1987. 7. 23
외무부</td></tr>
<tr><td colspan="3">기안책임자</td><td colspan="2">박상훈</td><td></td><td></td><td></td></tr>
<tr><td colspan="3">경 유
수 신
참 조</td><td colspan="2">대통령비서실장
의전비서관</td><td>발
신
명
의</td><td></td><td></td><td colspan="2"></td></tr>
<tr><td colspan="3">제 목</td><td colspan="8">서한처리 결과보고</td></tr>
</table>

대: 대비의(일) 0125-190

연: 법규 20420-27190

대호 독일 Quick 사 편집장의 대통령각하앞 서한과 관련,

별첨 1 주유엔대표부의 보고 내용을 참고로 하여 별첨 2와 같이 당부

국 제기구조약국장 명의로 상기 편집장에게 회신하였음을 보고드립니다.

/ 계 속 /   0018

1505-25(2-1) 일(1)갑   190mm×268mm 인쇄용지 2급 60g/㎡
85. 9. 9. 승인   가 40-41 1987. 2. 13.

첨부: 1. 주유엔대표부 보고공문 사본

2. QUICK 편집장에 대한 서한사본. 끝.

0019

대 한 민 국

외 무 부

법규 20420-   (720-4045)   198 7 . 7 . 23.

수신 대통령비서실장

참조 의전비서관

제목 서한처리 결과보고

대: 대비의(일) 0125-190

연: 법규 20420-27190

대호 독일 Quick사 편집장의 대통령각하앞 서한과 관련,
별첨 1 주유엔대표부의 보고 내용을 참고로하여 별첨 2와 같이
당부 국제기구조약국장 명의로 상기 편집장에게 회신하였음을
보고드립니다.

첨부: 1. 주유엔대표부 보고공문사본

      2. QUICK 편집장에 대한 서한사본. 끝.

외 무 부 장 관

국제기구조약국장

0020

주 국 련 대 표 부

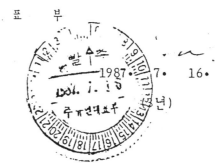

주국련 20420- 594

수신 장관

참조 국제기구조약국장

제목 어린이 보호를 위한 협약

대 : 법규 20420-021195 (7·4)

1. 유엔에서 현재 토의되고 있는 어린이 관련 협약은 Convention on the
   Rights of Child 가 있는바, 인권위원회는 유엔총회 결의에 따라
   1978년 이래 동협약 문안 작성을 추진중에 있읍니다.

2. 독일 Quick 사가 대호 협약 채택 추진을 위하여 유엔과 협의한바 있는지를
   사무국의 담당관 Borg Olivier 에게 문의한바, 아직 동잡지사의
   접촉이 없었다고 합니다.

3. 동협약 채택 문제가 유엔에서 거론 되기 위하여서는 유엔 회원국이 총회
   의제로 제의해야 하므로 당지 독일 대표부의 담당관 U. Hochschild
   1등 서기관에게 동잡지사의 협조요청이 있었는지 문의한바, 현재까지는
   없었다고 합니다.

4. Hochschild 1등 서기관은 Quick 사는 인기에 치중하는 잡지사이므로
   동사와의 관계에 있어 이점을 고려하는것이 좋을것이라고 하였음을 참고로
   첨언합니다.

첨부 : 어린이 권리에 관한 협약 초안. 끝.

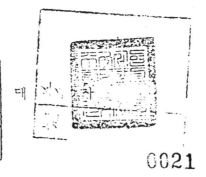

선결			전결	
접수일시	1987.7. 20	주번호	(공람)	
처리과	043769			

0021

MINISTRY OF FOREIGN AFFAIRS
REPUBLIC OF KOREA

Mr. Egon F. Freiheit   July 23, 1987
Chefredarkeur Quick
Charles-de Gaulle-Strasse 8
8000 München 83

Dear Mr. Freiheit,

    I am writing this letter to you with refer-
ence to your letter of June 15 to President
Chun Doo Whan concerning your compaign for the
protection of children.

    I wish to say that my government is also
concerned about those children who are in
difficult situations due to wars or riots.

    I hope that a convention for the protection
of these children will be adopted in the context
of the United Nations.

    Please accept my best wishes for your
success.

                        Sincerely yours,

                        Sai Taik Kim
                        Director-General
                        International Organizations
                        and Treaties Bureau

                                        0022

DEFENCE FOR CHILDREN INTERNATIONAL
DEFENSE DES ENFANTS - INTERNATIONAL
DEFENSA DE LOS NIÑOS - INTERNACIONAL

DCI
DEI
DNI

NC/BR   14th December, 1987

Secretariat for the Informal NGO Ad Hoc Group
on the Drafting of the Convention on the Rights of the Child

TO ALL PERMANENT MISSIONS TO THE UNITED NATIONS IN GENEVA:

Dear Sir,

We have pleasure in forwarding you herewith the DCI/UNICEF Briefing Kit on the
Draft Convention on the Rights of the Child, which we trust will be of interest
to you and to the Authorities of your country.

Should you wish to receive further copies, please contact us and these will be
forwarded to you without delay.

We take this opportunity of renewing the assurance of our highest consideration.

Nigel Cantwell
Director of Programmes

Case postale 88 ● CH-1211 GENÈVE 20 ● Suisse/Switzerland/Suiza ● Tél. (022) 34 05 58 ● Télex: 289 925 dci ch

Visiteurs: 1, rue de Varembé, Genève

0023

주 제 네 바 대 표 부

제네(정)20374- 1274   87. 12. 18

수신 : 장관

참조 : 국제기구조약국장

제목 : 국제아동 권리협약 초안송부

1. 지난 1979년 이래 유엔인권위 실무위에서 심의되여온 국제아동 권리
   협약 초안을 별첨 송부하오니 참고 하시기 바랍니다.

2. 동 협약초안은 세계 아동권리선언(1959년 유엔총회시 채택)30주년인
   1989년도에 최종 채택될 예정임을 첨언합니다.

첨부 : 협약초안 설명자료 1부. 끝.

주   제   네   바   대

선 결			결재 (공란)		
접수일시	1987.12.22	번호			
처리과	076021				

0024

DEFENCE FOR CHILDREN INTERNATIONAL
DEFENSE DES ENFANTS – INTERNATIONAL
DEFENSA DE LOS NIÑOS – INTERNACIONAL

DCI
DEI
DNI

Genève, le 20 mai 1988

<u>A l'attention de:</u> tous les organismes et individus ayant reçu le Dossier DEI/UNICEF
sur la Convention sur les droits de l'enfant.

<u>De la part de:</u> Secrétariat international de DEI

Suite aux réunions du Groupe de Travail des Nations Unies, qui ont eu lieu dans le
courant des mois de janvier et février derniers, le Dossier d'information DEI/UNICEF
a été mis à jour en tenant compte des progrès accomplis et notamment du fait que la
première lecture du projet de Convention est désormais achevée.

Cette mise à jour a entraîné la révision des documents 3, 4 et 5 et de l'annexe II,
ainsi que du texte complet du projet de Convention lui-même.

Nous avons le plaisir de vous faire parvenir ci-joint un ou plusieurs jeux de ces
documents dans leur version mise à jour, en fonction du nombre de Dossiers qui
vous avait été adressé à l'origine.

Vous pouvez commander auprès du Secrétariat de DEI des jeux supplémentaires de la
nouvelle version complète du Dossier (en anglais, français et espagnol).

Merci de votre intérêt.

Nigel Cantwell
Directeur des Programmes

Case postale 88 ● CH-1211 GENÈVE 20 ● Suisse/Switzerland/Suiza ● Tél. (022) 34 05 58 ● Télex: 289 925 dci ch

Visiteurs: 1, rue de Varembé, Genève   0025

아동의 권리에 관한 협약 한국 가입, 1991.12.20. 전3권 (V.1 1987-90.8월) 31

주 제 네 바 대 표 부

제네(정) 20314-474   1988. 5. 27.

수신 : 장관

참조 : 국제기구조약국장

제목 : 국제아동권리협약 초안 송부

　　　　연 : 제네(정) 20314-1274(87.12.18)

　　　　연호 지난 1979년 이래 유엔인권위 실무위원회 심의되어온

국제아동권리협약 초안(1989년중 최종 채택예정)을 별첨 송부 하니

참고 하시기 바랍니다.

　　　　첨부 : 협약 초안 설명자료 1부. 끝.

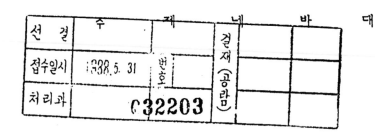

선 결	주	제	네	바	대
접수일시	1988. 5. 31		결재 (공람)		
처리과	C32203				

0026

주 제 네 바 대 표 부

제네(정) 20314- 487   1988. 6. 2.

수신 : 장관

참조 : 국제기구조약국장

제목 : 국제아동 권리협약초안 심의 보고서 송부

   연 : 제네(정) 20314-474(88.5.27)

1. "국제아동권리협약 초안 심의 실무위"의 동 협약초안 심의결과
    보고서를 별첨 송부하니 업무에 참고하시기 바랍니다.

2. 지난 88.2월 개최 제44차 유엔인권위는 국제아동권리협약의
    조 기성안 촉구 결의안을 채택한바 있으며, 협약초안 심의
    실무위는 88.11월-12월중 제2차 독회를 개최할 예정에 있음을
    첨언합니다.

   첨부 : 1. 유엔인권사무국 공한사본 1부.
          2. 실무위 심의결과 보고서 1부.   끝.

선결	제	네	바	대		
접수일시	1988.6. 7	번호	결재 (공람)			
처리과	(인) 33326					

0027

주 영 대 사 관

영국(정) 723 - 1017   1988 . 10 . 12 .

수신 : 장관

참조 : 국제기구조약국장

제목 : 유엔 아동의 권리에 관한 규약 초안 송부

　　　　본직의 제80차 IPU 총회 참석차 불가리아 출장시

(88.9.17 - 9.26)   UNICEF의 의회관계 Co-Ordinator 로 있는

구삼열씨로부터 유엔 인권위원회 실무단이 작성한 표제 규약 초안을 전해

받았는바, 이를 별첨 송부하오니 업무에 참고하시기 바랍니다.

　　　첨부 : 동초안 및 관련 서류1건.   끝.

0028

주 제 네 바 대 표 부

제네(정) 20314-□□□   1988. 11. 4.

수신 : 장관

참조 : 국제기구조약국장

제목 : 국제 아동권리 협약 초안 자료 송부

연 : 제네(정) 20314-487 (88.6.2)

1. 유엔인권위원회 산하 "국제아동 권리협약" 초안 기초
   실무위가 작성한 동협약 초안(연호 참조) 내용에 대한 유엔
   사무국의 기술적 검토의견 보고서를 별첨 송부하니 참고
   하시기 바랍니다.

2. 상기 협약 초안기초 실무위는 88.11.28-12.9간 당지에서
   제 2차 협약초안 독회를 개최할 예정이며, 동협약은 1989년중
   최종 채택될 계획에 있음을 첨언합니다.

첨부 : 자료 1부 .(E/CN.4/1989/WG.1/CRP.1)

                                                     끝.

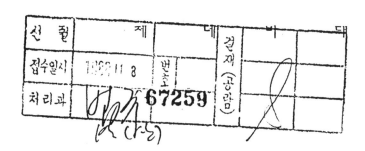

67259

0029

New Telephone No.
736-7862 735-2310
735-2315 738-8503
738-8504 새전화번호

UNITED NATIONS CHILDREN'S FUND 국제연합아동기금 (유니세프)

17-1, CHANGSUNG-DONG, CHONGNO-KU, SEOUL, REPUBLIC OF KOREA. MAIL: C. P. O. BOX 1930, SEOUL. TEL. 725-2315/2310, 722-7862, 724-8503 CABLE ADDRESS : "UNICEF" TLX : K 29808

서울·종로구 창성동 17-1, 중앙사서함 1930, 전화 : 725-2315/2310, 722-7862, 724-8503, 케이블 : "UNICEF" 텔렉스 K : 29808

INF5.6/0634   Date: 16 November 1988

Dear Mr. Kim,

Convention on the Rights of the Child

We are very pleased to send you herewith a copy of the draft Convention on the Rights of the Child. The Convention was drafted by the UN Commission on Human Rights and it is a set of international standards and measures which signatory countries agree to adopt and to incorporate in their laws. This treaty recognizes the particular vulnerability of children and brings together in one comprehensive code the benefits and protection for children scattered in scores of other agreements.

As you know, the Ministry of Health and Social Affairs had initiated the revision of the 31-year-old Korean Children's Charter. The new Charter was drafted and reviewed by an ad-hoc committee and it was promulgated on 5 May 1988.

The Children's Charter of the Republic of Korea is an excellent precedent in support of the Convention on the Rights of the Child since Korea is now a member of the UNICEF Executive Board for 3 years from 1 August 1988. The Republic of Korea could play an important role in generating inter alia Asian support for the Convention for clearing/approving the draft and its acceptance by the U.N. General Assembly in 1989 with subsequent process for ratification.

Your Ministry's kind support on this subject will be highly appreciated.

With best regards,

Sincerely yours,

Ralph Diaz
UNICEF Representative

Mr. Sei-Taik Kim
Director-General
International Organizations and Treaties Bureau
Ministry of Foreign Affairs

0030

주 제 네 바 대 표 부

제네(정) 20314-<u>1020</u>   1988. 11. 18.

수신 : 장관

참조 : 국제기구조약국장

제목 : 국제 아동권리 협약 관련 자료 송부

      연 : 제네(정) 20314-991 (88.11.4)

        유엔 인권위 산하 "국제아동권리협약" 초안 기초 실무위가 작성한 동 협약

초안 (88.6.2자 제네 정 20314-487 참조)에 대한 유엔 사무국의 기술적 검토의견

보고서(추가분) 및 동 협약초안 제 20조 (부력분쟁시 아동보호)에 대한 국제

적십자 (ICRC)의 비망록등 관련자료를 별첨 송부하니 참고 하시기 바랍니다.

첨부 : 1. 유엔사무국 검토 보고서(E/CN.4/1989/WG.1/CRP.1/Add.1)

        2. ICRC 비망록

        3. 협약초안 기초 NGO Ad Hoc 그룹의 외교단 초청 설명회(88.10.31

            제네바 개최) 결과 보고서. 끝.

     주   제   네   바   대    사

선결		건재(공람)	
접수일시	1988.11.22		
처리과	70119		

                                                              '0031

아동의 권리에 관한 협약 한국 가입, 1991.12.20. 전3권 (V.1 1987-90.8월) 37

아동의 권리에 관한 협약 한국 가입, 1991.12.20. 전3권 (V.1 1987-90.8월)   37

주 제 네 바 대 표 부

제네(정) 20314-18   1989. 1. 18.

수신 : 장관

참조 : 국제기구조약국장

제목 : 국제아동 권리협약 초안 송부

연 : 제네(정)20314-1030 (88.11.18)

89.1.30-3.10 개최 제45차 유엔인권위에서 심의, 채택될
예정인 국제아동권리협약 초안을 별첨 송부하니 참고하시기
바랍니다.

첨부 : 표제협약 초안 2부. '끝.

04858

0032

DISTR.
GENERAL

E/CN.4/1989/29
9 December 1988

Original: ENGLISH

COMMISSION ON HUMAN RIGHTS
Forty-fifth session
Pre-sessional open-ended Working Group
on the Question of a Convention on the
Rights of the Child
28 November - 9 December 1988

Convention on the Rights of the Child:
text of the draft convention as adopted by the Working Group
at second reading

Contents*

---

* This table of contents as well as parenthetical references to the
subject of each article are for ease of reference only; neither the
table of contents nor the references are part of the text as adopted.

0033

0034

CONVENTION ON THE RIGHTS OF THE CHILD*

PREAMBLE

The States Parties to the present Convention,

Considering that in accordance with the principles proclaimed in the Charter of the United Nations, recognition of the inherent dignity and of the equal and inalienable rights of all members of the human family is the foundation of freedom, justice and peace in the world,

Bearing in mind that the peoples of the United Nations have, in the Charter, reaffirmed their faith in fundamental human rights and in the dignity and worth of the human person, and have determined to promote social progress and better standards of life in larger freedom,

Recognizing that the United Nations has, in the Universal Declaration of Human Rights and in the International Covenants on Human Rights, proclaimed and agreed that everyone is entitled to all the rights and freedoms set forth therein, without distinction of any kind, such as race, colour, sex, language, religion, political or other opinion, national or social origin, property, birth or other status,

Recalling that, in the Universal Declaration of Human Rights, the United Nations has proclaimed that childhood is entitled to special care and assistance,

Convinced that the family, as the fundamental group of society and the natural environment for the growth and well-being of all its members and particularly children, should be afforded the necessary protection and assistance so that it can fully assume its responsibilities within the community,

Recognizing that the child, for the full and harmonious development of his or her personality, should grow up in a family environment, in an atmosphere of happiness, love and understanding,

Considering that the child should be fully prepared to live an individual life in society, and brought up in the spirit of the ideals proclaimed in the Charter of the United Nations, and in particular in the spirit of peace, dignity, tolerance, freedom, equality and solidarity,

---

* Text as adopted by the Working Group on the Question of a Convention on the Rights of the Child at second reading in December 1988.

Bearing in mind that the need for extending particular care to the
child has been stated in the Geneva Declaration on the Rights of the Child
of 1924 and in the Declaration of the Rights of the Child adopted by the
United Nations in 1959 and recognized in the Universal Declaration of
Human Rights, in the International Covenant on Civil and Political Rights
(in particular in articles 23 and 24), in the International Covenant on
Economic, Social and Cultural Rights (in particular in its article 10) and
in the statutes and relevant instruments of specialized agencies and
international organizations concerned with the welfare of children,

Bearing in mind that, as indicated in the Declaration of the Rights
of the Child adopted by the General Assembly of the United Nations on 20
November 1959, "the child, by reason of his physical and mental
immaturity, needs special safeguards and care, including appropriate legal
protection, before as well as after birth,",

Recalling the provisions of the Declaration on Social and Legal
Principles relating to the Protection and Welfare of Children, with
Special Reference to Foster Placement and Adoption Nationally and
Internationally (General Assembly resolution 41/85 of 3 December 1986);
the United Nations Standard Minimum Rules for the Administration of
Juvenile Justice ("The Beijing Rules") (General Assembly resolution 40/33
of 29 November 1985); and the Declaration on the Protection of Women and
Children in Emergency and Armed Conflict (General Assembly resolution
3318(XXIX) of 14 December 1975),

Recognizing that in all countries in the world there are children
living in exceptionally difficult conditions, and that such children need
special consideration,

Taking due account of the importance of the traditions and cultural
values of each people for the protection and harmonious development of the
child,

Recognizing the importance of international cooperation for improving
the living conditions of children in every country, in particular in the
developing countries,

Have agreed as follows:

PART I

Article 1

For the purposes of the present Convention a child means every human
being below the age of 18 years unless, under the law applicable to the
child, majority is attained earlier.

0036

Article 2

1.   The States Parties to the present Convention shall respect and ensure the rights set forth in this Convention to each child within their jurisdiction without discrimination of any kind, irrespective of the child's or his or her parent's or legal guardian's race, colour, sex, language, religion, political or other opinion, national, ethnic or social origin, property, disability, birth or other status.

2.   States Parties shall take all appropriate measures to ensure that the child is protected against all forms of discrimination or punishment on the basis of the status, activities, expressed opinions, or beliefs of the child's parents, legal guardians, or family members.

Article 3

1.   In all actions concerning children, whether undertaken by public or private social welfare institutions, courts of law, administrative authorities or legislative bodies, the best interests of the child shall be a primary consideration.

2.   States Parties undertake to ensure the child such protection and care as is necessary for his or her well-being, taking into account the rights and duties of his or her parents, legal guardians, or other individuals legally responsible for him or her, and, to this end, shall take all appropriate legislative and administrative measures.

3.   States Parties shall ensure that the institutions, services and facilities responsible for the care or protection of children shall conform with the standards established by competent authorities, particularly in the areas of safety, health, in the number and suitability of their staff as well as competent supervision.

Article 4

States Parties shall undertake all appropriate legislative, administrative, and other measures for the implementation of the rights recognized in this Convention. In regard to economic, social and cultural rights, States Parties shall undertake such measures to the maximum extent of their available resources and, where needed, within the framework of international co-operation.

Article 5

States Parties shall respect the responsibilities, rights, and duties of parents or, where applicable, the members of the extended family or community as provided for by local custom, legal guardians or other persons legally responsible for the child, to provide, in a manner consistent with the evolving capacities of the child, appropriate direction and guidance in the exercise by the child of the rights recognized in the present Convention.

0037

Article 6

1.   States Parties recognize that every child has the inherent right to life.

2.   States Parties shall ensure to the maximum extent possible the survival and development of the child.

Article 7

1.   The child shall be registered immediately after birth and shall have the right from birth to a name, the right to acquire a nationality, and, as far as possible, the right to know and be cared for by his or her parents.

2.   States Parties shall ensure the implementation of these rights in accordance with their national law and their obligations under the relevant international instruments in this field, in particular where the child would otherwise be stateless.

Article 8

1.   States Parties undertake to respect the right of the child to preserve his or her identity, including nationality, name and family relations as recognized by law without unlawful interference.

2.   Where a child is illegally deprived of some or all of the elements of his or her identity, States Parties shall provide appropriate assistance and protection, with a view to speedily re-establishing his or her identity.

Article 9

1.   States Parties shall ensure that a child shall not be separated from his or her parents against their will, except when competent authorities subject to judicial review determine, in accordance with applicable law and procedures, that such separation is necessary for the best interests of the child. Such determination may be necessary in a particular case such as one involving abuse or neglect of the child by the parents, or one where the parents are living separately and a decision must be made as to the child's place of residence.

2.   In any proceedings pursuant to paragraph 1, all interested parties shall be given an opportunity to participate in the proceedings and make their views known.

0038

3.   States Parties shall respect the right of the child who is separated from one or both parents to maintain personal relations and direct contact with both parents on a regular basis, except if it is contrary to the child's best interests.

4.   Where such separation results from any action initiated by a State Party, such as the detention, imprisonment, exile, deportation or death (including death arising from any cause while the person is in the custody of the State) of one or both parents of the child, that State Party shall, upon request, provide the parents, the child or, if appropriate, another member of the family with the essential information concerning the whereabouts of the absent member(s) of the family unless the provision of the information would be detrimental to the well-being of the child. States Parties shall further ensure that the submission of such a request shall of itself entail no adverse consequences for the person(s) concerned.

Article 10

1.   In accordance with the obligation of States Parties under article 9, paragraph 1, applications by a child or his or her parents to enter or leave a State Party for the purpose of family reunification shall be dealt with by States Parties in a positive, humane and expeditious manner. States Parties shall further ensure that the submission of such a request shall entail no adverse consequences for the applicants and for the members of their family.

2.   A child whose parents reside in different States shall have the right to maintain on a regular basis save in exceptional circumstances personal relations and direct contacts with both parents. Towards that end and in accordance with the obligation of States Parties under article 9, paragraph 1, States Parties shall respect the right of the child and his or her parents to leave any country, including their own, and to enter their own country. The right to leave any country shall be subject only to such restrictions as are prescribed by law and which are necessary to protect the national security, public order (ordre public), public health or morals or the rights and freedoms of others and are consistent with the other rights recognized in the present Convention.

Article 11

1.   States Parties shall take measures to combat the illicit transfer and non-return of children abroad.

2.   To this end, States Parties shall promote the conclusion of bilateral or multilateral agreements or accession to existing agreements.

0039

Article 12

1. States Parties shall assure to the child who is capable of forming his or her own views the right to express those views freely in all matters affecting the child, the views of the child being given due weight in accordance with the age and maturity of the child.

2. For this purpose, the child shall in particular be provided the opportunity to be heard in any judicial and administrative proceedings affecting the child, either directly, or through a representative or an appropriate body, in accordance with the procedural rules of national law.

Article 13

1. The child shall have the right to freedom of expression; this right shall include freedom to seek, receive and impart information and ideas of all kinds, regardless of frontiers, either orally, in writing or in print, in the form of art, or through any other media of the child's choice.

2. The exercise of this right may be subject to certain restrictions, but these shall only be such as are provided by law and are necessary:

    (a) for respect of the rights or reputations of others; or

    (b) for the protection of national security or of public order (ordre public), or of public health or morals.

Article 14

1. States Parties shall respect the right of the child to freedom of thought, conscience and religion.

2. States Parties shall respect the rights and duties of the parents and, when applicable, legal guardians, to provide direction to the child in the exercise of his or her right in a manner consistent with the evolving capacities of the child.

3. Freedom to manifest one's religion or beliefs may be subject only to such limitations as are prescribed by law and are necessary to protect public safety, order, health, or morals or the fundamental rights and freedoms of others.

0040

Article 15

1.   States Parties recognize the rights of the child to freedom of association and to freedom of peaceful assembly.

2.   No restrictions may be placed on the exercise of these rights other than those imposed in conformity with the law and which are necessary in a democratic society in the interests of national security or public safety, public order (ordre public), the protection of public health or morals or the protection of the rights and freedoms of others.

Article 16

1.   No child shall be subjected to arbitrary or unlawful interference with his or her privacy, family, home or correspondence, nor to unlawful attacks on his or her honour and reputation.

2.   The child has the right to the protection of the law against such interference or attacks.

Article 17

States Parties recognize the important function performed by the mass media and shall ensure that the child has access to information and material from a diversity of national and international sources, especially those aimed at the promotion of his or her social, spiritual and moral well-being and physical and mental health. To this end, States Parties shall:

(a) Encourage the mass media to disseminate information and material of social and cultural benefit to the child and in accordance with the spirit of article 29;

(b) Encourage international co-operation in the production, exchange and dissemination of such information and material from a diversity of cultural, national and international sources;

(c) Encourage the production and dissemination of children's books;

(d) Encourage the mass media to have particular regard to the linguistic needs of the child who belongs to a minority group or who is indigenous;

(e) Encourage the development of appropriate guidelines for the protection of the child from information and material injurious to his or her well-being bearing in mind the provisions of articles 13 and 18..

0041

Article 18

1. States Parties shall use their best efforts to ensure recognition of the principle that both parents have common responsibilities for the upbringing and development of the child.   Parents or, as the case may be, legal guardians, have the primary responsibility for the upbringing and development of the child.   The best interests of the child will be their basic concern.

2. For the purpose of guaranteeing and promoting the rights set forth in this Convention, States Parties shall render appropriate assistance to parents and legal guardians in the performance of their child-rearing responsibilities and shall ensure the development of institutions, facilities and services for the care of children.

3. States Parties shall take all appropriate measures to ensure that children of working parents have the right to benefit from child care services and facilities for which they are eligible.

Article 19

1. States Parties shall take all appropriate legislative, administrative, social and educational measures to protect the child from all forms of physical or mental violence, injury or abuse, neglect or negligent treatment, maltreatment or exploitation including sexual abuse, while in the care of parent(s), legal guardian(s) or any other person who has the care of the child.

2. Such protective measures should, as appropriate, include effective procedures for the establishment of social programmes to provide necessary support for the child and for those who have the care of the child, as well as for other forms of prevention and for identification, reporting, referral, investigation, treatment, and follow-up of instances of child maltreatment described heretofore, and, as appropriate, for judicial involvement.

Article 20

1. A child temporarily or permanently deprived of his or her family environment, or in whose own best interests cannot be allowed to remain in that environment, shall be entitled to special protection and assistance provided by the State.

2. States Parties shall in accordance with their national laws ensure alternative care for such a child.

3. Such care could include, inter alia, foster placement, Kafala of Islamic Law, adoption, or if necessary placement in suitable institutions for the care of children. When considering solutions, due regard shall be paid to the desirability of continuity in a child's upbringing and to the child's ethnic, religious, cultural and linguistic background.

0042

Article 21

States Parties which recognize and/or permit the system of adoption shall ensure that the best interests of the child shall be the paramount consideration and they shall:

a) ensure that the adoption of a child is authorized only by competent authorities who determine, in accordance with applicable law and procedures and on the basis of all pertinent and reliable information, that the adoption is permissible in view of the child's status concerning parents, relatives and legal guardians and that, if required, the persons concerned have given their informed consent to the adoption on the basis of such counselling as may be necessary;

b) recognize that intercountry adoption may be considered as an alternative means of child's care, if the child cannot be placed in a foster or an adoptive family or cannot in any suitable manner be cared for in the child's country of origin;

c) ensure that the child concerned by adoption in another country enjoys safeguards and standards equivalent to those existing in the case of national adoption;

d) take all appropriate measures to ensure that, in intercountry adoption, the placement does not result in improper financial gain for those involved in it;

e) promote, where appropriate, the objectives of this article by concluding bilateral or multilateral arrangements or agreements, and endeavour, within this framework, to ensure that the placement of the child in another country is carried out by competent authorities or organs.

Article 22

1. States Parties shall take appropriate measures to ensure that a child who is seeking refugee status or who is considered a refugee in accordance with applicable international or domestic law and procedures shall, whether unaccompanied or accompanied by his or her parents or by any other person, receive appropriate protection and humanitarian assistance in the enjoyment of applicable rights set forth in this Convention and in other international human rights or humanitarian instruments to which the said States are Parties.

0043

2. For this purpose, States Parties shall provide, as they consider appropriate, cooperation in any efforts by the United Nations and other competent intergovernmental organizations or non-governmental organizations co-operating with the United Nations to protect and assist such a child and to trace the parents or other members of the family of any refugee child in order to obtain information necessary for reunification with his or her family. In cases where no parents or other members of the family can be found, the child shall be accorded the same protection as any other child permanently or temporarily deprived of his or her family environment for any reason, as set forth in the present Convention.

Article 23

1. States Parties recognize that a mentally or physically disabled child should enjoy a full and decent life, in conditions which ensure dignity, promote self-reliance, and facilitate the child's active participation in the community.

2. States Parties recognize the right of the disabled child to special care and shall encourage and ensure the extension, subject to available resources, to the eligible child and those responsible for his or her care, of assistance for which application is made and which is appropriate to the child's condition and to the circumstances of the parents or others caring for the child.

3. Recognizing the special needs of a disabled child, assistance extended in accordance with paragraph 2 shall be provided free of charge, whenever possible, taking into account the financial resources of the parents or others caring for the child, and shall be designed to ensure that the disabled child has effective access to and receives education, training, health care services, rehabilitation services, preparation for employment and recreation opportunities in a manner conducive to the child's achieving the fullest possible social integration and individual development, including his or her cultural and spiritual development.

4. States Parties shall promote in the spirit of international co-operation the exchange of appropriate information in the field of preventive health care and of medical, psychological and functional treatment of disabled children, including dissemination of and access to information concerning methods of rehabilitation education and vocational services, with the aim of enabling States Parties to improve their capabilities and skills and to widen their experience in these areas. In this regard, particular account shall be taken of the needs of developing countries.

0044

Article 24

1.   States Parties recognize the right of the child to the enjoyment of the highest attainable standard of health and to facilities for the treatment of illness and rehabilitation of health. States Parties shall strive to ensure that no child is deprived of his or her right of access to such health care services.

2.   States Parties shall pursue full implementation of this right and, in particular, shall take appropriate measures:

(a) To diminish infant and child mortality,

(b) To ensure the provision of necessary medical assistance and health care to all children with emphasis on the development of primary health care,

(c) To combat disease and malnutrition including within the framework of primary health care, through inter alia the application of readily available technology and through the provision of adequate nutritious foods and clean drinking water, taking into consideration the dangers and risks of environmental pollution,

(d) To ensure appropriate health care for expectant mothers,

(e) To ensure that all segments of society, in particular parents and children, are informed, have access to education and are supported in the use of basic knowledge of child health and nutrition, the advantages of breast-feeding, hygiene and environmental sanitation and the prevention of accidents,

(f) To develop preventive health care, guidance for parents, and family planning education and services.

3.   States Parties shall take all effective and appropriate measures with a view to abolishing traditional practices prejudicial to the health of children.

4.   States Parties undertake to promote and encourage international co-operation with a view to achieving progressively the full realization of the right recognized in this article. In this regard, particular account shall be taken of the needs of developing countries.

Article 25

States Parties recognize the right of a child who has been placed by the competent authorities for the purposes of care, protection, or treatment of his or her physical or mental health, to a periodic review of the treatment provided to the child and all other circumstances relevant to his or her placement.

0045

Article 26

1.   States Parties shall recognize for every child the right to benefit from social security, including social insurance, and shall take the necessary measures to achieve the full realization of this right in accordance with national law.

2.   The benefits should, where appropriate, be granted taking into account the resources and the circumstances of the child and persons having responsibility for the maintenance of the child as well as any other consideration relevant to an application for benefits made by or on behalf of the child.

Article 27

1.   States Parties recognize the right of every child to a standard of living adequate for the child's physical, mental, spiritual, moral and social development.

2.   The parent(s) or others responsible for the child have the primary responsibility to secure, within their abilities and financial capacities, the conditions of living necessary for the child's development.

3.   States Parties in accordance with national conditions and within their means shall take appropriate measures to assist parents and others responsible for the child to implement this right and shall in case of need provide material assistance and support programmes, particularly with regard to nutrition, clothing and housing.

4.   States Parties shall take all appropriate measures to secure the recovery of maintenance for the child from the parents or other persons having financial responsibility for the child, both within the State Party and from abroad. In particular, where the person having financial responsibility for the child lives in a State different from that of the child, States Parties shall promote the accession to international agreements or the conclusion of such agreements as well as the making of other appropriate arrangements.

Article 28

1.   States Parties recognize the right of the child to education, and with a view to achieving this right progressively and on the basis of equal opportunity, they shall, in particular:

   a) make primary education compulsory and available free to all;

   b) encourage the development of different forms of secondary education, including general and vocational education, make them available and accessible to every child, and take appropriate measures such as the introduction of free education and offering financial assistance in case of need;

0046

c) make higher education accessible to all on the basis of capacity by every appropriate means;

d) make educational and vocational information and guidance available and accessible to all children;

e) take measures to encourage regular attendance at schools and the reduction of drop-out rates.

2.   States Parties shall take all appropriate measures to ensure that school discipline is administered in a manner consistent with the child's human dignity and in conformity with the present Convention.

3.   States Parties shall promote and encourage international cooperation in matters relating to education, in particular with a view to contributing to the elimination of ignorance and illiteracy throughout the world and facilitating access to scientific and technical knowledge and modern teaching methods. In this regard, particular account shall be taken of the needs of developing countries.

Article 29

1.   States Parties agree that the education of the child shall be directed to:

a) the development of the child's personality, talents, and mental and physical abilities to their fullest potential;

b) the development of respect for human rights and fundamental freedoms, and for the principles enshrined in the Charter of the United Nations;

c) the development of respect for the child's parents, his or her own cultural identity, language and values, for the national values of the country in which the child is living, the country from which he or she may originate, and for civilizations different from his or her own;

d) the preparation of the child for responsible life in a free society, in the spirit of understanding, peace, tolerance, equality of sexes, and friendship among all peoples, ethnic, national and religious groups and persons of indigenous origin;

e) the development of respect for the natural environment.

2.   No part of this article or article 28 shall be construed so as to interfere with the liberty of individuals and bodies to establish and direct educational institutions, subject always to the observance of principles set forth in paragraph 1 of this article and to the requirements that the education given in such institutions shall conform to such minimum standards as may be laid down by the State.

0047

Article 30

In those States in which ethnic, religious or linguistic minorities or persons of indigenous origin exist, a child belonging to such a minority or who is indigenous shall not be denied the right, in community with other members of his or her group, to enjoy his or her own culture, to profess and practise his or her own religion, or to use his or her own language.

Article 31

1. States Parties recognize the right of the child to rest and leisure, to engage in play and recreational activities appropriate to the age of the child and to participate freely in cultural life and the arts.

2. States Parties shall respect and promote the right of the child to fully participate in cultural and artistic life and shall encourage the provision of appropriate and equal opportunities for cultural, artistic, recreational and leisure activity.

Article 32

1. States Parties recognize the right of the child to be protected from economic exploitation and from performing any work that is likely to be hazardous or to interfere with the child's education, or to be harmful to the child's health or physical, mental, spiritual, moral or social development.

2. States Parties shall take legislative, administrative, social and educational measures to ensure the implementation of this article. To this end, and having regard to the relevant provisions of other international instruments, States Parties shall in particular,

(a) provide for a minimum age or minimum ages for admissions to employment;

(b) provide for appropriate regulation of the hours and conditions of employment; and

(c) provide for appropriate penalties or other sanctions to ensure the effective enforcement of this article.

Article 33

States Parties shall take all appropriate measures, including legislative, administrative, social and educational measures, to protect children from the illicit use of narcotic drugs and psychotropic substances as defined in the relevant international treaties, and to prevent the use of children in the illicit production and trafficking of such substances.

0048

Article 34

States Parties undertake to protect the child from all forms of sexual exploitation and sexual abuse. For these purposes States Parties shall in particular take all appropriate national, bilateral and multilateral measures to prevent:

(a) the inducement or coercion of a child to engage in any unlawful sexual activity;

(b) the exploitative use of children in prostitution or other unlawful sexual practices;

(c) the exploitative use of children in pornographic performances and materials.

Article 35

States Parties shall take all appropriate national, bilateral and multilateral measures to prevent the abduction, the sale of or traffic in children for any purpose or in any form.

Article 36

States Parties shall protect the child against all other forms of exploitation prejudicial to any aspects of the child's welfare.

Article 37

States Parties shall ensure that:

a) No child shall be subjected to torture or other cruel, inhuman or degrading treatment or punishment. Neither capital punishment nor life imprisonment without possibility of release shall be imposed for offences committed by persons below 18 years of age.

b) No child shall be deprived of his or her liberty unlawfully or arbitrarily. The arrest, detention or imprisonment of a child shall be used only as a measure of last resort and for the shortest appropriate period of time.

0049

c) Every child deprived of liberty shall be treated with humanity and respect for the inherent dignity of the human person, and in a manner which takes into account the needs of persons of their age. In particular every child deprived of liberty shall be separated from adults unless it is considered in the child's best interest not to do so and shall have the right to maintain contact with his or her family through correspondence and visits, save in exceptional circumstances.

d) Every child deprived of his or her liberty shall have the right to prompt access to legal and other appropriate assistance as well as the right to challenge the legality of the deprivation of his or her liberty before a court or other competent, independent and impartial authority and to a prompt decision on any such action.

Article 38

1. States Parties undertake to respect and to ensure respect for rules of international humanitarian law applicable to them in armed conflicts which are relevant to the child.

2. States Parties shall take all feasible measures to ensure that persons who have not attained the age of 15 years do not take a direct part in hostilities.

3. States Parties shall refrain from recruiting any person who has not attained the age of 15 years into their armed forces. In recruiting among those persons who have attained the age of 15 years but who have not attained the age of 18 years, States Parties shall endeavour to give priority to those who are oldest.

4. In accordance with their obligations under international humanitarian law to protect the civilian population in armed conflicts, States Parties shall take all feasible measures to ensure protection and care of children who are affected by an armed conflict.

Article 39

States Parties shall take all appropriate measures to promote physical and psychological recovery and social re-integration of a child victim of: any form of neglect, exploitation, or abuse; torture or any other form of cruel, inhuman or degrading treatment or punishment; or armed conflicts. Such recovery and re-integration shall take place in an environment which fosters the health, self-respect and dignity of the child.

0050

Article 40

1.   States Parties recognize the right of every child alleged as, accused of, or recognized as having infringed the penal law to be treated in a manner consistent with the promotion of the child's sense of dignity and worth, which reinforces the child's respect for the human rights and fundamental freedoms of others and which takes into account the child's age and the desirability of promoting the child's re-integration and the child's assuming a constructive role in society.

2.   To this end, and having regard to the relevant provisions of international instruments, States Parties shall, in particular, ensure that:

    a) No child shall be alleged as, be accused of, or recognized as having infringed the penal law by reason of acts or omissions which were not prohibited by national or international law at the time they were committed.

    b) Every child alleged as or accused of having infringed the penal law has at least the following guarantees:

    i) to be presumed innocent until proven guilty according to law;

    ii) to be informed promptly and directly of the charges against him or her, and if appropriate through his or her parents or legal guardian, and to have legal or other appropriate assistance in the preparation and presentation of his or her defence;

    iii) to have the matter determined without delay by a competent, independent and impartial authority or judicial body in a fair hearing according to law, in the presence of legal or other appropriate assistance, unless it is considered not to be in the best interest of the child, in particular taking into account his or her age or situation, his or her parents or legal guardians.

    iv) not to be compelled to give testimony or to confess guilt; to examine or have examined adverse witnesses and to obtain the participation and examination of witnesses on his or her behalf under conditions of equality;

    v) if considered to have infringed the penal law, to have this decision and any measures imposed in consequence thereof reviewed by a higher competent, independent and impartial authority or judicial body according to law;

    vi) to have the free assistance of an interpreter if the child can not understand or speak the language used;

    vii) to have his or her privacy fully respected at all stages of the proceedings.

0051

3.   States Parties shall seek to promote the establishment of laws, procedures, authorities and institutions specifically applicable to children alleged as, accused of, or recognized as having infringed the penal law, and in particular:

a) the establishment of a minimum age below which children shall be presumed not to have the capacity to infringe the penal law;

b) whenever appropriate and desirable, measures for dealing with such children without resorting to judicial proceedings, providing that human rights and legal safeguards are fully respected.

4.   A variety of dispositions, such as care, guidance and supervision orders; counselling; probation; foster care; education and vocational training programmes and other alternatives to institutional care shall be available to ensure that children are dealt with in a manner appropriate to their well-being and proportionate both to their circumstances and the offence.

Article 41

Nothing in this Convention shall affect any provisions that are more conducive to the realization of the rights of the child and that may be contained in:

(a) the law of a State Party; or

(b) international law in force for that State.

PART II

Article 42

States Parties undertake to make the principles and provisions of the Convention widely known, by appropriate and active means, to adults and children alike.

Article 43

1.   For the purpose of examining the progress made by States Parties in achieving the realization of the obligations undertaken in the present Convention, there shall be established a Committee on the Rights of the Child, which shall carry out the functions hereinafter provided.

2.   The Committee shall consist of 10 experts of high moral standing and recognized competence in the field covered by this Convention. The members of the Committee shall be elected by States Parties from among their nationals and shall serve in their personal capacity, consideration being given to equitable geographical distribution as well as to the principal legal systems.

0052

3.   The members of the Committee shall be elected by secret ballot from a list of persons nominated by States Parties. Each State Party may nominate one person from among its own nationals.

4.   The initial election to the Committee shall be held no later than six months after the date of the entry into force of the present Convention and thereafter every second year. At least four months before the date of each election, the Secretary-General of the United Nations shall address a letter to States Parties inviting them to submit their nominations within two months. The Secretary-General shall subsequently prepare a list in alphabetical order of all persons thus nominated, indicating States Parties which have nominated them, and shall submit it to the States Parties to the present Convention.

5.   The elections shall be held at meetings of States Parties convened by the Secretary-General at United Nations Headquarters. At those meetings, for which two-thirds of States Parties shall constitute a quorum, the persons elected to the Committee shall be those who obtain the largest number of votes and an absolute majority of the votes of the representatives of States Parties present and voting.

6.   The members of the Committee shall be elected for a term of four years. They shall be eligible for re-election if renominated. The term of 5 of the members elected at the first election shall expire at the end of two years; immediately after the first election the names of these 5 members shall be chosen by lot by the Chairman of the meeting.

7.   If a member of the Committee dies or resigns or declares that for any other cause he or she can no longer perform the duties of the Committee, the State Party which nominated the member shall appoint another expert from among its nationals to serve for the remainder of the term, subject to the approval of the Committee.

8.   The Committee shall establish its own rules of procedure.

9.   The Committee shall elect its officers for a period of two years.

10.   The meetings of the Committee shall normally be held at the United Nations Headquarters or at any other convenient place as determined by the Committee. The Committee shall normally meet annually. The duration of the meetings of the Committee shall be determined, and reviewed, if necessary, by a meeting of the States Parties to the present Convention, subject to the approval of the General Assembly.

10bis.   The Secretary-General of the United Nations shall provide the necessary staff and facilities for the effective performance of the functions of the Committee under the present Convention.

11.   [With the approval of the General Assembly, the members of the Committee established under the present Convention shall receive emoluments from the United Nations resources on such terms and conditions as the Assembly may decide.]

or

[States Parties shall be responsible for the expenses of the members of the Committee while they are in performance of Committee duties.]

[12. States Parties shall be responsible for expenses incurred in connection with the holding of meetings of States Parties and of the Committee, including reimbursement to the United Nations for any expenses, such as the cost of staff and facilities, incurred by the United Nations pursuant to paragraph 10 bis of this article.]

Article 44

1.   States Parties undertake to submit to the Committee, through the Secretary-General of the United Nations, reports on the measures they have adopted which give effect to the rights recognized herein and on the progress made on the enjoyment of those rights:

   (a)   within two years of the entry into force of the Convention for the State Party concerned,

   (b)   thereafter every five years.

2.   Reports made under this article shall indicate factors and difficulties, if any, affecting the degree of fulfillment of the obligations under the present Convention. Reports shall also contain sufficient information to provide the Committee with a comprehensive understanding of the implementation of the Convention in the country concerned.

3.   A State Party which has submitted a comprehensive initial report to the Committee need not in its subsequent reports submitted in accordance with paragraph 1(b) repeat basic information previously provided.

4.   The Committee may request from States Parties further information relevant to the implementation of the Convention.

5.   The Committee shall submit to the General Assembly of the United Nations through the Economic and Social Council, every two years, reports on its activities.

6.   States Parties shall make their reports widely available to the public in their own countries.

Article 45

   In order to foster the effective implementation of the Convention and to encourage international co-operation in the field covered by the Convention:

0054

(a) The specialized agencies, UNICEF and other United Nations organs shall be entitled to be represented at the consideration of the implementation of such provisions of the present Convention as fall within the scope of their mandate. The Committee may invite the specialized agencies, UNICEF and other competent bodies as it may consider appropriate to provide expert advice on the implementation of the Convention in areas falling within the scope of their respective mandates. The Committee may invite the specialized agencies, UNICEF and other United Nations organs to submit reports on the implementation of the Convention in areas falling within the scope of their activities.

(b) The Committee shall transmit, as it may consider appropriate, to the specialized agencies, UNICEF and other competent bodies, any reports from States Parties that contain a request, or indicate a need, for technical advice or assistance along with the Committee's observations and suggestions, if any, on these requests or indications.

(c) The Committee may recommend to the General Assembly to request the Secretary-General to undertake on its behalf studies on specific issues relating to the rights of the child.

(d) The Committee may make suggestions and general recommendations based on information received pursuant to articles 44 and 45 of this Convention. Such suggestions and general recommendations shall be transmitted to any State Party concerned and reported to the General Assembly, together with comments, if any, from States Parties.

PART III

Article 46

The present Convention shall be open for signature by all States.

Article 47

The present Convention is subject to ratification. Instruments of ratification shall be deposited with the Secretary-General of the United Nations.

Article 48

The present Convention shall remain open for accession by any State. The instruments of accession shall be deposited with the Secretary-General of the United Nations.

0055

Article 49

1.   The present Convention shall enter into force on the thirtieth day following the date of deposit with the Secretary-General of the United Nations of the twentieth instrument of ratification or accession.

2.   For each State ratifying or acceding to the Convention after the deposit of the twentieth instrument of ratification or accession, the Convention shall enter into force on the thirtieth day after the deposit by such State of its instrument of ratification or accession.

Article 50

1.   Any State Party may propose an amendment and file it with the Secretary-General of the United Nations. The Secretary-General shall thereupon communicate the proposed amendment to States Parties with a request that they indicate whether they favour a conference of States Parties for the purpose of considering and voting upon the proposals. In the event that within four months from the date of such communication at least one-third of States Parties favour such a conference, the Secretary-General shall convene the conference under the auspices of the United Nations. Any amendment adopted by a majority of States Parties present and voting at the conference shall be submitted to the General Assembly of the United Nations for approval.

2.   An amendment adopted in accordance with paragraph (1) of this article shall enter into force when it has been approved by the General Assembly of the United Nations and accepted by a two-thirds majority of States Parties.

3.   When an amendment enters into force, it shall be binding on those States Parties which have accepted it, other States Parties still being bound by the provisions of this Convention and any earlier amendments which they have accepted.

Article 51

1.   The Secretary-General of the United Nations shall receive and circulate to all States the text of reservations made by States at the time of ratification or accession.

2.   A reservation incompatible with the object and purpose of the present Convention shall not be permitted.

3.   Reservations may be withdrawn at any time by notification to this effect addressed to the Secretary-General of the United Nations who shall then inform all States. Such notification shall take effect on the date on which it is received by the Secretary-General.

0056

Article 52

A State Party may denounce this Convention by written notification to the Secretary-General of the United Nations. Denunciation becomes effective one year after the date of receipt of the notification by the Secretary-General.

Article 53

The Secretary-General of the United Nations is designated as the depositary of the present Convention.

Article 54

The original of the present Convention, of which the Arabic, Chinese, English, French, Russian and Spanish texts are equally authentic, shall be deposited with the Secretary-General of the United Nations.

In witness thereof the undersigned plenipotentiaries, being duly authorized thereto by their respective governments, have signed the present Convention.

Done at ... this ... day of ... 198...

0057

<u>아동은 국법에 더 이른 성인연령을 정해 놓지 않은 한 18세 이하로 정의한다.</u>

민법   제 4조 (성년기)   만 20세로 성년이 된다.

아동복지법   제 2조 (용어의 정의) 이 법에서 사용하는 용어의 정의는
다음과 같다
1. "아동"이라 함은 18세미만의
자를 말한다.

<u>모든 아동은 삶에의 고유한 권리를 가지며, 국가는 아동의 최적생존 및 성장을</u>
<u>보장하여야 한다.</u>

아동복지법   제 3조 (책임)   1) 모든 국민은 아동을 보호육성하고
사회생활에 적응되도록 육성할 책임을
진다.
2) 국가와 지방자치단체는 보호자와
더불어 아동을 건전하게 육성할
책임을 진다.

<u>모든 아동은 태어날 때부터 이름과 국적을 가질 권리가 있다.</u>

호적법   제 49조 (출생신고의 기재사항)
2) 신고서에는 다음 사항을 기재
하여야 한다.
1. 자의 성명, 본 및 성별

국적법   제 2조   1) 다음 각호의 1에 해당하는 자는
대한민국의 국민이다.
1. 출생한 당시에 부가 대한
민국의 국민인 자
2. 출생하기 전에 부가 사망한
때에는 사망한 당시에 대한민국
의 국민이던 자
3. 부가 분명하지 아니한 때
또는 국적이 없는 때에는 모가
대한민국의 국민인 자
4. 부모가 모두 분명하지 아니한
때 또는 국적이 없는 때에는
대한민국에서 출생한 자
2) 대한민국에서 발견된 기아는 대한
민국에서 출생한 것으로 추정한다.

0058 (1)

사법기관, 사회복지기구, 또는 행정당국 들이 아동의 문제를 다룰 때에는 아동의 권리가 가장 먼저 고려되어야 한다.

아동복지법 전반 (?)

국가는 아동이 어떤 종류의 차별이나 구별도 받지 않고 완전한 권리를 누릴 수 있도록 보장하여야 한다.

아동복지법 전반 (?)

아동은 책임있는 당국이 아동의 복지를 위하여 정한 경우를 제외하고는 부모로부터 격리되어서는 안된다. 또한 국가는 가족의 재결합을 위해 필요한 경우 그 국경선 내에서의 혹은 국외로의 여행을 허가하여야 한다.

(?)국가보안법	제 6조(잠입, 탈출)	1) 반국가단체의 지배하에 있는 지역으로 잠입하거나, 그 지역으로 탈출한 자는 10년 이하의 징역에 처한다.

아동을 양육할 책임을 근본적으로 부모에게 있으나, 국가는 부모에게 적절한 도움을 주고 또한 탁아 및 아동보호 시설들을 개발할 의무를 지닌다.

아동복지법 전반

국가는 성적학대나 착취를 포함한 육체적, 정신적 위해와 방임으로부터 아동을 보호해야 한다.

아동복지법	제 18조(금지행위)	누구든지 다음 각호의 1에 해당하는 행위를 하여서는 아니된다. 1. 불구기형의 아동을 공중에 관람시키는 행위 2. 아동에게 구걸을 시키거나, 아동을 이용하여 구걸하는 행위 3. 공중의 오락 또는 흥행을 목적으로 14세미만의 아동에게 곡예를 시키는 행위 4. 14세미만의 아동에게 주점 기타 접객영업에 종사시키는 행위 5. 아동에게 음행을 시키거나, 음행을 매개시키는 행위

0059

(2)

6. 정당한 권한을 가진 알선관계외의 자가 아동의 양육을 알선하고 금품을 취득하는 행위

7. 아동에게 유해한 흥행, 영화 기타 이에 준하는 흥행물을 관람시키는 행위

8. 아동에게 유해한 유기를 시키거나, 유해 유기를 행하는 장소에 출입시키는 행위

9. 자기의 보호 또는 감독을 받는 아동을 학대하는 행위

10. 아동을 위하여 증여 또는 지급된 금품을 그 목적외의 용도에 사용하는 행위

11. 아동의 덕성을 기히 해할 우려가 있는 도서, 간행물, 광고물, 기타의 내용물을 제작하거나, 이를 아동에게 판매, 분포, 공여, 교환, 전시, 구연, 방송하거나 하게 하는 행위

형법	제 287조 (미성년자의 약취, 유인)
	미성년자를 약취, 또는 유인한 자는 10년 이상의 징역에 처한다.
	제 302조 (미성년자에 대한 간음)
	미성년자 또는 심신미약자에 대하여 위계, 또는 위력으로써 간음 또는 추행을 한 자는 5년이하의 징역에 처한다.
	제 305조 (미성년자에 대한 간음, 추행)
	13세 미만의 부녀를 간음하거나 13세미만의 사람에게 추행을 한 자는 제 297조, 제 298조, 또는 제 301조의 예에 속한다.
	(참고: 제 297조 (강간), 제 298조 (강제추행), 제 301조 (강간 등에 의한 치사상)

<u>국가는 고아들에 대한 적절한 대책을 마련해 놓아야 한다. 양자입적 과정에 관한 규정은 주의깊게 입법되어야 하며, 양부모가 아동을 그 출생국이 아닌 다른나라로 데려가게 되는 경우에는 보증조항이나 법적효력을 확실히 하기 위하여 이에 관한 국제적 약정이 마련되어야 한다.</u>

| 아동복지법 | 제 11조 (보호조치) | 1) 도지사 또는 시장, 군수는 그 관할구영 요보호아동 또는 요보호임산부를 발견한 때 에는 다음의 보호조치를 하여야 한다. |
| | | 1. 아동 및 그 보호자에 대하여 훈계 하거나 계약서를 제출시키는 것 |

0060

(3)

                    3. 보호자 또는 대리양육을 원하는
                    연고자에 대하여 그 가정에서 보호양육
                    할 수 있도록 필요한 조치를 하는 것
                    4. 아동의 보호를 희망하는 자에게 그
                    보호를 위탁하는 것

        제 16조(아동의 후견인선임청구)
                    도지사는 친권자 또는 후견인이 없는 아동을
                    발견할 경우 그 복지를 위하여 필요하다고
                    인정할 때에는 법원에 후견인의 선임을 청구
                    할 수 있으며 필요에 따라 그 해임을 청구
                    할 수 있다. 다만, 아동복지시설에 입소중인
                    아동에 대해서는 "보호시설에 있는 고아의
                    후견직무에 관한 법률" 제 2조의 규정을
                    적용한다.

보호시설에 있는 고아의 후견직무에 관한 법률   전반

보호시설에 있는 고아의 후견직무에 관한 법률 시행령   전반
입양특례법   전반
민법   제 4장 2절 양자 (제 866조 - 897조)

입양특례법   제 9조(외국에서의 국외입양)
                    1)외국인이 국내에서 제2조제1항 각호의 1에
                    해당하는 자를 양자로 하고자 할 때에는
                    이에 관한 입양알선업무를 행하는 기관에
                    의뢰하여야 한다.
                    2)제 1항의 규정에 의한 입양알선업무를
                    행하는 기관은 제10조의 규정에 의한 입양
                    알선기관이어야 한다.
                    3)제 1항의 규정에 의하여 입양알선을 의뢰
                    받은 입양알선기관의 장이 입양알선을 하고자
                    할 때에는 제 8조 제 1항 각호의 서류를
                    갖추어 당해 양자로 될 자의 해외이주허가
                    를 보건사회부 장관에게 신청하여야 한다.
                    4)양자로 될 자가 해외이주허가를 받고 출국
                    하여 당해국의 국적을 취득한 때에는 입양
                    알선기관의 장은 지체없이 이를 법무부장관
                    에게 보고하고, 법무부장관은 직권으로 그의
                    대한민국국적을 제적할 것을 본적지 관할
                    가정법원에 통지하여야 한다.

        제 10조(입양알선기관)1)입양알선기관이 되고자 하는 자는 보호시설
                    을 운영하는 법인으로서 보건사회부장관의
                    허가를 받아야 한다. 허가받은 사항을 변경

                                    0061   (4)

하고자 할 때에도 또한 같다.

2)입양알선기관의 허가기준 기타 필요한
사항은 대통령령으로 정한다.

3)외국인은 입양알선기관이 장이 될 수 없다

4)입양알선기관의 장이 입양대상국이나 당해국
의 공인기관과 입양업무에 관한 협약을
체결하고자 할 때에는 보건사회부장관의
승인을 얻어야 한다.

지체부자유아는 특별한 치료와 교육. 그리고 보살핌을 받을 권리가 있다.

　심신장애자복지법　제3조(존엄과 가치)　심신장애자는 개인으로서의 존엄과 가치를
　　　　　　　　　　　　　　　　　　　가지며 이에 상당하는 처우를 보장받는다.

　특수교육진흥법　전반

아동은 가능한 한 가장 건강하게 살 권리가 있다. 국가는 모든 아동을 위한 보건
정책이 실시되도록 노력하되 질병의 예방. 보건교육. 그리고 영아사망률 감소 등에
역점을 두어야 한다.

　학교보건법　제7조(신체검사)　1)학교의 장은 매년 학생과 교직원에 대
　　　　　　　　　　　　　　　하여 신체검사를 실시하여야 한다.

　　　　제9조(학생의 보건관리)학교의 장은 학생의 체위향상, 영양관리
　　　　　　　　　　　　　　질병의 치료와 예방 등을 위하여 필요한
　　　　　　　　　　　　　　지도를 하여야 한다.

　유아교육진흥법　제3조(국가의 임무)　국가는 유아교육의 진흥을 위하여 다음
　　　　　　　　　　　　　　　각호의 사업을 시행하여야 한다.
　　　　　　　　　　　　　　　　5. 유아를 위한 보건, 의료

　　　　제4조(지방자치단체의 임무)지방자치단체는 유아교육의 진흥을
　　　　　　　　　　　　　　위하여 다음 각호의 사업을 시행하여야 한다.
　　　　　　　　　　　　　　　3. 유아를 위한 보건, 의료

　　　　제7조(보건진단)　1)유아교육기관의 장은 원아에 대하여
　　　　　　　　　　　　정기적으로 건강진단을 실시하여야 한다.
　　　　　　　　　　　　2)유아교육기관의 장은 제1항의 규정에 의하여
　　　　　　　　　　　　건강진단을 실시한 결과, 치료를 요하는
　　　　　　　　　　　　원아에 대하여는 그 보호자와 상의하여
　　　　　　　　　　　　필요한 조치를 하여야 한다.

　모자보건법　제3조(국가와 지방자치단체의 책임)

　　　　　　　1)국가와 지방자치단체는 모성과 영,유아의
　　　　　　　건강을 유지,증진하기 위하여 필요한 조치를
　　　　　　　하여야한다.
　　　　　　　2)국가와 지방자치단체는 모자보건사업 및
　　　　　　　가족계획사업에 관한 대책을 강구하여 국민보건
　　　　　　　향상에 이바지하도록 노력하여야 한다.

0062

(5)

제10조 (임산부 및 영유아의 건강관리 등)

1)시장, 군수는 임산부 및 영,유아에 대하여 대통령령이 정하는 바에 따라 정기적으로 건강진단,예방접종을 실시하거나 모자보건요원으로 하여금 그 가정을 방문하여 보건진료를 하게 하는 등 보건관리 보건관리에 관하여 필요한 조치를 하여야 한다.

2)시장, 군수는 임산부 및 영유아 중 입원진료를 요하는 자에게 다음의 의료지원을 할 수 있다.

1.진료
2.약제 또는 치료재료의 지급
3.처치,수술 기타의 치료
4.의료시설에의 수용
5.간호
6.이송

초등교육의 의무화는 가능한 한 빨리 이루어져야 하며, 훈육에 있어서는 아동의 존엄성을 존중해야 한다. 교육은 아동으로 하여금 이해와 평화, 관용의 정신 속에서 인생을 준비하게 하는 것이라야 한다.

교육법   제8조 (의무교육)   1)모든 국민은 6년의 초등교육과 3년의 중등교육을 받을 권리가 있다.

제1조   교육은 홍익인간의 이념아래 모든 국민으로 하여금 인격을 완성하고 자주적생활능력과 공민으로서의 자질을 구유하게 하여 민주국가발전에 봉사하며 인류공영의 이상 실현에 기여하게 함을 목적으로 한다.

아동은 여가 및 유희 시간을 가져야 하며, 문화예술 활동을 위한 기회를 동등하게 가져야 한다.

교육법(?)

국가는 아동이 경제적 착취를 당하지 않도록, 그리고 교육과 건강 및 건전한 성장에 방해가 되는 노동을 강요당하지 않도록 보호하여야 한다.

근로기준법   제50조 (최저연령과 취직인허증)   1)13세 미만자는 노동자로 사용하지 못한다. 다만, 노동부장관의 취직인허증을 소지한 자는 그러하지 아니하다.

(6) 0063

                      2)제1항의 취직인허증은 본인의 신청에 의하여
                      의무교육에 지장이 없는 한 직종을 지정하여
                      서만 발행할 수 있다.
          제51조(사용금지)   여자와 18세미만자는 도덕상 또는 보건상 유해,
                      위험한 사업에 사용하지 못한다. 다만 금지
                      직종은 대통령령으로써 정한다.
          제54조(임금청구)   미성년자는 독자적으로 임금을 청구할 수 있다.
          제55조(근로시간)   13세이상 18세 미만 자의 근로시간은 1일에
                      7시간, 1주일에 42시간을 초과하지 못한다.
                      다만 당사자간의 합의에 의하여 1일에 1시간
                      1주일에 6시간을 한도로 연장할 수 있다.
          제58조(갱내근로금지)사용자는 여자와 18세미만자를 갱내에서 근로
                      시키지 못한다.

국가는 아동이 불법적인 약품의 사용과 생산 및 거래에 관련되지 않도록 보호하여야 한다.

      (대마관리법, 마약법, 독물 및 극물에 관한 법률, 향정신성의약품관리법 등
       관계법규에 미성년자, 혹은 아동에 관한 특별한 규정은 없음)

국가는 아동의 유괴나 매매 등의 범죄를 근절하는 데 모든 노력을 경주하여야 한다.

      형법   제287조(미성년자의 약취, 유인)미성년자를 약취 또는 유인한
                      자는 10년 이하의 징역에 처한다.
                  제336조(약취강도)   사람을 약취하여 그 해방의 대상으로 재물을
                      취득한 자는 제333조의 죄로써 논한다.
                      (참고: 제333조(강도))

      특정범죄가중
      처벌등에 관한
      법률   제5조의 2(약취, 유인죄의 가중처벌)
                      1)형법 제287조의 죄를 범한 자는 그 약취
                      또는 유인한 목적에 따라 다음과 같이 가중
                      처벌한다.
                          1. 약취 또는 유인한 미성년자의 부모
                          기타 그 미성년자의 안전을 염려하는 자
                          의 우려를 이용하여 재물이나 기타 재산
                          상의 취득할 목적인 때에는 무기 또는
                          5년이상의 징역에 처한다.
                          2. 약취, 또는 유인한 미성년자를 살해할
                          목적인 때에는 사형, 무기 또는 7년이상
                          의 징역에 처한다.
                      2)형법 제287조이 죄를 범한 자가 다음 각호
                      의 1에 해당하는 행위를 한 때에는 다음과
                      같이 가중처벌한다.

                                              (7) 0064

1. 약취 또는 유인한 미성년자의 부모
기타 그 미성년자의 안전을 염려하는 자
의 우려를 이용하여 재물이나 재산상의
이익을 취득하거나 이를 요구한 때에는
무기 또는 10년이상의 징역에 처한다.
2. 약취 또는 유인한 미성년자를 살해한
때에는 사형, 또는 무기징역에 처한다.
3. 약취, 또는 유인한 미성년자를 폭행,
상해, 감금 또는 유기하거나 그 미성년자
에게 가혹한 행위를 가한 때에는 무기
또는 5년 이상의 징역에 처한다.
4. 제 3항의 죄를 범하여 미성년자를 치
사한 때에는 사형, 무기 또는 7년 이상
의 징역에 처한다.

18세 이전에 행한 범죄에 대하여 사형이나 종신구금이 부과되어서는 안된다. 아동은
어른과 분리시켜 수감해야 하며 고문을 비롯한 잔인, 가혹행위를 받아서는 안된다.

소년법   제59조 (사형,무기형의 완화)죄를 범할 때 18세 미만인 소년에
                  대하여는 사형 또는 무기형으로 처할
                  것인 때에는 15년의 유기징역으로 한다.

행형법   제2조 (교도소등의 설치) 2)교도소에는 만 20세이상의 수형자를
                  수용한다.
                  3)소년교도소에는 만 20세미만의 수형자
                  를 수용한다.

아동은 전쟁에 참가해서는 안된다. 전쟁중인 장소에서의 아동은 특별한 보호를 받아야
한다.

병역법   제8조 (제1국민역에의 편입 및 편입대상자신고)
                  1)대한민국국민인 남자는 18세부터 제1국민
                  역에 편입된다.

전시근로동원법   제3조 (동원연령) 1)본 법에 의한 근로동원은 대한민국국민으로
                  서 연령 만 17세이상 만 40세미만의 남자로
                  한다. 단 병역법의 적용은 배제되지 아니한다.

소수민족이나 토착민족의 아동은 자신의 문화, 종교 및 언어를 자유로이 향유하여야 한다.

부당한 대우, 방임 또는 구금으로 인해 고통당한 아동은 그로부터의 회복 복귀를 위해
적절한 치료나 훈련을 받아야 한다.

국가는 이 협약에 정해진 아동의 권리들이 성인과 아동 모두에게 널리 알려지도록 한다.

(8)0065

⊕
UNICEF K29808
82304 UNICEF TH

UNCIEF SEOUL
17.2.89

05 DIAZ

IN CONNECITON WITH OUR EAPRO MAY MTG WITH UNCIEF REPRESENTATIVES,
OUR OFFICE WILL ARRANGE CONFERENCE OF TWO DAYS DURATION WITH
SMALL GROUP OF SELECTED, FROMINENT RESOURCE PERSONS N EXPERTS
FM ASIA. SCHEDULED TIME IS 15-16 MAY N THEME OF THESE DISCUSSIONS
WILL BE UNICEF STRATEGIES IN 1990S, IN A REGIONAL PERSPECTIVE.
THIS IS IN RESPONSE TO EXBOARDS N EXDIRECTORS WISH TO HA
THE UNICEF STRATEGIES DOCUMENT FOR 1990 BOARD PREPARED IN A
PROCESS INVOLVING CONSULTAITONS AT REGIONAL N COUNTRY LEVELS.
THE FORMER WILL BE INITIATED DURING MAY MTG N THE LATER CLD
SUBSEQUENTLY TAKE PLACE DURING MTHS JUNE/JULY. HOPE TO HA AN
INITIAL DISCUSSION WITH U ON THIS SUBJECT DURING OUR INFORMAL
REPRESENTATIVES MTG IN BKK IN MAR. MEANWHILE WE HA STARTED SOME
PREPARATIONS FOR THE MAY CONFERENCE WITH REGIOANL RESOURCE PERONS,
PRIMARY IN TERMS OF DRAFTING AS EAPRO REPORT ON UNICEF STRATEGIES,
WHICH IS INTENDED TO BECOME THE MAIN WORKING DOCUMENT FOR THE
MAY CONFERENCE. WE SLD BE ABLE TO SHARE AN ANNOTATED OUTLINE
WITH U FOR DISCUSSION WHEN WE MEET 1N MAR. BRIEFLY, THE GROUP
OF EXPERTS WILL HA TO LOOK AT THE MAIN GLOBAL GOALS, TARGETS
N STRATEGIES FOR CHILDREN N TO ANALIZE WHETHER THESE R APPLICABLE
N FEASIBLE IN THE REGION.
FURTHERMORE, THE GROUP SLD FEEL FREE TO PROPOSE ADDITIONAL GOALS
N STRATEGGIES FOR THE REGION, WHETHER RELATED TO THE WIDER
CONCEPT OF CHILDREN OR THE MAORE NARROW OF UNICEF OPERATIONAL
CONCERNS. IN VIEW OF THE NEED TO ENSURE HIGH QUALITY PARTICIPATION
IN THE MAY CONFERENCE, IT WLD BE DESIRABLE TO APPROACH PROSPECTIVE
PARTICIPANTS ALREADY NOW, SINCE MANY OF THEM MIGHT HA BUSY
SCHEDULES MTHS AHEAD. I WLD VERY MUCH APPRECIATE IF THOSE OF
U WHO HA RESOURCE PERSONS TO CONTACT IN YR RESPECTIVE COUNTRIES
CLD FIND TIME N OPPORTUNITY TO DO SO PERSONNALY IN ORDE R TO
EXPLORE N SOLICTI THEIR INTEREST IN THIS EXERCISE N THEIR AVAILA-
BILITY EVEN BEFORE THEY GET FORMAL LETTERS OF INVITATIONS.AT
THIS STAGE NO DECISIONS HA BEEN TAKEN ON PARTICIPANTS N WE WLD
WELCOME YR VIEWS N COMMENTS. WE R TRYING TO IDENTIFY PEOPLE
OF EXCELLENCE, NOT NECESSARILY GOVT OFFICIALS BUT INDEPENDENT
WELL KNOWN RESOURCEFUL PEOPLE.
IN KOREA, WE R CONSIDERING MR HAHN BEEN LEEN N MR. CHUNG BOM
MO OF HALLYM UNIVERSITY AS OUR CHOICE. BOTH OF WHOM SLD COME
SINCE THEY WLD BE VERY GOOD RESOURCE PERSONS. WHAT IS IMPORTANT
AT THIS EARLY STAGE IS TO HA AN AGREEMENT ONT HE NAMES OF PARTICIPANT
S N MAKE SURE THAT THEY CAN MAKE THEMSELVES AVAILABLE. DETAILS
ON CONTENT OF MAY MTG AS WELL AS AGT ARRANGEMENTS WILL BE WORKED
OUT LATER.

TKS RGS
MOSTEFAOUI CKK

PLS READ... AS WELL AS ARRANGEMENTS..

⊕
UNICEF K29808MMMMM   0066

분류기호 문서번호	국연 2031- 192 ( )	협 조 문 용 지	결	담 당	과 장	국 장
시행일자	1989. 6. 15.		재	조재욱	5lv	
수 신	국제법규과장	발 신	국제연합과장		(서명)	
제 목	국제 아동 권리 협약					

　

유엔 인권위원회는 금년도 유엔총회채택을 목표로 표제협약안을

심의중인바, 동협약 최종안 및 인권위 실무작업반 보고서를 별첨과

같이 송부하오니 아국의 동협약 가입과 관련 검토 조치하여 주시기

바랍니다.

　

첨부 : 1. 상기협약 최종안(E/CN.4/ 1989/ 29& Corr.1)) 4부.

2. 유엔 인권위 실무작업반 보고서 (E/CN.4/ 1989/ 48)

4부. 끝.

0067

1505 - 8 일 (1)
85. 9 . 9 승인 "내가아낀 종이 한장 늘어나는 나라살림"
190㎜×268㎜(인쇄용지 2 급 60g / ㎡)
가 40-41 1989. 1. 7.

외　무　부

종　별 :

번　호 : UNW-1563

수　신 : 장　관(국연)

발　신 : 주 유엔 대사

제　목 : 아동권리 협약채택 촉구 행사

일　시 : 89 0825 1830

1. 8.25. 유엔본부에서 UNICEF 와 MEDECINS DEMONDE (국제의료 구호단체) 주관으로 세계 어린이 대표들이, 제44차 총회에 제출예정인 표제협약의 채택을 호소하는 행사가 개최 되었음.

2. PEREZ DE CUELLAR 사무총장은 상기 대표들을 접견한 자리에서 각지에서 아동들이 겪고있는 참상에 언급하고 세계 아동들의 보호와 자유로운 성장을 위한 표제협약 채택의 중요성을 강조하였음.끝

(대사 박쌍용-국장)

국기국　　1차보　　청와대　　안기부

89.08.26　　07:47

외신 1과　통제관

0068

'지구촌兒童'에 國境없는 보살핌

0069

'어린이權利 국제협약' 배경과 意義

온갖위협 증대…하루 4만명 숨져
국제委둬 각나라 義務이행 감시

75國동의 '어린이위한 세계정상만남' 里程標될듯

〈세계 어린이 협회〉

〈協約논의의 진전〉

《申賢秀기자》

兒童의 權利에 關한 全國大會 報告書

한국종합전시장 (KOEX)
국제회의실
1989. 9. 22(금)
국제연합아동기금 유니세프

어린이에게 밝은 미래를 ──

목   차

0071

1. 배   경

유엔은 어린이권리선언 30주년이자 세계아동의 해 10주년을 맞는 1989년 주요 과제를 어린이권리보호로 정하고, 오는 9월 열리는 유엔총회에서 아동의 권리에 관한 국제협약을 승인할 계획이다.

어린이 권리선언이 유엔총회에서 채택된 것은 1959년 11월 20일이며, 20년이 지난 1979년 세계아동의 해엔 아동의 권리에 관한 국제협약의 초안이 유엔 인권위원회에 의해 기초되었다.

전문과 54개 조항으로 되어있는 아동의 권리에 관한 국제협약은 유엔의 승인을 얻은 다음 20개 국가들의 비준을 받아야 효력을 발생한다.

아동의 권리에 관한 국제협약은 사회가 아동의 권리에 대한 의무와 책임을 갖도록 하기 위해 어린이권리선언을 보충하는 것으로서 자원의 부족으로 어린이의 권리를 보장하지 못하는 국가들에게 도움을 주도록 요청하고 또한 부유한 국가에서도 흔히 심각하게 나타나는 아동복지문제들에 대해서도 의견을 제시하고 있다. 물론 협약의 내용에 위배되는 법률은 현재 어느나라에도 존재하지 않지만 협약초안은 이러한 법률들을 보다 진보적으로 향상시키고 활성화하려는 데 있으며 매일 전세계에서 다양한 형태로 일어나는 무관심과 학대로부터 어린이를 보호하는 규범을 만드는 데 있다.

아동이 권리를 갖는다고 선포된지 30년, 이제는 그 권리들을 확정할 법조항을 가질 때가 되었으며 이것을 실현시키기 위해서는 각 정부의 비준과 광범위한 대중적 지지가 뒤따라야만 할 것이다.

2. 목   적

1) 1989년 가을 유엔총회에서 승인될 예정인 아동의 권리에 관한 국제협약을 지지하고,
2) 한국아동의 권리를 국제협약의 규범에 따라 재정의하며,
3) 국민, 정부, 유관기관 및 사회단체가 아동의 권리에 대한 규범을 인지토록 하며,
4) 국제협약이 승인된 후 한국정부의 조속한 인준을 촉구하기 위함.

0072

2

3. 대회순서

1부:개회식(사회:원종배 아나운서)

　　　1:30 p.m. 개회사:**랄프 디아스** 주한유니세프 대표
　　　　　　　　치　사:**김영정** 정무 제2장관
　　　　　　　　축　사:**윤석중** (새싹회 회장)
　　　　　　　UN어린이권리선언 10개원칙 낭독:**각계시민대표**
　　　　　　　안성기(**영화배우**)，이진주, 이보배(**만화가 부부**)
　　　　　　　장윤정(**준미스유니버스**)，차원재(**장위국교장**)
　　　　　　　김희선(**색동어머니회장**)，이　근(**소아과의사**)
　　　　　　　이해창(**하모니카 할아버지**)，김현미('88올림픽 핸드볼 금메달리스트)
　　　　　　　조원경 어린이(**한양국교 6년**)，강준구 어린이(**영훈국교 6년**)

　　　2:30 p.m. 축하공연 및 "어린이의 권리"노래 발표:
　　　　　　　이선희, 유보미

2부:주제발표 (좌장:주정일 원광아동상담소장)

　　　2:40 p.m. 아동의 권리에 관한 국제협약의 배경
　　　　　　　이윤구(한국청소년연구원장)
　　　3:00 p.m. 교육적 측면에서 본 아동의 권리
　　　　　　　발표자:**김인회**(연세대학교 교수)
　　　　　　　토의자:**조혜정**(연세대학교 교수)
　　　4:00 p.m. 복지적 측면에서 본 아동의 권리
　　　　　　　발표자:**장인협**(서울대학교 교수)
　　　　　　　토의자:**김수남**(색동회 회장)
　　　5:00 p.m. 비디오상영(아동의 권리)
　　　5:20 p.m. 결의문 초안 채택
　　　5:30 p.m. 폐　회

3부:리 셉 션
　　　6:00－8:00 p.m.　KOEX지하식당

대회참가자:600명

3

0073

4. 개 회 사

랄프 디아스(주한 유니세프 대표)

존경하는 김 영정 장관님, 윤 석중 새싹회 회장님, 이자리에 참석하신 내외 귀빈 여러분, 오늘 이자리에서 우리의 미래를 짊어질 어린이들의 권리를 함께 생각해 볼 수 있게 된 것을 대단히 기쁘게 생각합니다.

오늘날 세계는 급격한 변화를 겪고 있으며, 이러한 변화들은 어린이들을 포함하여 우리 모두에게 영향을 미치고 있습니다. 얼마전에 저는 수원에 살고 있는 한 친구의 집에 초대된 적이 있습니다. 그 친구는 인공위성수신안테나가 달린 텔레비젼을 가지고 있었는데 화면에는 영국에서 방송되는 프로그램이 일본을 거쳐서 중계되고 있었습니다. 이 간단한 통신기구는 어린아이들도 쉽게 조작할 수 있을 정도였습니다. 전세계적으로 정보의 교류는 급격히 증가하는데 어떠한 나라의 정부도 이러한 정보의 유입을 통제하고 있는 것 같지 않았습니다.

지금으로부터 25년전에는 대한민국 국민의 75%가 농촌지역에서 살았습니다. 지금은 75%가 도시지역에 살고 있습니다. 20세기가 끝날 때쯤은 세계인구의 60%가 도시에 살게 될 것입니다. 농촌에서 도시로의 이러한 대량의 인구이동으로 인해 생활방식에 대대적인 변혁이 생기게 되었습니다. 매일같이 백여만명의 인구가 서울로 들어오고 또 나갑니다. 수백만명이 서울시내 안에서 이곳저곳으로 이동하고 있습니다. 일하는 곳과 즐기는 곳이 한군데, 즉 집이었던 농촌생활과는 달리, 도시의 생활은 집과 직장과 즐기는 공간을 분리해 놓은 것입니다. 이제는 먹는 장소까지 다른 곳으로 분리되고 있습니다. 도시생활이 이처럼 조각조각 분산됨에 따라 인간관계도 또한 조각조각 분리되게 되었습니다. 우리는 바로 옆집에 사는 이웃을 모릅니다. 직장에서는 바로 옆의 동료를 기술자라든가, 선생이라든가, 혹은 행정가라든가 하는 이름으로 알뿐 그 사람의 인간에 대해서는 알려고 하지 않습니다. 심지어 자기 가족이 직장에서 어떤 일을 하는지 모르고 지내기도 합니다. 부모님들 또한 자녀들과 함께 있을 시간이 줄어듭니다. 사람들이 받은 스트레스의 정도는 점점 심각해 집니다.

이러한 관점에서 볼 때, 가정생활은 변화를 겪고 있습니다. 보다 높은 교육의 기회와 일할 수 있는 기회가 주어짐에 따라 보다 많은 어머니들이 직업을 가지고 일하면서 가정 안에 또하나의 조각을 만들게 됩니다. 핵가족화와 지역공동체의 붕괴로 인해 가족내의 협조를 구하기 어렵게 되기때문에 자녀의 양육은 시설탁아에 맡겨지게 되거나 혹은 무관심하게 방치되기도 합니다.

이전에 우리는 취학연령의 만 여섯살 짜리 어린이들에 대해 걱정을 했습니다. 지금은 유치원에 들어갈 나이인 만 네살박이들을 걱정합니다. 서기 2000년경이면 탁아소에 맡길 세 달된 아기늘을 걱정하게 될 것입니다. 지난날 어린아이의 양육은 저절로 되어지는 것이었

4

0074

울지 모릅니다. 그들은 늘 어머니, 혹은 가까운 친척들과 함께 지냈습니다. 그리고 형제 자매나 사촌들과 가깝게 사귀며 서로에게 도움을 주었습니다. 오늘날 우리는 우리와 떨어져 있는 매시간시간 우리의 아이들에게 무슨 일이 일어나고 있는지 생각해야만 합니다. 어린 아이의 양육이 가정에서 탁아시설로, 그것도 전국규모나 나아가서 국제규모로 전이되는 시점에서 이제 우리는 우리 어린이가 자신의 잠재력을 완전히 개발하기 위해 꼭 필요한 것 한가지를 생각하게 됩니다. 우리는 어린이가 훌륭한 양육과 사랑과 건전한 발달에의 권리를 갖고 있으며, 국제사회의 유용한 일원으로 성장할 권리를 지니고 있음을 인식해야만 합니다. 한국 어린이의 권리에 대하여 이야기하는 것은 결코 이르다고 볼 수 없습니다. 어린이를 보호하는 행동을 취하는 데에 신문에서 어린이가 학대나 방임으로 사망했다는 기사를 읽을 때까지, 어린이의 위기가 닥쳐올 때까지 기다릴 필요는 없는 것입니다.

올해 12월 이전에 국제연합 총회는 어린이의 권리에 관한 국제협약을 채택하게 됩니다. 이 협약은 한국과 외국에 거주하는 모든 한국 어린이를 포함하여 전세계 어린이들을 보호하는 법적 기초가 될 것입니다. 그러므로 여러분께서 대한민국정부로 하여금 이 어린이의 권리에 관한 국제협약을 비준하도록 촉구하셨으면 하는 것이 저희 바램입니다.

끝으로 이 협약을 지지하는 모든 분께 감사드립니다. 오늘의 이 모임이 오늘의 어린이를 위하여 더 많은 것을 우리에게 요구하는 것이 되기를 바랍니다. 왜냐하면 미래의 세계는 오늘의 어린이에게 달려있기 때문입니다.

5

0075

5. 치   사

김영정 (정무 제2장관)

1959년 제14차 유엔총회에서 아동의 권리가 선포된지 올해로 만 30년이 된 이 시점에서 이를 확고하게 뿌리를 내리게 하기 위한 실천적운동의 일환으로 오늘 이 대회개최를 주관한 국제연합아동기금 한국대표사무소 측에 먼저 치하의 말씀을 드리며, 아울러 뜻있고 보람있는 이 행사에 지대한 관심을 가지고 함께 자리를 하신 여러분들을 모시고 치사의 말씀을 드리게 된 것을 매우 기쁘게 생각하는 바입니다.

흔히 우리들이 어린이에 대한 특별한 관심과 보호를 촉구시키기 위하여 여러가지 측면에서 여러가지 표현으로 말을 하고 있습니다. 이 가운데에서 우리들이 쉽게 발견할 수 있는 한가지 공통되는 현상이 있는데 이는 누구나가 아동보호와 권리를 강조하는데에는 인색함이 없다는 사실입니다.

그럼에도 현실은 이러한 사실과는 일치하지 않고 있다는 것이 또한 분명한 사실입니다. 어린이 권리선언을 이루고 있는 여러가지 원칙들을 굳이 말할 필요도 없이 이 선언이 있은지 30년이 지났지만 그동안의 세계는 경제발전과 산업화의 와중에서 인간본연의 얼굴이어야 할 어린이에 대한 소외현상은 더욱 심화돼 왔으며, 모든 권리와 자유를 마음껏 누리면서 어린시절을 보내고 훌륭한 어른으로 자랄 수 있어야 할 어린이들이 숱한 천재와 인재 앞에서는 가장 무방비한 상태로 노출되어 왔었다는 것이 또한 사실입니다.

이러한 가운데에서도 정말 다행스러웠던 사실은 생존권, 건강권, 교육권등 어린이들이 누려야 할 권리가 무자비하게 박탈당하는 것으로 부터 보호하고 전세계 아동들이 항상 직면하고 있는 여러 형태의 방임과 학대로 부터 보호받게 하고 사회가 아동의 권리에 대한 의무와 책임을 갖도록 하기 위하여 1959년의 "아동의 권리선언"에 이어 유엔 인권위원회가 "아동의 권리에 관한 국제협약"을 초안했다는 사실입니다. 물론 이 협약은 금년 유엔 총회에서 승인을 얻고 20개국의 비준을 받아야 그 효력이 발생하게 되어있습니다마는 아무튼 세계가 외면할 수 없을 정도로 심각해진 아동문제에 대하여 더 늦기전에 주의와 관심을 기울이게 되었다는 것은 오늘과 내일의 아동문제에 대하여 책임을 져야 할 우리 어른들에게는 다행한 일이라고 아니할 수 없습니다. 이러한 의미에서 유엔이 초안한 아동권리에 관한 협약의 뜻을 드높여야 한다고 생각합니다. 그리고 무엇보다 중요한 것은 아동권리에 대한 관심이 아무리 국제적으로 충만되어 있다고 하더라도 아동의 권리가 참다운 권리로서 제구실을 다하고 실질적인 뒷받침이 있어야 합니다. 이렇게 되게 하기 위해서는 유엔의 선언이나 협약이 세계 각국의 국내법에 수용되고 통합되어야 하며 아울러 이것을 달성시키기 위한 국민 전체의 넓은 지지와 노력이 수반되어야 할 것입니다.

우리나라에서도 일찌기 1957년 제정, 선포하고 1988년에 개정,선포한 대한민국 어린이 헌장에 아동의 권리를 선언적으로 규정하고 있으며, 1981년에 제정된 "아동복지법"에서는 아동이 건전하게 출생하여 행복하고 건강하게 육성되도록 그 복지를 보장하는 등 구체적

0076

6

으로 아동의 권익보호를 법률적으로 뒷받침하고 있습니다.

물론 이러한 정부차원의 법률적 조치만으로 아동권리에 대한 의무와 책임을 다했다고 할 수 없습니다. 어린이를 두고 있는 우리 모두가 법과 국가정책에 앞서서 어린이들을 보호, 육성하는데에 일차적인 책임이 있다는 마음가짐이 있어야 하겠습니다.

특히 산업화, 도시화로 특정지어지는 현대 사회에서 가족형태가 핵가족화되고, 가치관의 변화로 가족기능이 약화되어 가정해체 또는 결손가정 등의 출현이 증가하고 있고, 부분적 현상이기는 하지만 아동의 유기, 방임, 학대등 사회문제가 빈발, 확대되어가고 있는 추세속에서 어린이를 보살피고 보호해야 할 책임을 전적으로 맡고 있는 우리 어른들이 아동권리에 대한 규범을 정확하게 인지하고 적극 추진하는 일이 절실히 요구됩니다.

이러한 의미에서 오늘의 이 대회가 목적하는 바를 다시한번 음미해야 하겠습니다. 즉,
● 아동권리에 관한 국제협약을 지지하고,
● 이 협약의 규범에 따른 우리나라 아동의 권리를 재 정의하며,
● 아동권리에 대한 규범을 우리사회가 똑똑히 알아야 하며,
● 국제협약이 승인된 후에 우리정부의 신속한 후속조치를 촉구하는 것등이 되겠습니다.

오늘 이 모임이 이러한 목적이 달성되도록 절대적인 성원과 지지를 보내는 첫 출발이 되도록 우리 모두 열과 성을 다할것을 다짐하면서 다시한번 오늘의 이 대회를 주최하신 유니세프에 감사의 말씀을 드립니다.

7

0077

7. UN의 어린이권리선언 낭독

안성기 1. 어린이는 이 선언에 공포된 모든 권리를 누려야 한다. 모든 어린이들은 어떠한 예외도 없이 인종, 피부색, 성별, 언어, 종교, 정치적 견해, 사회적 출신이나 지위로 인한 차별을 받지 않고 이러한 권리를 누려야 한다.

그 첫째로, 어린이는 그 출생과 동시에 이름과 국적을 부여받아야 한다.

강준구 어린이 이름이 없으면 상대방을 부를 수도 없구요 누가 불러도 그게 날 부르는 건지 알 수가 없잖아요.

조원경 어린이 또 우리가 여행을 가고 싶어도 이름과 국적이 없으면 우린 어느 나라도 들어갈 수가 없어요. 어떻게 국적이 없는 사람이 있을 수가 있어요.

이진주 이보배 2. 어린이는 인종적, 종교적 그리고 어떤 다른 형태의 차별로부터도 보호되어야 한다. 어린이는 이해, 관용, 인간적인 우정, 평화와 세계적 형제애의 정신속에서 자신의 힘과 재능을 이웃에 대한 봉사에 바쳐야 한다는 온전한 의식을 가지도록 키워져야 한다.

강준구 어린이 만일 부모님들이 종교가 다른 사람들을 싫어해서 그 아이들하고 어울리지 못하게 막는 것은 옳지 않아요.

우린 마음에 드는 친구를 사귈 권리가 있어요. 단지 부모님들이 마음에 들지 않는다고 친구사이를 갈라 놓는 것은 옳지 않다구요. 우린 여러 친구를 사귈 필요도 있으니까요.

조원경 어린이 그래요 나도 그렇게 생각해요. 부모님들이 어떤 인종이나 피부색, 종교에 대해서 선입견을 갖고 아이들에게 사람을 가려놀라고 가르치면은요, 나중에 그 아이들이 자라서 또 다른 사람들에게 그런 나쁜 생각을 갖게 만들꺼예요.

결국 그러다가 나라끼리 전쟁을 하는 것이 아닐까요.

강준구 어린이 만일 항상 전쟁이 계속된다면 아무에게도 좋을게 없어요. 그저 많은 사람들이 죽어갈 뿐이죠.

조원경 어린이 난 전쟁보다는 평화가 훨씬 좋다고 생각해요. 폭탄이 터지고 전투기가 공격을 하고 게다가 많은 사람이 죽는건 정말 싫어요. 그리고 전쟁이 세상을 더 좋게 만들지 못하니까요.

만일 모두 평화롭게 살수 있다면 사람들은 훨씬 행복할꺼예요.

장윤정 3. 어린이는 각자의 연령에 적합한 오락활동이나 놀이를 통해 자유스럽게 문화생활이나 예술활동에 참여할 수 있어야 하며, 휴식과 여가를 가질 권리가 보장되어야 한다.

강준구 어린이 만일 어떤 장소에 갑갑하게 갇혀있고 할게 아무것도 없으면 너무나 심심할 거예요.

조원경 어린이 그리고 뭐니 뭐니 노 몰라요.

10

강준구 어린이 이런 운동들은 근육발달을 돕는다구요.

차원재 4. 어린이는 적어도 국민학교 수준의 의무교육을 받을 권리가 있다. 어린이는 일반적 교양을 증진시키고, 자신의 능력, 개인적 판단 그리고 도덕적 사회적 책임감에 대한 자각을 발달시켜 쓸모있는 사회인이 되도록 해줄 교육을 받아야 한다.

조원경 어린이 억지로라도 교육을 시켜야 해

강준구 어린이 난 싫어

조원경 어린이 가만 내버려두면 학교도 빼먹고 숙제도 아무것도 하지 않으려는 아이들이 많을 꺼야, 그래서 교육을 제대로 못 받으면 커서 좋은 직장을 가질 수도 없고 가난하게 살 수밖에 없어.

강준구 어린이 아마 그 아이들은 자기부모들이 살았던 것처럼 또 살겠지 만약 이런식으로 가난을 물려준다면 너무 어리석은 일인것 같아요.

김희선 5. 어린이는 그의 완전하고 조화로운 발달을 위해 사랑과 이해를 필요로 한다. 가능한 한 어디에서든지 부모의 보살핌과 책임 하에 자라야 하며, 예외적인 상황을 제외하고 부모로부터 격리되어서는 안 된다. 사회와 공공기관들은 가족이 없고 적절한 도움을 받지 못하는 어린이들을 특별히 보살펴 주어야 할 의무가 있다.

강준구 어린이 아주 중요한게 있는데요. 그건 우리 모두가 사랑을 필요로 한다는 거예요, 사랑이 없으면 우린 어떻게 될까요.

조원경 어린이 우리도 사랑을 받고 있다고 느낄때 든든해져요. 왜냐면 누군가 날 소중하게 여겨주니까요.

이 근 6. 어린이는 건강하게 자라고 발달할 권리를 부여받아야 한다. 이러한 목적을 위해 모자에게는 산전, 산후관리를 포함한 특별한 보살핌과 보호가 제공되어야 한다. 어린이는 적절한 영양과 주거, 오락 및 의료 서어비스에 대한 권리를 가져야 한다.

강준구 어린이 만약 어린이들에 먹을게 없다면 저희들은 모두 굶어죽을 거예요.

조원경 어린이 난 오늘 아침 신문에서 봤는데 먹을게 없어서 굶어죽는 아이들이 1년에 수백만 명에 달한대요. 이런 비극은 세상에서 없어져야 한다고 생각해요.

이해창 7. 어린이는 특별한 보호를 받아야 하며, 법이나 다른 수단에 의해 자유와 품위를 잃지 않고 육체적, 정신적, 도덕적, 그리고 사회적으로 건전하게 성장할 수 있는 기회를 제공받아야 한다.

11

0081

강준구 자기가 무엇을 원하고 믿는지 자유롭게 생각할 수 있는 자유

어린이 뭐든지 원할수 있고 두려움이 없이 그것을 이루며 행동할 수 있는 자유
나는 이 세상이 우리 어린이에게 줄 수 있는 모든 기회를 우리가 가져야 한다고
생각해요.

조원경 그래요. 우리가 이 다음에 커서 어른이 되면은요, 선생님도 되고 영화배우도 되고
어린이 텔레비젼에 나오는 사람도 되구요 또 비서가 될수도 있겠지요. 그리고 많은 일들
을 하고 그리고 결혼두요.

김현미 8. 심신 장애아는 그의 특수한 상황이 요구하는 특별한 치료, 교육과 보살핌을
받아야 한다. 또한, 어떠한 상황에서도 어린이는 제일 먼저 보호와 구제를 받아야
한다.

조원경 만약에 어떤 위험한 일이 생겼을때요 어린이는 제일 먼저 피신시키고 구조되어
어린이 야 해요.

강준구 나도 그렇게 생각해요.

어린이 왜냐면 아이들은 어른들보다 훨씬 더 약하잖아요. 어른들은 알아서 피하니까요.

안성기 9. 어린이는 모든 형태의 학대와 방임, 착취로부터 보호받아야 한다. 어린이는
어떤 형태로든지 매매의 대상이 되어서는 안되며, 적당한 연령에 도달하기 전에
고용되어서는 안된다. 어린이는 어떠한 경우에도 건강과 교육을 저해하거나 혹은
육체적, 정신적 발달을 방해하는 직업에 고용되도록 강제되거나 방치되어서는 안
된다.

강준구 죄 없는 아이들이 매를 맞거나 또 매를 맞아서 죽게 내버려 둔다면 사회가 뭔가
어린이 잘못되가는 거예요.

조원경 내가 전에 들은 애긴데 어떤 부모가 자기 아들을 방에 가두고 며칠을 버려 뒀대,
어린이 그래서 경찰이 그 아이를 발견하고 밖으로 데리고 나왔을때 그 아이는 거의 죽어
있었대, 난 사람들이 왜 그런 끔찍한 짓을 했는지 알수가 없어.

0082

12

8. 어린이 권리 노래

송	시	현	작사
송	시	현	작곡
유	지	연	편곡
이	선	희	노래
유	보	미	

"온 세상은 어린이를 위해"

온세상은 어린이를 위해 언제나 아름다워야 해
온세계는 어린이를 위해 영원토록 희망차야만 해
온세상은 어린이를 위해 언제나 자유로워야 해
온세계는 어린이를 위해 영원토록 평화로워야 해

지혜와 용기를 알려주세요. 질서와 규칙도 배워요.
따뜻한 사랑을 나눠주고 싶어 희망찬 내일도 보여주고 싶어.
온세상은 온통 우리의 것. 언제나 주인공이예요.
온세계는 어린이들의 것 소중하게 물려줘야만 해.

13

9. 아동의 권리에 관한 국제협약

이　윤구 (한국청소년 연구원장)

I. 머 리 말

"아동의 권리에 관한 국제협약"이 금년 가을 유엔총회에 상정됩니다. 총회의 결과 20개 회원국의 비준으로 "아동의 권리"는 유엔에 가입한 모든 국가가 준수해야 할 조약으로 확정될 전망이 큽니다.

"아동의 권리 선언문"이 유엔총회에서 채택된 것이 1959년이었으니까 금년은 30주년이 되는 해입니다. "세계 아동의 해" 10주년을 맞는 것도 바로 올해여서 "아동의 권리에 관한 국제협약"안이 오는 가을에 있을 제44차 총회에 제출되는 것은 각별한 의미가 있다고 하겠습니다.

그럼 이 아동을 위한 특별한 국제협정이 언제부터 어떠한 연유로 논의되어 왔으며, 왜 이런 국제조약이 필요하며, 이 협정의 주요골자가 무엇이고, 우리 나라의 국민과 정부는 이 국제적인 협정을 어떤 마음가짐으로 받아 들여야 할 것인가하는 명제를 풀어 보는 것이 이 강연의 내용입니다. 주어진 제약된 시간에 이 사람의 지식과 경험을 거울 삼아 드리는 말씀이 여러분에게 다소라도 도움이 되어 드릴 수 있다면 더할 수 없는 영광이겠습니다.

II. 역사적 배경

"아동의 권리"가 국제적으로 토론되고 의결된 것은 1924년이었습니다. 국제 아동구호기금연맹(Save the Children Fund International Union)이라는 단체가 아동복리를 위한 5대원칙을 포함한 "제네바 선언"을 발표했고 이 선언은 같은해 국제연맹(UN의 전신)에서 추인되었습니다. 그후 4분의 1세기가 지나고 참담한 제2차 세계대전이 끝나서 파괴된 세상의 질서를 재건하던 1948년에 "제네바 선언"은 확대개정되고 또 십여년이 지난 1959년에는 드디어 아동의 권리 10개조 선언이 유엔총회에서 만장일치로 채택되었습니다.

말할 나위도 없이 "아동의 권리선언"은 1948년에 선포된 "세계 인권선언"의 테두리 안에서 제정되었습니다. 인권이나 어린이의 권리가 국제적 선언으로 채택된 것은 물론 역사적이고 획기적인 이정표였습니다. 그러나 "선언"이라는 국제적 문서는 서명한 국가에게 아무런 법적의무를 부과하지 못하는 약한 문건입니다. "선언"만으로 끝나는 죽은 문서가 되지 않게 하기 위하여 "세계 인권선언"은 1966년에 국제규약(The International Covenant)으로 강화되었으며 따라서 모든 유엔회원국은 이 규약을 준수할 의무를 지게 되었습니다.

아동에 관한 국제적 합의문서는 약 80여종에 달할만큼 많습니다. 그러나 아동만을 위한 특수한 협정이나 규약은 거의 없고 지난 60여년동안 성장한 사람들의 사회를(물론 아동도 포함하는 규례가 없지는 않지만) 위해 산발적으로 제정된 국제적 문서들은 아동을 보호하고 그들의 권리를 지켜주는데 별로 큰 역할을 하지 못했습니다.

이러한 배경속에서 1979년에 "세계 어린이의 해"를 갖게 되었습니다. 폴란드가 "세계 어린이의 해(IYC)"가 막을 올리기 바로 전에 어린이의 권리선언보다 강한 세계아동의 권리에 관한 국제협약을 제안한 것은 뜻깊은 일이었습니다. "인권선언"이 국제규약으로 추인된 것과 같은 맥락에서 아동의 권리도 협약으로 강화되어야 하겠다는 의도였습니다. 유엔 인권위원회는 1979년에 폴란드 정부가 제출한 협정안을 검토하고 연구하는 특별위원회를 조직하고 해마다 연차위원회가 모이기에 바로 앞서 특별히 회집하여 이 문제를 다루기로 하여 지난 10년동안 작업을 계속해 왔습니다. 인권위원회의 43개 이사국 대표가 중심이 되고 유엔의 관련기구(ILO, UNICEF 등)와 국제민간단체도 옵서버자격으로 참여해 왔습니다. 1983년부터는 비정부단체(NGO)들이 적극적으로 토의에 동참하면서 적지않은 공헌을 해왔습니다.

Ⅲ. 국제협약의 필요성

아동의 세계가 오늘날 처하여 있는 입장을 깊이 관찰하고 있는 어떤 전문가는 그들의 상황을 두고 "조용한 위기(silent emergency)"라고 부릅니다. 이 엄청난 위기, 긴급상태는 헤아리기조차 힘든 많은 어린이들의 생존의 권리, 건강하게 자랄 권리, 배울 권리, 사랑받을 권리를 무자비하게 박탈하고 있습니다. 과학과 기술을 포함한 인간의 지식이 오늘처럼 발달한 지구촌에서는 도저히 용납되기 어려운 살인극이 벌어지고 있는데 인간가족은 비상조치나 응급한 대응을 하지 못하고 있습니다.

우리가 살고 있는 이 지구촌에는 매일 36만의 새 생명이 태어나고 있습니다. 그런데 이 귀한 핏덩어리(한살미만의 영아)들 가운데 2만5천5백명이 생존의 권리를 박탈당한 채 날마다 죽어가고 있습니다. 첫돌을 겨우 넘기더라도 5세미만의 어린이들이 굶주림과 질병으로 쓰러집니다. 이들의 수가 날마다 1만3천명이 됩니다. 우리의 양심을 찌르는 사실은 이 살 권리를 빼앗기는 어린이들 가운데 대부분은 죽어서는 안 될, 죽을 필요가 없는, 살 수 있고, 살려 낼 수 있는 케이스들이라는 사실입니다. 영아사망의 97%는 가난한 후진국에서 기록되고 있습니다.

가난속에서 태어났다는 유일한 죄값으로 후진국에서는 13명에 한사람꼴로 영아들이 우리곁을 떠나 싸늘한 땅으로 돌아갑니다. 선진국에서는 70명에 한사람이 첫돌전에 사망합니다. 시계소리가 똑딱 똑딱 1분을 넘기는 동안 18명의 영아들이 숨을 거둡니다. 이 18명중 17명은 가난한 나라의 어린 것들입니다. 후진국에서는 다시 말하면, 3초에 한명씩 죽어가고 선진국에서는 2분에 한명씩이라는 말입니다. 한 세상을 살만큼 살다가 노약해져서 사망하는 사람이 7사람이라면 5세미만의 어린이들이 3사람이나 세상을 살아

¹⁵

0085

보지도 못한 채 세상을 떠나 가는 셈입니다. 100명의 사망자중 30명은 가난한 나라에서 태어나 한번 크게 울어 보지도 못하고 누구에게 항의해 볼 힘도 못 기른 채 쓰러져 버린다는 것이 차가운 사실입니다.

이런 끔찍한 살인극의 원인은 한마디로 말하기는 힘들지만 주로 질병, 영양실조, 교육부재 혹은 무지가 살생의 원흉으로 지목되고 있습니다. 생명의 가치나 소중함은 꼭 같은데 어째서 아프카니스탄의 영아 사망률은 1000명에 325명이고 스웨덴은 불과 7명인지 생각하면 할수록 생각하는 사람의 가슴을 아프게 합니다. 지나간 한해동안 세상에서 사망한 어린이의 숫자는 서울특별시의 총인구보다 많고 아프카니스탄이나 모잠비크의 국가 총인구와 거의 맞먹는 1천4백만입니다. 보건, 영양, 교육의 단면을 살피면서 지구촌의 영아유아의 살인극을 관찰해 보면 대체로 이러합니다.

우선 의료보건의 측면에서 이 문제를 보면 어린 생명들을 앗아가는 질병은 설사(500만명), 호흡기 질환(290만), 홍역(190만), 말라리아(100만), 파상풍(80만), 그 밖에 영양부족 등을 포함한 다른 이유로 240만이 사망하는 것으로 봅니다. 설사라는 병자체가 사실은 대단치 않은 질환인데다가 70%는 단순한 탈수증이 원인입니다. 의학적으로 도저히 살릴 수 없는 중병도 아니며 간단한 치료가 가능한 병으로 500만의 어린 생명을 죽게 하는 것은 현대 인류사회가 짓고 있는 큰 범죄라고 아니할 수 없습니다. 의료보건이 선진한 나라에서는 아무 문제도 안 되는 백일해나 그밖의 호흡기질환으로 300여만을 해마다 잃고 있는데 예방접종이나 간단한 치료로 쉽게 막을 수가 있습니다. 홍역은 주사 한번으로 예방할 수 있는 과학문명의 시대입니다. 홍역으로 한명의 생명을 잃게 해도 큰 잘못인데 200여만을 죽게 하다니 이게 20세기의 비극중에 하나가 아닙니까? 1600만명의 말라리아 환자가 해마다 발생하여 고통을 당하는 것도 억울한데 300만이나 죽게 하는 지구촌은 정말 사람이 살곳이 못 되는 곳입니다. 살만한 곳으로 만들어 어린 생명의 생존권을 보장해 주어야 합니다. 줄수 있습니다.

질병과 직결되고 같이 생각해야 할 살인마는 영양실조입니다. 우리가 흔히 후진국이니 개발도상국이니 하는 가난한 나라에서 자라고 있는 어린이들의 반수이상이 영양부족으로 오는 빈혈증에 걸려 있다고 봅니다. 임신중인 어머니들의 60%가 역시 영양결핍성 빈혈로 고생하고 있습니다. 굶주림으로 시달리는 이런 모태에서 제대로 자라지 못한 생명이 아주 허약하게 출생하는 경우가 너무 많은 것은 어쩔 수 없는 일입니다. 삶의 시발점에서 벌써 낙오된 발육을 운명으로 타고난 영아들의 숫자가 너무나 많습니다.

지구촌의 "북쪽"에서는 너무 많은 단백질과 카로리를 섭취해서 건강을 해치고 있는데 후진국에서는 1~5세의 어린이들의 몸무게가 평균건강치에 훨씬 못 미치고 있는 현실은 누가 무어라해도 생존의 권리문제요 인류가 직면하고 있는 중대한 과제입니다. 영양이 부족하고 심한 결핍증상이 생기면 약한 몸에 질병이 엄습해 오게 되고 사망하는 아이들의 숫자, 즉 6대질환(디프테리아, 백일해, 파상풍, 홍역, 소아마비, 결핵)으로 1분에 6명씩 죽어가는 것과 같은 수의 다른 아이들이 장애자가 됩니다. 영양실조, 질병, 장

16   0086

애, 생존권의 박탈은 악순환중 지극히 악질의 악순환입니다.

건강과 영양의 문제와 함께 세계의 많은 아동들이 박탈당한 권리는 교육입니다. 개도국의 국민학교 적령기의 어린이들 가운데 20%는 학교문을 들어 서보지 못했습니다. 그 수가 약 1억이나 됩니다. 중등교육을 받아야 할 아동들의 60%(3억2천5백만)가 교육을 받지 못하고 있습니다. 국민학교에 입학하는 비교적 행복한 아이들 가운데 1/3은 4학년에 이르기 전에 학업을 중단하고 집안일이나 공장으로 갑니다. 후진국 사회의 여성은 두사람 가운데 한 사람이 문맹입니다. 이 5억5천만의 어머니가 기르게 될 자녀들이 겪어야 할 무지의 교육은 곧 어린이의 배울 권리의 박탈을 의미합니다. 취학전 어머니 무릎에서 얻는 가르침이 얼마나 중요하다는 것은 논란의 여지가 없습니다.

빼앗긴 아동의 권리는 이제 세계의 새로운 위기의식과 책임감을 긴요하게 필요로 하고 있습니다. 국제적인 조약으로 지구촌 방방곡곡에서 새 법이 생기고 새 보호제도가 마련되지 않으면 안 되게 되었습니다. 금년 가을 유엔총회에 상정될 "아동의 권리에 관한 국제협약"은 이런 의미에서 대단히 중요하다 아니할 수 없습니다.

Ⅳ. 아동의 권리 국제협약의 주요골자

몇달전 (1988. 11. 28~12. 9)유엔 인권위원회 회의에서 제2독회를 마치고 채택된 "아동의 권리협약(안)"은 전문(前文, 序章)과 54절로 구성되어 있습니다. 전문은 기존의 국제적인 선언이나 조약을 상기시키면서 건전한 아동의 생존과 성장을 위해 요구되는 바람직한 가정과 지역사회 환경이 강조되고, 특히 어려운 여건아래서 신음하는 어린이들을 위한 특별한 배려가 명시되어 있습니다. 1~41절이 주문(主文)인데 유엔 회원국들이 준수해야 할 아동의 권리가 포괄적이며 구체적으로 열거되어 있습니다. 그리고 42~54절은 시행을 위한 절차와 규정입니다.

41개조항의 본문부분에서 특히 중요하다고 인정되는 내용은 다음과 같습니다 :

만 18세까지의 모든 연소자를 어린이로 정의합니다(제1절). 18세까지는 자라는 생명이 보호를 받아야 한다는 것입니다. 10~14세의 아직 어린 아이들이 국가의 노동인구의 40%이상을 차지하는 나라들이 많습니다. 10여년전 보고된 아프리카의 몇나라의 형편은 참으로 놀랍습니다. 말리가 45%, 아퍼 볼타가 44%, 아이보리 코스트가 43%였습니다. 중학교를 시골에서 졸업하고 서울로 올라온 한 꽃다운 소년이 새로 얻은 직장에서 수은중독의 직업병을 얻어 발병한지 몇달만에 숨을 거둔 이야기가 얼마전에 있었습니다. 아동의 권리협약이 올해안에 유엔에서 채택되면 이러한 사건들은 곧 국제조약을 위반하는 결과가 될 것입니다.

제3절은 아동 우선의 원칙입니다. 행정, 사법, 사회복지 시설을 포함한 모든 사회제도는 어린이의 안전, 건강, 행복된 성장을 무엇보다 더 소중하고 우선적인 것으로 다루어야 한다는 조항입니다. 부모나 법적 보호자들의 입장에서 아동이 "소유물"처럼, "귀여운 노릿감"처럼 취급되어 온 잘못으로부터 우리들의 의식을 쇄신하고 아동을 성인과

17

0087

조금도 다름이 없는 귀하고 값있는 생명체로, 더욱 내일의 주인으로 아끼고 보호하며 사랑하는 책임을 지게 하는 것입니다. 애급땅 아스완사막에서 제가 만난 한 여인은 19명의 생명을 출산하여 3명만 살아 남고 16명이 어린 나이로 죽었습니다. 어린이를 중심으로 생각하면 이런 큰 죄가 어디 더 있겠습니까? 생존의 권리를 빼앗기고 쓰러지는 이런 어린이들이 오늘도 도처에 있습니다. 제6절은 아동의 생존권리를 국가가 인정한다고 명기합니다. 높은 영아사망률은 새로 제정되는 아동의 권리협약에 대한 정면적 위반이 될 것입니다.

사회언론(신문, 아동잡지, 방송 등)의 교육적 책임이 명시된 제17절은 아동에게 유익한 정보제공의 중요성과 함께 어린이에게 유해하고 비교육적인 글이나 그림이나 드라마나 광고물을 철저하게 규제할 것을 강조합니다. 모든 폭력(신체적 혹은 정신적), 무관심, 학대, 구타, 성적 탈선행위로부터 어린이들이 보호되어야 함을 제19절은 밝히고 있습니다.

신체나 정신적 장애아들이 긍지를 가지고서 가능한 대로 자립적 생활을 할 수 있어야 한다고(제23절) 되어 있습니다. 적절한 공적부조와 재활교육, 취업알선, 사회적 적응에 부족함이 없어야 한다고 강조합니다. 아동의 건강한 성장을 위해 질병이나 영양실조 등을 예방 혹은 치료하는 책임을 국가가 지도록 했습니다(제24절). 사회보장(제26절), 교육(제28, 29절)의 권리, 적절한 여가, 오락 등 문화적 생활의 권리(제31절), 경제적 수탈로부터의 보호(제32절), 마약으로부터의 보호(제33절), 인신매매의 금지(제35절), 형사책임의 규정(제40조) 등도 비교적 소상하게 제시되어 있습니다.

V. 아동의 권리 협약과 한국

우리나라의 국민과 정부가 이 새로운 국제협약을 어떻게 받아 들여야 하겠느냐는 문제를 저는 이렇게 생각하고 싶습니다. 첫째로, 우리 정부와 국민은 올봄과 여름에 국내에서 가능한 모든 방법을 동원해서 이 새 국제협약에 관한 홍보와 교육에 상당한 노력을 기울여야 합니다. 우리는 유엔의 회원국이 아니면서 건국초기부터(1948) 유엔의 각별한 도움을 받아 왔습니다. 그런데 이제는 우리가 그동안 길러온 국력으로 세계의 160여개국 가운데 가장 앞서가는 몇십개국의 대열에 들어서게 되었습니다. 그럼에도 불구하고 아동에 관한 한 우리는 아직 선진국의 대열에 떳떳하게 참여할 자격을 갖추지 못하고 있습니다. 영아의 유기, 고아와 미아의 해외입양, 소년가장의 문제, 국민학교 교육의 어려움, 중고등 학생들의 탈선, 탈가정, 범죄, 이런 모든 아픈 곳들이 이번 제정되는 국제협약의 거울앞에 나타나게 되었습니다. 있는 대로 숨김없이 내어놓고 해결의 길을 찾아 보는 호기회로 삼아야 하겠습니다.

둘째로, 이 협약이 가급적 많은 가정과 학교와 사회단체, 유관정부기관, 종교단체에 널리 알려져서 우리나라의 현존하는 법률을 개정해야 할 것들을 찾아서 실제로 개정을

18

0088

위한 토론과 시안이 나와야 합니다. 청소년단체나 연구기관들이 그리고 법률단체들이 앞으로 몇년동안 이 일에 상당한 노력을 경주해야 합니다.

셋째로, 우리 정부와 사회의 지도층은 지난 40여년간 우리가 받은 유엔의 사랑의 빚을 갚는 일을 시작하는 계기로 이 새 협약을 받아 들여야 한다고 믿습니다. 불우한 이웃, 불행한 이웃나라를 위해 도움을 베푸는 훈련이 우리에게는 필요합니다. 우리나라의 어린이 사망률은 1000에 13명으로 세계에서 제일 앞서 있는 스칸디나비아, 스위스, 일본(1000명당 5~6명)보다 많이 뒤져 있습니다. 그러나 우리는 우리 뒤에 처져있는 100여 개국을 생각해야 합니다. 아프카니스탄, 말리, 모잠비크, 앙골라, 씨에라 리온같은 나라의 어린이 사망률은 우리의 20~25배나 됩니다. 그곳의 죽어가는 어린 생명들을 우리의 정성으로 보내는 돈이나 물자가 건져낼 수 있다고 생각하면 가슴이 설레입니다.

> "우리 인류는 많은 착오와 실수를 범해 왔습니다. 그러나 우리가 오늘날 어린이들을 버리고 생명의 샘을 돌보지 않는 것은 제일 중한 죄입니다.
> 우리가 필요한 많은 것들은 당장에 없어도 기다릴 수 있습니다. 그러나 어린이는 못 기다립니다.
> 바로 지금 그들의 뼈가 자라고 피가 생기고 감각이 성숙해 가야 합니다.
> 그들에게 '내일' 도와 주마고 우리가 말할 수는 없습니다.
> 그의 이름은 '오늘'입니다."

이 시는 노벨상을 받은 칠리의 시인 가브리엘라 미스트랄(Gabriela Mistral)의 영감이 담긴 시입니다. 우리는 오늘 그냥 편하게 앉아서 이 세상을 방관할 수 없습니다. 할 일이 많고 우리가 할 수 있는 일이 참 많습니다.

VI. 맺 는 말

오늘 이 모임은 국제연합 아동기금(UNICEF)이 마련하였습니다. 이 모임이 계기가 되어 이 도시와 인근 많은 지방에 유니세프를 돕기 위한, 아니 가난하고 헐벗고 굶주리는 이웃나라들을 돕기 위한 모임들이 곳곳에서 생겼으면 하는 것이 이 사람의 꿈이고 부탁입니다. 그런 모임이 있게 되면 작거나 크거나 간에 두가지 중요하고 값진 일을 우선 조그맣게 시작할 수 있습니다. 첫째로는 우리들 주변에 있는 불행한 어린이들을 돕는 일과 둘째로는 우리들의 주머니를 털어서, 아니 우리가 먹을 음식을 아끼어서 이웃나라를 위한 헌금을 유니세프를 통해 보내는 일입니다. 우리 민간단체들과 국민의 정성이 모이기 시작하면 유니세프의 이사국인 우리 정부가 지금 해마다 내고 있는 분담금도 그 액수가 많아질 수 있을 것이라고 믿습니다.

19

0089

10. 교육적 측면에서 본 아동의 권리

김인회 (연세대학교 교수)

I. 교육적 시각의 의미

'교육'이라는 말만 들어도 부지불식간에 긴장하는 것이 아마 대다수 한국 부모들의 일반적인 반응일 것입니다. 교육열에 관한한 한국의 부모들은 유태인 부모를 능가할 정도라고 말해도 어느 면에서는 과언이 아닐 정도입니다. 그러니 유엔이 채택한 어린이 인권선언에서 "어린이는 의무교육을 받을 권리가 있다."고 강조한 귀절이 우리나라의 경우에는 해당되지 않는다고 생각될 수도 있습니다. 의무교육은 커녕, 한국의 부모들 거의 대부분은 자녀들로 하여금 중등교육은 물론이고 고등교육까지 받도록 돕지 못해 안타까와 하고 있는 실정이기 때문입니다. 따라서, 만약에 우리가 아동의 권리와 교육이라는 개념을 연결지어 생각할때에, 아동이 받는 제도적 교육의 양이나 정도가 바로 아동의 권리의 보장정도를 나타낸다는 등식을 전제로 한다면 한국의 아동들은 거의 완벽할 정도로 교육받을 권리를 보장받고 있다고 말해도 잘못이 아닐 것입니다. 개도국(開途國)에서는 국민학교에 입학한 아동들 중 3분의 1이 4학년 이전에 학교를 중퇴한다는 통계와 비교할 때에 한국의 경우 1988년 현재 중학교 진학율 99.5%, 고등학교 진학율 93.5%, 대학교 진학율 28.5%를 기록하고 있으니 적어도 통계수치상으로는 교육적 측면에서 본 아동의 권리를 한국을 대상으로 논의하는 일이 무의미해 보일 수도 있습니다. 그러나 만약 우리가 교육이라는 개념을 제도적 학교교육에만 국한하지 않고 그 본래적 의미를 따져 보기로 한다면, 그리고 만약 제도적 학교교육에 있어서일지라도 진정으로 인권이 존중되는 교육다운 교육이란 어떠한 교육인가를 따져 보기로 한다면 교육이라는 이름밑에서 한국 아동들의 권리가 얼마나 심각한 상태에 처해 있는지를 새롭게 발견하게 될 것입니다.

교육이라는 개념을 규정하기 위해서 우리는 먼저 동물과 다른 사람의 특징부터 생각해 볼 필요가 있습니다. 동물들과는 달리 사람에게는 태어날 때 생존을 영위하기 위해 미리부터 완성된 채로 지니고 나오는 아무런 전문적 특징이나 능력이 없습니다. 아무런 전문성도 완성해 갖지 못한 채로 태어난 인간은 삶의 세계속에 들어오면서부터 모든 것을 처음부터 배워야만 합니다. 그가 무엇을 어떻게 배우면서 살아가느냐에 따라서 각 사람은 자기나름의 독특한 개성을 갖추어 가게 되고 어떤 사람으로 되어가는 것입니다. 어떤 사람으로 되어 가느냐 하는 것은 그가 어떤 삶을 사느냐에 달려 있습니다. 어떤 삶을 사느냐 하는 문제는 그가 삶을 어떻게 배우고 준비했으며, 그 배운 것이 어떻게 삶을 통해 나타나느냐하는 문제이기도 합니다. 삶을 배우는 일은 곧 삶을 경험하는 것이기도 합니다. 그리고 모든 인간의 삶은 인간의 문화속에서 이루어지는 것이기에 결국 문화속에서의 모든 경험은 곧 교육적 경험일 수가 있는 것입니다. 이렇게 문화와의 관계를 전제로 하면서 교육현상의 의미를 이해한다면 우리는 교육행위가 이루어지는 범위를 얼마나 넓게 또는 좁게 관찰하느냐에 따라서 적어도 다음과 같은 네가지로 교육의 의미를 정리할 수 있을 것입니다.

우선 가장 넓은 의미로 정의할 때에 교육이란 사람이 태어난 이후부터 자연환경과 문화환경 속에서 삶의 경험전부가 됩니다. 그러니까 가장 넓은 의미로 교육을 규정할 때에는 우리의 삶의 현상은 곧 교육현상이 되는 것입니다.

교육현상의 의미를 조금 범위를 좁혀서 정의하면, 교육은 기성세대가 다음세대에게 의도적으로 문화유산을 경험시키는 행위입니다. 그러니까 가정과 사회 안에서의 생활전반에서 베풀어지는 어른들의 의도적인 문화전달행위 일체가 곧 교육인 것입니다.

좀더 범위를 좁혀서 교육을 정의한다면 교육은 유치원에서부터 대학원에 이르기까지의 모든 제도적 교육기관에서 베풀어지는 경험활동입니다. 우리가 교육이라고 말할 때에 일반적으로 가장 흔하게 사용하는 개념도 바로 이것입니다. 그러나 보다 폭을 좁혀서 교육을 규정할 수도 있습니다. 교육기관안에서의 경험활동 중에서도 특별히 계획되고 조직된 학습내용, 즉 특정한 지식이나 기능, 태도, 가치관 등을 의도적으로 경험시키는 학습활동이 바로 교육이라는 것입니다. 교육의 개념을 그 범위에 따라서 이렇게 넓게도 좁게도 규정할 수 있지만 어느 경우에나 해당되는 공통적 요인이 있다는 사실에 주의할 필요가 있습니다. 즉 교육은 사람이 사람과 더불어 살아가는 가운데에서 삶의 내용과 방법을 배우는 일이라는 사실과, 개념상으로는 아무리 다양한 범위로 교육을 규정할 수 있다고 해도 실제로 삶을 살아가는 모든 아동들의 하루하루속에서는 모든 종류의 교육현상이 함께 진행될 수밖에 없다고 하는 사실입니다.

아무리 제도적 교육을 중요시하고 강화한다고 해도 아동들은 보다 넓은 환경으로부터의 교육적 자극과 영향을 받지않을 수가 없는 법입니다. 실제로 학교교육의 영향력이 아무리 강력하다고 해도 모든 아동을 가정이나 사회환경으로부터의 교육적 영향권으로부터 완전히 벗어나게 하는 것은 불가능한 일입니다. 실제로 우리는 그렇게 할 수도 없을 뿐 아니라 결코 그렇게 해서도 아니될 것입니다.

교육의 의미를 이런 안목에서 생각한다면 우리는 아동의 권리와 교육의 관계를 학교교육의 차원에서만 논의한다는 것이 자칫하면 오해를 불러 일으킬수도 있다는 사실에 주의하지 않을 수 없습니다. 학교교육의 비중만을 기준으로 삼아서 교육의 질과 아동의 권리를 평가하는 편견과 오해가 바로 그것입니다. 평균취학연한이 짧다거나 취학율이 낮다거나 하는 객관적인 통계자료들이 많은 가난한 개도국에서 아동의 교육받을 권리가 얼마나 보장받지 못하고 있는지를 판단할 수 있는 하나의 지표가 될 수 있는 것은 물론입니다.

또한 그런 통계자료를 근거삼아 그런 나라들에서는 학교교육의 혜택을 못받는 대신에 가정교육이나 사회교육의 혜택을 그만큼 많이 받을 것이라는 식으로 논리를 비약할 수 없는 것도 물론입니다. 그러나, 그렇다고 해서 반대로 학교교육의 비중이 극대화됨으로 해서 가정교육이나 사회교육의 의미나 중요성이 상대적으로 극소화되어 가고 있는 한국사회에서의 교육현상이 건강하다거나 교육에 관한한 한국아동들의 권리는 세계에서도 모범적이라는 식으로 논리를 전개할 수 없는 것도 사실입니다.

교육의 범위를 제도교육의 차원에만 국한시키지 않는 보다 공정하고 개방적인 안목으로 교육현상을 바라보면서 교육적 측면에서의 아동의 인권을 생각하기로 한다면 우리는 많은 개도국에서의 학교교육 결핍현상 못지않게 한국사회에서의 불균형적 학교교육 과잉현상 또한 아동의 인권을 침해하는 심각한 문제일 수 있다는 사실을 직시해야만 할 것입니다.

더구나 그러한 학교교육의 현장에서는 얼마나 심각하게 아동의 인권이 침해당해 왔는가를 주의깊게 살펴 본다면 한국교육과 관련된 여러가지 찬란해 보이는 통계적 지표들은 어쩌면 오늘의 한국사회와 정치에서 인권, 평등, 사회정의가 끊임없이 갈등과 논쟁의 원인노릇을 해오게 된 연원을 어디에서부터 찾아야 할 것인지를 암시해 주는 상징적 자료라고 생각할 수도 있을지 모릅니다.

교육적 시각에서 아동의 권리를 설명하기 위해서 우리가 아무리 아름다운 수식어와 정교한 이론을 동원할 수 있다고 해도, 그 교육이 아동들로 하여금 불행감으로부터 헤어나지 못하게 하는 삶의 경험조건인 한 학교교육, 가정교육, 사회교육을 막론하고 그것은 교육이라는 구실을 빙자한 악이고 폭력일 수는 있을지언정 아동의 권리와는 무관한 것이라고 말할 수 밖에 없습니다. 교육적 시각에서 보는 아동의 권리를 한마디로 요약한다면 그 교육을 받음으로써 아동이 스스로를 행복한 존재라고 느낄 수 있는 권리라고 말해도 지나치지 않을 것입니다. 유엔이 채택한 어린이 인권선언의 모든 내용과 조건들의 의미를 우리가 만약 어린이편에서서 이해하려고 한다면 아마도 "어린이로서 행복하게 살 권리"라는 한마디로 말로 집약될 수 있을 것입니다.

아동 각자가 스스로 이 세상에 태어난 것, 이 가정, 이 사회안에서 한 사람의 어린이로 다른 사람들과 더불어 살아가고 있는 것이 행복하다고 느낄 수 있도록 보장해주는 교육이야말로 이 지구상의 모든 어린이에게 당연히 제공되어야할 가장 좋은 교육일 것입니다. 어쩌면 우리는 가정에서건 학교에서건 또는 사회에서건을 막론하고 그러한 교육, 곧 어린이로 하여금 행복을 느낄 수 있도록 보장해주는 교육적 경험을 통해 삶의 현실을 살아나가는 지혜와 방법을 배우면서 자라나는 어린이들이 지금 얼마나 많이 있는가를 갖고서 그 나라, 그 사회가 앞으로 얼마나 행복하고 밝은 복지사회를 이룩할 수 있을 것인지를 미리 점칠 수 있을지도 모릅니다. 행복한 아이들이 행복한 어른으로 자랄 것은 당연한 이치이기 때문입니다. 불행한 아이들이 자라서 불행한 어른이 될 수 밖에 없는 것 또한 당연한 이치일 것입니다. 설사 아무리 유능하고 우수하다고 할 지라도 자기자신이 불행한 사람은 이웃과 세상을 건강하고 긍정적인 눈으로 바라보고 사랑하려들기는 어려운 것입니다. 먼저 자기자신이 행복한 사람이 되어야 남들과 세상을 긍정적인 눈으로 바라볼 수도 있고 사랑을 베풀 수도 있는 법입니다. 실제로는 탁월하지만 불행한 전문가나 지도자보다는 평범하지만 행복한 시민이 행복한 이웃과 건강한 복지사회 실현을 위해서 더 많은 공헌을 하고 있는 것인지도 모릅니다. 우리가 아동의 인권을 교육적 측면에서 평가할 때에 제일먼저 관심을 갖고 기준삼아야 하는 것이 아동의 행복이라는 점을 강조하지 않을 수없는 이유도 바로 이 때문입니다. 아동이 행복할 수 없는 교육이라면 아무리 우수한 인재를 효과적으로 많이 길러낸다고 해도 그 교육은 아동의 인권을 지키는 데에 기여하는 교육일 수는 없을 것입니다.

오늘의 한국사회에서 벌어지고 있는 수많은 갈등과 어려움의 원인들 속에는 과연 어떤 공통성이 감춰져 있는지를 교육적 차원에서 생각해 본다면 우리는 쉽사리 하나의 놀라운 사실을 발견하게 됩니다. 그것은 우리사회안에서 벌어지고 있는 거의 대부분의 부정적 현상들은 바로 어제의 학교교육을 받고 자란 오늘의 어른들 손에 의해서 저질러진 것이라는 사실입니다. 우리사회의 거의 모든 어른들은 최소한 국민학교 6학년이상 또는 고등학교까지 12년, 많은 경우 대학졸업까지 16년이상의 학교교육을 받고 자란 분들입니다. 게다가 지난 수십년동안 우리나라에서는 학교교육의 비중이 계속 증대되어 오기만 했다는 사실을 우리모두는 알고 있습니다. 학교교육의 가치가 가정교육, 사회교육보다 중요시되어 왔고 학교교육이 차지하는 생활에서의 시간비중이 증대되어 왔습니다. 드디어 우리사회에서는 학교교육말고는 어떠한 교육도 가치가 없는 것처럼 생각하고, 학교교육을 위해 소비하는 시간말고는 무엇을 위해서도 낭비할 시간의 여유가 없다고 믿고 있는 것이 아닌가 의심될 정도로 학교교육의 가치와 비중이 절대화되어 왔습니다. 그러나 그러한 학교교육을 받고 자란 오늘의 기성세대들이나, 지금 그러한 학교교육 속에서 자라고 있는 오늘의 어린이들이 삶의 과정속에서 개인적으로나 또는 집단적으로 체험하고 있는 좌절감, 소외감, 적대감, 초조감, 박탈감 등등 불행감의 정도가 얼마나 심각할 것인지에 대한 우려나 관심은 학교교육에 대한 관심의 열도가 높아져온 것에 비해서는 놀라울 정도로 미미했던 것이 사실입니다. 한국에서의 교육과 아동의 인권문제를 개도국들의 경우하고는 전혀 다른방법과 기준으로 관찰하지 않을 수 없는 이유가 여기에 있습니다. 남의 나라들에서는 학교교육 혜택의 결핍이라는 현상이 아동인권의 현실을 말해주는 자료가 됩니다. 하지만 우리나라에서는 이미 보편화되어버린 학교교육 혜택속에서의 교육 불균형 내지는 과잉현상과 더불어 구조적으로 진행되어온 아동인권의 침해상황을 무엇보다 먼저 심각하게 염려하지 않을 수 없는 실정입니다.

Ⅱ. 아동의 권리와 교육

1959년 11월 2일 유엔총회에서 만장일치로 채택한 아동의 권리선언 내용을 기준삼아 오늘의 우리나라 가정, 학교, 사회에서의 아동들의 교육적 현실을 반성적으로 검토해 본다면 그동안 우리가 얼마나 많은 아동의 권리를 부지불식중에 본의 아니게, 또는 알면서도 어쩔 수 없는 형편때문에, 더욱 나쁘게는 일부 무책임한 어른들의 편의와 이익을 위해서 무자비하게 짓밟아 왔었는가를 쉽사리 발견할 수 있을 것입니다.

(1)"어린이는 태어날 때부터 이름과 국적을 가질 권리가 있다"고한 선언 내용을 우리의 현실에 비추어 보면 어떻습니까? 우리의 학교교육 현실에서는 대부분의 아동들이 이름으로 불리워지지 못하고 있습니다. 실제로 학급당 60명이 넘는 아동들을 가르치고 있는 한국의 대도시 국민학교 교사들에게 자기가 맡고 있는 아동들의 이름을 일일이 기억하라고 요구하는 것도 사실 무리일 것입니다. 중고등학교에 올라가서도 형편은 마찬가지 입니다. 대부분의 아동들은 이름대신 '우등생', '열등생'또는 '몇등짜리', '몇점짜리'식으로 불리우거나 대접받고 있습니다.

(2)"어린이는 인종·종교·출생과 관계없이 어떠한 차별도 받지 않아야 한다"는 원칙 역시 비슷한 식으로 우리의 교육현실속에서는 무너져 왔습니다. 단지, 우리의 경우에서는 인종이나 종교 때문에가 아니라 학업성적이나 부모의 사회경제적 조건때문에, 그러니까 출생때문에 유리한 쪽으로건 또는 불리한 쪽으로건 어떠한 차별을 받는다고 할 수 있습니다. 이러한 차별은 상급학교로 올라갈수록 격심해져서 고등학교 2학년 정도부터는 장래 인생 전체에 대해서까지도 미리 결정되어버린 것처럼 취급하면서 우리사회가 눈에 뜨이는 방법과 잘 뜨이지 않는 방법을 섞어 가며 차별해 왔다는 사실을 아무도 부정할 수는 없을 것입니다.

(3)"어린이는 특별한 보호하에 건전하게 성장할 수 있는 기회를 제공받아야 한다."는 원칙의 경우 역시 우리 아동들의 생활환경과 교육환경을 새삼스런 눈으로 돌아보게 합니다.

23

가정에서나 사회에서나 학교에서나를 막론하고 우리의 아동들이 과연 특별한 보호아래 건전하게 성장할 수 있는 기회, 곧 바람직한 교육적 환경과 기회를 얼마나 제공받는다고 할 수 있겠는지 의심스럽습니다. 요즘의 많은 젊은 부모들은 자녀교육에 대해서 도무지 자신을 갖지 못한 채로 아이들을 기르고 있습니다. 그래서 자녀를 교육적인 차원에서 보호하거나 돌보는 대신에 집 밖으로 내어 쫓기가 일쑤입니다. 조기교육이니 특기교육이니 하는 구실을 앞세워 이 학원에서 저 학원으로 숨쉴 틈도 없이 온 종일 몰아 댑니다. 그런가 하면 설사 가정안에서 지내는 시간에도 아동들은 TV나 비데오를 비롯한 비교육적 문화환경과 매체들의 불건강한 영향으로부터 보호받지 못한 채로 지내게 됩니다. 부모들부터가 가정안에서 자녀에게 건전하고 교육적인 환경과 경험을 제공할 능력도 자신도 갖지 못했기 때문일 것입니다. 학교교육만을 교육의 전부인 것처럼 착각해온 우리사회의 불건강한 가치관이 결국에는 학교교육 못지않게 중요한 가정교육까지 파괴해버린 셈이랄 수 있습니다. 아이들은 가정 밖에서도 보호받지 못합니다. 극심해진 교통사고의 위험을 비롯하여 유괴, 갈취, 성폭행 등이 난무하고 있는 사회현실에도 불구하고 자녀를 집밖에 내어보내면서 사회로부터 좋은 교육적 영향을 받기만 기대할 부모가 있을리 만무합니다. 성인나이에 거의 접어든 고3 학생을 자녀로 가진 학부모들 조차도 자녀가 학교나 독서실에서 귀가하는 밤 늦은 시간까지 마음을 조려야만 하는 것이 우리의 현실입니다.

(4)"어린이는 의무교육을 받을 권리가 있으며 놀이와 여가시간을 가져야만 한다."는 원칙 앞에서는 우리교육이 지니고 있는 기묘한 형태의 부조화를 자각하지 않을 수 없게 됩니다. 즉 우리나라의 모든 어린이의 경우 의무교육을 받을 권리는 충족되고 있달수 있지만 그 의무교육의 내용이나 환경에서는 교육과 관련된 아동의 권리가 여지없이 짓밟혀 왔기 때문입니다. 20평 남짓한 교실 속에서 60여명의 학생들이 깨어있는 시간의 대부분을 보내고 있는 과밀교실환경이나, 한 학교에 60개 학급이상 심지어는 90개 학급이 넘는 거대학교 같은 악조건들 속에서 생활하는 아동들에게도 의무교육을 받을 권리를 누린다는 말을 쓰는 것이 과연 합당한지 참으로 의심스럽습니다. 게다가 오늘의 한국 아동들 대부분이 과중한 학습량과 치열한 성적다툼에 쫓겨서 바로 교육이라는 권리를 누리는 일때문에 놀이와 여가시간을 거의 갖지 못하고 있는 현실입니다. 한국의 교육현장에서는 놀이나 여가란 교육과는 무관한, 오히려 교육과는 반대되는 나쁜 경험인 것처럼 인식되어온지도 이미 오래입니다. 지난 40여년 동안 한국의 역사에서 교육의 내용이나 방법이나 제도 등 여러 부분이 헤아릴 수 없이 자주 바뀌어 왔다고 할 수 있지만, 그랬음에도 불구하고 교육과 관련된 모든 변화들은 한가지 공통된 방향을 지향해 왔던 것입니다. 그것은 곧 아동들로 하여금 학교교육에만 몰두하지 않을 수 없도록 몰아가는 방향입니다. 그리하여 각급학교 아동들이 학교교육에만 매달리는 시간의 양을 되도록 늘리고, 여가나 놀이에 투입할 시간의 여유는 극소화하는 방향으로만 교육의 변화는 거듭되어 왔던 것입니다. 이렇게 볼 때에 어린이는 놀이와 여가시간을 가져야 한다고 선언한 유엔의 아동의 권리선언이야말로 한국교육 현실에 대한 뼈아픈 채찍이라고 아니할 수 없겠습니다.

(5)"어린이는 완전하고 조화롭게 자라기 위해 부모와 사회의 사랑과 이해를 필요로 한다."는 원칙에서 우리나라 어른들의 교육적 편견에 대해 반성하지 않을 수 없습니다. 우리나라의 많은 아동들은 어쩌면 부모와 어른들의 지나치거나 편협한 사랑과 잘못된 이해 때문에 교육이라는 그럴듯한 구실 밑에서 저들의 완전하고 조화롭게 자라야 하는 당연한

24

권리를 침해 당하고 있는지도 모릅니다. 단편적 지식암기를 위주로 하는 학교교육만을 지나치게 강조함으로써 우리는 아동의 인격이 완전하고 조화롭게 성장할 수 있는 자연스럽고 균형잡힌 경험의 기회를 제공하지 못해 왔던 것입니다.

(6)"어린이는 적절한 영양, 주거, 의료 등의 혜택을 누려야 한다."는 원칙에서 특히 우리의 학교교육 현실과 관련지어 생각하게 되는 것은 앞에서도 논의된 적절한 주거환경의 혜택일 것입니다. 학교환경이 아동들의 일상생활에서 차지하는 주거환경으로서의 비중은 상급학년으로 올라갈수록 증대됩니다. 그리하여 고등학생쯤 되면 집에서 지내는 시간 보다 학교에서 보내는 시간이 더 길어지는 현실입니다. 그렇다면 오늘의 학교환경이 과연 얼마나 주거환경으로서 적절한가의 문제는 바로 아동의 교육환경의 문제이면서 동시에 권리의 문제일 수 밖에 없습니다. 하지만 우리교육에서는 현재 학교교실의 학급당 학생수가 많고 적음의 문제에서 조차도 속시원한 개선의 실마리를 찾지 못하고 있는 실정입니다. 하물며 학교주변의 환경을 비롯해서, 학교내의 각종시설과 조건들의 교육적 적절성 같은 것에 대해서는 절박해하는 문제의식이 어느 정도나 있는지 조차가 의심스러울 정도입니다.

(7)"심신장애 어린이는 특별한 치료와 교육, 보살핌을 받아야 한다."는 원칙 역시 우리나라의 교육현장에서만이 아니라 사회전반에서 남의 나라들에 비해 부끄러워 하지 않을 수 없는 조항입니다. 심신장애 어린이들을 위한 특수교육기관과 공공복지 시설이 크게 부족한 실정임은 두말할 나위도 없지만 우리사회안의 거의 모든 공공시설환경에서 장애자를 위한 특별배려를 찾아볼 수 없는 것이 우리의 실정입니다. 가장 쉬운 예로 횡단보도, 신호등,공중전화, 공공건물의 승강기, 계단 등에서 장애자를 배려한 흔적을 거의 찾아볼 수 없는 실정입니다. 사회의 모든 환경중에서도 특히 공공의 편의 시설은 아동들에게 의도적이건 무의도적이건간에 교육적 환경의 의미와 기능을 갖게 마련입니다. 이점에 있어서 우리사회의 장애자 편의시설의 참담한 실정은 곧 심신장애 어린이들에게만이 아니라 정상적인 어린이들에게 조차도 잘못된 교육환경이 될 수 밖에 없습니다. 심신장애 어린이의 인권에 대해서 우리사회부터가 그만큼 무관심하다는 사실을 입증해 보여주는 환경이기 때문입니다. 그런 사회적 환경속에서 자란 어린이들이 장애자의 인권에 대해 무관심하거나 냉담한 어른이 된다고 해도 이상할 것 없고, 그리고 그런 어른들이 이끌어가는 사회에서 장애자의 인권이 무시당하게 되는 것은 당연한 순서일 것입니다.

(8)"어린이는 전쟁이나 재난으로부터 제일 먼저 보호받고 구조되어야 한다."와 "어린이는 모든 형태의 학대, 방임, 착취로부터 보호되어야 한다"는 어린이 보호의 원칙은 그러나 우리의 경우 다른 어느 원칙들 보다도 깊은 반성과 성찰을 필요로 하게 만드는 조항입니다. 세계제일의 어린이 해외 입양국이라는 오명앞에서 우리사회는 할 말이 없습니다. 게다가 우리는 학교교육을 통해 모든 어린이들에게 우리사회에서는 어린이가 제일 소중한 존재로 존중받고 보호되는 존재라고 가르치는 것과는 거리가 먼 방향으로 가르쳐 온 셈입니다. 우리의 교육은 어린이들에게 어린이이기 때문에 보호받고 존중되는 것이 아니라 공부를 잘하기 때문에, 석차가 높기 때문에, 좋은 학교를 들어갈 수 있기 때문에 존중되는 것처럼 알도록 가르쳐 왔다고 할 수 있습니다. 때로는 교육이라는 굴레를 씌워 갖가지 방식으로 어린이를 학대하거나 착취하기조차 했던 것입니다. 학급 안팎에서의 접수나 석차에

25

0095

따라 달라지는 시선과 인격적 차별은 눈에 보이지 않는 학대라고 해도 과언이 아닐 것입니다. 스스로 존중받지 못하고 자란 아동이 남을 보호하고 존중할 줄 모를 것은 당연한 일입니다. 보호받고 사랑받는 아동은 삶의 현실속에서 행복을 느낄 수 있는 법입니다. 우리의 교육현실 속에서 과연 행복하게 자라나는 아동의 비율이 얼마나 될른지 의심하게 됩니다. 어쩌면 거의 대부분의 아동들은 행복대신 불행을 체험하면서도 그것을 교육이라는 이름의 혜택인 것처럼 잘못알고 자라는 것인지도 모릅니다. 오늘의 학교교육이 아동들에게 지식과 기능을 학습시키고 그 결과를 비교하는 경쟁에만 몰두하도록 채찍질하는 것으로써 교육의 책임을 다하는 것으로 착각하고 있는 것이 사실이라면, 그리고 가정교육 또한 그 독자적 영역과 기준을 확보해 갖지 못한체 학교교육의 기준만을 절대기준으로 삼고 있는 것이 어쩔수 없는 현실이라면 우리가 교육을 통해서 길러내고 있는 오늘의 아동들이 과연 얼마나 건강하고 조화로운 인격으로 자라날 수 있을런지 염려스럽다고하지 않을 수 없습니다.

Ⅲ. 교육적 측면에서 본 아동의 권리 확보를 위한 과제

오늘의 우리나라 교육현실과 조건들을 아동의 권리확보를 위해 개혁 또는 개선하려 한다면 적어도 다음의 원칙들과 사항들을 우선적 과제로 삼아야만 할 것입니다.

첫째, 가정·학교·사회 등 세 차원의 교육이 내용, 분량, 비중, 시간 등에서 균형과 조화를 이루어야만 합니다.

둘째, 학교교육 제일주의 및 입시경쟁 위주의 교육체제가 개혁되어야 합니다. 이를 위해서는 근 30년 동안 지속되어 왔던 대학교육제도에 대한 정부의 획일적 통제와 감독의 원칙에 대한 전면적인 재검토와 평가가 필요할 것입니다. 나아가서는 우리사회에 일반화 되어온 학력위주의 고용, 임금체제를 비롯한 단순한 가치평가체계 위에서 능력위주의 다양한 평가체제로의 변화가 일어나야만 합니다. 그리하여 우리사회에서는 모든 젊은 세대들이 자신의 개성과 능력과 노력과 관심에 따라서 얼마든지 다양한 방향으로 삶을 개척해 나갈 수 있고, 보람과 성취감을 누릴 수 있다는 자신감과 용기를 갖도록 지원해 주는 교육이 되어야 합니다.

셋째, 현재의 학교교육체제는 내용과 구조에서 크게 개혁될 필요가 있습니다. 내용의 면에 있어서는 우선 지식중심의 비율이 전체적으로 줄어들고 그대신 다양한 생활경험과 사회 활동의 비중이 학교교육에서 증대될 필요가 있습니다. 따라서 학교교육에서의 학생평가 방법, 기준, 척도 또한 그렇게 다양해져야할 것입니다. 그리하여 교육에서의 평가와 경쟁 체제가 교과학습이라는 한가지 기준에 의해 이루어지는 것이 아니라 학생들 각자의 다양성이 최대한도로 고려될 수 있는 다양한 평가방법에 의해 여러 방향에서 경쟁 비교될 수 있는, 마치 백화점의 진열장과도 같은 평가, 비교체제가 교육의 분위기를 이끌어가게 되어야 합니다.

넷째, 가정과 사회의 기능이 강화되기 위해서는 학교교육이 생활에서 차지하는 비중이 상대적으로 약화되는 것과 동시에 부모들과 사회일반에 대한 광범위한 교육과 설득이 필

26

0096

요합니다. 부모들 일반에게 가정에서의 자녀교육에 대한 새로운 교육이 필요할 뿐 아니라 사회 일반에 대해서도 아동의 진정한 교육적 권리를 보장해 줄 수 있는 방법과 원칙들에 대한 계몽 및 교육이 필요하다고 봅니다. 그리하여 우리의 가정과 사회가 안팎에서 아동의 권리를 보장해주는 교육적 노력에 조화를 이룰 수 있게 되어야 할 것입니다.

다섯째, 우리국민들이 일반적으로 지니고 있는 교육과 관련되는 전통적인 장점들을 최대한 선용하기 위한 연구와 노력이 필요합니다. 즉, 교육적 노력을 통해 인생에서 성취할 수 있는 최고의 수준까지 도달하도록 자녀교육을 뒷바침하겠다는 우리나라 부모들의 집념과 의지는 교육경쟁의 통로와 체제가 지금처럼 단선적일 때에는 대부분의 아동에게 불행을 안겨주는 원인이 되어왔던 것이 사실입니다. 그러나 만약 앞으로 우리사회에서의 교육경쟁의 획일적 원칙이 사라지고 그 대신 다양한 종류의 성취기준과 경쟁체제 및 방법들이 우리사회와 교육계 안에 백가쟁명식으로 권장되고 보장된다면 우리나라 부모들의 적극적이고 집요하며 의욕에 넘치는 자녀교육열은 행복한 아동을 키워내어 궁극적으로는 우리사회 전체를 행복이 넘치는 민주적 복지사회로 만들어 가게하는 엄청난 저력을 발휘할 수도 있게 될 것입니다.

토의자 : 조혜정 (연세대학교)

교육에 대한 논의는 날이 갈수록 무성하면서도 아동의 권리는 더욱 짓밟히고 이제는 의례 모두가 그런 것인양 포기상태에 든 감이 없지 않습니다. 김인회선생의 글은 무감각해진 어른세대를 다시 한번 흔들어 주는 글이었습니다. 크게 세가지 면에서 이 글이 제게 다시 생각하게끔 한 점을 정리해 보겠습니다.

1. 교육적 시각에서 보는 한국아동의 권리는 "아동이 의무교육을 받을 권리", 즉 제도교육의 양의 차원이 아니라 그 내용의 질적인 면과 관련되어 규정되어야 한다는 지적이 중요합니다. 교육을 받음으로써 아동이 "스스로를 행복한 존재라고 느낄 수 있는 권리"(4쪽)라는 정의가 바로 그 점을 잘 드러내 줍니다. 교육이 아동들에게 성취감, 참여의식, 남에 대한 애정어린 관심과 더불어 안정감과 공동체적 삶에 대한 신뢰를 심어주는 것이 아니라 "좌절감, 소외감, 적대감, 초조감, 박탈감"을 더 많이 안겨주고 있다면, 그것은 교육이 아니라 교육이라는 구실을 빙자한 악이고 폭력이라는 점은 이미 많은 부모들이, 그리고 교육자 자신도 뼈아프게 느껴왔을 것으로 압니다.

한나라의 국민의 삶의 질이 GNP의 숫자로 비교될 수 있다는 발상이 교육영역에서 그대로 적용되어 그동안 우리는 부끄러워 해야할 것을 자랑해 왔습니다. 국민다수가 글을 해독할 수 있다는 사실, 국민다수가 12년의 제도교육에 매여있다는 사실 그 자체가 우리에게 말해주는 것은 보다 산업사회적 노동에 알맞는 인력을 확보했다는 면이지 결코 다른 그렇지 못한 사회보다 향상된 삶을 말해주는 것은 아닙니다.

길게 볼때『경쟁에 찌들어 공동체성을 상실하고 항상 불안한, 획일적 기준으로 평가되는 것에 익숙해진 개성잃은』사람들이 만들어갈 사회와 일과 놀이를 통하여『공동체성을 잃지 않은, 자신의 존재를 있는 그대로 귀히 여기고 삶을 행복하게 느끼는』사람들이 만들어

27

갈 사회의 모습은 판이하게 다를 수 밖에 없습니다. 그리고 이 차이는 본질적으로 GNP 숫자와는 관련이 없습니다. 그것은 "사회의 건강함"이라는 것과 관련이 있으며, 이는 곧 그 사회 구성원들의 자족상태와 그 사회의 장기적인 적응력의 차원에서 논의될 성질의 것일 겁니다. 이런 점에서 교육에서의 아동권을 논의할 때 우리는 사회의 건강함을 근본에서부터 따져볼 수 밖에 없으며 김인회 선생님의 "불행감에서 헤어나지 못하게 하는 교육"에 대한 비판은 바로 이 근본을 따짐으로 오는 비판으로 보여집니다.

2. 교육을 가정, 학교, 사회안에서의 "생활 전반에서 베풀어지는 어른들의 의도적인 문화전달 행위"(2)라고 정의내린 뒤 이 삼자간의 관계속에서 아동의 교육을 살펴보았다는 점이 주목을 요합니다. 교육을 이렇게 정의하고 논의를 전개한 것은 물론 전혀 새로운 것은 아니지만 교육이 오로지 학교, 특히 입시중심으로 이루어지고 있는 과잉 학교교육의 상황에 있는 우리로서는 거듭 거듭 강조되지 않을 수 없는 측면인 것입니다.

현재 대다수의 부모의 입장에서 학교는 자녀의 출세길이 달린 곳이고 국가의 입장에서 학교는 고분고분한 인력을 생산해 내는 곳일 뿐입니다. 서로 다른 동기에서 부모와 국가는 학교교육의 가치와 비중을 절대화 하는 데 합의하고 있으며, 이로써 아동들이 행복을 느낄 수 없도록 내몰아 왔습니다. 그래도 자기자녀를 사랑하는 부모들은 문제의 심각성을 느껴왔고 바꾸어 보고자 생각도 해 보지만 대안이 없는 상황에서 엉거주춤 무기력하게 이끌려 가는 상태에 있다고 하겠습니다. 국가의 차원에서 진정한 교육이 소홀이 되어온 점은 변명의 여지가 없다고 여겨집니다. 일전에 국정교과서 만드는 작업을 가까이서 볼 기회가 있었습니다. 온 나라의 어린이가 읽고 "경전"처럼 따라 외워야 하는 교과서가 그렇게 적당히 만들어진다는 점에 저는 너무나 놀랐습니다. 이것은 한 작은 예에 지나지 않습니다. 학교교육이 이루어지는 전 과정이 이렇게 개인들의 편의나 관료제의 지속을 위주로 "적당히" 굴러가고 있다는 점에 대해 정부는 책임을 져야할 것이며 국가의 일부인 국민들, 즉 부모들은 통치기구가 제대로 기능을 못한 데 대한 제동을 걸 수 있는 '시민사회'를 여지껏 형성하지 못하고 있다는 점에서 또한 책임을 져야할 것입니다. 특히 이런 상태가 어제의 학교교육을 받고 자란 오늘의 어른들의 손에 의해 지속된다는 지적을 읽으면서 『학교교육무용론』의 대두가 거세게 일지 않는 것이 이해하기 힘든 현상, 즉 우리사회의 특수성이라는 생각을 하였습니다. 이런식으로 교육에서 아동권이 계속 짓밟힌다면 교육혁명은 불가피한 과정이라고 봅니다. 전국교원노동조합 결성의 움직임을 저는 오히려 그 면에서 보고 싶습니다. 실제로 노조결성의 움직임이 조금만 더 아동권을 중심에 놓고 작전을 짜 나갔다면(나간다면) 아마도 교육계 전반에 커다란 변혁을 불러 일으켰을(킬) 승산은 아주 컸다고(크다고)보는 이유도 바로 여기에 있습니다.

교육혁명의 문제를 놓고 교사, 학교, 사회 세 영역에서 고민과 아픔과 새로 태어남이 있어야 할 것입니다.

3. 1959년 유엔총회에서 채택된 아동권리선언의 내용을 기준으로 다시한번 우리 상태를 성찰해 보았을 때 우리가 부끄럽게 여기지 않을 수 없는 것은 자명한 결과입니다. 위에서 언급한 어린국민 모두가 치루는 거대한 희생 외에도 호적에 오르지 못한 아이, 부모의 사회경제적 배경 때문에 차별받는 아이, 안전하게 집밖을 나다닐 수 없는 아이, 공공건물에 출입할 시설이 되어있지 않아 경험공간을 크게 박탈당한 장애아들의 권리에 대해 살펴볼 때 정말 우리사회가 아동을 위한 사회라고 볼 단서는 어디에도 찾기 어렵습니다. 이 점은 뒤에 복지의 측면의 발표에서 논의가 깊이 있게 이루어지리라고 봅니다.

0098

김선생님이 지적하신 대로 개선의 길은 있습니다. 1)학교에 대한 정부의 획일적인 통제와 감독의 원칙에 대한 전면적인 재검토, 2)학력위주의 고용, 임금체계의 변화와 나아가 다양한 평가체제로의 이행, 3)생활경험과 사회활동의 비중이 증대된 학교교육, 그리고 4) 사회, 가정의 개입으로 학교의 일방적 비중을 줄이는 것이 그 주요 골자가 될 것입니다. 그 중에서도 제가 강조하고자 하는 것은 『부모됨』의 차원입니다. 부모는 저절로 되는 것이 아니며, 현대사회에서 부모는 집이라는 공간에서만 아이를 맡아 기르는 사람이라는 생각은 바꾸어져야 합니다. 자기 아이만 학교와 가정의 공간에서 잘자라면 된다는 생각은 오류입니다. 이미 누누이 지적되었듯이 사회, 학교, 가정은 심히 얽혀 있는 공간이며, 한 공간의 문제는 개인의 힘으로는 풀리지 않습니다. 이 세 영역에 걸친 교육을 통해 "행복한 아이"를 길러 가는 과정의 궁극적인 책임자는 시민인 부모들이며 그들의 연대를 통해서만 변화는 가능합니다. 부모들은 자신이 낸 교육비가 제대로 교육을 위해 투자되고 있는지, 교과서가 어떤 과정을 통해 만들어 지며, 교실현장을 지배하는 분위기는 어떠한지 알아야 합니다. "지식이 힘"이라는 진리는 정보화산업에 들어서면서 더욱 진리로 되고 있습니다. 자녀들을 위해, 그리고 나라를 위해서는 시민의 올바른 판단력에 기초한 상황이해와 뜻이 합해져야만 하는 싯점에 우리는 와 있습니다. 국제협약안의 통과와 그것이 갖는 선언은 각사회에 맞는 구체적인 작업으로 뒷받침 될 때에만 의미가 있습니다.

11. 복지적 측면에서 본 아동의 권리

I. 머리말

인생의 주기에서 가장 중요한 어느 한 시기를 지적하라고 한다면 우리는 서슴치 않고 아동의 시기를 최우선으로 택해야 할 것으로 생각된다.

왜냐하면 오늘날의 아동은 2000년대의 주인공들로써 우리나라를 보다 살찌게 하고 풍요롭게 해야 할 뿐 아니라 보다 발전적인 민주사회와 국제사회 건설의 역군들이 되어야 하기 때문이다.

더우기 우리나라와 같이 국토면적이 작고 부존자원이 빈약한 나라에 있어서 미래의 장기적인 발전과 지속적인 경제성장을 위해서는 아동들의 건전한 성장과 발전이 무엇보다도 중요함을 인식해야 하겠다. 이러한 견지에서 아동권리에 대한 국민적 합의와 권리를 보장할 수 있는 복지체계들이 새롭게 조명되어야 하겠다. 오랜 역사적인 전통속에서 아동들에 대한 이해와 인정은 극히 미약했으며 아동의 복지 문제는 막연한 자선적인 또는 인도적인 차원에 머물러 있었다.

그러나 근자에 이르러서는 UN이나 각국의 법제도상에서 모든 아동들은 권리적 존재라는 인식이 강하게 반영되고 있으며 권리의 보장이라는 측면에서 아동들에 대한 복지권이 강조되고 있다.

이번에 아동들에 대한 권리를 단순한 개인적이나 각국의 국가적 차원에서 보다는 국제적 차원에서 관심을 갖고 아동의 권리에 관한 협약을 마련하게 되었음은 매우 의의 있는 일이라 하지 않을 수 없다. 이러한 계기를 맞이하여 우리나라에서도 아동의 복지적인 권리를 재음미하고 권리에 대한 인식을 새롭게 하며, 이에 대한 제반 보장대책을 강구할 수 있는 뜻깊은 기회가 되기를 바란다.

II. 兒童의 權利

아동권리의 선구는 1922년 영국의 "아동구제기금단체연합"이 발표한 세계아동헌장이라고 일컬어지고 있는 것으로 그것은 이 땅에 생을 이어받은 모든 아동은 그의 신체적·심리적·정신적 행복을 위해 필요한 요소를 부여받아야 할 것을 확신하며 세계를 향해 아동보호의 최저기준을 확보하기 위해 아동헌장을 제시한 바 있다. 이것이 뒷받침 되어 1924년 제네바에서 개최된 국제연맹회의에서 제네바선언 (5개조항)이 처음 채택되었고 이어서 1959년 국제연합 14회 총회에서 10개가 추가되어 오늘에 이르고 있다. 각 나라마다 이러한 사상적 배경에 입각해서 구체적인 아동복지 프로그램이나 서비스가 전개되고 있으며 우리나라에서도 헌법을 기반으로 아동복지법 및 어린이헌장 등에서 아동복지 이념이나 선언적인 권리가 표명되고 있다.

30

106 한국 인권문제 아동 권리에 관한 협약 가입

이와같은 아동의 권리사상 즉 권리로서의 아동복지의 사상은 20세기에 접어들면서 더욱 더 강조되었다. 지금까지 부모나 사회의 종속물에 지나지 않았던 아동들도 아동으로서의 가치와 권리의 주체가 되어야 한다는 사실이 인정되기 시작하였다. 자선이나 박애의 소극적인 보호에서 권리와 책임이라는 적극적인 복지의 필요를 인식케 되었다. 오늘날은 아동 보호라는 말보다는 아동복지라는 말이 더 널리 쓰여지고 있다. 다시말해서 수동적인 보호 형태에서 능동적인 권리보장이라는 사상으로 발전해 나가고 있다.

특히 아동의 권리특성은 아동의 건전육성이 목표가 되어야 할 것이다. 아동이 건전한 인간으로 성장발전해 나가기 위해서는 인간형성의 기초적인 문제와 밀접히 관련되고 있다고 볼때 아동으로서는 기본적으로 생존할 권리와 성장발달할 권리가 보장되어야 할 것이다. 이러한 권리는 인위적인 법률로서가 아니라 인간이 자연히 부여받은 기본적 권리로서도 받아드려질 수 있는 것이다.

이러한 양대 기본적인 권리위에 아동의 주체적 욕구를 충족할 신체적 지적 정서적 사회적 및 영적인 제반 관련 권리들이 도출 될 수 있으며 아동권리 선언이나 협약의 중요골자로서 또는 권리의 강령이나 틀로서 권리의 보장이 요청되는 것이다.

권리의 수단으로서 3P의 개념을 중시해야 하겠다.

첫째는 제공(Provision)으로써 아동이 필요한 인적 물적 지원을 받고 이를 사용할 권리 (예:이름 및 국적, 보건교육, 여가 및 놀이를 즐길 권리와 고아, 장애자 보호 등)

둘째는 보호(Protection)이다. 아동이 위해한 행위로부터 보호를 받아야 한다. (예:부모로부터의 격리, 성적착취, 육체적, 정신적 학대 등으로부터 보호받을 권리)

세째는 참여(Participation)이다. 아동이 자신의 인생에 영향을 미칠 중대한 결정에 대해 알 권리이다. 아동은 성장과 더불어 책임있는 성년기에 대한 준비로서 사회활동에 참여할 기회를 더욱 많이 가져야 한다. 즉 아동의 權利개념에는 생존과 성장의 기본적 권리, 권리의 대한 하위 개념 및 권리의 수단 즉 제공 보호 참여등 중심개념들을 명백하게 반영해야 하겠다.

III. 아동복지와 권리보장

복지란 낱말의 어원을 찾아볼 때 "보다 나은 삶"또는 "보다 나은 행복"이란 의미를 함축하고 있을 뿐 아니라 그것을 향한 실천적 행동까지도 포괄하고 있다. 따라서 아동의 복지란 말을 사용할 때 단순히 선언적인 의미만을 표현하는 것이 아니라 그러한 선언을 구체적으로 실천에 옮겨야 하는데 더욱 큰 의의를 지니고 있는 것이다.

아동들의 보다 나은 삶이나 행복은 모든 아동들이 건전한 인간으로 성장하며 발전하는 것을 의미한다. 아동기는 인간주기의 첫단계로 인간형성의 가장 중요한 기초를 이루고 있다. 이와같이 중요한 시기에 처해 있는 아동들에 대해 보다더 낳은 삶을 위한 권리를 보장받는다면 그 개인적 자아실현은 물론 국가나 사회발전에 크게 이바지 할 수 있을 것이다.

"권리"란 아동들의 욕구나 관심의 표명을 인정하고 충족해 주는 사회적 목표이기도 하다. 즉 제반 욕구나 관심사가 사회에 의하여 인식되고 주장될 때 권리라는 말로 대치될 수 있으며 권리의 본질적 요소를 파악할 수 있게 된다.

아동권리의 선언이나 헌장은 어린이의 기본적 제반 욕구나 관심을 권리로서 체계적으로 기술하여 표명한 것으로 받아들여 지고 있는 것이다.

인격형성의 기반이 되는 아동의 자발성, 자주성의 중심적 기능은 아동이 갖는 욕구라고 하겠다. 아동복지는 아동의 행복을 기본으로 삼고 있기 때문에 참된 행복을 바라는 아동의 욕구는 복지적 맥락의 기반을 이루게 된다. 아동들이 자기의 행복을 개인적 주체적으로 바란다는 의미에서 욕구가 지니는 의의는 대단히 크다. 즉 아동복지의 원리는 아동이 보다 행복하기를 바라는 기본적 욕구로서 이루어져 있다. 아동에게 가장 필요한 것은 식욕, 갈증, 호흡, 수면, 휴식, 배설,고통회피 등과 같은 인간본능의 생리적 욕구인 것이다. 그러나 이러한 생물로서 필요한 생리적 욕구가 충족된다 하더라도 아동으로서는 건전하게 성장 발달하지 못할 것이다. 왜냐하면 동시에 인격적 욕구인 정신적, 심리적, 인간적 욕구가 만족되지 않으면 안되기 때문이다. 즉 모든 아동들은 가정에서나 사회내에서 각기 인간다운 애정을 얻고 싶어하며, 이웃 아동들의 틈에 끼이고 싶어하고 자립하고 싶어하고 인정받고 싶어하며 새로운 경험 등을 얻고 싶어하는 인격적 욕구가 강하게 일어나는 시기에 처해 있는 것이다.

이와같은 아동들이 갖는 욕구체제를 충족하며 보장하기 위해 아동들에 대한 복지적 측면의 권리와 활동이 요청되는 것이다. 요는 아동의 욕구는 궁극적으로 아동의 권리로서 보장되어야 할 성질의 것이며 아동의 권리의 보장은 아동의 행복을 보장할 아동복지의 원리가 될 수 있는 것이다.

Ⅳ. 아동권리의 기본적 요소

복지적 맥락에서의 활동목표는 모든 아동의 욕구가 충족되어 건전하게 성장하며 발달하기를 바라는 것이다. 따라서 아동복지를 전개함에 있어 아동의 권리로서 중요시되는 기본적 제요소에 대한 충분한 지식과 이해가 전제되어야 한다.

아동의 복지권은 많은 학자들이나 그동안의 국제연합의 선언이나 협약 또는 각국의 아동복지의 법규나 법제 등에 명시적으로나 암시적으로 표면되고 있다.

우리나라에도 아동복지법(1964년) 또는 어린이 헌장(1989년 개정)등에서 아동의 권리에 대한 선언 또는 그를 보장키 위한 구체적 수단들이 부분적이나마 제시되고 시행되고 있는 것이다.

아동의 행복추구를 위한 이념, 아동특성에서 욕구충족을 위한 과학적 입증, 또는 아동의 헌장이나 선언 등에 나타난 제반권리의 내용들을 종합적으로 분석 검토해 볼 때 적어도 아동의 권리에 대한 가장 기본적이며 공통적인 것에는 다음의 제반사항들을 포함할 수 있어야 하겠다. 아동의 권리들을 크게 분류하여 보다 실천지향적 권리와 선언지향적 권리로 제시하면 다음과 같다.

1. 실천지향적 권리
- 정상적 가정생활을 누릴 수 있는 권리
- 사회보장(경제적 안정)혜택의 권리
- 보건과 의료적 서비스를 받을 권리
- 교육을 받을 권리
- 적절한 여가나 오락 및 문화적 생활 기회제공의 권리

0102

32

- 방임이나 학대 및 착취 등으로 부터 보호를 받을 권리
- 특수 장애 아동들에 대한 특별한 치료, 교육 및 보호를 받을 권리
- 유해한 사회환경(비교육적인 환경이나 불량한 매개체)및 마약이나 인신매매로 부터의 보호를 받을 권리

2. 선언지향적 권리
- 어린이는 누구나 선언의 모든 권리들을 누려야 한다.
- 어린이는 누구나 태어날 때부터 이름과 국적을 가져야 한다.
- 어린이는 누구나 모든 위험(전쟁, 재난)으로부터 우선적으로 보호를 받아야 한다.
- 어린이는 누구나 자라나는 생명으로서 부모와 사회의 사랑과 보호를 받아야 한다
- 어린이는 누구나 인류의 자유와 평화에 이바지 할 수 있도록 키워져야 한다.

V. 아동의 권리와 책임의 소재

아동이란 인간의 생활주기에서 가장 특별한 보호와 도움을 요하는 시기에 처해 있다. 아동들의 건전한 성장과 발달을 위해서는 그만큼 더 권리의 인정과 그 보장을 위한 책임이 수반되어야 하겠다. 어린이는 주체적으로 권리를 행사하기는 어려우므로 이를 대행하여 책임을 질 수 있는 부모나 사회의 관여를 절대적으로 필요로 하고 있다.

아동을 위한 건전한 육성 방향은 아동, 부모 및 사회 三者간의 각각의 권리와 책임의 확립에 기반을 두고 있어야 한다. 이 三者는 계속적인 균형유지와 아울러 적절한 이 상호작용관계를 유지해야 할 것이다. 이 三者중 어느 한 부분의 권리나 책임에서 야기되는 문제나 갈등은 아동들에게 어려운 문제를 안게하며 사회부적응의 원천이 될 수 있는 것이다.

1) 아동의 권리와 책임

모든 아동은 하나의 인간으로서 부모와는 상관없이 독자적 권리를 지니고 태어났다는 사실에서 이들은 마땅해 생존하고 성장하여야 하며 양육보호를 받아야 하는 미성숙한 인간이란 점에서 이들의 권리는 보장되어야 한다.

아동자신은 책임도 또한 가지고 있는 것이다. 그들을 책임지고 있는 어른들의 기대를 충족해야 하며, 합리적 요청을 받아들여야 하며 개인의 책임감을 발전시켜야 하며, 자발적활동이나 계획 등에 참여하여 자신들의 발전에 도움이 되는 기회를 적극적으로 활용하는 책임의식을 명백히 해야할 것이다.

2) 부모의 권리와 책임

아동의 보호육성을 위한 일차적인 권리와 책임은 부모에게 주어지고 있는 것이다. 부모는 자기들에게서 태어났다는 사실로써 후견인의 권리를 가지고 있고 또한 아동양육, 보호의 책임을 지니고 있다. 부모의 권리와 이에 관련된 의무를 발휘하는 방도는 아동에게 매우 중요한 영향을 미치게 되는 것이다. 부모는 책임으로써 재정적 지원, 신체적 보호에 대비하는 일, 정신적 교양양육보호, 기타 광범위한 부모의 책임을 감당할 수 있어야 할 것이다.

3) 사회의 권리와 책임

사회는 아동의 복지를 증신시키기 위한 권리와 책임을 가진다. 아동들에게 박탈되는 권리를 보장해 줄 책임을 지니고 있다. 아동의 건전한 육성대책을 위해서 그들에게 보호와

33

0103

혜택을 줄 수 있는 제반권한을 행사해야만 한다.

아동들을 위한 국가의 책임의 적용은 부모자녀에 개입하는 일이다. 부모의 보호가 법이 정한 수준 이하일 때 또는 아동들이 비행이나 범죄에 빠지게될 때, 아동들이 자기의 본래의 가정에서 유기나 학대를 받게될 때 국가나 사회의 엄한 보호조처가 수반되어야 하는 것이다.

특히 국가의 권리나 책임은 필수적인 아동복지의 대책을 위해 입법적, 행정적 권한을 행사하는 일이다. 즉 제반규정의 채택 또는 실제적 정책수립이나 서비스의 마련 나아가서 이를 운영할 수 있는 제정적 근거 등도 마련할 수 있는 제반 책임을 적극 감당해야 하는 것이다.

VI. 아동권리에 대한 국제협약의 의의

어린이 권리에 대한 발전적 국제협약은 우리나라와의 관계에서도 그 의의는 매우 크다. 그 몇가지의 의의를 살펴보면

첫째로 권리협약의 내용이 과거의 어떠한 선언이나 헌장보다도 포괄적이며 구체적이다 라는 사실이다.

즉 권리협약에는 전문(前文)과 54조로 이루워져 있고 그 중에 1조에서 41조까지는 실제로 준수해야 할 중요사항이며 42절에서 54절까지는 시행을 위한 절차와 규정을 명시하고 있다.

여기에는 종전에 어린이 선언이나 각국의 아동복지법규 등에 중요내용과 아울러 급격한 변화속에서 새롭게 출현되는 제반 관심사들을 포괄하고 있으며 또한 각기 조항들도 실천 가능 하도록 명료화되고 세분화 되어 있다. 즉 권리에 대한 존중사상이나 실천준수 사항들을 넓게 구체적으로 천명해 주고 있다.

둘째로 아동의 권리선언에서 협약의 단계에로 도약적 발전의 계기를 만들어 주었다는 점이다.

그동안의 각국의 아동헌장이나 국제적인 선언 등은 단지 선언적인 즉 도덕적인 뜻을 담은 틀로서만 그 의의를 지녔었다. 그러나 협약은 권리를 충족시키기 위한 의무를 지니게 하며 사회가 법적인 책임을 지도록 한다는 점에서 실천적 의지를 강하게 천명하고 있다. 선언을 보충하는 국가간의 합의된 약속으로 권리의 실천적 대책을 촉구하고 있다는 점에서 그의의는 큰 것이다.

셋째로는 각국의 아동이나 청소년과 관련된 제반법규 또는 아동의 복지정책이나 서비스에 대한 내용들을 개정 보완할 수 있는 기틀을 마련해 주었다는 점이다. 기존의 아동법규로서는 새롭게 출현되는 아동문제나 욕구충족들에 대처하기는 어려운 것이다(정서적장애, 유기, 학대, 성적탈선, 마약, 인신매매등)

끝으로 국제적협약은 지구공동체(Global Community)의식을 조성케 할 수 있다. 즉 협약을 평화 자유 그리고 복지라는 인류공통의 목표추구의 일환이라는 점에서 그 의의는 크다 하겠다.

오늘날 한국의 경제발전 무대에서 활약하고 있는 주체들은 6·25 국난의 어려운 시기에

34

0104

UN산하 각국들의 특별한 원조나 보호를 통해 위난을 극복하였음을 상기케 한다.

이번의 이와같은 협약은 우선 우리나라 어린이들의 권리인정이나 보장은 물론 아직까지도 헐벗고 굶주리고 신음하는 이웃 여러나라들의 권리보장에도 함께 동참해야 한다는 견지에서도 그 의의는 자못 큰 것이다.

Ⅶ 맺는말

오늘날 우리사회도 많은 변화를 해왔고 또한 변화해가고 있다. 변화 발전의 궁극적인 목표는 인류에 대한 복지실현에 있는 것이다. 그 가운데서도 앞으로 이 나라를 짊어지고 능동적이며 발전적인 미래를 약속하는 아동들의 대한 기대는 아무리 강조해도 지나치지 않을 것이다.

아동들에 대한 권리존중이나 권리보장을 위한 교육이나 복지적 활동에 부모·사회·국가의 공동적 노력과 적극적 참여를 촉구하며 나아가서 평화로운 국제사회 지구공동체 형성에 기여해야 하겠다.

토의자 : 김수남 (색동회 회장)

우리나라는 아동의 권리에 대한 인식이 세계에서 앞선 나라라는 자부심을 갖고 있다. 1924년 제네바 선언보다 1년 앞선 1923년에 어린이날을 제정하였고 1959년 유엔 어린이 권리선언보다 2년 앞선 1957년에 대한민국 어린이 헌장을 제정했다. 다시 1988년에 이 어린이헌장을 미래지향적 어린이를 기른다는 것을 골자로 하여 개정하였고 그로부터 1년후에 우리는 아동의 권리에 관한 국제협약을 지지하는 대대적 모임을 갖게 되었다.

어린이 권리에 관심이 깊은 우리 국민혼 유엔 국제협약에 지지할 뿐 아니라 이 협약이 통과되면 우리 정부도 이 협약을 실천할 것으로 기대된다.

따라서 우리는 대한민국에서의 어린이 권리를 어떻게 신장할 것이며 어린이 복지문제에서 어떤 방향으로 그들을 보호하고 선도할 것인가를 생각해 보아야 한다.

1950년 6·25동란으로 가난과 굶주림에 시달렸던 우리나라는 이를 극복하고 발전을 거듭하여 결식아동은 확연히 줄어들었다.

금년 10월 문교부가 국회에 제출한 국정감사 자료를 보면 전국 6,396개 국민학교 어린이 489만4,307명 중 결식아동이 8,206명으로 약 0.17%에 불과하다. 또한 시설아동이나 결손·빈곤가정 어린이도 3.6%로 해마다 줄어들고 있다.

그러므로 우리는 어린이 권리 문제에 있어 시설아동보다 전체아동을 생각하여야겠고, 신체적 문제보다는 정신적 문제를 더 깊이 다루어야 할 것이다.

말하자면 인간본연의 신체적·생리적 욕구문제가 아직 남아 있긴 하더라도 그보다 인격적 욕구인 정신적·심리적 인간욕구를 만족시키는 것에 더 치중해야 하리라고 본다.

이러한 시각에서 장인협교수의 발표중 실천지향적 어린이 권리 중에 제안한 몇가지를 채택하고 이를 확장시켜야 할 것이다.

첫째, 정상적 가정생활을 누릴 수 있는 권리를 신장시켜야 할 것이다. 도시화·산업화로 바빠진 부모들이 어린이를 보살피고 함께 있는 시간이 줄어들고 있다. 하루 24시간중 몇시간의 부모노릇을 하고 있는가를 생각해보고 어린이에 대한 애호를 넓혀 가야 할 것이다.

둘째, 적절한 여가나 오락 및 문화생활을 제공받을 권리를 확대하기 위하여 휴식의 공간, 놀이의 공간, 문화의 공간을 많이 마련해 주어야 한다. 어린이를 위한 도서관, 음악홀, 전용극장 등이 너무 부족한 편이다.

어린이를 자연의 신비가 있는 곳에 역사의 숨결이 있는 곳에 예술의 감동이 있는 곳에, 산업의 맥박이 있는 곳에 안내하여 그들의 꿈과 의욕을 높여주어야 할 것이다.

셋째, 장애 아동의 치료 교육 및 보호를 받을 권리도 더욱 넓혀야 한다. 이 일에 대하여 민간이 솔선적으로 정부가 적극적으로 시설과 환경을 마련해 주어야 할 것이다.

넷째, 유해한 사회환경으로 보호받을 권리를 중시해야 한다. 사회 발전과 함께 공해문제가 심각해지고 있다. 어린이는 깨끗한 공기와 맑은 물을 마시게 해야 하고 모든 공해로 부터 보호되어야 한다.

또한 불량서적, 불량비디오와 불량장난감, 불량식품이 강력히 단속되어야 한다.

결론적으로 아동의 권리에 따르는 복지는 수동적 보호형태에서 능동적 권리보장으로 전환되어야 하고 다시 2000년대를 지향하는 아동의 진취적 권리신장이 이루어져야 한다. 이를 위해서는 복지과제의 이해와 인식이 선행되어야 하고 아동, 부모, 사회의 공조체재가 이루어져야 하며 아동의 권리를 더욱 높이는 입법이 수립되어야 할 것이다.

0106

12.결의문

1. 인류가 할 수 있는 최선의 것을 어린이에게 제공해야 할 의무가 있다고 선언한 1959년 UN 어린이 권리선언의 정신을 기리기 위하여 금년 UN총회에서 승인될 예정인 어린이 권리에 관한 국제 협약을 우리는 적극 지지한다.

2. 대한민국은 세계 어느 나라보다도 먼저 어린이날을 제정하고 어린이 애호 사상을 천명한 나라이다.
   금번 선포된 국제 협약의 실천에도 앞장서기 위하여 우리 정부가 UN 어린이 권리 보호에 관한 이 협약을 조속히 비준할 것을 촉구한다.

3. 이 국제 협약을 준수하기 위하여 우리 정부가 어린이와 관련되는 법적, 제도적 제반사항을 조속히 보완 개선할 것을 요청한다.

4. 우리나라 어린이가 직면하고 있는 공기와 물의 오염을 위시하여 과밀학급, 부적합한 학교시설, 과중한 과외, 학대 및 방임등은 심각한 사회문제이다.
   이 문제들을 해결하고 아동복지를 증진하기 위하여 온 국민의 단합된 참여를 요망한다.

5. 어린이를 건전하게 육성하기위한 이 국제 협약은 세계 모든 나라의 희망이요 이상이다.
   우리는 어린이를 국제사회의 지도적 시민으로 육성하기 위하여 다른 나라들과 긴밀한 협조하에 어린이의 권리 증진에 기여 할 것을 다짐한다.

0107

유엔 어린이憲章 채택

東亞
11.21.
12면

總會서 만장일치…國際法으로 효력

"건강한 환경서 성장할 권리" 明示

【유엔본부聯合】 유엔총회는 20일 어린이들의 도덕적 사회적 법률적 문화적 권리를 인정함과 동시에 한 인간으로서의 존엄성을 보호한다는 등의 내용을 골자로 하는 어린이헌장을 만장일치로 채택했다.

10여년간의 준비기간과 의 결을 거쳐 이날 어린이권리 선언 30주년을 맞아 채택된 어린이헌장은 54개 항목으로 되어 있는데 각국의 법률에 따라 적용범위가 조금씩 달라지겠지만 통상 18세이하의 어린이들에게 적용된다.

이 헌장은 각국의 비준을 거쳐 엄연한 국제법으로 구속력을 가지게 되며 각국 실정에 따라 다양하게 규정하고 있는 어린이들의 권리를 망라해 포괄적으로 명시한 최초의 국제협약이라는 점에서 중요한 의미를 갖고있다.

어린이는 건강한 환경에서 성장할 수 있는 양도할 수 없는 권리를 가지고 있다는 것을 기본정신으로 하는 이 어린이헌장을 유엔회원국들은 전폭적으로 지지하고 있다.

어린이헌장에 따르면 어린이는 낳을수있는 권리와 함께 윤리문제와 종교문제에 관해서는 스스로 결정할 내력이 있는 권리도 가지고있다.

이 어린이헌장은 각국의 다양한 문화적 배경과 정치적 견해차 때문에 종교양자입양등의 문제와 관련해 의견차가 나타나 진통을 겪어오다가 협상을 통해 최종 적으로 마련된 것이다.

유엔 어린이기금의 제임스 그랜트사무총장은 이 헌장이 "어린이들의 마그나 카르타" 라고 받겠으며, 게르 유엔

The Korea Herald
1989. 11. 22. 4. 4면

체7도11. 72.4면

U.N. adopts convention on rights of children

Breaks new ground for adoption, survival

UNITED NATIONS (Reuter) — After 10 years of negotiations and controversy, the General Assembly Monday unanimously adopted the first convention on the rights of the child, thereby creating the most comprehensive treaty in history for the protection of children.

The convention draws together in a single document the key provisons of existing international declarations affecting children. It breaks new ground on adoption, survival, protection from sexual exploitation and drug abuse.

More than 38,000 children die every day from hunger, or lack of shelter and health care and more than 100 million are estimated to be abandoned by their families on the streets of the world's cities, according to U.N. reports.

"You have taken the first seminal step-...to furnish the world's children with the means of assuring their fundamental rights," Secretary-General Javier Perez de Cuellar told the assembly.

A special signing ceremony will be held in January for states to ratify the convention, which then makes the provisions of the treaty binding on the signatories and requires them to report back to a U.N. monitoring group.

Twenty states have to ratify the convention before it becomes international law.

Originally proposed by Poland, the 54-article document is a finely honed compromise between various cultures and political views that leaves enough room for differences on religion, adoption and other issues.

Consequently, many countries have severe reservations on some of the clauses. Some feel the minimum age of 15 for milit-

ary service is too low. Antiabortion groups wanted the fetus recognized as a person and Islamic states have their own interpretation of freedom of religion.

The Nordic countries failed to get the military age raised to at least 17 while the United States, despite major protests from citizens groups, argued that raising the combat age would undermine the 1949 Geneva conventions on that issue and should not be discussed in this forum.

On the abortion issue, a paragraph in the preamble speaks of the right to legal protection before as well as after birth, but references to the unborn child were dropped from the operative articles of the convention.

Chile and Paraguay objected strongly to this omission while the United States only mentioned it in passing, despite heavy lobbying from right to life groups.

Another point of no consensus came from a number of Islamic countries, including Jordan, Iran and Algeria, who said they interpreted the child's right to freedom of religion to mean it had freedom to practice religion but not to change its religion.

Despite all the cultural differences, the convention assumes that the reactions of all countries are the same when children were subjected to torture, separated from their families, deprived of food or maimed in combat.

The convention acknowledges that not only does a child have the right to be adequately nourished, it also has the right to be properly educated and shielded from arbitrary detention, exploitation at work or abuse in the home.

중앙일보. 89. 11. 22 (19)

「어린이權利 국제협약」채택

UN서 "제공·보호받고, 참여할권리" 인정

「어린이 권리에 관한 국제협약」이 20일 오전10시 유엔총회에서 무표없이 전원 합의에 의해 채택됐다.

59년 유엔이 채택한 「어린이의 권리선언」이 서명 국가들에 아무런 법적 의무를 부과하지 못하는 제한점이 커 79년 유엔인권위원회가 국제법화하기 위한 초안으로 작성했던 이 국제협약은 10년간의 심의 끝에 탄생됐다.

국제협약은「제공받고, 보호받고, 참여할 권리」를 글자 로 모두 54개조항으로 이

루어져 있다.

첫째, 어린이는 생존과 발달에 필요한 모든 인간적·물질적 지원을 제공받고 또 이를 사용할 권리가 있다. 즉▲이름과 국적을 가질 권리▲보건과 영양을 공급받고 교육을 받을 권리▲여가및 놀이를 즐길 권리등을 규정하고 있다.

둘째, 아동은 모든 위해행위로부터 보호받을 권리가 있다. 즉 아동은▲부모로부터 격리돼서는 안되며▲노동이나 상업적 착취▲성적 착취▲육체적·정신적 학대와 방임▲전쟁과 재난으로부터 보호받을 권리가 있음을 규정하고 있다.

셋째, 어린이에게는 자신의 인생에 영향을 미칠 중대한 결정에 대해 알권리와 자신의 의견을 자유롭게 표현할수 있는 권리가 있다.

따라서 어린이는 사회활

동에 참여할 기회를 더욱 많이 가져야 한다는 것등을 내용으로 하고 있다.

유엔의 승인을 얻은 이 국제협약은 20개국가의 비준을 받아야 국제법으로 효력을 발생하게 된다.

0110

관리
번호 **90-1**

외 무 부

종 별 :

번 호 : UNW-0004

일 시 : 90 00103 1800

수 신 : 장관(국연, 법규)

발 신 : 주 유엔 대사

제 목 : 아동권리협약 서명식(1)

1. 유엔 인권센타 뉴욕지부 담당관에 의하면, 90.1.26 유엔본부에서 아동권리협약 (89.12월 총회 채택) 서명식이 거행 예정임.

2. 동 서명식 관련 각국대표부앞 공한은 다음주에 발송계획이며, 동 서명에참여하기 위해서는 본국 신임장이 필요하다고함. 끝

(대사 박쌍용-국장)

예고: 90.6.30 까지

검토필(19 X . . .)

국기국	장관	차관	1차보	국기국

PAGE 1

90.01.04   08:15

외신 2과   통제관 CW

0111

외 무 부

종 별 :

번 호 : UNW-0004

일 시 : 99 00103 1800

수 신 : 장관(국연, 법규)

발 신 : 주 유엔 대사

제 목 : 아동권리협약 서명식(1)

1. 유엔 인권센타 뉴욕지부 담당관에 의하면, 90.1.26 유엔본부에서 아동권리협약 (89.12 월 총회 채택) 서명식이 거행 예정임.

2. 동 서명식 관련 각국대표부앞 공한은 다음주에 발송계획이며, 동 서명에참여하기 위해서는 본국 신임장이 필요하다고함. 끝

(대사 박쌍용-국장)

예고:90.6.30 까지

19 6 30 고문에
의거 인반문서로

| 국기국 | 장관 | 차관 | 1차보 | 국기국 |

690.01.04   08:15
외신 2과 통제관 CW
0112

80. 1. 9
의의의 사무실으로
제출

아동권리 협약

Convention on the Rights of the Child

1. 89.11.10. 제44차 유엔총회(제3위원회)에서 채택

2. 전문 및 54개조로 구성

3. 협약문 요지

   가. 동 협약상 아동은 국내법상 성년이 되지 아니한 18세
   미만자를 의미(제1조)

   나. 모든 아동의 평등권(제2조), 생명권(제6조), 국적권(제7조),
   부모공동의 자녀양육 책임(제18조), 폭력 및 착취로 부터의
   아동의 보호(제19조), 모든 아동의 건강 및 의료권(제24조),
   피교육권(제28조), 고문·사형 및 종신형금지(제37조)

   다. 본 협약규정 실현을 촉진하기 위한 아동권리위원회 설립
   (제43조)

   라. 당사국의 보고서제출의무(제44조)

   마. 20번째의 비준 또는 가입서 기탁 30일후(제49조)

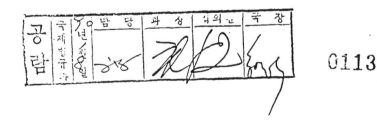

0113

4. 조치계획

   가. 관계부처에 서명관련 입장 문의

   나. 협약문 검토 등에 시일이 필요하므로 서명식(90.1.26.
      유엔본부)에는 참여치 않음.

0114

분류번호	보존기간

발 신 전 보

번   호 : WUN-0037   900109 1541 BP   종별 :

수   신 : 주 유엔   대사 . 총영사

발   신 : 장 관 (법규)

제   목 : 아동권리협약 서명식

대 : UNW-0004

본부는 대호 아동권리협약에의 가입에 따르는 실익 및 제반 국내법과의
문제점등의 검토를 위하여 관계부처의 의견을 문의중인바, 동 검토에는
적지않은 시일이 소요될 것으로 예상되어 아국은 금번 서명식에 참여치
않는것이 바람직하다고 사료하니 양지바람. 끝.

(국제기구조약국장 송영식)

앙고재	70년 1월 9일 국제연구	기안자	과 장	심의관	국 장		차 관	장 관	보안통제	외신과통제

0115

長官報告事項

題目 : 아동권리협약 및 국제인권규약 제2선택의정서 채택

> 제44차 유엔총회는 아동의 권리보호를 요지로 하는 아동권리
> 협약과 사형폐지를 골자로 하는 국제인권규약 제2선택의정서를
> 각각 채택하였음.

1. 아동권리협약 (89. 11. 20. 총회의 채택함)

   가. 영문명칭 : Convention on the Rights of the Child

   나. 주요내용 : 18세 미만자에 대한 평등권, 양육책임, 건강 및 의료권,
      피교육권 등 규정

   다. 관련사항 : 1990년 제45차 유엔총회시 뉴욕에서 아동을 위한
      세계정상회의 개최 예정

   라. 조치계획 : 동 협약의 내용검토 및 관계부처와의 협의를 거쳐
      가입여부 결정

2. 국제인권규약 제2선택의정서 (89. 12. 15 총회의 채택함)

   가. 주요내용 : 전시 군사적 성격의 중죄외에 사형형벌의 폐지

   나. 아국관련사항 : 아국 국내법은 사형을 인정하고 있으므로 현상황에서
      동 의정서 가입불가

0116

638

기 안 용 지

분류기호 문서번호	법규20420-	(전화 :　　　　　)	시 행 상 특별취급	
보존기간	영구·준영구. 10.5.3.1.	장　　　　관		
수 신 처 보존기간				
시행일자	1990. 1. 9.			

보 조 기 관	국 장	전 결	협 조 기 관		문 서 통 제
	심의관				검열 1990. 1. 10 통제관
	과 장				
기안책임자	조성용			발 송 인	

경 유 수 신 참 조	수신처 참조	발 신 명 의		발송 1990. 1. 10

제 목	아동권리협약 가입검토

　　　　주유엔대사는 1989년 제44차 유엔총회에서 "아동권리협약

(Convention on the Rights of the Child)" 이 채택

되었음을 알려온바, 동 협약 전문을 별첨 송부하오니 서명·비준에

관한 귀견을 회시하여 주시기 바랍니다.　　　　*국내관련법규 및*
행정업무외의 관계등에

　　　　첨부 : A/C, 3/44/L, 44　　사본1부. 끝.

　　　　수신처 : 내무부·법무부·문교부·보건사회부장관　　　　0117

1505-25(2-1) 일(1)갑　　　　　　　　　　190㎜ × 268㎜ 인쇄용지 2 급 60g/㎡
85. 9. 9. 승인　　"내가아낀 종이 한장 늘어나는 나라살림" 가 40-41　1989. 2. 20.

대 한 민 국
외 무 부

(720-4045)   1990 . 1 . 9 .

법규 20420-

수신 수신처 참조

제목 아동권리협약 가입검토

　　 · 주유엔대사는 1989년 제44차 유엔총회에서 "아동권리협약
(Convention on the Rights of the Child)"이 채택
되었음을 보고해온바、동 협약 전문을 별첨 송부하오니 국내 관련
법규 및 행정업무와의 관계등에 관한 귀견을 회시하여 주시기
바랍니다·

첨부: A/C, 3/44/L, 44 사본 1부· 끝·

　　　　　　　외　　　무　　　부　　　장　　　관

　　　　　　국제기구조약국장

수신처: 내무부、법무부、문교부、보건사회부장관

0118

I

정리

아동권리 협약

Convention on the Rights of the Child

1. 89.11.10. 제44차 유엔총회(제3위원회)에서 채택

2. 전문 및 54개조로 구성

3. 협약문 요지

    가. 동 협약상 아동은 국내법상 성년이 되지 아니한 18세
       미만자를 의미(제1조)

    나. 모든 아동의 평등권(제2조), 생명권(제6조), 국적권(제7조),
       부모공동의 자녀양육 책임(제18조), 폭력 및 착취로 부터의
       아동의 보호(제19조), 모든 아동의 건강 및 의료권(제24조),
       피교육권(제28조), 고문·사형 및 종신형금지(제37조)

    다. 본 협약규정 실현을 촉진하기 위한 아동권리위원회 설립
       (제43조)

    라. 당사국의 보고서제출의무(제44조)

    마. 20번째의 비준 또는 가입서 기탁 30일후(제49조)

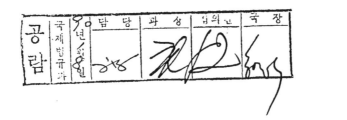

0119

4. 조치계획

　가. 관계부처에 서명관련 입장 문의

　나. 협약문 검토 등에 시일이 필요하므로 서명식(90.1.26.
　　　유엔본부)에는 참여치 않음.

0120

아동권리협약 서명국 및 비준국

1990.1.26 현재
밑줄은 비준국임.

아 주 (7개국)	방글라데시, 인도네시아, 몽고, 네팔, 필리핀, 스리랑카, <u>베트남</u>
미 주 (24개국)	바베이도스, 벨리즈, 볼리비아, <u>브라질</u>, 칠레, 콜롬비아, 코스타리카, 쿠바, 도미니카, <u>에쿠아도르</u>, 엘살바도르, 그레나다, <u>과테말라</u>, 하이티, 자마이카, 멕시코, 니카라과, 파나마, 파라과이, 페루, 세인트 킷츠 네비스, 수리남, 우루과이, 베네수엘라
구 주 (27개국)	알바니아, 오지리, 벨지움, 백러시아, 덴마크, 핀랜드, 불란서, 서독, 동독, 그리스, <u>교황청</u>, 헝가리, 아이스랜드, 이태리, 룩셈부르크, 말타 네델란드, 노르웨이, 폴란드, 포르투갈, 루마니아, 스페인, 스웨덴, 우크라이나, 영국, 소련, 유고
아중동 (27개국)	알제리아, 앙골라, 베넹, 브르키나파소, 코트디브와르, 이집트, 가봉, 갑비아, <u>가나</u>, 기네비쏘, 케냐, 레바논, 라이베리아, 마다가스카르, 말리, 모리타니아, 모로코, 니제, 나이지리아, 루완다, 세네갈, 시에라레온, 토고, 튀니지, 에멘, 자이르, 집바브웨
계	서명국: 85개국 비준국: 6개국

0121

주 국 련 대 표 부

주국련 2031254- **0054**   1990. 1. 18.

수신 장 관

참조 국제기구조약국장

제목 아동권리협약 서명식

　　　 대 : WUN-0037

　　　 연 : UNW-0044

　　　 표제 서명식에 관한 사무총장 서한을 별첨과 같이 송부합니다.

첨 부 : 상기 사무총장 공한 사본 1부.   끝.

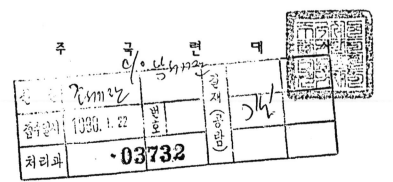

0122

UNITED NATIONS ⊕ NATIONS UNIES

POSTAL ADDRESS—ADRESSE POSTALE UNITED NATIONS, N.Y. 10017
CABLE ADDRESS—ADRESSE TELEGRAPHIQUE UNATIONS NEWYORK

REFERENCE. HR/CRC 1990

OPENING FOR SIGNATURE OF THE CONVENTION ON THE RIGHTS OF THE CHILD

The Secretary-General of the United Nations presents his compliments to the Permanent Observer of the Republic of Korea to the United Nations and has the honour to bring to the attention of His/Her Excellency's Government General Assembly resolution 44/25 of 20 November 1989, by which the Assembly adopted the Convention on the Rights of the Child and called upon all States to consider signing and ratifying or acceding to the Convention as a matter of priority and expressed the hope that the Convention will come into force at an early date.

In this connection, the Secretary-General wishes to inform His/Her Excellency's Government that the signing ceremony of the Convention will take place at United Nations Headquarters on Friday, 26 January 1990, at 11 a.m. at the Economic and Social Council Chamber, and invites duly accredited representatives who wish to sign the Convention on behalf of their States to participate in the ceremony. The credentials of representatives issued by the Head of State or Government or by the Minister for Foreign Affairs should be forwarded to the Treaty Section, Office of Legal Affairs, if possible, one week before the date of the meeting.

The key note address marking the opening for signing of the Convention will be made by the Under-Secretary-General for Human Rights.

9 January 1990

S. B.

0123

오밀 갓

✶ 사본 : 내각차

주 국 련 대 표 부

주국련 2031254 - **0125**   1990. 2. 1.

수신 장관

참조 국제기구조약국장

제목 아동권리협약 서명식

연 : UNW - 0159

연호 표제 서명국 명단을 별첨과 같이 송부합니다.

첨 부 : 상기 명단. 끝.

‧06513   0124

Albania
Algeria
Austria
Bangladesh
Belgium
Brazil
Burkina Faso
Byelorussian Soviet
  Socialist Republic
Chile
Colombia
Costa Rica
Côte d'Ivoire
Cuba
Denmark
Dominica
Ecuador
El Salvador
Finland
France
Gabon
Germany, Federal
  Republic of
Greece
Guatemala
Guinea-Bissau
Haiti
Iceland
Indonesia
Italy
Jamaica
Kenya

Lebanon
Mali
Malta
Mauritania
Mexico
Mongolia
Morocco
Nepal
Netherlands
Niger
Nigeria
Norway
Panama
Peru
Philippines
Poland
Portugal
Romania
Rwanda
Saint Kitts and Nevis
Senegal
Spain
Sri Lanka
Suriname
Sweden
Togo
Union of Soviet
  Socialist Republics
Uruguay
Venezuela
Viet Nam
Yugoslavia

(26 January 1990)

0125

법   무   부

섭외 20420- 3408   503-9505   1990. 3. 15.

수신 외무부장관

참조 국제기구조약국장

제목 U.N. 아동권리협약과 국내관련법과의 관계에 관한 의견 회신

    1. 귀부 법규 20420-638과 관련입니다.

    2. 1989년 제44차 유엔총회에서 채택된 "아동권리협약"의 국내 관련
법규와의 관계에 대하여 별첨 의견서와 같이 검토의견을 회신합니다.

    첨부 : U.N. 아동권리협약과 국내관련 법규와의 관계에 관한 검토의견.   끝.

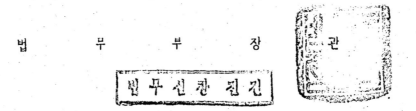

법   무   부   장   관

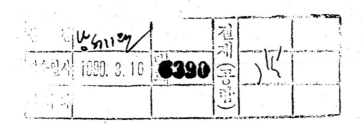

0126

U.N. 아동권리협약과 국내관련법과의 관계에 관한
검 토 의 견

1990. 3.

법 무 부

0127

1. 일반사항

가. 아동권리협약 개요

(1) 기본정신

o 인간의 천부적인 존엄성 및 평등원칙이 전 세계에 있어서의 자유, 정의, 평화의 근간이 됨.

o 아동들은 특별한 보호와 도움이 주어져야 함.

o 아동들은 완전하고 조화있는 인격형성을 위하여 가정에서 그리고 행복, 사랑과 이해가 충만한 환경에서 성장하여야 함.

o 다만 아동보호에 대한 각 국민의 전통과 문화적 가치를 존중함.

o 모든 국가에 있어서의 아동 생활조건의 향상을 위해서는 국가간의 협력이 중요함.

(2) 내 용

o 아동의 정의 (제1조)
  - 18세미만 (우리나라 아동복지법상의 개념과 동일)

o 아동의 기본권
  - 평등권 (제2조), 표현의 자유 (제12조), 양심의 자유 (제14조), 집회의 자유 (제15조)등

0128

o 가족과 관련된 사항

  - 부모의 친권존중, 입양 등의 문제

o 아동보호의 문제

  - 아동학대 방지, 아동보호시설, 장애아동 보호, 아동의 건강관리

  - 위험한 노동 금지

  - 마약, 성폭행으로부터의 보호

  - 형사절차, 교정상의 특례

o 아동교육

o 아동보호를 위한 국제적 노력

나. 국내관련 법령

o 헌법 (기본정신, 기본권보장 등)

o 형사법, 소년법, 소년원법 (아동학대방지, 아동에 대한 형사절차, 교화상의
  특례등)

o 아동복지법, 미성년자보호법 (아동보호)

o 교육법, 유아교육진흥법 (아동교육)

o 기 타

  - 장애인복지법, 생활보호법, 입양특례법, 노동법등

0129

2. 세부사항

가. 아동의 기본권

o 아동권리협약 (이하 본협약이라 한다)상 아동의 기본권으로서 평등권 (제2조), 표현의 자유 (제13조), 양심.종교의 자유 (제14조), 집회 결사의 자유 (제15조), 사생활의 자유 (제16조)가 보장되어야 한다고 규정되어 있는 바,

o 이는 우리 헌법상 기본권 조항인 제11조 (평등권), 제17조 (사생활의 자유) 제19조 (양심의 자유), 제20조 (종교의 자유), 제21조 (언론,출판.집회의 자유)의 규정이 아동에게도 당연 적용되므로 위 본협약상의 아동의 제원리 는 헌법에 의하여 보장이 됨.

o 다만 우리 헌법상 국가안전보장, 질서유지, 공공복리를 위하여는 법률로써 기본권을 제한할 수 있도록 하고 있는 바, 본 협약상도 위와 유사한 개념 인 국가안보 및 공공질서유지를 위한 제한을 인정하고 있으므로 서로 상충 되지 아니함.

나. 폭력, 학대등으로부터의 아동보호

o 본 협약은 국가가 모든 정신적, 신체적 폭력, 학대등으로부터 아동을 보호 하기위한 적절한 입법, 행정, 사회적, 교육적 조치를 취하도록 하면서, 그 조치는 그러한 아동 및 그 아동보호자에 대한 부조 및 사법적 처리를 위한 사건조사등의 방지조치를 포함하여야 한다고 규정하고 있음. (제19조)

0130

o 관련 국내법

- 먼저 우리나라 형법상 일반 폭력이외에 특히 아동등에 대한 학대(형법 제273조) 아동혹사(형법 제274조) 및 미성년자 간음·추행(형법 제302조, 제305조)을 처벌하고 있으며,

- 아동복지법상도 일정한 구걸강요, 음행매개등 아동학대, 혹사행위를 특정하여 금지시키고 이에 위반한 경우 처벌하도록 규정하고 있고(동법 제17조),

- 아동복지시설 및 아동상담소 제도를 두어 그와 같은 아동을 보호, 교육, 상담할 수 있도록 하고 있으므로(아동복지법 제20조),

- 국내 실행에 문제가 없음.

다. 마약, 성폭력, 인신매매로부터의 보호

o 본 협약은 제33조, 제34조, 제35조 제11조에 의해, 마약, 성폭력, 인신매매로부터 보호조치를 취하도록 하고 있음.

o 관련 국내법

- 형법상 마약(제198조 내지 제206조), 성폭력(제297조 제306조) 및 인신매매(제287조 내지 제296조)등에 대한 처벌규정이 있으며, 아동복지법에도 이에 관한 규정을 두고 있음(제18조).

0131

라. 아동에 대한 형사절차 및 교정단계에 있어서의 고려

o 본 협약은 아동에 대한 고문, 학대 또는 가혹한 형법과 18세미만의 소년에 대한 사형, 무기형을 금지하면서, 그외에 구금등에 있어서의 아동특별취급 및 성인과의 분리수용, 법적인 조력을 받을 권리등의 보장(제37조), 아동피해자보호(제39조), 아동교화에 있어서의 특별취급 및 형사재판에서의 제원칙 즉 형법불소급원칙, 무죄추정원칙, 재판에 있어서의 조력을 받을 권리, 신속한 재판을 받을 권리, 자백강요 금지등의 보장(제40조)에 대하여 규정하고 있는 바,

o 우리나라 형사소송법상 형벌불소급, 무죄추정, 신속한 재판을 받을 권리, 자백강요금지등 형법상의 원칙이 일반적으로 보장되고 있으므로 아동에 대하여도 당연 적용되게 되며, 그외에 소년법 및 소년원법의 규정상 18세 미만의 자가 사형, 무기형에 해당하는 죄를 지은 경우 15년으로 성인과의 분리수용, 13세미만의 자의 경우 형사책임 면제등이 보장되고 있으므로 현 국내법에 의하여도 보장이 되고 있음.

0132

마. 아동의 가족구성원으로서의 권리

o 협약상 아동의 가족에 관한 사항으로서

- 부모 또는 혈연적 후견인의 아동에 대한 권리와 책임을 존중하도록 하고
  (제5조),

- 부모양육, 국적취득권, 등록권등 보장 (제7조),

- 부모 및 후견인에 대한 권한남용 방지 (제9조)

- 부모의 공동양육의무 및 양육보조 (제18조)

- 입양시 아동의 이익 최우선 고려 (제21조)

등에 관하여 규정하고 있는 바,

o 국내법상 민법에 미성년자에 대한 친권의 공동행사 및 후견인에 대한
  규정을 두면서 친권남용의 경우 친권상실선고제도를 두고 있으며, 입양에
  관하여는 입양특례법으로 양친될 자의 자격요건(동법 제3조) 등을 규율
  하고 있음. 협약상 특히 국적없는 아동에 대한 출생으로인한 국적조치
  에 대하여 규정하고 있는 바, 이에 대하여는 우리나라 국적법상 혈통주의
  에 의하면서 부모가 분명하지 아니하거나 국적이 없을때 대한민국에서 출생
  한 경우 국적을 부여함으로써 무국적자가 되지 않도록 하고 있음.

o 그외에 아동의 국제 가족상봉보장등의 문제는 국내법상 이에 대한 규제는
  없으며, 행정적인 조치에 의하여 해결할 수 있는 것임.

0133

바. 아동의 교육권

o 협약상 제28조, 제29조로 아동 초등교육의 의무화 및 아동의 인격형성,
  능력개발 위주의 교육목표 설정등에 교육에 관하여 규정하고 있는 바,
  초등교육의무화에 대하여는 우리나라 헌법 제31조에 보장되어 오고 협약과
  같은 취지의 교육목적이 교육법상 규정되어 있음.

사. 아동에 대한 사회보장, 보건관리에 관한 사항

o 본 협약 제26조 및 제27조에 아동 및 아동을 양육하는 부모에 대한 사회보장,
  생활보호등에 관하여 규정하고 있는 바,

o 우리나라 헌법상 국가는 사회보장, 사회복지의 증진에 노력할 의무가 있으며,
  특히 청소년의 복지향상을 위한 정책을 실시하도록 하고 있고(동법 제34조),
  이의 시행을 위한 생활보호법상에도 18세미만의 아동을 보호대상자로 규정
  하고 있음(동법 제3조).

o 보건관리에 관하여는 아동복지법상 보건소에서 아동의 건강등 보건증진
  에 관한 업무를 행하도록 하고 있음.

0134

아. 기 타

ㅇ 근로에 관한 사항

- 본 협약 제32조에 아동의 신체, 정신건강 및 인격형성에 장애가 되는 노동에의 종사를 방지하고 특히 노동에 종사할 수 있는 최저연령, 적절한 근로시간 및 근로조건을 정하도록 하고 이의 위반시 형사처벌등에 관하여 규정하고 있는 바,

- 우리나라 헌법 제32조에 연소자의 근로는 특별히 보호를 받는다고 규정하고 있으며 근로기준법상도 최저근로종사연령 13세, 18세미만자 위험한 노동종사 금지, 근로시간 제한등에 관하여 규정아동을 보호하고 있음.

ㅇ 군복무에 관한 사항

- 본 협약상 15세미만의 자에게 전투병역 복무제한(제38조) 등에 대한 규정이 있으나,

- 우리나라 병역법상 19세에서야 징집검사를 받게 되므로 아동병역복무의 문제는 없음.

ㅇ 소수민족 보호문제

- 본 협약은 혈통적, 종교적, 언어적으로 소수집단이 있을 경우에 그들에게 그들의 문화, 종교 및 언어를 사용할 수 있도록 보장해 주도록 규정하고 있음.

- 국내법상 소수민족에 대하여 특별히 차별하거나, 규제하는 규정이 없음.

0135

o 망명권 문제

  - 본 협약은 제22조에 망명을 요청하거나, 망명으로 간주될 경우 그 아동
    에 대한 보호를 규정하고 있는 바, 국제법 및 국내법에 따르도록 하고
    있으므로 문제없음.

o 장애아동 보호

  - 본 협약은 장애아동 인권보호에 관하여 규정하고 있는 바(제23조),

  - 국내 법규로는 장애인 복지법에 의해 장애자 인권보호에 관하여 특별히
    규정하고 있음.

3. 결 론

o 유엔 아동권리협약상 국내관련 법규와 특별히 저촉되는 부분이 없으며,
  협약내용이 대부분 국내관련 법규에 구현되어 있음.

0136

1274

기 안 용 지

(전화 :   )

분류기호 문서번호	법규 20420-		시 행 상 특별취급	
보존기간	영구·준영구. 10.5.3.1.	장 관		
수 신 처 보존기간				
시행일자	1990. 3. 23.	송인성		
보조기관	국 장	전결	협조기관	문 결 제1
	심의관			
	과 장			
기안책임자	남관표		발 송 인	
경 유 수 신 참 조	체육부장관	발신명의		
제 목	아동권리협약 가입 검토			

1989년 제44차 유엔총회에서 채택된 바 있는 "아동권리협약

(Convetion on the Rights of the Child   )"의 가입

검토에 참고코자 하니, 별첨 동협약과 관련한 귀부소관 국내관련

법규 및 행정업무와의 관계등에 관한 의견을 회시하여 주시기

바랍니다.

첨부 : A/C, 3/44/L.44 사본1부. 끝.

0137

1505-25(2-1) 일(1)갑
85. 9. 9. 승인   "내가아낀 종이 한장 늘어나는 나라살림"

190㎜×268㎜ 인쇄용지 2급 60g/㎡
가 40-41 1989. 11. 14

관리 90
번호 704

외 무 부

종 별 :

번 호 : UNW-0571

일 시 : 90 0328 1800

수 신 : 장 관(국연)

발 신 : 주 유엔 대사

제 목 : 90년도 UNICEF 정기이사회

대: WUN-0353

1. 대호, 당관에서는 본직외에 윤병세 서기관을 대표단에 포함시킬 것을 건의함.

2. 아국의 일반토의 발언은 4.17 오후로 신청하였음.

3. 연설문 작성에 필요하니 정상회의 참가문제, 아동권리협약 가입문제, UNICEF 의 대 아국 사업계획(한-UNICEF 관계 전환문제 포함)등을 포함한 표제 이사회 주요 협의 예정 사항에 대한 본부 입장을 가급적 조속 회시 바람. 끝.

(대사 박쌍용-국장대리)

예고:90.12.31 일까지.

sub. office

국기국   차관   1차보   미주국

PAGE 1

unicef

United Nations Children's Fund
Fonds des Nations Unies pour l'enfance

East Asia & Pakistan Regional Office
P.O. Box 2-154
19 Phra Atit Road, Bangkok 0200, N.B.
Thailand.
Telephone: 282-3121-8 Fax: (662) 280-3563
Cable: UNICEF Bangkok Telex: TH82304

	T.M	
SHIN	
ENZA	
KANG	
YJP	
MHP	
SL	

Action:

MEMORANDUM

EAPRO/GEN/20   5 April 1990

To: Mr. C. Dodge, UNICEF Representative, Bangladesh
      Mr. A. Kennedy, UNICEF Representative, Indonesia
      Mr. K. Waki, UNICEF Representative, Pakistan
      Ms. P. Kale, UNICEF Representative, Philippines
      Mr. R. Diaz, UNICEF Representative, Republic of Korea
      Mr. T. Farooqui, UNICEF Representative, Viet Nam

From: Daniel J. Brooks
       Regional Director, UNICEF/EAPRO

Subject: <u>Consultation on Implementing Rights of the Child</u>

The purpose of this note is to provide you with some advance information the above meeting which is tentatively scheduled for early August. A formal announcement and more comprehensive background note will be circulated when plans are more advanced. In the meantime, we seek your comments and suggestions, particularly regarding content, approach and participation.

As you may recall, on 15-16 May 1989, Indonesia hosted an ASEAN Informal Consultation on the Convention on the Rights of the Child. With the adoption of the Convention on the Rights of the Child, and with almost 80 countries having signed, it is necessary for those concerned with children's rights to focus their attention on ratification, implementation and monitoring of the Convention at the national level.

To discuss next steps in the region, the Regional Office had informal consultations with:

-   Dr. Suyono Yahya, Member of the UNICEF Executive Board and Secretary to the Minister of People's Welfare in Indonesia;

-   Assoc. Prof. Vitit Muntarbhorn, Faculty of Law of Chulalongkorn University in Thailand; and

-   Mr. Victor Soler-Sala, Director of the Division of Public Affairs.

Based on discussion and analysis of the situation, it was decided to organize a <u>Consultation on Implementing Rights of the Child</u>. It is proposed to hold the meeting in Bangkok for 2-3 days, tentatively scheduled for the <u>week of 6 August 1990</u>.

No. 1990. 4. 1 3
UNICEF Seoul

/...

- 0139

United Nations Children's Fund
Fonds des Nations Unies pour l'enfance

The objectives of the consultation will be:

1.   To assist process of accession, and ratification:

   -   review laws, policies and practices
   -   identify constraints and solutions at national and regional levels

2.   To plan for implementation:

   -   planning situation analysis (data bank)
   -   identification of institutional development needs (including monitoring and evaluation)
   -   dissemination of information on children's rights

Details on responsibility for organizing, convening and inviting have not yet been worked out. However, our preliminary thinking is that the meeting may be jointly sponsored by a relevant organization in Thailand and UNICEF. Dr. Suyono Yahya will use the same ASEAN channels as before for conveying invitations to ASEAN countries. However, it should be stressed that this is not an ASEAN sponsored meeting. It is proposed to also invite Bangladesh, Pakistan, the Republic of Korea and Viet Nam to participate.

Participation

In light of the above objectives, it is proposed that from each country, there should be two types of participants:

   -   Those in official positions who can directly influence ratification, enabling legislation and the establishment of official monitoring mechanisms. This group might include officials from relevant ministries, as well as parliamentarians;

   -   Those from the academic or non-governmental community who can influence official and legislative decisions as well as public opinion.

In addition, the organizers may invite a few persons in their individual capacity as specialists on rights and related legislation.

From UNICEF's position, we hope that the meeting will help those supporting national ratification and implementation to think through concrete steps, and also will give UNICEF offices an idea of how we can best support progress, country-by-country.

At this point, I would like to have your suggestions regarding the proposed meeting, specific topics, resource persons, and participants. From this office, Mr. S.H. Umemoto will be co-ordinating our involvement.

Thank you.

cc: Mr. Victor Solar-Sala, UNICEF, New York
      Mr. Antonio Hidalgo, UNICEF, New York

      Mr. S.H. Umemoto, UNICEF/EAPRO
      Mr. J.W. Peacock, Thailand Programme Office   0140
      Ms. H. Argyriades (for Brunei, Malaysia, Singapore)

버렸다

┌─────────────────────────────────────┐
│ 청소년문제, 무엇이든 상담하세요   │
│ 체육부 청소년종합상담실 (전화) 730-2000 │
└─────────────────────────────────────┘

체   육   부

청소년교류부 (구제2482)

법무 20420-1786   720-2134   1990. 4. 18

수신 외무부장관
제목 아동권리협약 가입검토

    1. 법규 20420-12743 ('90. 3. 23)와 관련입니다.

    2. 아동권리협약 가입에 대하여는 당부의 관련법규 및 행정업무와 관련하여
문제가 없으며, 한국정부의 동협약가입을 찬성합니다.

    3. 청소년전담부서인 체육부에서는 청소년육성법의 제정과 청소년헌장을
공포하는등 아동의권리에관한 국제협약의 기본정신 구현에 최대의 노력을 경주하
고 있으며, 별첨의 대한민국 청소년헌장(안)을 보내드리니 참고하시기 바랍니다.

첨부 : 대한민국 청소년헌장(안) 1부. 끝.

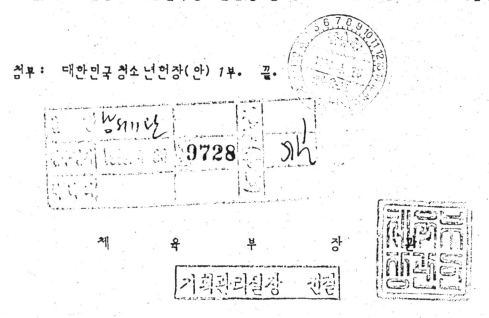

체   육   부   장

기획관리실장 전결

0141

대한민국 청소년헌장 (안)

우리 청소년은 겨레의 빛나는 얼을 이어받아 새 시대를 여는 주역이다. 정열과 희망을 가슴에 품고 몸과 마음을 단련하며 자연과 학문을 사랑하고 탐구와 개척정신을 길러 나라와 누리의 앞날을 빛낸다.

1. 청소년은 출생과 성장.성별과 직업.학력과 종교.심신의 장애로 차별을 받음이 없이 개성과 능력을 개발하여 모든 어려움을 스스로 헤쳐나아가는 슬기와 용기를 기른다.

2. 가정은 청소년이 정서를 가꾸고 더불어 사는 기쁨을 누리는 곳이다. 어버이는 올바른 삶의 본보기가 되어 애정과 대화를 나누고 자녀들은 부모를 섬기며 선량한 성품을 닦는다.

3. 학교는 청소년이 지.덕.체의 조화로운 배움을 통하여 교양과 지식과 기술을 익히는 곳이다. 자아실현에 필요한 개인의 적성을 존중하고 삶을 윤택하게 하는 문화의식과 시민정신을 높인다.

4. 사회는 청소년이 즐겁게 일하며 보람있게 봉사하는 곳이다. 성장과 발달을 해치는 모든일을 막으며 여가선용의 마당을 제공하고 건전한 환경을 만든다.

5. 국가는 청소년을 사랑하는 굳은 의지로 이들을 위한 정책을 최우선으로 편다. 배움터와 일터와 복지시설을 고루 갖추고 도움을 필요로하는 개개인은 각별히 보호하여 적응하고 자립하도록 이끈다.

우리 청소년은 한 민족으로 굳게뭉쳐 통일조국을 바라보며 세계와 우주로 힘차게 나아간다. 온인류와 어울려 자유와 행복을 누리고 평화와 번영을 이룩한다.

0142

외 무 부

원 본

종 별 :

번 호 : PHW-0574

일 시 : 90 0426 1630

수 신 : 장관(아동,국연)

발 신 : 주필리핀대사

제 목 : 유엔 아동권리 협약 이행 독려회의

1. 주재국 외무부는 당관앞 구상서를 통하여 유엔에서 채택된 아동권리 협약의 이행을 독려하기 위한 국제회의를 1990.5.11-5.12.간 마닐라에서 개최한다는 것을 통보하여 왔음.

2. 상기 구상서는 또한 동 회의가 필리핀 외무부, 당지주재 유엔 공보처, 당지주재유엔 및 필리핀 정부기구와 당지 비정부간 기구 합동 주관으로 개최하는 것이라 하며, 아국에서 동 회의에 1내지2명의 언론인 및 1내지 2명의 비정부간 기구(NGO)대표를 파견해 줄것을 요청하였음.

3. 상기 구상서는 파편 송부 위계인바, 동 회의에 대한 아국 입장 회시바람.

(대사 노정기-국장)

아주국   국기국

PAGE 1

90.04.26   22:08 DN

외신 1과 통제관

0143

유 첨

주 필 리 핀 대 사 관

주비정 700- **0395**   1990.4.27.

수 신 : 장관

참 조 : 국제기구조약국장

제 목 : 유엔 아동.권리협약 이행 독려 회의

         연 : PHW-0574

     표제 회의 개최를 위한 주재국 외무성의 연호 구상서를 별첨 송부

합니다.

별 첨 : 상기 구상서 1부. 끝.

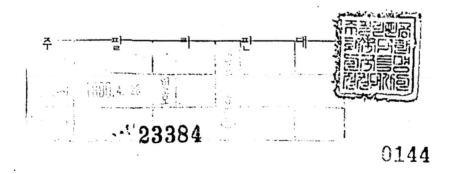

23384

0144

No. 901476

The Department of Foreign Affairs presents its
compliments to the **Embassy of the Republic of Korea** and has
the honor to inform the latter of the launching in Manila on
May 11-12, 1990 of the regional promotion of the UN
Convention on the Rights of the Child. This launching is a
joint effort of the Department of Foreign Affairs, the
United Nations Information Centre in Manila, other UN and
Philippine Government agencies, and local non-governmental
organizations (NGOs) active in the promotion of children's
rights. Its purpose is to create public awareness of the
new Convention that would lead to its ratification and
implementation by countries in the region through greater
regional public understanding. The launching will be a
forum for the sharing of views by participants from the
Asia-Pacific region. It will come out with a practical plan
of action for media, NGOs, and educators on how to promote
the Convention.

0145

This event will coincide with the regional workshop on human rights in Manila from 7 to 11 may 1990 sponsored by this Department and the UN Centre for Human Rights in Geneva and the meeting of UN Information Centre Directors in the Asia-Pacific region who will also participate. Prominent personalities representing various institutions, business sector, students, academe, governmental and NGOs, and members of the Philippine Congress will also take part.

In this regard, the Department wishes to ensure wide representation from the Asia-Pacific region and it would be highly appreciated if the Embassy could assist in the participation of one or two journalists and one or two NGO representatives from your country. To facilitate the travel to the Philippines of foreign participants, reduced rates from Philippine Air Lines and some hotels in Manila are being negotiated.

0146

The Department is convinced that with the cooperation

of the Embassy, the regional meeting to promote the UN

Convention on the Rights of the Child will be successful.

The Department of Foreign Affairs avails itself of this

opportunity to renew to the **Embassy of the Republic of Korea**

the assurances of its highest consideration.

Manila, 02 April 1990

0147

관리 번호	90 - 115

외 무 부

증 별 :

번 호 : UNW-0765

수 신 : 장 관(국연)

발 신 : 주 유엔 대사

제 목 : UNICEF 집행이사회 정기회의(6)

일 시 : 90 0427 1830

연:UNW-0754

1. 표제회의는 금 4.27 모든 회의일정을 마치고 폐회한바, 연호 보고 이후 회의 경과를 아래 보고함.

가. 행정재정 위원회(4.25 오후-4.27 오전)

O 연호에 이어 아래 의제를 심의하고 관련 건의안을 승인 완료함.

- 1990-93 년간 재정계획, UNICEF 재정보고서, UNICEF 직원 현황, 90 년도 연하장 판매계획 및 89 년 보고서

O 마지막 의제 (12) 인 UNICEF 와 각 주재국과의 모델 기본협정 개정안 승인 요청에 대하여는, 새로운 "협정 체결의 기초"에 불과하다는 사무국측의 입장과, 국내 관계 정부기관의 충분한 법적 검토를 위한 시간이 필요하다느 멕시코, 인도등 일부 개도국간의 장시간 논란끝에, 집행이사회가 동 안은 승인이 아닌 유의 (TAKE NOTE) 하되, UNICEF 가 동안을 토대로 협정미체결국과 교섭을 개시하도록 양해하는 선에서 타협함.

나. 계획 위원회 및 행정재정위 결의안 채택(4.27 오전)

O 계획 위원회: 아동문제 정상회의 기여금 출연 촉구를 요청하는 결의안등 아래 18 개결의안을 채택

-1) 가족계획, 2) 사후 평가제, 3) 험지 아동보호, 4) 중남미 지원, 5) 바마코 계획, 6) 아동문제 정상회담, 7) 남아공 아동 및 여성지원, 8) 아동을 위한평화로운 환경조성, 9) 동구지원, 10) WHO 등과의 협조, 11) 긴급 구호활동, 12) AIDS 퇴치, 13) 여아 보호, 14) 개발 관련 유엔기구간 협조, 15) 90 년대 아동전략 16) 이사회 절차 규칙 개정, 17) 급성 호흡 감염, 18) 대외 관계 역할

O 행정재정위: UNICEF 본부 사무실 추가 임차 계획 연기결의안 채택

국기국	차관	1차보	2차보

90.04.28   08:34
외신 2과 통제관 DL

0148

154 한국 인권문제 아동 권리에 관한 협약 가입

다. 집행이사회의 최종회의

0 집행이사회는 계획위원회 및 행정재정 위원회 의장으로부터 위원회별 토의 경과 및 집행이사회 앞 결의안 회부 현황을 보고 받은후 상기 (나)항의 18 개결의안을 모두 승인함.

0 이어 향후 이사회 업무일정을 관한 토의후 GRANT 사무처장의 폐회사를 끝으로 모든 일정을 완료함. GRANT 사무처장은 폐회사에서 금년 9 월 정상회담의 역사적 중요성을 재 강조하고 금번이사회에서 채택된 90 년대 아동전략을 토대로 정상차원에서 구체적인 행동 방향이 설정되기를 희망함.

2. 상기회의 결의안등 관련 자료는 차주 파편 송부 예정임.

3. 건의

가. 관련 부처 및 연구기관과의 평시 협조체제 구축 및 향후 혼성 대표단 구성 검토

0 UNICEF 는 금번 이사회시 대외 관계 활동평가 보고서에서도 언급된 바와 같이 유엔기구중 가장 효율적인 기구의 하나로 평가받고 있으며 최근들어 GRANT 사무처장의 지도하에 세계 교육회의 (90.3 방콕, 150 여개국 참가), 아동문제에 관한 정상회의 (90.9) 개최등 매우 활발한 활동을 벌이고 있음. UNICEF 업무가 아동 (및 여성)의 건강, 교육, 영양, 위생등 전문적 분야에 치중되어 있고, 관련 회의 문서가 방대함에 따라 아국의 보다 실질적인 참여를 위해서도 평시 국내 관계부처 및 연구기관등과 상설 협조체제를 갖춤과 아울러 명년 이사회시는 관련부처 관계자들의 참여가 긴요함.

나. 아동권리협약 조속 서명 비준

0 금번 회의시 다수 국가가 동 협약 비준의사를 밝힌바 있고, 정상회담전 까지 협약 발효가 낙관시되고 있는바, 아국으로서도 가급적 정상회담 개최전 서명비준하는 방안 검토 요망.

다. 정상회담 경비 지원

0 정상회담 소요경비가 이미 반이상 확보되었는바, 현재 추세로 보아 정상회담전까지 대부분의 이사국이 기금출연 예상됨. 아국으로서도 정상회담 참가 문제와 별도로 기 건의한 수준의 경비 지원이 요망됨. 끝

(대사 박쌍용-국장)

예고:90.6.30 까지

기 안 용 지

분류기호 문서번호	국연 2031 **19112**	(전화:)	시 행 상 특별취급	

보존기간	영구·준영구. 10.5.3.1.

수 신 처 보존기간	

시행일자	1990. 5. 1.

장 관

보조기관	국 장	전 결	협조기관		문 서 통 제
	과 장	*(서명)*			검열 1990. 5. 03 통재관
	기안책임자	송영완			발 송 인 1990.5 03

경 유	
수 신	보건사회부장관
참 조	

발신명의

제 목 : 유엔 아동권리협약 이행 독려회의

1. 필리핀 정부는 주필리핀 대사관을 통하여 유엔 아동권리

협약 이행을 독려하기 위한 국제회의를 아래와 같이 개최할 예정임을

알려오면서 한국내 비정부간 기구대표 및 언론인 파견을 요청하여 온

바, 귀부 산하 비정부간 기구 대표파견 여부를 조속 회보하여 주시기

바랍니다.

- 아 래 -

가. 일 시 : 90.5.11-12

나. 장 소 : 필리핀(마닐라)   /계속 0150

1505-25(2-1) 일(1)갑
85. 9. 9. 승인

190mm×268mm 인쇄용지 2급 60g/㎡
가 40-41 1985. 10. 29

다. 주   관 : 필리핀 외무부, 필리핀주재 유엔공보처,

　　　　　　　　　필리핀주재 유엔 및 필리핀 정부기구,

　　　　　　　　　비정부간 기구 합동주관

라. 개최목적 : 아동권리협약에 대한 이해 확산으로

　　　　　　　　　동 협약의 조기 발효 촉진

　　2. 당부는 주한 UNICEF 사무소와 협조하에 언론인 파견을 검토

중임을 참고하시기 바랍니다.

첨 부 : 1. 주필리핀 대사 전문사본 1부.

　　　　　　2. 필리핀 정부 공한사본 1부.　　끝.

0151

1505-25(2-2) 일(1)을 "내가아낀 종이 한장 늘어나는 나라살림" 190mm×268mm 인쇄용지 2급 60g/㎡
85. 9. 9. 승인　　　　　　　　　　　　　　　　　　　　　　가 40-41 1988. 9. 23

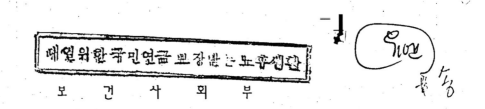

보 건 사 회 부

아동 2031- : **6016**   503-7578   1990.5.9

수신 외무부장관

제목 유엔 아동권리협약 이행 독려회의

    1. 국연 2031-19112('90.5.3)호와 관련입니다.

    2. 필리핀 정부가 주관하는 유엔 아동권리협약 이행 독려를 위한 국제 회의에
참가할 우리부 산하 비정부간 기구대표 파견 여부와 관련하여 해당없음을 회신합니다.

    끝.

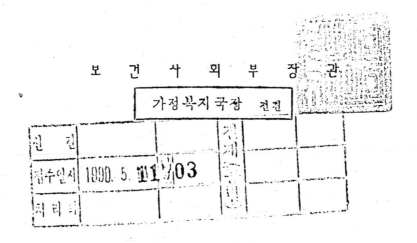

0152

발 신 전 보

WPH-0379   900511 1855 BB

번 호 : _____   종별 : _____

수 신 : 주 필리핀   대사. 방성씨

발 신 : 장 관 (국연)

제 목 : 유엔 아동권리 협약 이행 독려 회의

대 : PHW-0574

대호, 아국은 표제회의에 대표단 파견계획 없음.   끝.

(국제기구조약장 송영식)

앙고재	90년5월11인	UN과	기안자 송영식		과 장		국 장		차 관	장 관		보안통제	외신과통제

0153

- 비준: 5개국
- 서명국: 85개국

ITEM 6:   CONVENTION RIGHTS OF CHILD UPDATE
Belize ratified Convention on Rights of Child, the fifth
ratification following Ecuador, Ghana, Holy See and Vietnam.
    Meanwhile, Benin has just signed Convention, bringing to
85 the number of countries indicating intention to ratify
document. To date, list of countries that have signed
convention are as follows: Albania, Algeria, Angola, Austria,
Bangladesh, Barbados, Belgium, Belize, Benin, Bolivia, Brazil,
Burkina Faso, Byelorussian SSR, Chile, Colombia, Costa Rica,
--More--

Cote d'Ivoire, Cuba, Denmark, Dominica, Ecuador, Egypt, El
Salvador, Finland, France, Gabon, Gambia, GDR, FRG, Ghana,
Greece, Grenada, Guatemala, Guinea-Bissau, Haiti, Holy See,
Hungary, Iceland, Indonesia, Italy, Jamaica, Kenya, Lebanon,
Liberia, Luxembourg, Madagascar, Mali, Malta, Mauritania,
Mexico, Mongolia, Morocco, Nepal, Netherlands, Nicaragua,
Niger, Nigeria, Norway, Panama, Paraguay, Peru, Philippines,
Poland, Portugal, Romania, Rwanda, Saint Kitts & Nevis,
Senegal, Sierra Leone, Spain, Sri Lanka, Suriname, Sweden,
Togo, Tunisia, Ukrainian SSR, USSR, UK, Uruguay, Venezuela,
Viet Nam, Yemen, Yugoslavia, Zaire, Zimbabwe.

0154

보 건 사 회 부

아동 20420-　6466　　　　　503-7578　　　　　1990．5．18

수신　외무부장관

제목　아동권리 협약 가입 검토 회시

　　1．법규 20420-638('90．1．10)호와 관련입니다．

　　2．1989년 제44차 유엔총회에서 채택된 "아동권리협약"내용 중 우리부
소관 사항을 검토한바 의견없음을 회시합니다．　끝．

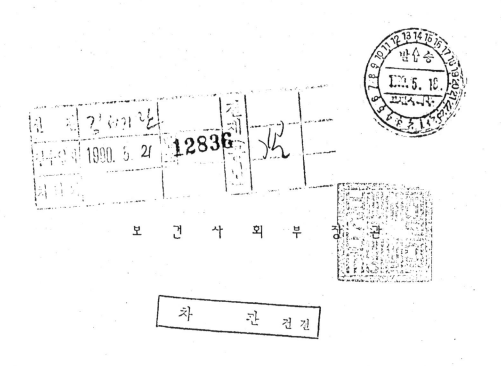

보 건 사 회 부 장 관

차 관 전결

23373

기 안 용 지

(전화 :   )

분류기호 문서번호	법규20420-	(전화 :)	시 행 상 특별취급	
보존기간	영구·준영구. 10. 5. 3. 1.	장 관		
수 신 처 보존기간				
시행일자	1990. 5. 22.	송**(서명)**		

보 조 기 관	국 장	전결	협 조 기 관		문 서 통 제 검열 1990.5.24
	심의관				
	과 장				
기안책임자	김두영				발 송 인

경 유		발 신 명 의	
수 신	수신처 참조		(발송 도장)
참 조			

제 목	아동권리 협약 가입문제

연 : 법규20420-638(90.1.9) (내무부、법무부、문교부、

보건사회부)   법규20420-12743(90.3.23) (체육부)

1. 당부는 1989년 제44차 유엔총회에서 채택된 "아동권리

협약"에 아국의 금년내 가입을 추진하고 있읍니다.

2. 이와관련、 정부의 방침을 협의하기 위하여 아래와 같이

관계부처회의를 개최코자 하오니 귀부(처)의 담당과장이 참석토록

/ 계 속 /

0156

1505-25 (2-1) 일(1)갑
85. 9. 9. 승인   "내가아낀 종이 한장 늘어나는 나라살림"

190mm×268mm 인쇄용지 2급 60g/㎡
가 40-41 1989. 11. 14

협조하여 주시기 바랍니다.

- 아   래 -

가. 회의일시 : 90·6·14(목) 15:00

나. 장   소 : 외무부 제2외빈접견실(616호)

다. 참석범위 :

  (1) 회의주재 : 외무부 국제기구조약국장

  (2) 참   석 : 내무부、법무부、문교부、체육부、보건사회부、

          법제처、담당과장. 끝.

수신처 : 내무부、법무부、문교부、보건사회부; 체육부 장관、법제처장.

0157

1505-25(2-2) 일(1)을 "내가아낀 종이 한장 늘어나는 나라살림" 190mm×268mm 인쇄용지 2급 60g/㎡
85. 9. 9. 승인   가 40-41 1988. 9. 23

"정직.성실하게 봉사한다."

내　　무　　부

법무　02101-　　　　　　　　731-2170　　　　　1990. 6. 1.

수신　외무부장관　　　　　　치안본부 소년과 (313-0703)

제목　아동권리협약 검토의견 회시

　　　법규 20420-638('90.1.9)에 의거 아동권리협약에 대하여 당부 "이견 없음"을 통보합니다.　　　끝.

내　　무　　부　　장

기획관리실장		전　　결

신　견	김해기랄	결 재 (공 람)	
접수일	1990. 6. 2	번호	
처리과	14197		

0158

아동권리협약 가입검토를 위한 관계부처 회의자료

1990. 6.

외 무 부
국 제 기 구 조 약 국

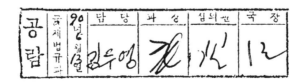

0159

I. 의제: 아동권리협약 가입에 대비, 동 협약의 국내 관련 법령과의 저촉 여부 및 동 협약 시행을 위한 국내법령 제정 또는 정비 필요성 검토

II. 가입추진: 동 협약 검토결과 가입에 따르는 문제가 없다고 판명될시 가능한한 조속 가입 추진예정이나 국내절차상 다소지연이 불가피할 경우 금년내에 최소한 서명추진

III. 협약 채택 경위 및 주요내용

  1. 채택경위

    ㅇ 1924.9.26 : 제5차 국제연맹총회 "아동의 권리선언"(일명 제네바 선언) 채택

    ㅇ 1959.11.20: 제14차 유엔총회 "아동의 권리선언" 채택

    ㅇ 1979년 국제아동의 해 지정

    ㅇ 1979.10. 폴란드, 유엔인권국에 협약 초안제출

    ㅇ 1989.11.20: 제44차 유엔총회 "아동권리 협약" 채택

- 1 -

2. 협약개요

가. 협약의 구성체제 : 전문 및 3부 54개 조문으로 구성

전문

제I부(제1조-제41조) : 협약의 실체인 아동권리 조항

제II부(제42조-제45조) : 아동권리위원회 및 당사국 의무조항

제III부(제46조-제54조) : 협약가입 절차 및 개정절차 조항

나. 주요내용

o 아동의 정의 : 18세 미만

o 아동의 기본권 : 무차별 평등권(제2조), 표현의 자유
(제13조), 사상·양심·종교의 자유(제14조)
결사·집회의 자유(제15조)

o 아동보호 관련 사항

- 국외 불법 이송금지(제11조)

- 아동학대, 방임으로 부터 보호의무(제19조)

- 장애아동보호(제23조), 건강의료권(제24조),
사회보장권(제26조)

- 2 -

0161

- 착취, 유해노동으로 부터의 보호의무(제32조, 제36조)

- 마약, 성폭행으로 부터의 보호(제33조, 제34조)

- 형사절차, 교정상의 특례(제40조)

- 유괴·매매 거래의 방지(제35조)

- 무력분쟁으로 부터의 보호(제38조)

ㅇ 아동의 가족에 관련된 사항

- 부모 및 후견인의 아동에 대한 권리와 책임존중(제5조)

- 부모의 양육, 국적취득권, 등록권 보장(제7조)

- 부모로 부터의 분리금지(제9조)

- 부모의 공동 양육의무 및 입양(제18조, 제20조)

- 입양시 아동의 최선 이익고려(제21조)

ㅇ 아동교육

- 의무교육, 교육상 기회균등(제28조)

다. 가입시 국가의 의무부담사항

ㅇ 협약상 보장된 아동의 실체적 권리를 시행하기 위한 국내적
조치

- 3 -

0162

ㅇ 협약 홍보의무(제42조)

ㅇ 협약상 의무실현 사항을 심사할 아동권리위원회에 대한
  보고의무(제44조)

  - 협약 발효후 2년 이내 최초보고후 매5년마다 유엔사무
    총장경유 보고서제출

라. 가입 및 발효

ㅇ 서명후 비준하거나 또는 서명없이 가입할 수 있음.(제46조,
  제47조, 제48조)

ㅇ 발효

  - 20번째 비준서 또는 가입서 기탁 30일후 발효

  - 발효후 비준 또는 가입국에 대하여는 기탁 30일후 발효

마. 유보

  - 비준 또는 가입시 유보가능하나 협약의 대상 및 목적과
    양립할 수 없는 유보는 허용되지 않음.

Ⅳ. 국내법령 관련검토사항

1. 관련국내법

　o 헌법: 기본정신, 기본권보장

　o 민법: 친권상실, 입양등

　o 형사법, 소년법: 아동학대 방지, 아동에 대한 형사절차,
　　　　　　　　　　교정상의 특례

　o 아동복지법, 미성년자 보호법(아동보호)

　o 교육법, 유아교육 진흥법(아동교육)

　o 기타
　　- 장애인 복지법, 생활보호법, 입양특례법, 근로기준법,
　　　국적법 등

- 5 -

0164

2. 검토요망 사항

가. 아국내 외국인 아동에 대한 사회보장 등 적용문제

    ○ 협약 제2조는 당사국에게 관할권내에 있는 아동에 대하여
      국적이나 인종 등과 관계없이 무차별적인 협약상 권리
      존중 의무를 부과하고 있음.

    ○ 따라서 협약상 장애아동의 권리(제23조), 건강의료권
      (제24조) 사회보장권(제26조), 충분한 생활수준에 대한
      권리(제27조), 교육권(제28조) 등 사회보장적 성격을
      띄는 권리의 아국내 외국인 아동(특히 화교자녀)에 대한
      무차별적 적용문제가 제기될 수 있음.

    ○ 국내 관련 법령인 장애인 복지법, 생활보호법, 사회보장에
      관한 법률 등의 외국아동에 대한 적용가능성 검토 필요

나. 국적권

    ○ 협약 제7조 : 아동의 국적취득권 보장

- 6 -

0165

ㅇ 현 국적법상 무국적발생 가능성에 비추어 국적법 개정
   필요성 여부

다. 친권 상실제도

ㅇ 협약 제9조: 부모의 친권상실시 아동을 포함 모든
   당사자들에게 의견 표명권 부여

ㅇ 친족상속법(제924조-927조) 및 아동복지법상 친권상실시
   아동의 의사표명권이 명시되어 있지 않음.

라. 아동의 의사표명권

ㅇ 협약 제12조: 아동에게 영향을 미치는 모든 사안에 대한
   아동자신의 의사표명권 부여

ㅇ 협약 제21조: 아동입양시 아동의 최선이익 고려 규정

ㅇ 아동입양 특례법 제4조 2항은 15세 이상인자에 한해
   입양동의외에 양자로될 자의 동의를 규정, 15세미만인자의
   의사표명권이 부인됨.

- 7 -

0166

마. 아동의 증언거부권

○ 협약 제40조 (2)항 (b) (iv) 호 : 아동에게 증언거부권 부여

○ 형사소송법 제159조는 선서무능력자를 16세미만자로 규정
  하고 있는 바, 협약상 아동의 정의가 18세 미만인점에
  비추어 볼때 16세, 17세 아동에 대한 선서거부권 부여 문제

V. 제안사항

○ 협약 일부 규정이 국내법령과 저촉됨에 비추어 비준 또는 가입시
  국내법령 개정문제 검토

○ 협약 규정을 포괄적으로 수용하는 가칭 "아동보호법"등 특별법 제정

長 官 報 告 事 項

1990 . 6 . 14.
國際機構條約局
國際法規課(15)

題目 : 아동권리협약 검토 관계부처회의

> 아동권리협약 가입을 적극추진하기 위하여 개최한 관계부처 회의 결과를
> 아래와 같이 보고합니다.

1. 회의 일시 및 장소: 90.6.14(목), 15:00-17:00 외무부 회의실(817호실)

2. 참 석 부 처: 외무부, 법무부, 문교부, 체육부, 보건사회부, 법제처

3. 협 의 사 항: - 아동권리협약에 대한 정부의 기본 입장 수립
   - 협약가입 추진을 위한 실무협조 방안 협의
   - 가입에 따른 국내법상 문제점 검토

4. 회의결과
   ○ 가입에 원칙적인 찬성 입장 확인
   ○ 다만 국적법, 사회보장제도, 국내교육제도상 문제점에 대한 추가검토
     필요 의견
   ○ 전문가등의 의견 수렵 방안 모색

5. 조치 예정 사항
   ○ 협약 가입에 필요한 실무적 검토 계속
   ○ 장관님의 제45차 유엔총회 계기 방미시에 우선 서명하는 방안을 적극
     추진

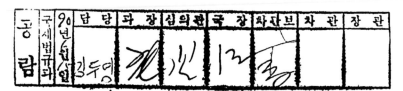

0168

長官報告事項

題目 : 아동권리협약 검토 관계부처회의

아동권리협약 가입을 적극추진하기 위하여 개최한 관계부처 회의 결과를
아래와 같이 보고합니다.

1. 회의 일시 및 장소 : 90.6.14(목), 15:00-17:00 외무부 회의실(817호실)

2. 참 석 부 처 : 외무부, 법무부, 문교부, 체육부, 보건사회부, 법제처

3. 협 의 사 항 : - 아동권리협약에 대한 정부의 기본 입장 수립

　　　　　　　　- 협약가입 추진을 위한 실무협조 방안 협의

　　　　　　　　- 가입에 따른 국내법상 문제점 검토

4. 회의결과

　° 가입에 원칙적인 찬성 입장 확인

　° 다만 국적법, 사회보장제도, 국내교육제도상 문제점에 대한 추가검토
　　필요 의견

　° 전문가등의 의견 수렴 방안 모색

5. 조치 예정 사항

　° 협약 가입에 필요한 실무적 검토 계속

　° 장관님의 제45차 유엔총회 계기 방미시에 우선 서명하는 방안을 적극
　　검토

0169

UNITED NATIONS CHILDREN'S FUND 국제연합아동기금(유니세프)

17-1,CHANGSUNG-DONG,CHONGNO-KU,SEOUL,REPUBLIC OF KOREA.MAIL:C.P.O.BOX 1930, SEOUL.TEL:735-2315/2310,736-7862,738-8503 CABLE ADDRESS:"UNICEF" TLX:K29808
서울·종로구 창성동 17-1, 중앙사서함 1930, 전화 : 735-2315/2310, 736-7862, 738-8503, Fax. 738-8504, 텔렉스 K : 29808

INF4.1/0376   1990. 6. 14.

수 신 :   외무부장관

참 조 :   국제기구조약국장

제 목 :   아동의 권리에 관한 동남아 자문회의 참석자 파견

1. 유니세프는 아동의 권리에 관한 국제협약의 비준과 그 집행문제등을
    로의하기 위한 동남아 지역각국 자문단 회의를 오는 8월 6-8일 태국
    방콕에서 개최할 예정입니다.

2. 이에 한국에서는 동회의에 3명내외의 자문단을 파견할 예정이오며
    귀부에 관계관 1명을 동 자문단의 일원으로 파견해 줄것을 요청하는
    바입니다.

3. 별첨 자료를 참조하시어 참석자의 명단을 오는 18일까지 유니세프
    서울사무소로 통보해 주실것을 부탁드립니다.

국제연합아동기금

0170

unicef (logo)

United Nations Children's Fund
Fonds des Nations Unies pour l'enfance

East Asia & Pakistan Regional Office
P.O. Box 2-154
19 Phra Atit Road, Bangkok 10200,
Thailand.
Telephone: 282-3121-8 Fax: (662) 280-3563
Cable: UNICEF Bangkok Telex: TH82304

MEMORANDUM

Ref. F-568

EAPRO/GEN/24

9 May 1990

To: Mr. C. Dodge, UNICEF Representative, Bangladesh
      Mr. A. Kennedy, UNICEF Representative, Indonesia
      Mr. K. Waki, UNICEF Representative, Pakistan
      Ms. P. Kale, UNICEF Representative, Philippines
      Mr. R. Diaz, UNICEF Representative, Republic of Korea
      Mr. T. Farooqui, UNICEF Representative, Viet Nam

From: S. H. Umemoto
      Deputy Regional Director, UNICEF/EAPRO

Subject: Southeast Asia Meeting on the Rights of the Child

        This is further to our memorandum EAPRO/GEN/20 of 5 April
1990. Attached is a draft paper which spells out in more detail
the current thinking on the meeting. Although it is not a formal
document on the meeting, you are welcome to share it with anyone
you wish. Some internal UNICEF notes on the meeting and contained
below in this covering memorandum.

        We would ask your particular attention to the following:

        -   Why the rush? We believe that the meeting can
            inter-relate with the Summit, providing input, and
            setting the stage to "capture" any motivation for
            action which a head of state/government may return
            with from the Summit.

        -   The meeting is designed to be as action-oriented as
            possible. Thus we are proposing that country groups
            will take advantage of the setting and the resource
            persons to actually draw up a plan of action.

        -   Very high level participation is proposed, in order
            to maximize the possibility for follow-up action
            with real results.

        -   Countries like Viet Nam and Indonesia which have
            ratified or probably soon will, should also join as
            attention will be given to implementation,
            monitoring systems and regional networks on child
            rights.

                                        0171 /...

- 2 -

Our questions now:

- Would you see your country participating?

- Are the prospects for really high level participation promising?

- Would you consider participating yourself?

- Do you have the programme resources to fund preparation of a paper and participation? (see notes below)

- Any comments or suggestions, to strengthen approach, format, or content?

A Short Country Paper

If participation is possible, a short (5-page) country paper is requested. Content of the papers will vary depending on whether or not the country has ratified the Convention, and on the degree of organization and analysis which has taken place. It is suggested that, each UNICEF office try to identify a consultant with legal experience who could summarize any major steps taken or underway related to review, ratification and implementation of the Convention, and who could also do at least a <u>cursory analysis of the Convention content</u>, and perhaps highlight those articles which will need special attention within the national context. A guideline for the paper will be forwarded along with a sample of the analysis of Convention articles undertaken in Thailand.

Participation

As indicated in the memorandum, very high level participation is proposed. It is suggested that UNICEF exercise some influence over the selection of participants. To the extent possible, it would be good to avoid persons being selected merely to represent one agency/sector or another. If at all possible, we should try to secure the participation of those who can indeed move decisions on ratification and implementation. It is also felt that one or two individuals only, even at high level, may have difficulty in organizing and moving all of the various sectors and groups who will be needed to bring about ratification. Therefore, national groups as large as 5 or 6 persons are envisaged. Of course, it is recognized that the UNICEF Representative in each country will have to exercise judgment on how participants are selected. It is essential that the group finally attending from any country can function as a team in the meeting, and especially afterward.

0172

/...

DRAFT   8 May 1990

                                                                EAPRO/SHU

SOUTHEAST ASIA MEETING ON

RIGHTS OF THE CHILD

Moving toward Ratification and
Implementation

Background and Introduction

        After a ten-year gestation period, the International Convention on
the Rights of the Child was born at the end of 1989 when the United Nations
adopted it by consensus. It was opened for signature by States on 26
January 1990. To date, some 80 countries have signed it, and 4 States have
ratified it.   For it to become effective as an international agreement,
ratification or accession by 20 States is required.

        The Convention stipulates a series of rights of children as basic
minimum benchmarks which States parties agree to guarantee for children
without discrimination on their territory. The best interests of the child are
recognized as a primary concern. The rights enumerated include the right
to life and family; freedom of thought, conscience and religion; protection
from violence, abuse, neglect and exploitation; rights concerning the civil
status including nationality; and rights concerning development and welfare
(e.g. the right to health and education).   An international committee to
monitor implementation of the Convention will also be set up and States
parties are obliged to report to it.

Signing the Convention

        With adoption by the United Nations General Assembly, the
Convention was opened for signature by States parties. Already 80 nations,
about half the countries of the world, have signed. In signing, a state party
is acceding to the Convention and indicating that it intends to seriously
review the convention for national ratification and implementation. This
step by individual nations has international value, in that the more nations
that sign, the more moral pressure is exerted on the remaining countries to
indicate their intentions. A key challenge for the coming months will be to
analyze the positions of both signatory and non-signatory countries, and
their interplay with the Convention. For the former, the path ahead calls
for appraisal of existing laws, policies and actions which are incompatible
with the Convention and which need to be redressed upon ratification. For
the non-signatory countries, there arises the issue concerning their rationale
for non-accession and ratification, the potential for accession and
ratification, and the present state of children's rights at the national level.

                                        0173
                                            /...

- 2 -

It is recognized that in most countries, those supporting the Convention are not yet fully organized. As a result they are not able to efficiently mobilize people, organizations, institutions, arguments and resources in support of the Convention. Some initial contacts among supporting individuals in different countries were made at the ASEAN Informal Consultation on the Convention on the Rights of the Child hosted by Indonesia on 15-16 May 1989. However, there has been little additional exchange of experience among countries on how the Convention can best be supported and moved through legislative and executive channels toward ratification and implementation. Therefore, it has been decided to organize a Southeast Asia Meeting on Rights of the Child, for groups of supporters from a number of Asian countries. It is proposed to hold the meeting in or near Bangkok for 3 days, tentatively scheduled for the week of 6 August 1990.

Objectives

The objectives of the consultation will be:

1. To assist the process of accession, and ratification:

    -   review laws, policies and practices
    -   identify constraints and solutions at national and regional levels
    -   to prepare specific national plans of action

2. To plan for implementation:

    -   to plan situation analysis (data bank)
    -   to identify institutional development needs (including monitoring and evaluation)
    -   to develop strategies for dissemination of information on children's rights.

Plans of Action -- It is anticipated that the meeting will help those supporting national ratification and implementation in developing concrete, multi-faceted plans of action -- plans of action which envisage co-ordinated action in the executive, legislative, judicial, planning, and public education spheres. To the extent such plans can be developed, this will also provide UNICEF in various countries with a clear idea of how it can best support progress toward ratification and implementation at the country level.

Interaction with Summit for Children -- The meeting can also have an important interaction with the World Summit for Children scheduled in September 1990. Analysis and recommendations of the meeting can help to better inform participating heads of government. If the summit is successful in creating momentum for ratification, then the organization and plans coming out of this meeting, may enable the those supporting the Convention at the national level to seize leadership attention immediately after the Summit and perhaps make important strides toward ratification and implementation.

0174 /...

- 3 -

Network for Rights of the Child -- Finally, the meeting may solidify some network contacts among like-minded persons and groups in the region concerned with rights of the child. One functions of such a regional network might be to help in regional and national monitoring of implementation of the Convention. The participants may wish to consider whether a regional arrangement for child rights monitoring might be appropriate.

Sponsorship

The meeting will be jointly sponsored by a relevant organization in Thailand and UNICEF. Dr. Suyono Yahya will use the same ASEAN channels as before for conveying invitations to ASEAN countries. However, it should be stressed that this is not an ASEAN meeting, nor ASEAN-sponsored meeting. In addition to all ASEAN countries, it is proposed to also invite Bangladesh, Pakistan, the Republic of Korea and Viet Nam to participate.

Participation

The aim is to secure from each country, a group of participants who are senior enough and influential enough to have a large impact on decision making in their country on the ratification and implementation of the Convention. It is proposed that from each country, there should be two types of participants:

- Those in official positions who can directly influence ratification, enabling legislation and the establishment of official monitoring mechanisms. This group might include ministers, senior officials from relevant ministries, as well as parliamentarians;

- Those from the academic, media and non-governmental communities who can influence official and legislative decisions as well as public opinion.

One of the objectives of the meeting is to develop for each country, some organization (at least an informal one) and concrete plans of action for promoting ratification of the Convention. Therefore, participation from each country should be of a high level and representing major groups involved, to enable the group upon return to actually put a plan of action into action. Thus, a strong country delegation might include:

- A relevant and influential parliamentarian;
- A minister or senior official from a substantive ministry (perhaps justice or public welfare);
- A leading person from the NGO community;
- A senior UNICEF officer.

0175 /...

- 4 -

     Also included might be specialists from the academic community, the media, the business sector or even public personalities who may be able to influence public and official opinion. The most important criteria for identification of participants are (1) ability influence official and public opinion in favour of the Convention, and (2) ability to contribute ideas and experience to others.
     It is also suggested that there be representation from children's and youth groups participating in the meeting.

     For those countries which have already ratified or are about to ratify the Convention, participation may be somewhat different. The objectives of their participation should be on plans for implementation and monitoring and on sharing their experience leading to ratification with others.

Approach and Format

     As indicated above, the meeting will deal with issues of process (leading toward national ratification), of content (specific articles), and with concrete plans of action. During the course of discussion of these, it is expected that some conclusions may also emerge regarding the need for continuing network contacts among countries.

     Presentations -- It is proposed that presentations will be limited in number and that each will be short (5-15 minutes). They will be limited to covering the overview of the situation among the participating countries, and to introducing certain dimensions of process and content. In all cases, presentations will be immediately followed by open discussions.

     Working Groups -- Considerable use of small working groups is planned. This will enable those with common needs and interests to work in some depth on elements of process and content with each other and the relevant resource persons. Also, working groups are planned for national groups to develop their specific national plans of action.

     Plenary Session -- In addition to presentation, plenary sessions will be used for synthesis of working groups conclusions.

0176

- 5 -

SOUTHEAST ASIA MEETING ON
RIGHTS OF THE CHILD

8 May 1990

Draft Agenda

Day One

Morning: OPENING

Plenary Session -- Opening Session:

- Keynote Speech: The International Convention of the
  Rights of the Child: The Challenges Ahead

OVERVIEW OF CURRENT STATUS

Plenary Session -- Presentations and discussion

- The Path to Accession, Ratification, Implementation and
  Monitoring -- Dr. Vitit Muntarbhorn

- Regional Perspective: Status of Convention in
  participating countries of Asia (5-10 minute country
  presentations highlighting process and constraints)

FACILITATING THE PROCESS

Plenary Session --   Short presentations and discussion:

- Organizing for national review
- Review of national law
- Building parliamentary support
- Developing national monitoring mechanism
- Developing public awareness and support

0177 /...

- 6 -

Afternoon: **MAJOR ISSUES OF CONTENT**

Plenary Session -- Presentations on issues:

- Right to Nationality
- Rights of Refugees
- Rights against exploitation
- Rights of Children in Difficult Circumstances
- Rights to basic welfare and development services
- National Monitoring

Working Groups to outline responses/arguments

Day Two

Morning: Working Groups (continued)

Plenary Session -- Summary and discussion

- Presentation and review of group recommendations on issues

COUNTRY PLANS OF ACTION

- Guidelines for country working groups

Afternoon: Country Working Groups -- framing country plans of action

. specific objectives
. action steps
. groups and individuals to be involved
. organization required
. time frame
. resources
. responsibilities

0178

/...

- 7 -

Day Three

Morning: Country Working Groups (continued)

Plenary Session -- Discussion of Country Plans

-       Summary presentation of selected Country Plans of Action

-       Discussion of network needs for mutual support

Afternoon: Plenary Session (continued)

-       Closing

Informal meeting with group of Thai Parliamentarians and Activists

Outcome

-       Identification and definition of important issues hampering ratification;

-       Establishment of national action teams to promote ratification and implementation;

-       National Plans of Action, including organization and resources required;

-       Establishment of mechanism for continued communication and exchange of information among action groups in the region.

The meeting will be useful for bringing together country groups to identify the current situation concerning their countries' attitudes towards the Convention and the nexus between the Convention and national laws and policies. It will help to scrutinise the particular concerns of States which have not yet become parties to the Convention and the potentials for their accession and ratification. The forum will also provide a link between national, regional and multilateral perspectives, and inter-organizational coordination at all these levels. It should help to mobilize great interest in the Convention and in the World Summit for Children, as well as yield positive inputs of ideas and strategies for the future.

0179

아동의 권리에 관한 동남아지역 자문회의

1. 주 관 : UNICEF

2. 회의기간 및 장소 : 90.8.6(월)-8.8(수), 방콕

3. 회의의제

   ○ 아동권리협약 가입 또는 비준 추진 지원문제
      - 각국 법, 정책 및 관행 검토
      - 국내적, 지역적 수준에서 제약요인 및 해결방안 모색
      - 각국별 구체적 행동계획 수립

   ○ 아동권리협약 시행계획 준비문제
      - 현황분석
      - 제도적 발전이 필요한 분야확인
      - 아동권리 홍보전략 개발

4. 참가국(6개국) : 방글라데시, 인도네시아, 파키스탄, 필리핀, 한국, 베트남

5. 대표단 규모 : 5-6명

   ○ 협약 비준에 영향력을 행사할 수 있는 정부고위 인사 및 입법조치나
      여론에 영향을 미칠 수 있는 학계 또는 언론계 인사 포함 요망

6. 준비사항

   ○ 5페이지 정도의 Country Paper.

0180

외 무 부

종 별 :

번 호 : UNW-1216   일 시 : 90 0618 1800

수 신 : 장관 (국연,법규,기정)

발 신 : 주 유엔 대사

제 목 : UNW-1215 PART 2

바. 정상회의 형태

0 정상 발언문제

- W/G 의장이 제출한 일정(안) 및 회의진행계획 (안)은 연호 1)과 대동소이하나, 개회발언 정상의 범위를 6 개 원제안국에서 공동의장 2 명으로 줄이고 대신 여타 정상중 일부 (폐회발언의 경우 2 명) 를 사전 합의해서 선정키로 하고, 비공개 자유토론시 요약발언 (INTRODUCTION) 정상의 범위를 당초 지역대표에 기능대표를 추가한것이 주요한 수정내용임.

- 대부분의 대표들은 상기 수정안이 P/C 참가국의 대다수 의견을 반영한것이라는 지지 입장을 표명하면서도 참가 정상들의 발언문제는 보다 신축성있게대처할것을 요망하였으며 특히 불란서 대표 (주유엔대사) 는 공개회의 (개회, 폐회) 시 자국 정상의 발언 기회보장이 없는한 정상 참석에 부정적 영향을 미칠것이라고 발언함.

- FORTIER 의장은 이러한 견해를 감안, 시간제약 문제가 있으나 공개회의에서 발언을 강력히 희망하는 정상의 경우 이를 허용토록 검토하겠다고 언급함.

0 정상 개인대표 (참석시) 발언 허용 문제

- 정상 개인대표 참가 허용 주장국가들은 개인대표 참가시 정상들과 동등한대우 부여를 역설한바, 참가를 허용하는 경우에도 정상과 구분을 두어야 한다는 주장과 대립됨.

0 회의장

- 모든 공개회의 (개회, 폐회) 는 총회장에서 개최키로함.

사. 정상회의 선언문(안) 및 행동계획(안)

0 W/G 의장이 제출한 표제 (안) 은 연호 연설문(안) 을 다시 26 개항으로 간소화 시키고 이의 실천을 위한 구체적 행동계획(안)을 33 개 항으로 작성한 것으로서 일부

국기국   1차보   2차보   미주국   국기국   안기부

PAGE 1   90.06.29   08:39

                                        외신 2과 통제관 DH

                                             0181

세부적인 사항에 대한 지적을 제외하고는 대부분의 참가국들이 만족을 표명함.

0 P/C 회원국 및 유엔 관련기구의 콤멘트를 재취합하여 7.30. W/G 회의에서 재협의키로 함.

0 미국은 정상회의 약 1 개월 전까지 최종 확정된 상기 2 개 문서를 각국에 배포해줄것을 요청하고 다수국가가 이를 지지한바, 의장은 UNICEF 집행이사회 특별회의 (9.6-7.) 의 동 문서에 대한 의견을 반영, 9.10. 경 제 4 차 준비위회의를 개최, 최종문서를 확정하여 각 참가국에 배포토록 하겠다고 언급함.

아. 오타와 정상 개인대표 회의 참가범위 확대

0 오타와 회의가 P/C 와 별도로 추진되는것에 대해 6.27. 회의시 다수국가가 이의를 제기함에 따라 6 개 원제안국 대표들은 6.27. 오전 별도 회합을 갖고, 연호 정상회의 참가 통보국 외에 모든 준비위 (P/C) 참가국에게도 초청장을 발송할것임을 FORTIER 공동의장 명의로 발표함.

2. 건의

가. 유엔사무총장 초청장에 대한 회신 발송 검토

0 90.2. 사무총장 명의의 초청장에 대한 회신이 조만간 필요할것으로 사료되는바 아국의 참석 여부를 명시하기 곤란한 경우 아래와 같은 방안이 검토 가능할것임.

- 일반적 내용으로만 회신 (정상회의 개최 환영 및 목표 지지, 아동문제 아국정책 설명등) (예: 소련)

- 참가를 희망하나 불가피한 사정으로 참석 곤란 가능성 불배제 (예:일본)

- 기확정 일정으로 참석 불가하나 여타 방법 (출연금 서약, 개인대표 참가허용시 참가) 으로 정상회의에 기여희망 (예:인니)

0 회신발송 시기는 7.27. 오타와 회의 이전 또는 9 월초 4 차 준비위 회의전 까지중 검토

- 발송시기 관련, 미국, 영국등 주요국 참가동향을 감안함.(영국은 7 월중참가여부 결정 가능성)

나. 정상회의 경비 출연

0 각국의 경비출연 동향 및 아국이 UNICEF 집행이사국인 점등을 감안, 기 건의한대로 아국의 참석여부에 관계없이 적절한 경비출연을 적극 검토 요망함. (기 건의액수 출연 곤란시 상징적 지원액 제공)

다. 아동권리협약 서명. 비준

PAGE 2

0182

O 90.4. UNICEF 집행이사회 회의시 아국이 정상회의전 서명. 연내 비준 입장을 밝힌바, 가급적 정상회의전 서명 추진 요망

라. 기타 오타와 회의 및 향후 정상회의 준비위원회 참석 필요여부 검토.

3. 상기 관련자료 정파편 송부예정임. 끝

(대사 현홍주-국장)

예고:90.12.31. 일반

검토필(19 90. 6. 30.) 決

아동권리협약 서명 및 비준국 현황

1990.6.25 현재
밑줄은 비준국임.

아 주 (9개국)	방글라데시, 인도네시아, 몽고, 네팔, ✓필리핀, 스리랑카, 베트남, 부탄, 부르네이, 북한
미 주 (26개국)	바베이도스, 벨리제, 볼리비아, 브라질, 카나다, 칠레, ✓콜롬비아, 코스타리카, 쿠바, 도미니카, 에쿠아도르, 엘살바도르, 그레나다, 과테말라, 하이티, 온두라스, 자마이카, 멕시코, 니카라과, 파나마, 파라과이, 페루, 세인트 킷츠 네비스, 수리남, 우루과이, 베네수엘라
구 주 (28개국)	알바니아, 오지리, 벨지움, 불가리아, 백러시아, 덴마크, 핀랜드, 불란서, 서독, 동독, 그리스, 교황청, 헝가리, 아이스랜드, 이태리, 룩센부르크, 말타, 네델란드, 노르웨이, 폴란드, 포르투갈, 루마니아, 스페인, 스웨덴, 우크라이나, 영국, 소련, 유고
아중동 (29개국)	알제리아, 앙골라, 베넹, ✓브르키나파소, 코트디브와르, 이집트, 가봉, ✓감비아, 가나, 기네비쏘, ✓케냐, 쿠웨이트, 레바논, 라이베리아, 마다가스카르, 말리, 모리타니아, 모로코, 니제, 나이지리아, 루완다, 세네갈, 시에라레온, 토고, 튀니지, 탄자니아, 예멘, 자이르, 집바브웨, 기니, 코리서스, 수단, 차드, 중앙아프리카, 이스라엘✓
계	서명국: 92개국 비준국: 7개국

외 무 부

종   별 :

번   호 : UNW-1215　　　　　　　　일   시 : 90 0628 1800

수   신 : 장관 (국연,법규,기정)

발   신 : 주 유엔 대사

제   목 : 아동문제 세계 정상회의 (15)

　　연:1)UNW-1082, 2)099, 3)주국련 203262-540

　1. 표제회의 준비위원회 제 3 차 회의가 6.27-28. 간 유엔본부에서 개최됨. 금번 회의에는 32 개 준비위원회 참여국가 대표 (주로 각국 정상 개인대표 또는 유엔대사) 및 GRANT UNICEF 사무처장이 참석하여 90.3. 제 2 차 회의이후의 정상회의 참가 통보 및 출연금 서약 현황을 검토하고 회의형태 작업반 (W/G) 및 선언문 작업반 의장이 각각 제출한 보고서를 토대로 회의형태 및 정상회의시 발표할 2 개문서 내용을 협의한바 회의 요지 아래 보고함.

　가. 정상 (국가원수 또는 정부수반) 참가 통보현황

　O FORTIER 의장 (주유엔 카나다대사) 은 유엔사무총장의 초청에 대해 6.26. 현재 참가의사 통보 36 명 (유엔사무총장 포함), 참가 가능성 시사 15 명, 불참의사 통보 11 명, 미회신 75 명으로 최소한 50 개국 이상의 각국 정상의 참석을 낙관한다고 언급함. (참가 통보 정상명단 파편 송부)

　O 금번 회의시 참석 통보국: 니카라과

　O 쏘련대표는 정상회의 취지를 전폭 지지하면서 정상회의 참가문제를 현재 검토중임을 밝힘.

　나. 출연금 서약현황

　O GRANT UNICEF 사무처장은 6.26. 현재 순수회의경비 103.6 만불 (목표 150 만불), 홍보활동경비 101.3 만불 (목표 200 만불) 이 기 출연되었거나 서약되었음을 밝히고 상금 미출연 (서약) 국가들은 현단계에서 참석여부가 확정이 안된 상태에서도 출연해 줄것을 촉구함.

　-특히 인니, 부탄이 불참 통보에도 불구, 기 출연 내지 서약, 핀랜드는 현재 참석여부 미 통보 상태이나 다액 출연 사실 강조

국기국　　1차보　　2차보　　미주국　　국기국　　안기부

PAGE 1　　　　　　　　　　　　　　　　　　90.06.29　　08:35
　　　　　　　　　　　　　　　　　　　　　외신 2과 통제관 DH

0185

0 동 처장은 향후 출연국가는 출연금 사용분야 (회의경비 또는 홍보활동비)를 특정하지 말고 출연해 줄것을 요망함.

0 금번 회의시 추가 출연 서약국가: 불란서 (10 만불 이상), 미국 (15 만불), 짐바브웨 (5 만불)

다. 아동권리협약 서명 비준현황

0 사무국 집계로는 6.20. 현재 서명 92 개국, 비준 (비준서 기탁) 7 개국, 국내 비준절차 완료 11 개국, 비준절차 추진중 19 개국임.

0 금번 회의시 조기 비준예정 입장 표명국가: 우간다, 칠레, 파키스탄, 인니

라. 회의 참석자 수준문제에 관한 논란

0 금번 회의에서는 참석여부 미 통보국들의 참석 독려를 위해 정상 개인대표의 참석을 허용할것 인지가 최대 쟁점으로 부각되었음.

0 영국, 불란서, 일본, 인도, 알제리등은 진정한 WORLD SUMMIT 이 되기 위해서는 대다수 국가의 참가가 긴요하며 따라서 불가피한 경우의 대리인 참석을 허용할것을 역설하고 이는 유엔 및 국제회의 관례에도 부합함을 강조함. (소련은 참가수준에 대해 신축적 태도가 필요하다는 입장을 표명)

0 반면 원제안국 및 대다수 제 3 세계국 들은 금번 정상회의 개최 취지 및 추진경위, 개인대표 참석 허용시 기 참석 통보 정상의 불만야기 및 향후 정상 추가참가에 부정적 영향 가능성등을 이유로 이를 강력 반대함.

0 상기에 대한 절충안으로 말련은 불참 사유 양태를 몇가지로 분류, 불가피한 사유가 인정되는 경우에는 개인대표 참석을 인정할것을 제안하였으며 화란은 불참하는 정상의 경우 메세지 발송등의 간접 참여방식을 제시함.

0 FORTIER 의장은 토의 요약을 통해 기본적으로는 정상 직접 참가를 주장하는 국가의 입장을 대변하면서도 금번 제기된 의견을 가능한 범위내에서 수용키위해, 말련측이 제시한 절충안을 토대로 개인대표 참가를 예외적으로 허용할수있는 "불가피한 사정" 의 범위에 관해 원제안국들과 검토할 뜻을 밝힘.

0 동 의장은 예컨데 참가를 통보했으나 정상회의 직전 예기치 못한 사정으로 불참케 되는 경우에는 긍정적으로, 당초부터 참가의사없이 개인대표를 선정코자 하는 경우에는 부정적으로, 참가를 강력히 희망하나 참가가 곤란한 사정이 있는 것으로 인정되는 경우에는 중간적 상황으로 볼수있을것 이라는 예비적 의견을 제시함.

0 영국대표는 의장 타협안이 정상 개인대표의 참가 가능성을 전적으로 배제하지

PAGE 2

0186

않고 있는것은 일보 진전이나 불가피한 사정 판단을 누가 하는지와 관련 여전히 문제가 있다고 지적하고 참가 수준 문제의 결정이 언제 확정될수 있는지 문의한바 의장은 이문제는 앞으로 최고위급에서 결정될 문제라고만 답변함.

　　마. 참가여부 통보시한 설정문제

　　0 일부국가들이 정상회의 까지의 시간적 촉박을 이유로 금일 회의에서 참가통보 시한 (특히 7.27. 오타와 정상대리인 회의 전까지) 을 확정하자는 제안이 있었으나 다수국가들의 호응을 받지못함.

　　이하 PART 2 계속

PAGE 3

0187

발 신 전 보

WTH-0770　　900703 1538　DY

번 호 : _____　　　　종별 : 암호송신

수 신 : 주 태국　　　　대사 : 황영시

발 신 : 장 관 (법규)

제 목 : 아동권리협약 관련 회의

<table>
<tr><td>분류번호</td><td>보존기간</td></tr>
<tr><td></td><td></td></tr>
</table>

1. UNICEF 가 주관하는 아동권리협약 관련 동남아지역 자문
회의가 90.8.7(화)-9(목)간 귀지에서 개최되어 동남아지역 국가의
아동권리협약 가입 또는 비준추진을 지원하는 문제를 논의할 예정임.

2. 아국을 포함 6개국이 참가하는 동 회의에 아측대표는 현재
학계와 언론계인사 4명정도가 예정되어 있으며 정부측 대표로는 귀관
직원을 1명 참가시키고자 하오니 귀관사정 보고 바람.
(참사관급 이상)

3. 관련자료는 추후 따로 송부 예정임.
조약심의관 이봉구)
국제기구조약국장대리

<table>
<tr><td rowspan="2">안
고
재</td><td rowspan="2">90
년
7
월
3
일</td><td rowspan="2">국제법규
과</td><td>기안자</td><td></td><td>과 장</td><td>심의관</td><td>국 장</td><td></td><td>차 관</td><td>장 관</td><td rowspan="2"></td><td>보안통제</td><td>외신과통제</td></tr>
<tr><td>김두영</td><td></td><td></td><td></td><td></td><td></td><td></td><td></td><td></td><td></td></tr>
</table>

0188

외 무 부

종 별 :

번 호 : THW-1027　　　　　　　　　일 시 : 90 0705 1710

수 신 :. 장 관 (법규)

발 신 : 주 태 국 대사

제 목 : 아동권리협약 관련회의

　　　대 : WTH-0770

　　　표제 당관 홍정표 공사의 참가를 건의함.

　　　(대사 정주년-국장)

국기국

　　　　　　　　　　　　　　　　90.07.05　　21:06 CG

　　　　　　　　　　　　　　　　　　　외신 1과 통제관

　　　　　　　　　　　　　　　　　　　　　0189

23626

기 안 용 지

분류기호 문서번호	법규20420-	(전화: 720-4045)	시 행 상 특별취급	
보존기간	영구 . 준영구. 10 . 5 . 3 . 1.	장 관		
수 신 처 보존기간				
시행일자	1990. 7. 11.			

보 조 기 관	국 장	전결	협 조 기 관		문 서 통 제
	심의관				검열 1990. 7. 13 통 제 관
	과 장				
기안책임자		김두영			발 송 인

경 유		발 신 명 의		발송 1990. 7. 13 외무부
수 신	주태국대사			
참 조				
제 목	아동권리협약 관련회의			

대: THW-1027

연: WTH-0770

　1.　대호 건의대로 귀관 홍공사가 정부측 참가자로 표제

회의에 참석하기 바라며, 회의기간중 주요논의 사항 및 아동권리

협약 비준 또는 가입에 관한 참가국 입장을 파악 보고하여 주시기

바랍니다.

/ 계 속 /

0190

2. 표제회의 관련 참고자료를 별첨과 같이 송부합니다.

첨부: 1. 방콕소재 UNICEF 지역사무소 메모랜덤 사본 1부.

2. 아동권리협약문(영문) 1부. 끝.

0191

대 한 민 국
외 무 부
(720-4045)

1990 . 7 . 12 .

법규 20420-2316

수신 주태국대사

제목 아동권리협약 관련회의

대: THW-1027

연: WTH-0770

1. 대호 건의대로 귀관 홍공사가 정부측 참가자로 표제
회의에 참석하기 바라며, 회의기간중 주요논의 사항 및 아동권리
협약 비준 또는 가입에 관한 참가국 입장을 파악 보고하여 주시기
바랍니다.

2. 표제회의 관련 참고자료를 별첨과 같이 송부합니다.

첨부: 1. 방콕소재 UNICEF 지역사무소 메모랜덤 사본 1부.
     2. 아동권리협약문(영문) 1부. 끝.

외 무 부 장 관

국제기구조약국장 전결

0192

분류번호	보존기간

발 신 전 보

번   호 : WUN-0922   900726 1816 DN   종별 : _____

수   신 : 주   유엔   ~~대표부(참석세계대표부용)~~ 사

발   신 : 장   관   (국연+동영완) 배상)

제   목 : 업   연

제 45차 총회 장관님 참석기간중 장관님께서 아동권리협약을 서명하는
방안을 검토중인 바, 하기사항 확인 회보 부탁드림.

1.   협약 서명장소 (구체적으로)

2.   서명시 배석인 (유엔, UNICEF측)

3.   서명장소에 Press(TV Crew등) 출입가능여부 (국내홍보 고려)

4.   기타 서명과 관련한 참고사항 건승 기원드림.   끝.

(국제기구조약국장 문동석)

(~~언더 언더라인 배서~~)

1990.12.31에 예고문에
외거 인방문서로 재분됨

앙고재	90년7월26일	UN과	기안자	과장	국장	차관 장관	보안통제	외신과통재
			(서명)	(서명)			(서명)	(서명)

0193

외 무 부

종   별 :

번   호 : UNW-1399   일   시 : 90 0726 1430

수   신 : 장관(국연과 송영완 서기관)

발   신 : 주 유엔 (원종찬)

제   목 : 업연

1. 문의 관련 유엔 조약과 담당관으로 부터 파악한 사항을 아래 회신 드림.

  가. 동 협약서명은 보통 현지 대사들이 하는바, 이경우 조약과 서명실 (사무국 32 층)에서 조약과장 입회하에 해오고 있음.

  나. 장관님 경우 FLEISCHHAUER 법률담당 사무차장의 입회하에 동 차장실 (사무국 34 층)에서 서명식을 가질수 있을 것으로 일단 보이나, 확실한 것은 아측이 장관님 서명 방침을 분명히 해주는 경우 알아볼 수 있겠음.

  다. UNICEF 측에서 보통 입회하지 않으나, 교황청 대사가 서명할때 GRANT 사무처장이 참석한 일이 있음. 아측이 UNICEF 측 입회를 원한다면 동측에 요청하면 될 것으로 봄.

  라. 서명식에 수행원 및 보도요원 출입가능하며, 동 명단을 사전에 봉보바람.

  마. 장관님 경우 전권 위임장은 불요함.

  바. 서명식 주선 요청은 충분한 시간적 여유를 두고 해주기 바람.

2. 운서기관 휴가중으로 대신 회신 드림.끝

(주유엔 원종찬)

예고:90.12.31 까지

1990.12.31 고문에
외기 인람한시로 처운함

국기국

90.07.27   06:34

외신 2과 통제관 CW

0194

```
┌─────────────────────────────────────────┐
│  내일위한 국민연금 보장받는 노후생활       │
└─────────────────────────────────────────┘
```

보　건　사　회　부

아동 31420- **9909**　　503-7578　　　　1990. 7. 27.

수신　외무부장관

제목　유엔아동권리협약 가입 검토

　　1. 법규 20420-12('90.2.8) 및 20420-23373('90.5.23)호와
관련입니다.

　　2. 1989년 제44차 유엔총회에서 채택된 아동권리협약 가입에 따른
우리부의 의견을 별첨과 같이 회신합니다.

첨부　아동권리협약 가입에 따른 검토사항 1부.　끝.　

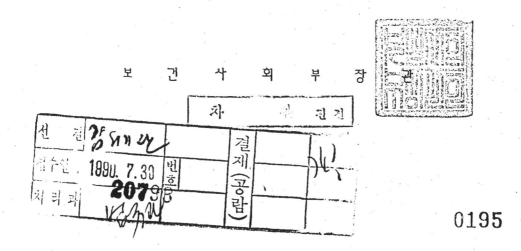

보　건　사　회　부　장

0195

아동권리협약 가입에 따른 검토

보건사회부

1. 사항별

사 항 별	관 련 법 규	검 토 사 항
가. 우리나라의 외국인 아동에 대한 사회보장등 적용 문제 o 생계보호 (제26조,제27조) o 건강의료 (" 24 ") o 장애아보호 (" 23 ")	o 생활보호법 o 의료보호법 o 의료보험법 o 장애인복지법	o 생계 및 의료보호 - 생활보호대상자에 대한 생계,의료 보호는 생활보호법 및 의료보호법의 규정에 의거 아국민을 위주로 적용 하고 있음. - 그러나 동 법령상 외국인(아동)에 대한 명시적 제한 규정은 없음. - 따라서 외국인 아동에 대한 생계, 의료보호는 협약 당사국간의 상호 호혜주의에 의하여 보호조치가 가능 하다할 것임. o 건강의료 - 현행 의료보험법상 외국인에게도 90일 이상 국내 영주하고 거류신고 를 하게 되면 의료보험 적용대상에 포함하고 있음. (의료보험법 제 73조의 3) - 그러나 의료보험은 사회보험으로 부담 금과 급여의 형평성이 고려되어야 하므로 단기체류자 까지 의료보험 적용 은 어려운 것임. - 동 협약에 가입할 경우 의료후진국

0196

		외국아동의 치료를 목적으로 입국하는 사례의 발생도 예견됨.
		o 장애아 보호 및 권리
		- 생계 및 의료보호와 동일
나. 아동의 의사표명권 (제12) o 친권상실시 아동의 의사표명권 o 입양시 아동의 의사 표명권	o 입양특례법 o 보호시설에 있는 고아의 후견직무에 관한법률	o 관련법규의 규정 - 입양특례법 제 4조 : 15세이상의 자가 양자로 입양할 경우 양자될 자의 동의 필요. - 민법 제 869조 : 양자될자가 15세 미만일때는 후견인의 동의. - 형법 제 9조 : 14세가 되지 아니한 자의 행위는 벌하지 않는다. o 국내법의 제 규정은 15세 미만일때는 보호자 및 후견인의 동의로 친권포기 및 입양의 동의를 하도록 규정하고 있음 o 따라서 동 협약상 모든 아동의 의사 표명권은 전체 아동의 권리보장 측면에서 수용하되 15세 미만의 의사표명을 현행 법령에 의거 후견인이 행사함이 타당.

0197

2. 검토의견

   o 아동권리협약 가입에 따른 우리부 소관 법령상에 외국인(아동)에 대한 명시적 제한 또한 배제 규정은 없음.

   o 협약상 규정되고 있는 아동의 권리존중은 협약 당사국간의 상호호혜주의 원칙에 입각하여 적용하면 가능할 것임.

   o 다만, 외국인 아동에 대한 생계, 의료등의 문제는 정부의 재정부담상태와 필요 상황(불법입국, 치료를 위한 입국)등을 참작하여 결정되어야 할 것임.

0198

아동권리협약 서명 및 비준 문제

1990. 8.

외   무   부

국 제 기 구 조 약 국

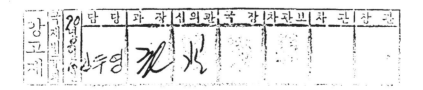

담 당	과 장	심의관	국 장	차관보	차 관	장 관
신두병						

0199

I. 아동권리협약 개관

1. 협약 채택 경위

1924.10   국제연맹 총회에서 아동권리에 관한 제네바 선언 채택

1959.11.20 국제연합 총회(결의 1386(XIV)) 1924년 제네바 선언을
           기초로한 10개 항목의 아동권리선언 채택

1979.   1959년 아동권리선언 20주년을 기념하기 위하여 국제연합은
        1979년을 「국제아동의 해」(The International Year
        of the Child)로 지정.
        「국제아동의 해」 기념사업으로 폴란드가 1959년 선언을
        법적 구속력 있는 협약으로 발전 시킬 것을 제안,
        인권위원회(Commission on Human Rights)가 초안 작성
        작업 담당.

1989.11.20 1979년 「국제아동의 해」 10주년을 맞이하여 국제연합
           총회가 아동권리협약을 컨센서스로 채택(총회 결의 44/25)

2. 협약의 주요 내용

ㅇ 자국 관할권내의 18세 미만의 모든 아동(외국인 아동 포함)을 적용
   대상으로 함(제1조, 제2조)

- 1 -

0200

○ 시민적 권리 보장

생명권, 성명권, 국적권, 사실상신분(Identity)보존권, 의사표시권,

표현·사상· 양심· 종교· 집회· 결사의 자유 보장, 사생활

보호 등 아동의 시민적 권리 보장.

○ 사회·경제적 권리 보장

건강, 사회보장· 사회복지, 교육, 휴식, 여가, 소년노동, 장애

아동보호, 입양 등에 있어서의 아동의 권리 보장

○ 기타

착취, 마약, 납치, 인신매매, 무력분쟁 등으로 부터 아동 보호

3. 협약의 특징

가. 아동을 권리의 주체로 인정

○ 아동을 권리보장의 객체로서가 아닌 권리의 주체로서 인정함.

기존의 법률이 성인의 시각에서 규정된 것에 비하여 본 협약

은 아동의 시각에서 출발하고 있음.

○ 아동의 최선 이익을 모든 조치의 전제로 삼고 있음.

나. 아동권리 위원회의 구성

○ 협약 이행 진전사항을 검토하기 위한 기구로서 4년임기인

10인의 위원으로 아동권리위원회를 구성함(제43조)

○ 협약실천 활동을 위한 비정부간기구(NGO)의 기여를 정식으로

인정함(제45조 a호)

- 2 -

0201

다. 국제인권규약과의 유사성

　ㅇ 협약이 당사국에 대하여 국내적 시행의무를 부과하고 있고
　　시행여부를 검토하게 될 아동권리위원회 설립을 예정하고
　　있는 등 구속력있는 규범이 되기 위해 국제인권규약이 채택
　　하였던 방식을 많이 따르고 있음.

4. 당사국의 의무

가. 협약상의 권리 시행

　ㅇ 협약상의 권리 실천을 위하여 필요한 모든 입법적, 행정적,
　　기타 조치를 취하여야 하나 경제적, 사회적, 문화적 권리에
　　관하여는 가용자원의 최대한도 내에서 조치를 취할 의무만을
　　부담함(제4조)

나. 협약 홍보

　ㅇ 협약상의 원칙과 내용을 널리 홍보하여야 함(제42조)

다. 보고서 제출

　ㅇ 협약 내용과 관련된 국내조치 및 상황에 관하여 발효후
　　2년내에 보고서를 제출하여야 하며 그 이후에는 매 5년마다
　　보고서를 제출하여야 함(제44조)

- 3 -

0202

5. 협약 발효절차

ㅇ 20번째 비준서가 국제연합 사무총장에게 기탁된 후 30일째에
   발효하며 그 이후 가입국에 대하여는 비준서 기탁 후 30일째
   부터 발효함(제49조)

ㅇ 1990년 6월 25일 현재 92개국이 서명하였으며, 이중 7개국이 비준함.
   ※ 영국, 불란서, 서독, 카나다는 서명, 미국, 일본은 미서명
   ※ 북한 미서명

II. 현행 국내법과의 저촉이 우려되는 협약조문

1. 시민적 권리

가. 제 7조(국적권)

ㅇ 한국인 모와 출생지주의 국적법 국가출신 부 사이에 태어난
   자는 무국적이 될 가능성이 있어 협약 제7조상의 국적권이
   완전히 보장 되어 있다고 보기 어려움.

ㅇ 예를 들어 미국의 이민국적법에 의하면 부모중 일방만이
   미국시민인 경우 그의 해외 출생자는 미국시민인 부 또는
   모가 최소 미국에 10년이상 (그중 5년은 14세 이후) 거주한
   사실이 있어야만 미국 국적을 취득함 (Section 301(g)
   참조). 따라서 한국인 여자가 이러한 거주 요건을 만족하지
   못하는 미국인 남자와 혼인하여 한국에서 자식을 낳을 경우
   그 자는 한미 양국 국제법상 어느 국적도 부여 받을 수 없어서
   무국적이 됨.

- 4 -

0203

나. 제 8조(사실상신분 보존권)

○ 15세 미만자의 입양은 법정 대리인의 동의만으로 가능하여
   15세미만시 아동의 의사표시는 보장되지 아니함.(민법 제 869조)
   즉 성 및 가족관계에 관한 아동의 사실상신분 보존권이 인정
   되지 않고 있음.

다. 제 9조(부모로부터의 분리제한)

○ 제1항(의사에 반한 부모로 부터의 분리금지)
   민법 제 869조에 의할경우 15세 미만자의 입양에 있어서는
   아동의 의사에 반하여 그의 친부모로 부터의 분리가 가능함.

○ 제2항(당사자의 의사표시권 보장)
   민법 제 924조 친권상실 선고시 아동의 의사표시권이 제도적
   으로 보장되고 있지 못함.

○ 제3항(부모와의 교섭 유지권)
   민법 제 837조의 2는 부모의 면접교섭권만을 보장하고 있을
   뿐, 아동의 면접교섭권은 보장하고 있지 않음.

라. 제 12조(아동의 의사표시권)

○ 민법 제 869조 15세 미만자의 입양 및 민법 제 924조 친권
   상실 선고시에 아동의 의사 표시권이 보장되어 있지 않음.

○ 각급학교에서 학생징계 결정시 절차적 측면에서 아동의 의사
   표시권이 충분히 반영되고 있지 못함.

- 5 -

0204

마. 제 21조 a 호(입양의 허가)

     ° 현행법상 입양은 호적법에 의한 신고만으로 효력이 발생하며
       법원 등 권한있는 당국이 아동의 최선이익이라는 관점에서
       그 허가를 결정하는 제도가 불비함(민법 제878조, 881조)

바. 제22조(난민아동)

     ° 아국은 난민조약에 가입하지 않고있으며, 현행 출입국관리법
       상으로도 난민에 관한 제도적 별도 조항이 없어, 난민아동
       보호에 관한 충분한 제도적 장치가 미비함.
       * 난민의정서 가입문제 검토중

사. 제40조 2항 b호(v)(상소권보장)

     ° 헌법 제110조 4항 및 군사법원법 제534조는 일정한 경우
       비상계엄 하에서의 단심재판을 허용하고 있는바, 국제인권규약
       가입시 유보사항이었음.

2. 경제적, 사회적, 문화적 권리

가. 제29조 2항(개인 또는 단체의 교육기관 설치의 자유)
    사립학교법 제3조는 법인만이 정규학교를 설립 할 수 있고, 개인의
    설립은 금하고 있음.

나. 제32조 2항(근로 조건등)
    근로기준법에 아동의 최저 근로 연령, 근로조건 규제등이 입법화
    되어 있으나, 동법은 적용대상에 제한이 있어서(제10조 참조) 모든
    아동 근로에 적용되지 못함. 즉 근로기준법 비적용 사업자에
    근무하는 아동에 대한 일반적 규제가 추가로 필요함.

- 6 -

0205

다. 제18조 내지 20조, 제23조 내지 27조, 제39조

이들 조항은 공적 구제를 포함한 각종 사회보장, 사회복지제도에 관한 아동의 권리를 규정하고 있는데, 이들 내용의 실질적 실천을 위하여는 현행제도의 보완이 요망됨. 또 이들 제도는 원칙적으로 내국인에게만 적용되고 외국인을 대상으로 하고 있지 않은데 이들 관할권 내의 모든 아동에 대한 차별없는 의무(협약 제2조 1항)와 저촉될 수 있음.

Ⅲ. 관계부처 의견

ㅇ 법무부

- 국적권, 부모로부터의 분리 제한등 협약조항이 아국의 국적법이나 친족상속법등과 저촉되는 문제와 관련, 장래 국적법개정 추진 문제는 고려중이나, 친족상속법의 경우 실질 운영에 있어서 협약 규정과 저촉되지 않고있어 서명, 비준에 대한 이의가 없음.

ㅇ 문교부

- 협약의 정신이나 취지로 보아 가입에 원칙적으로 찬성하나 협약상 아동의 의사표시권이 국내 교육현실과 거리가 있으며, 전교조문제 등에 비추어, 서명에는 찬성하나 비준은 시기상조로 여겨짐.

ㅇ 보건사회부

- 아국 국내법상 협약에 규정된 사회·경제적 권리의 아국내 외국인 아동에 대한 적용 배제 규정이 없어 서명, 비준에 따른 관계법령과의 저촉문제는 없으나 정부의 재정부담문제등이 고려되어야 함.

- 7 -

0206

ㅇ 체육부

- 협약 서명 비준에 찬성

Ⅳ. 서명 및 비준을 위한 건의

ㅇ 협약의 취지나 정신 및 이에 대한 국제사회의 커다란 호응 등에 비추어
가능한한 조속한 서명 및 비준이 요망되나 일부 국내법령과의 저촉
문제 및 문교부의 유보적 입장을 감안하여 우선 서명만을 행하고 비준
문제는 계속 검토함.

* 90.6.25 현재 92개 협약 서명국중 7개국만이 비준하고 있으나,
국내 비준절차 완료국이 11개이며, 비준절차를 진행중인 국가가
19개국에 달해 협약은 9월중 발효될 것으로 예상됨

ㅇ 아국의 협약 비준시에는 관계부처와 협의 1차적으로 협약상 시민적
권리에 해당하는 부분의 국내법령과의 충돌을 가능한한 최소화하는
조치를 취하고, 경제적, 사회적, 문화적 권리에 관하여는 정부의
재정부담을 고려 점진적으로 보완조치를 행하도록 함.

ㅇ 국제인권규약 가입시 유보사항이었던 상소권보장 조항 및 제도적·
문화적 차이로 인해 교육현장에서 충분히 반영되지 못하고 있는 협약상
아동의 의사표시권 보장조항 등 불가피한 조항 2,3개 조항은 비준시에
유보를 함.

- 8 -

0207

ㅇ 서명은 90.9.29-30간 국제연합본부에서 개최예정인 「아동을 위한 세계
  정상 회담」에 참석하는 아국대표단이 행하는 방안과 동 정상회담
  이전에 서명자를 지정하여 서명케하는 방안이 검토될 수 있음.

    첨부: 서명 및 비준국 현황

- 9 -

0208

(참고자료)

아동권리협약 서명 및 비준국 현황

1990.6.25 현재
밑줄은 비준국임.

아 주 (9개국)	방글라데시, 인도네시아, 몽고, 네팔, 필리핀, 스리랑카, <u>베트남</u> 부탄, 부르네이
미 주 (26개국)	바베이도스, <u>벨리제</u>, 볼리비아, 브라질, 카나다, 칠레, 콜롬비아, 코스타리카, 쿠바, 도미니카, <u>에쿠아도르</u>, 엘살바도르, 그레나다, 과테말라, 하이티, 온두라스, 자마이카, 멕시코, 니카라과, 파나마, 파라과이, 페루, 세인트 킷츠 네비스, 수리남, 우루과이, 베네수엘라
구 주 (28개국)	알바니아, 오지리, 벨지움, 불가리아, 백러시아, 덴마크, 핀랜드, 불란서, 서독, 동독, 그리스, <u>교황청</u>, 헝가리, 아이스랜드, 이태리, 룩센부르크, 말타, 네델란드, 노르웨이, 폴란드, 포르투갈, 루마니아, 스페인, 스웨덴, 우크라이나, 영국, 소련, 유고
아중동 (29개국)	알제리아, 앙골라, 베넹, 브르키나파소, 코트디브와르, 이집트, 가봉, 갑비아, <u>가나</u>, 기네비쏘, 케냐, 쿠웨이트, 레바논, 라이베리아, 마다가스카르, 말리, 모리타니아, 모로코, 니제, 나이지리아, 부완다, 세네갈, <u>시에라레온</u>, 토고, 튀니지, 탄자니아, 에멘, 자이르, 집바브웨
계	서명국: 92개국 비준국: 7개국

0209

아동의 권리에 관한 협약 한국 가입, 1991.12.20. 전3권 (V.1 1987-90.8월) 215

I. 아동권리협약 개관

1. 협약의 명칭

   아동권리협약(The Convention on the Rights of the Child)

2. 협약 채택 경위

   1924.10   국제연맹 총회에서 아동권리에 관한 제네바 선언 채택

   1959.11.20 국제연합 총회(결의 1386(XIV)) 1924년 제네바 선언을
               확장한 10개 항목의 아동권리선언 채택

   1979.   1959년 아동권리선언 20주년을 기념하기 위하여 국제연합은
               1979년을 「국제아동의 해」(The International Year
               of the Child)로 지정.
               국제아동의 해의 기념의 일환으로 폴란드가 1959년 선언을
               법적 구속력 있는 조약으로 발전 시키자고 제안. 인권
               위원회(Commission on Human Rights)가 초안 작성 작업
               담당.

   1989.11.20 1979년 국제아동의해 10주년을 맞이하여 국제연합 총회가
               아동권리협약을 표결없이 채택(총회 결의 44/25)

3. 협약의 주요 내용

   o 자국 관할권내의 18세 미만의 모든 아동을 대상으로 함(제1조,
      제2조)

0210

ㅇ 시민적 권리 보장

생명권, 성명권, 국적권, 아이덴티티 보존권, 의사표시권, 표현,
사상·양심·종교·집회·결사의 자유 보장, 사생활 보호 등
아동의 시민적 권리를 보장.

ㅇ 사회, 경제적 권리

건강, 사회보장·사회복지, 교육, 휴식, 여가, 소년노동, 장애
아동보호, 입양 등에 있어서의 아동의 권리 보장

ㅇ 기타

착취, 마약, 납치, 무력분쟁 등으로 부터 아동 보호

4. 협약의 특징

가. 권리내용상의 특징

ㅇ 아동을 권리보장의 객체로서가 아닌 권리의 주체로서 인정함.
기존의 법률이 성인의 시각에서 규정된 것에 비하여 본 협약
은 아동의 시각에서 출발하고 있음.

ㅇ 아동의 최선 이익을 모든 조치의 전제로 삼고 있음.

ㅇ 본 협약 특유의 조항으로는 특히 아이덴티티 보존권(제8조)
입양(제21조)등을 들 수 있음.

나. 아동권리 위원회의 구성

· 협약 실천을 감시하기 위한 기구로서 4년임기인 10인의
위원으로 아동권리위원회를 구성(제43조)
· 협약실천 활동을 위한 비정부간기구(NGO)의 기여를 정식으로
인정하고 있음(제45조 a호)

0211

5. 당사국의 의무

  ○ 협약상의 권리 실천을 위하여 필요한 모든 입법적, 행정적, 기타
     조치를 취하여야 함. 단 경제적, 사회적, 문화적 권리에 관하여는
     가용자원의 최대한도 내에서 조치를 취할 의무만을 부담함(제4조)

  ○ 협약상의 원칙과 내용을 널리 홍보하여야 함(제42조)

  ○ 협약 내용과 관련된 국내조치 및 상황에 관하여 발효후 2년내에
     보고서 제출의무. 그 이후 매 5년마다 보고 의무 (제44조)

6. 협약 발효절차

  ○ 20번째 비준서가 국제연합 사무총장에게 기탁된 후 30일째에
     협약 발효. 그 이후 가입국에 대하여는 비준서 기탁 후 30일째
     부터 발효(제49조)

  ○ 1990년 6월 현재 97개국 서명, 6개국 비준.
     ※ 1990년 9월 29일-30일 뉴욕 국제연합 본부에서 「아동을 위한
        세계정상 회담(A World Summit for Children)」 개최 예정.

0212

〈현행 국내법과의 저촉이 우려 되는 협약 조문〉

1. 시민적 권리

가. 제 7조(국적권)

한국인 모와 출생지주의 국적법 국가출신 부 사이에 태어난 자는
무국적이 될 가능성이 있으므로, 제 7조 국적권이 충분히 보장되지
못하고 있음.

예를 들어 미국의 이민국적법에 의하면 부모중 일방만이 미국시민인
경우 그의 해외 출생자는 미국시민인 부 또는 모가 최소 미국에 10
년 이상 (그중 5년은 14세 이후) 거주한 사실이 있어야만 미국 국적을
취득함 (Section 301(g) 참조). 한국인 여자가 이러한 거주 요건을
만족하지 못하는 미국인 남자와 혼인하여 한국에서 자식을 낳는 경우
그 자는 한미 양국 국적법상 어느 국적도 부여 받을 수 없어서
무국적이 됨. 이때 무국적 발생의 책임은 한미 양국 국적법에 공히
절반씩 있다고 할 수 있으나, 그중 한국 국적법은 여성에게만 불리한
남녀차별적 성격으로 인하여 헌법 제 11조(평등권)에 위배될 소지가
농후하므로 이 문제에 대한 대처는 한국 국적법의 부계혈통주의 원칙을
부모양계 혈통주의로 개정함이 바람직스럽다고 사료됨. 부계 혈통
주의에 입각한 구 일본 국적법 역시 위와 같은 사태에 대처할 수
없어서 1985년 부터 시행되고 있는 현행법에서는 부모 양계 혈통주의로
개정 된바 있음.

나. 제 8조(아이덴티티 보존권)

15세 미만자의 입양은 법정 대리인의 동의만으로 가능하므로 이때
아동의 의사는 보장된지 못함.(민법 제 869조) 즉 성 및 가족관계에
관한 아동의 아이덴티티 보존권이 제대로 보장되고 있지 못함.

0213

다. 제 9조(부모로부터의 분리제한)

제1항(의사에 반한 부모로 부터의 분리금지)
민법 제 869조에 따라 15세 미만자의 입양에 있어서는 아동의 의사에
반하여 그의 친부모로 부터의 분리가 결과될 수 있음.

제2항(당사자의 의사표시권 보장)
15세 미만자의 입양시 위에서 언급한 문제점이 있음.
민법 제 924조 친권상실 선고시 관련 아동의 의사표시권이 제도적으로
보장되고 있지 못함.

제3항(부모와의 교섭 유지권)
민법 제 837조의 2는 부모의 면접교섭권만을 보장하고 있을 뿐, 아동의
면접교섭권은 보장되어 있지 못함.

라. 제 12조(아동의 의사표시권)
민법 제 869조 15세 미만자의 입양 및 민법 제 924조 친권 상실선고시
아동의 의사 표시권 미보장.

마. 제 14조(사상, 양심, 종교의 자유)
현행 대도시 중고등학교 무시험 진학제는 학생의 종교의 자유를
실질적으로 침해하고 있음. 무작위 배정으로 인하여 원하지 않는
종교교육을 받기도 하며, 원하는 종교교육을 받을 수 도 없음.
국가보안법상 불고지죄(제 10조)는 사상의 자유와 충돌 된다고 사료됨.

바. 제 21조 a 호(입양의 허가)
현행법상 입양은 호적법에 의한 신고만으로 효력이 발생하며 법원 등
권한있는 당국이 아동의 최선이익이라는 관점에서 그 허부를 결정하는
제도가 불비함(민법 제878조, 881조)

0214

사 . 제22조(난민아동)

아국은 난민조약에 가입하지 않았고, 현행 출입국관리법 상으로도
난민에 관한 아무런 별도 조항이 없으므로, 난민아동 보호에 관한
제도가 미비함 .

아 . 제40조 2항 b호(v)(상소권보장)

헌법 제110조 4항 및 군사법원법 제534조는 일정한 경우 비상계엄하
에서의 단심재판을 허용, 국제인권규약 가입시에도 유보사항

2. 경제적, 사회적, 문화적 권리

가 . 제29조 2항(개인 또는 단체의 교육기관 설치의 자유)

사립학교법 제3조는 법인만이 정규학교를 설립 할 수 있고, 개인의
설립은 금하고 있음.

나 . 제32조 2항(근로 조건등)

근조기준법에 아동의 최저 근로 연령, 근로조건 규제등이 입법화되어
있으나, 동법은 적용대상에 제한이 있어서(제10조 참조) 모든 아동
근로에 적용되지 못함. 즉 근로기준법 비적용 사업자에 근무하는
아동에 대한 일반적 규제가 추가로 필요함.

다 . 제18조 내지 20조, 제23조 내지 27조, 제39조

이들 조항은 공적 구제를 포함한 각종 사회보장, 사회복지제도에
관한 아동의 권리를 규정하고 있는데,
이들 내용의 실질적 실천을 위하여는 현행제도의 보완이 필요함.
또 이들 제도는 원칙적으로 내국인에게만 적용되고 외국인을 대상으로
하고 있지 않은데 이들 관할권 내의 모든 아동에 대한 차별없는 적용
의무(협약 제2조 1항)와 충돌됨.

0215

<가입을 위한 정책 건의>

1. 아동관련 조항을 포함한 기존의 국내법은 원칙적으로 성인(부모, 법정
   대리인 등)의 권리의무라는 측면에서 규정되어 있는데 반하여, 본 협약은
   아동의 권리라는 측면에서 규정되어 양자간에는 기본적인 시각상의 차이가
   있음(예를 들어 입양제도, 교섭유지권, 의사표시권 보장 등).

2. 체약국은 협약 내용 실천을 위한 입법적, 행정적, 기타의 조치를 취하여야
   하나, 단 경제적, 사회적, 문화적 권리에 관하여는 경제적 여건을 감안한
   실천의무만이 부과되고 있음(제4조)
   따라서 아국의 협약 비준에 있어서는 1차적으로 시민적권리에 해당하는
   부분의 충돌을 방지하는 조치만을 취하고, 경제적, 사회적, 문화적권리에
   관하여는 점진적인 보완조치를 취하는 것도 가능할 것임.

3. 가입시 대응방안 건의

   가. 시민적 권리

주제(협약조문)	기존의 아국 입장	건 의
국적권 (제7조)	아동의 국적권과 관련하여 여성차별철폐조약 제9조 2항에 대하여는 아국이 유보, 국제인권규약 B규약 제24조 2항에는 유보없이 가입. 동일한 내용에 대한 아국 입장의 모순 법무부 국적법개정 추진 사업 고려중	현행 국적법은 위헌의 소지도 있으므로 세계적 추세와 같이 차제에 부모 양계 혈통 주의로 개정함이 바람직함.
입양제도 (제8조, 제9조 1항, 2항, 제12조, 제21조 a호)		현행 국내 입양제도는 제외국의 예에 비하여도 현저히 후진적이므로, 협약 내용에 맞도록 개정함이 바람직함.

0216

주제(협약조문)	기존의 아국 입장	건 의
의사표시권 (제9조 2항, 제12조)		문제되는 국내법조항을 협약 내용과 같이 개정 함이 바람직함.
부모와의 교섭유지 권 (제9조 3항)		현행 부모의 면접교섭권 을 아동에게도 확대시킴 이 바람직함.
사상, 종교의 자유 (제14조)	국제인권규약 B규약 제18조에 유보없이 가입.	본협약 가입을 위하여 현행 무시험진학제를 즉시 폐지하기는 어렵다고 판단되므로 그 부분에 한하여 유보함이 바람직함 국가보안법상 불고지죄는 국내적으로도 폐지 주장 이 적지않으므로 본협약 가입과는 관계없이 해결 될 수도 있음.
난민 아동의 보호 (제22조)	난민조약 가입 검토중	
상소권 보장 (제40조 2항 b호 v)	국제인권규약 B규약 제14조 5항에 유보하고 가입	헌법사항이므로 국제인권 규약 가입시와 같이 유보 하에 가입

나. 경제적, 사회적, 문화적 권리

    (1) 관계부처와의 협의하에 향후 협약 내용을 실천할 수 있는

        새로운 아동보호법을 제정하거나, 기존의 아동복지법의 전면

        개정을 추진함이 바람직함.

0217

(2) 특히 국제인권규약 A 규약과도 관련하여 사회보장, 사회복지
     제도는 향후 외국인 아동만이 아니라 외국인 전반을 대상으로
     하는 개정작업을 추진함이 바람직함.

(3) 현 사립학교법 제3조는 나름대로의 의의가 있는 조항이고, 개인의
     각종 학교등 설립은 현재도 가능하므로 협약 제21조 2항과 관련
     하여서는 현행 국내법이 협약에 위배되는 것으로 보지않는다는
     해석선언 정도를 첨부함이 바람직스럽다고 사료됨.

0218

협약과 국내법 규정 대비

협약규정	관련국내법규정	비고
전문 기본권 존중원칙과 아동에 대한 특별보호를 선언		
제1조 (아동의 정의) 18세 미만자. 단 국내법으로 단축가능	민법 제4조 (20세를 성인 연령으로) 아동복지법 제2조 (18세 미만을 아동으로) 소년법 제2조 (20세 미만자를 소년으로) 생활보호법 제3조 (18세 미만자를 요보호 대상으로) 민법 제826조의 2 (혼인한 미성년자의 성년의제) 민법 제807조 (혼인 연령 남자 18세, 여자 16세)	1. 18세 미만자는 모든 국내법상 미성년 또는 기타 특별보호 대상으로 보호 받으므로 협약과 충돌은 없음. 단 16세 이상 18세 미만의 여자가 혼인하여 성년의제될 수 있으나, 이는 협약이 허용하는 범위임. 2. 협약 해석상 태아는 아동의 정의속에 포함되지 않으며, 또한 이것이 협약 기초자의 취지였음.
제2조 (차별금지) ① 체약국은 자국 관할권내의 각 아동에 대한 어떠한 차별도 불가함. ② 체약국은 아동이 가족의 신분이나, 활동으로 인한 어떠한 차별이나 처벌로 부터도 보호받도록 적절한 조치를 취할 의무	헌법 제11조 (평등권, 모든 국민은 법앞에 평등함) 헌법 제13조 3항 (친족 영위로 인한 불이익 처분금지)	1. 국제인권규약 A 규약 제2조 2항 (차별금지), 동 제26조 (법앞의 평등), B 규약 제2조 2항 (차별금지) 2. 외국인 아동에게도 본협약 적용

협 약 규 정	관 련 국 내 법 규 정	비 고
제3조(아동을 위한 최선이익의 보장) ① 아동에 대한 어떠한 조치에 있어서도 아동의 최선이익을 우선고려함. ② 체약국은 아동보호를 위한 모든 입법적 행정적 조치를 취할 의무를 짐. ③ 아동을 위한 시설의 안전 및 검사기준 마련	아동복지법 제3조 2항(아동을 건전하게 육성할 국가의 책임) 아동복지법 제20조(아동 복지시설의 설치) 동 제22조(아동복지시설 종사자) 동 제26조(인가취소와 사업정지 등) 유아교육진흥법 제7조(건강진단 등) 동 제10조(폐쇄명령) 제 제12조(지휘감독) 동 제14조(새마을 유아원 교직원의 종별자격) 학교시설 설비기준령	
제4조(체약국의 조약 실천의무) 체약국은 본 협약상의 권리 실현을 위하여 모든 입법적, 행정적, 기타의 조치를 위하여 함. 단, 경제적, 사회적, 문화적 권리에 대하여는 가용자원 최대한도까지 조치를 취함.		1. 국제인권규약 A 규약 제2조 1항 참조 (가용자원의 최대한도) 2. 체약국은 본 협약상 시민적 권리에 대하여는 즉각적인 실천 의무를 부담.

0220

협 약 규 정	관 련 국 내 법 규 정	비 고
제5조 부모 등의 지도 책임 존중	민법 제913조(친권자의 권리의무)	
제6조(생명권) ① 아동의 생명권 존중 ② 아동의 생존과 발전 확보의무	소년법 제59조(18세 미만자에게는 사형, 무기형 금지)	국제인권규약 B규약 제6조 5항(18세 미만자 사형금지)
제7조(성명 및 국적권) ① 아동의 성명 및 국적에 대한 권리보장 ② 무국적방지 의무	국적법 제2조(출생에 의한 국적취득) 호적법 제49조 이하(출생신고)	1. 국제인권규약 B규약 제24조 2항(성명권), 3항(국적법) 2. 한국인 여자가 출생지 주의 국적법 국가의 출신 남자와 혼인한 경우 그 자는 무국적이 될수 있음.
제8조(아이덴티티 보존권) ① 국적, 성명, 가족관계 등 아동의 아이덴티티권 보장) ② 상실된 아이덴티티 회복의 지원의무	국적법, 호적법 등 국적법 제3조 2호(인지에 의한 국적 회복) 민법 제863조(인지청구의 소)	15세 미만자의 입양은 법정대리인의 동의만으로 가능하므로 아동의 성 및 가족관계에 대한 아이덴티티 보존권의 미보장 (민법 제869조)

협 약 규 정	관 련 국 내 법 규 정	비 고
제9조 (부모로부터의 분리제한)		
① 아동은 의사에 반하여 부모로부터 분리될 수 없음. 단 분리가 아동의 최선의 이익에 합치되는 경우에 한하여 당국은 분리 결정 가능	민법 제924조 (법원에 의한 친권상실 선고)	친권상실이 반드시 부모와의 분리를 의미하지는 않으나, 이에 의하여 분리될 수도 있음. 15세 미만자 입양의 경우 분리될 수 있으나 반하여 부모로부터 분리될 수도 있음.
② 분리결정 과정에 모든 이해 당사자의 참여와 의사 표시권리 보장	민법 제837의 2 (부모의 면접교섭권반 보장)	15세 미만자의 입양 및 친권상실 선고시 아동의 의사 표시권이 제도적으로 보장 되고 있지는 못함. 아동의 면접교섭권은 보장되고 있지 못함.
③ 아동의 부모와의 교섭 유지권 보장		
④ 구속 사실 등에 관한 국가의 통보 의무	형사소송법 제87조 (구속의 통지) 행형법 시행령 제58조 (사체의 가장 등) 동법령 제166조 (재소자 사망시 가족에 대한 통보)	출입국관리법상 보기강제에 의한 분리의 경우 가족에 대한 통보는 제도적으로 보장되고 있지 못함.
제10조 (가족 재결합)		
① 가족 재결합을 위한 출입국 보장	헌법 제14조 (거주이전의 자유) 출입국 관리법	1. 국제인권규약 B 규약 제12조 (거주이전 의 자유), 가족결합을 위한 출입국에 관하여 특별한 규정은 없음.
② 타국 거주 부모와의 관계 유지권 보장		2. 주한 외국인의 자의 가족결합을 위한 입국허용절차를 보장하는나는 문제가 제기될 가능성이 있음.
제11조 (아동의 국외불법 이송)		
① 아동의 국외불법 이송을 받을 의무	형법 제289조 (국외 이송을 위한 약취·유인죄) 입양특례법 제3조, 제18조	아동의 국외불법 이송을 위한 약취·유인죄)

협 약 규 정	관 련 국 내 법 규 정	비 고
② 이를 위한 양자조약의 체결 및 타자 조약의 가입		
제12조 (의사표시권)		1. 민법 제924조 친권상실 선고시 아동의 의사표시권이 제도적으로 보장되고 있지 못함.
① 자신에 관한 모든 사항에 관하여 아동의 의사표시권 보장		2. 민법 제869조 15세 미만자의 입양결정시 법정대리인의 동의만으로 가능하므로, 아동의 의사표시권 미보장
② 아동과 관련된 사법적·행정적 절차에 있어서 아동의 의사표시권 보장		3. 각급 학교의 학생징계 결정시 일반적으로 학생 본인의 의사표시권이 제대로 보장되고 있지 못함.
제13조 (표현의 자유)	헌법 제21조 (언론·출판의 자유)	국제인권규약 A 규약 제19조 2항 (표현의 자유 및 정보취득의 자유)
① 아동의 표현의 자유 및 정보취득의 자유 보장	헌법 제37조 2항 (기본권의 제한), 형법 제77조 3항 (비상계엄하 언론, 출판의 자유제한), 형법 제243조 (음화 등의 송포금지), 제244조 (음화 등의 제조금지), 제309조 (명예훼손죄), 국가보안법 제7조 (반국가단체의 찬양·고무), 동 제8조 (반국가단체 구성원과의 회합·통신)	국제인권규약 A 규약 제19조 3항 (권리의 제한)
② 필요한 경우 1항상의 권리도 제한 가능		동 제20조 (표현의 자유의 제한)

협 약 규 정	관 련 국 내 법 규 정	비 고
제14조 (사상·양심·종교의 자유) ① 아동의 사상·양심·종교의 자유 보장 ② 아동성장에 맞추어 부모의 지도권 및 의무존중 ③ 일정 사유가 있는 경우의 종교의 자유 등 제한의 가능성	헌법 제19조(양심의 자유) 동법 제20조(종교의 자유) 민법 제913조(친권자의 권리·의무) 미성년자 보호법 제3조(친권자의 의무) 헌법 제37조 2항(기본권 제한의 근거)	1. 국제인권규약 B규약 제18조(사상·양심·종교의 자유) 2. 현행대도시 중고등학교 무시험 진학제는 학생의 종교권 자유권을 실질적으로 참해하고 있음. 3. 국가보안법상 불고지죄(제10조)는 사상의 자유와 충돌된다고 사료됨.
제15조 (결사·집회의 자유) ① 아동의 결사 및 평화적 집회의 자유 보장 ② 일정사유가 있는 경우의 제한 가능성	헌법 제21조 1항, 2항(집회, 결사의 자유) 집회 및 시위에 관한 법률 동법 제37조 2항(기본권 제한의 근거) 동법 제77조 3항(집회, 결사의 자유의 제한)	국제인권규약 B규약 제21조(집회의 자유) 동 제22조(결사의 자유)
제16조 (사생활의 보호) ① 아동의 사생활, 가정, 주거, 통신에 대한 자의적·불법적 간섭금지, 아동의 명예나 신용에 대한 불법적 공격 금지 ② 1항상의 간섭이나 공격으로부터 법의 보호를 받을 권리	헌법 제16조(주거의 보장) 동법 제17조(사생활의 비밀과 자유) 동법 제18조(통신의 비밀) 동법 제21조 4항(언론·출판에 의한 명예나 권리 참해 금지) 동법 제36조 1항(가정생활 보호) 형법 제309조(명예훼손죄) 동법 제316조(비밀침해죄)	국제인권규약 B규약 제17조 (사생활, 가정, 주거, 통신, 명예, 신용의 보호)

협 약 규 정	관 련 국 내 법 규 정	비 고
제17조(정보접근권 등) 대중매체의 중요성을 인식하고, 국내외의 정보원에 대한 아동의 접근권 보장. 이를 위하여 (a) 대중매체가 아동에 유익한 정보 및 자료를 보급하도록 유도 (b) 이에 관한 각종 정보 및 자료의 제작, 교환, 보급을 위한 국제협력의 고취 (c) 아동서적의 제작, 보급을 고취 (d) 이와 관련하여 소수민족 아동의 입장 고려 (e) 아동에 해가되는 정보 및 자료로부터의 보호	동법 제319조(주거 침입죄) 우편법 제51조(신서의 비밀 침해죄) 임시우편물 단속법	국제인권규약 B 규약 제19조 2항(정보 접근권) 국제인권규약 B 규약 제27조(소수민족의 권리)
제18조(부모의 양육책임) ① 아동의 성장·발전에 관한 부모의 공동 책임	민법 제909조 2항(부모 공동의 친권행사) 동법 제913조(친권자의 자녀 보호·교양 의무)	

협 약 규 정	관 련 국 내 법 규 정	비 고
② 아동양육 책임 수행을 위한 국가의 지원	모자복지법 아동복지법 유아교육진흥법 생활보호법	
③ 부부 근로자 자녀를 위한 시설 준비	유아교육진흥법	
제19조 (학대·방임으로부터의 아동보호) ① 학대·방임·착취 등으로부터의 아동 보호	아동복지법 제18조 (아동에 대한 금지행위) 형법 제257조 (상해죄) 동법 제271조 (유기죄) 동법 제273조 (학대죄) 동법 제274조 (아동 혹사죄) 동법 제283조 (협박죄) 동법 제288조 (영리를 위한 약취·유인죄) 동법 제297조 (정조에 관한죄)	
② 이를 위한 사회적 프로그램의 수립	아동복지법 제11조 (요보호 아동의 보호조치) 동법 제20조 (아동복지 시설의 설치) 동법 제21조 (아동복지 단체의 육성) 동법 제23조 (아동복지시설 종사자의 교육 훈련)	
제20조 (가정이 없는 아동의 특별보호) ① 가정이 없는 아동에 대한 국가의 특별 보호 및 지원	아동복지법 제11조 (요보호 아동의 보호조치) 동법 제12조 (시설 보호 조치) 생활보호법 입양특례법	
② 그러한 아동보호에 관한 대안 마련		

협 약 규 정	관 련 국 내 법 규 정	비 고
③ 대안에서는 아동양육의 계속성, 아동의 인종적, 종교적, 문화적, 언어적 배경을 고려함.		
제21조(입양) 입양은 아동의 최선의 이익에 합치되어야 함.	민법 제866조 이하(입양) 입양특례법	입양은 호적법에 의한 신고만으로 효력이 발생하며(민법 제878조), 주건 법원의 허가제도는 없음(민법 제881조), 특히 15세 미만자를 입양할 경우 본인의 동의 조차 불필요
(a) 입양은 권한있는 당국에 의하여 허가 받아야 함.		
(b) 국제간 입양은 자국내 입양이 불가능한 경우 차선책으로 고려함.		
(c) 국제간 입양에도 국내입양과 같은 안전 장치를 함.	입양특례법 제9조 2항(해외입양는 보사부 장관의 해외이주 허가요)	
(d) 국제간 입양이 관계자의 부당한 금전적 이득을 주어서는 아니됨.	아동복지법 제18조 6호(금품을 목적으로 한 아동의 양육 알선 금지)	
(e) 해외입양은 권한 있는 당국이나 기관에 의하도록 국제적 조약이나 조치를 강구함.		
제22조(난민 아동)		
① 난민아동에 대한 적절한 인도적 보호		출입국 관리법상 난민만을 위한 별도 조항은 없음.
② 난민아동 지원 및 가족 재결합을 위한 국제협력 전개		아국은 난민조약 미가입

협 약 규 정	관 련 국 내 법 규 정	비 고
제23조 (장애 아동의 권리) ① 정신적, 육체적 장애아동도 완전하고 품위있는 삶을 누릴 권리 인정 ② 장애 아동은 특별한 보호를 받을 권리가 있으며, 장애아동 및 그 부모등에 대한 지원을 확대함. ③ 2항의 지원은 가능한한 무료로 실시되어야 하며, 장애아동에 대한 교육, 훈련, 건강보호, 재활지원, 사회진출의 대비 등에 관한 마련을 함. ④ 예방의학 및 장애자를 위한 의학적, 심리적, 기능적 처치에 관한 정보의 국제교류를 촉진	헌법 제34조 5항(장애자 보호) 아동복지법 제18조 1호(장애 아동을 공중에 관람시키는 행위는 금지) 장애인 복지법 장애인 고용촉진에 관한 법률 교육법 제143조 내지 145조(장애자 교육 및 훈련)	
제24조 (건강 및 의료지원) ① 건강 및 의료지원에 대한 아동의 권리 ② 이를 위하여 다음과 같은 조치를 취함 (a) 유아 사망률 감소	헌법 제36조 3항(건강보호) 아동복지법 제14조(아동의 건강관리) 의료보험법 의료보호법 제7조 2항(의료보호) 생활보호법 상기 근거법 외에도	국제인권규약 A 규약 제12조

협 약 규 정	관 련 국 내 법 규 정	비 고
(b) 아동에 대한 의료지원 및 건강관리의 보장	모자보건법 학교급식법 학교보건법	
(c) 질병 및 영양부족의 치유		
(d) 산전, 산후 임산부 건강관리	아동복지법 제11조(아동 및 임산부의 보호조치) 전염병예방법 결핵예방법 기생충질환 예방법 등	
(e) 건강 및 영양, 환경, 위생 등에 관한 지식 보급		
(f) 예방의학, 가족계획 등 계발		
③ 아동건강에 해가 되는 전통관습의 철폐		
④ 본조상의 권리 실현을 위한 국제협력의 고취		
제25조(치료 등 목적으로 조치된 아동의 권리) 치료, 보호 등을 위하여 당국이 아동을 수용한 경우 그에 관한 조치 및 여타 환경에 관하여 정기적 검사를 실시함.		
제26조(사회보장) ① 사회보험을 포함한 사회보장에 대한 아동의 권리 인정	한법 제34조 2항(사회보장 등) 의료보험법 생활보호법 의료보호법	1. 국제인권규약 A 규약 제9조(사회보장) 2. 국내사회보장 제도상 원칙적으로 외국인은 배제되고 있음.
② 급부시 고려사항		

협 약 규 정	관 련 국 내 법 규 정	비 고
제27조(생활수준) ① 적절한 생활수준에 대한 아동의 권리 인정 ② 아동발달에 필요한 생활조건 마련에 대한 부모의 책임 ③ 본조 내용실현을 위한 국가의 지원의무 ④ 부모 등으로부터 아동생계비 확보에 필요한 조치의무	헌법 제34조 1항(인간다운 생활을 할 권리) 생활보호법 제8조 이하(생계 보호) 모자복지법 제12조(복지급여, 생계비, 양육비 등) 제13조(복지자금대여)	국제인권규약 A규약 제11조 1항(적절한 생활수준을 누릴 권리)
제28조(교육) ① 기회균등에 기반 위에서의 교육의 권리 인정 (a) 초등교육의 의무·무상화 (b) 각종 중등교육의 추진	헌법 제31조(교육권) 교육법 제9조(교육에 있어서의 기회균등) 헌법 제31조 2항, 3항(무상의무교육) 교육법 제8조 및 제8조의 2(의무교육) 동법 제36조(국민학교 취학시킬 의무) 교육법 제100조 내지 제103조의 7(중학교 교육), 동법 제104조 내지 제107조의 5(고등학교 교육), 동법 제129조 내지 제135조(기술학교 등) 동법 제99조(국민학교 교육) 보조 동법 제158조 내지 제162조(장학제도) 학교시설사업 촉진법	1. 국제인권규약 A규약 제13조(교육에 관한 권리), 동 제14조(무상의무교육) 2. 국내초등교육의 한전무상화 미흡

협 약 규 정	관 련 국 내 법 규 정	비 고
(c) 능력에 따른 고등교육의 기회 부여	교육법 제108조 내지 제128조의 11(대학교육) 학교시설 사업촉진법	
(d) 아동과 관련된 교육 및 직업에 관한 정보나 지침의 보급		
(e) 학교출석의 고취와 탈락자 방지 조치		
② 학칙이 아동의 존엄성과 본 협약내용에 합치되도록 운영되도록 함.	교육법 시행령 제77조(징계)	실제 각급학교 학칙운영상 문제점 발생 가능
③ 문맹률 감소 등 교육에 관한 국제협력 강화		
제29조 (교육의 목적)		
① 체약국은 다음을 아동교육의 목표로 삼음		
(a) 아동의 개성, 재능, 능력의 최대한 개발	교육법 제94조(국민학교 교육의 목표) 동법 제101조(중학교 교육의 목표) 동법 제105조(고등학교 교육의 목표)	국제인권규약 A 규약 제13조 1항(교육의 목적)
(b) 인권 및 국제연합 헌장원칙에 대한 존중심의 개발		
(c) 고유문화의 독자성과 가치존중 및 타문화에 대한 존중심 개발	교육법 제94조 2호(국민학교 교육의 목표)	
(d) 타민족과의 평화, 관용, 평등, 우정의 정신속에서 책임있는 생활을 할 수 있는 준비		
(e) 자연환경에 대한 존중		

0231

협　약　규　정	관련 국내 법 규정	비　고
② 개인 또는 단체의 교육기관 설치의 자유, 교육시설 설립 기준 정립	교육법 제82조(학교의 설립) 사립학교법 제3조(사립학교의 설립) 학교시설 설비기준령	사립학교교법 제3조상 법인만이 정규학교 설립 가능
제30조 (소수자 아동의 보호) 인종적, 종교적, 언어적 소수자 및 원주민 아동에 대한 고유의 문화, 종교, 언어사용권 인정		국제인권규약 B 규약 제27조(소수민족의 권리)
제31조 (휴식, 여가, 문화활동) ① 휴식, 여가, 오락활동에 대한 아동의 참여권 인정		국제인권규약 A 규약 제7조 (d) (휴식 여가에 대한 권리)
② 아동의 문화적, 예술적 활동에의 참여 권과 그에 관한 기회부여	헌법 제22조(예술의 자유)	국제인권규약 A 규약 제15조 1항 C호 (문화적, 문화적, 예술적 창작품에 관한 권리)
제32조 (소년노동) ① 경제적 착취와 위험하거나 아동교육에 방해되는 작업 등으로부터 보호	근로기준법 제50조 1항(13세 미만자는 근로자로 고용하지 못함이 원칙) 동법 제51조(18세 미만자는 도덕상, 보건상 유해, 위험한 사업에 고용하지 못함) 아동복지법 제18조 2호(아동의 구걸행위 금지) 동법 제18조 4호(14세 미만자는 접객업소 근무금지)	

협 약 규 정	관 련 국 내 법 규 정	비 고
② 본 조항을 실현을 위한 입법적, 행정적, 사회적, 교육적 실천의무.		
(a) 최저 노동연령의 마련	근로기준법 제50조 1항 및 제51조 아동복지법 제18조 4호	근로기준법은 모든 근로자에게 적용되지는 않으므로(근로기준법 제10조 참조), 근로기준법 비적용대상자의 경우 일반적 최저 노동연령이 설정되어 있지 않음.
(b) 근로시간 및 근로조건의 규제	근로기준법 제53조(미성년자의 근로계약에 관한 감독) 동법 제55조(13세 이상 18세 미만자는 1일 7시간, 1주 42시간이상 작업금지) 동법 제56조(18세 미만자의 야간 근무금지) 동법 제57조(18세 미만자의 야간 시간외 근무제한) 동법 제58조(18세 미만자의 갱내 근로 금지) 교육법 제97조(국민학교 취학연령) 아동은 그의 사용이 의무교육에 방해가 되어서는 아니됨.	근로기준법 비적용자에게는 최대 근로시간 등의 규제가 마련되어 있지 못함.
(c) 위반시 제재조치	근로기준법 제109조 내지 제111조(벌칙조항)	
제33조(마약 오용으로 부터의 보호) 마약의 불법사용, 생산, 거래로 부터 아동을 보호하기 위한 모든 입법적, 행정적, 사회적, 교육적 조치	형법 제198조 이하(아편에 관한 죄) 대마초 관리법 향정신성 의약품 관리법	

협 약 규 정	관 련 국 내 법 규 정	비 고
제34조(성적 착취로부터의 보호) 성적 착취와 학대로부터 아동을 보호함. 이를 위하여 다음 사항을 금지시키기 위한 국내적·국제적 조치를 취함. (a) 아동이 불법적 성행위에 종사하도록 유혹하거나 강제함. (b) 매춘이나 여타 불법적 성행위에 아동을 착취적으로 활용 (c) 음란물에 아동을 착취적으로 활용	형법 제242조(음행매개처) 동법 제244조(음화등의 제조 금지) 아동복지법 제18조 5호(아동을 음행에 사용 금지) 윤락행위 방지법	
제35조(아동의 납치·매매금지) 체약국은 아동의 납치, 매매를 금지시키기 위한 국내적, 국제적 조치를 취할 의무	형법 제287조 내지 289조(미성년자의 약취 유인 금지, 국외이송 약취 유인 매매금지) 아동복지법 제18조 6호(권한없는 자의 금품을 대가로한 아동양육 알선금지)	
제36조(기타 형태의 착취금지) 체약국은 여타 형태의 아동착취 금지	아동복지법 제18조(아동에 대한 각종 금지 행위)	

협약규정	관련국내법규정	비고
제37조 (아동에 대한 고문 등의 금지)		
(a) 아동에 대한 고문이나 기타 잔인하거나 비인도적이거나 굴욕적인 대우나 처벌을 순상시키는 처우와 처벌을 금지함. 18세 미만자에 대한 사형 및 종신형 배제	헌법 제12조 2항(고문금지) / 형법 제125조(폭행, 가혹행위 금지) / 소년법 제59조(18세 미만자에 대한 사형, 무기형 배제)	국제인권규약 B규약 제7조(고문, 잔혹행위, 비인도적 처우금지) / 동 제6조 5항(18세 미만자에 대한 사형 금지)
(b) 불법적 또는 자의적인 아동신체의 자유 박탈 금지	헌법 제12조 1항(신체의 자유) / 형사소송법 제9장(피고인의 구속)	국제인권규약 B규약 제9조 1항(신체의 자유)
(c) 신체적 자유를 구속당하는 아동을 그 연령을 고려하여 인도적으로 대우하고 성인과 분리 처우되며, 가족과의 연락 보장	소년법 제57조(소년범 심리의 분리) / 동법 제58조(소년범의 친절대우) / 형사소송법 제89조(피구속자의 접견권 보장) / 행형법 제2조 3항, 제3조(미성년자의 분리수용) / 소년원법 제8조(소년원에서의 분리 수용)	국제인권규약 B규약 제10조(형사 피고인에 대한 대우)
(d) 자유박탈조치의 합법성에 대한 항의의 권리 및 법률구조 등 보장	헌법 제12조 4항(변호인의 조력을 받을 권리), 동 제6항(구속적부심청구권) / 동 제27조(재판을 받을 권리) / 형사소송법 제33조(미성년자에 대한 국선 변호) / 법 제338조 이하(상소권 보장)	국제인권규약 B규약 제9조 4항(구금에 대한 법원의 합법성 심사)
제38조 (무력분쟁시의 아동보호)		
① 아동이 관련된 무력분쟁시 국제인도법 원칙의 준수		동 제14조 1항, 3항(재판을 받을 권리, 변호인의 조력을 받을 권리)
② 15세 미만자의 적대행위 직접 개입금지	병역법 제8조 1항(18세 이상의 남자만 제 국민역에 편입) / 동법 제11조(현역병 입영은 19세 이상이 원칙)	우리국은 1949년 제네바 4개협약 및 동 추가의정서 가입

협 약 규 정	관 련 국 내 법 규 정	비 고
③ 15세 미만자의 정집금지 및 15세 이상 18세 미만자는 가급적 우선으로 정집	동법 제19조(17세 이상자는 지원병 응모 가능)(병역법 기본법 제17조 1항(20세 이상자가 민방위대편성대상임)	
제39조(사회복귀의 지원) 방임, 착취, 학대, 고문, 비인도적 처우나 처벌, 무력분쟁의 희생이 된 아동의 신체적 심리적 회복과 사회복귀를 지원함.	아동복지법 제11조(요보호 아동의 보호조치)	
제40조(소년사법) ① 법죄피의 아동은 그 연령과 사회복귀를 그러하여 아동의 존엄성과 가치증진에 합당한 방법으로 처우	소년법 제9조(소년 보호사건의 조사방법) 동법 제12조(소년 보호사건에 대한 전문가진단) 동법 제24조(보호사건의 심리 방식) 동법 제58조(소년법 심리의 방침) 형법 제51조(형의 양정시 고려사항)	국제인권규약 B규약 제10조 2항, 3항 (피고인의 처우) 동 제14조 4항(미성년자에 관한 형사특별절차)
② 이를 위하여 관련 국제문서를 참작하며 체약국은, (a) 소급입법에 의한 처벌 금지	헌법 제13조 1항, 형법 제1조(소급입법에 의한 처벌금지)	국제인권규약 B규약 제15조(소급입법에 의한 차별금지)
(b) 법죄피의자 또는 피고인 아동에게는 최소한 다음 사항을 보장함.		
(ⅰ) 유죄판정시까지는 무죄추정	헌법 제27조 4항, 형사소송법 제275조의 2 (형사피고인의 무죄추정)	국제인권규약 B규약 제14조 2항(형사 피의자의 무죄추정)

0236

협 약 규 정	관 련 국 내 법 규 정	비 고
(ⅱ) 협의사실은 즉각 국가 직접 통고 함과 아울러 법률구조의 제공	헌법 제12조 5항(체포구속의 통고) 형사소송법 제72조(구속과 이유의 고지) 동법 제74조(소환의 발부) 소년심판규칙 제14조(소환의 방식) 헌법 제12조 4항(변호인의 조력을 받을 권리) 형사소송법 제33조 1호(미성년자에 대한 필요적 국선·변호) 소년법 제17조(소년보호사건의 보조인 선임)	국제인권규약 B규약 제9조 2항(체포 사유의 통고)
(ⅲ) 권한있고 독립적인 사법당국이 공정한 직법절차에 따라 사건을 즉각 결정함.	헌법 제27조 1항, 3항(재판을 받을 권리) 형법 제51조(형의 양정시 참작 사항) 소년법	국제인권규약 B규약 제9조 3항(법원의 재판을 받을 권리)
(ⅳ) 증언이나 자백을 강요당하지 않으며, 증인심문 참여권 보장	헌법 제12조 2항(형사상 불리한 진술의 거부권) 형사소송법 제148조(자기에게 불리한 증언의 거부권) 동법 제161조의 2(증인 심문의 방식) 동법 제163조(당사자의 증인심문 참여권)	국제인권규약 B규약 제14조 3항 e호(증인 심문권) 동 제g호(불리한 증언이나 자백을 강요당하지 않을 권리)
(ⅴ) 상소권 보장	형사소송법 제338조 이하(상소권 보장) 헌법 제110조 4항(비상계엄하 단심 처리)	1. 국제인권규약 B규약 제14조 5항(상소권 보장) 2. 일정한 경우 비상계엄하 단심제를 허용하고 있는 헌법 제110조 4항과 군사법원법 제534조가 이에 저촉, 국제인권규약 가입시에도 유보사항
(ⅵ) 통역권 보장	형사소송법 제180조(통역의 보장) 법원조직법 제62조 2항(통역의 사용)	국제인권규약 B규약 제14조 3항 f호(통역을 받을 권리)
(ⅶ) 아동의 사생활 존중	소년법 제24조 2항(소년보호사건의 불공개 원칙) 동법 제68조(소년사건의 보도금지)	

협 약 규 정	관 련 국 내 법 규 정	비 고
③ 체약국은 소년법 적용되는 특별절차를 수립함. 특히,	소년법	
(a) 형사미성년 연령 설정	형법 제9조(14세 미만은 형사미성년) 소년법 제4조 2호(12세 이상 14세 미만은 보호처분가능)	
(b) 가능하고 바람직스러운 경우에는 형사사법절차 이외의 조치 강구	소년법상의 특별절차	
④ 아동의 환경과 범죄에 알맞도록 보호, 지도, 감독, 상담, 보석, 교육, 훈련 등 각종 대안을 강구	소년법 제32조 이하(보호처분)	
제41조(기존의 권리 보장) 본 협약의 내용은 아동의 권리 실현을 위하여 i) 체약국 국내법, ii) 체약국에 실시되고 있는 국제법에 포함된 보다 유리한 내용에 해가되지 않음.		
제 2 부		
제42조(협약 내용의 보급의무)		
제43조 아동권리위원회(Committee on the Right of the Child) 구성		
제44조(체약국의 국내조치 보고)		

협 약 규 정	관 련 국 내 법 규 정	비 고
최초 2년 및 이후 매 5년마다 보고 의무 제45조 아동권리 위원회의 작업방법		
제 3 부 제46조 내지 제54조 서명, 비준, 가입, 효력 발생, 개정, 유보, 폐기, 기탁, 정문		
※ 협약 각조의 ( )안의 제목은 원문에는 없으나, 편의상 붙인 것임.		

발 신 전 보

분류번호 보존기간

번   호 : WJA-3424   900813 1906 DY   종별 :

WUS -2678

수   신 : 주 일, 미   대사. 총영사

발   신 : 장 관 (법규)

제   목 : 아동권리협약

1. 본부는 1989.11.20. 유엔총회가 총회결의 44/25로 채택한 아동권리협약 (Convention on the Rights of the Child)의 아국가입문제를 검토중에 있음.

2. 귀주재국은 동 협약을 서명하지 아니하고 있는 바, 본건 추진에 참고 하고자 하니 주재국이 서명하지 아니한 사유 및 향후 서명 또는 가입 계획을 파악, 보고바람.

3. 90.9.29-30간 유엔에서 개최될 "아동을 위한 세계정상회의"에서 동 협약 발효 문제가 토의될 것으로 예상되는 바, 동 회의참가와 관련한 주재국의 동 협약에 대한 입장도 아울러 파악 보고바람.

4. 동 협약은 1990.6.25. 현재 92개국이 서명, 7개국이 비준하였으며 20개국 비준후 발효함을 첨언함.

(국제기구조약국장 문동석)

국제연합과장: 내

앙 고 재	90년 8월 13일 국제법규과	기안자 성 명	과 장	심의관	국 장		차 관	장 관	보 안 통 제
		신			전결				

외신과통제

0240

주 태 국 대 사 관

태국 20321-711   1990. 8. 14.

수신 외무부장관

참조 국제기구조약국장

제목 아동권리협약 관련회의 참가보고

          대: 법규 20420-23626

          1. UNICEF 주관으로 당지에서 90.8.7.-9.간 ○○○   개최된 표제협약
관련 동남아지역 자문회의 결과를 별첨 송부합니다.

          2. 동 회의에는 아측으로부터 이윤구박사(한국청소년 연구원장), 홍강의
교수(서울의대), 송정숙 논설위원(서울신문), 정인섭교수(방송통신대) 및 대호
지시에 따라 홍정표공사가 참석하였읍니다.

          3. 동 회의에서 수집한 협약관련 문서 및 자료를 송부하오니 참고하시기
바랍니다.

          첨부: 동 회의관련문서 및 자료. 끝.

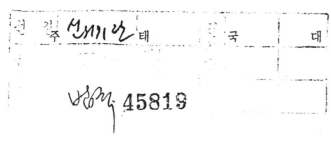

발송 90 8. 16

45819

0241

1. 주요 논의사항

   동 회의참가국은 방글라데시, 인니, 한국, 라오스, 말련, 미안마, 내팔, 파키스탄,
   필리핀, 싱가폴, 태국, 베트남의 12개국이며, 동 회의과정에서 대체적으로 콘센
   서스가 이루어진 주요 논의사항 요지는 다음과 같음.

   ○ 동 협약채택(비준, 가입) 및 조기발효의 긴요성에 인식을 같이하고 상금 서명.
     비준 또는 가입조치를 취하지 않은 참가국(인니, 한국, 라오스, 말련, 미안마,
     내팔, 파키스탄, 필리핀, 싱가폴, 태국등 10개국)은 금후 자국의 동 협약
     조기채택을 위해 적극 노력함.
     - 베트남, 방글라데시는 유보없이 기비준
     - 필리핀은 서명후 비준을 위한 국내절차를 완료하였으나 상금 비준서 미기탁

   ○ 현재 38개국 대통령 20개국 수상, 2개국 국왕이 아동을 위한 정상회담(World
     Summit for Children, 90.9.29.-30. 유엔본부 개최예정) 참석용의를 밝혔는
     바, 금번 자문회의 참가국으로부터도 더 많은 국가원수가 참석할 것을 촉구함.

   ○ 동 협약은 본질적으로 입법조약(law-making treaty)이지만 국내법으로의
     수용에는 많은 문제조항이 존재하기 때문에 각국의 편의에 따라 신축적으로
     유보를 행해도 무방하며, 국내법 정비도 협약채택후 상당한 기간을 두고 점차
     적으로 보완해 나가면 될 것임.(UNICEF측 입장)
     - 동 협약의 당초 초안에는 유보 불가 조항이 명시되었다가 이후 삭제되었기
       때문에 현재로서는 형식상 어느 조항도 유보에 개방되어 있는 것처럼 되어
       있으나 fundamental clauses(정의조항등 본질적 조항)는 통상 유보가 불가함.
     - 이에도 불구, 다수국가가 상당수 조항에 대한 유보부 채택을 하였으며, 금번
       회의참가국측도 하기와 같이 다수 유보용의를 표명함.
     - 기채택국가 또는 기서명국가의 유보조항, 유보시 행한 선언(해석의 유보,
       적용지역의 유보등) 및 여타조항에 대한 해석등 협약관련 정보 또는 의문
       사항에 관하여는 금후 UNICEF측이 필요한 대답 또는 관계자료를 제공하기로
       함.

   ○ 특히 회교국가에 문제되는 조항(아동의 연령정의, 국적, 난민조항등)이 상당수
     존재함에 유의함.

0242

○ 협약상 문제조항의 해석, 유보, 서명 또는 가입, 협약시행상의 제반 문제점 해소와 관련, 추후 UNICEF, 비정부기구, 정부기관간 협조를 활성화하며, 각국내 언론매체를 효율적으로 활용하기로 함.

2. 비준 또는 가입에 관한 참가국입장

  가. 국별입장 개요

    별첨 송부자료중 국별입장 및 서명.비준(또는 가입) 현황표 참조요망

  나. 유보 예정조항

    추후 실제채택시 행할 유보와는 차이가 있을 수 있으나 동 회의시 참가국
    측이 시사한 유보대상 조항은 대체로 하기와 같음.

    ○ 인 니
      - 기서명, 비준절차중
      - 서명시 유보는 하지 않았으나 유보와 관련된 선언(예를들면, ...조항이
        ....의미로 해석되고, ...와 저촉되지 않는다는 조건으로)을 행하였음.
      - 실제로, 14, 17, 19, 22, 23, 29조등을 문제조항으로 보고 있음.

    ○ 한 국
      - 본국 참가자측이 지참해 온 관계자료(별첨)를 중심으로 설명함.
      - 조기서명 용의를 표명하였으나 관계법령 정비상의 어려움이 존재함을
        구체적으로 설명

    ○ 말레이지아
      - 동국은 회교국으로서 다민족사회인 만큼 협약채택상의 애로가 있으나
        수개조항 유보부로 채택하고자 함.
      - 1,2,7,9,14,15,22,37,40조등이 유보대상 조항임.

    ○ 미얀마
      - 1, 7, 15, 22조등이 유보대상

0243

○ 파키스탄

- 아동의 연령규정, 입양아동의 재산권 인정등 회교법상 문제조항이
  협약에 다수 포함되어 있는 바, 회교권에서는 회교법과 Islamic jury의
  관결이 최우선함.
- 조약체결시의 통상례에 따라 회교법에 저촉되지 않음을 전제로 한다는
  선언(문제조항에서)을 하면서 서명, 비준할 예정임.

○ 필리핀

- 그간 아동권리보호 및 신장을 위한 국내입법 및 행정조치를 많이
  취해 왔으므로 채택에 별문제가 없다는 입장을 강조함.(아동권리등
  인권보호에 대한 정부시책 홍보에 진력하는 인상을 줌)

○ 싱가폴

- 협약채택에 따르는 관계법 정비의 중요성을 강조함.

○ 태 국

- 현행법 저촉조항의 다수존재, 행정 및 관행상의 문제가 있으나, 7조,
  22조등을 유보하고 채택방침임.

○ 베트남

- 90.3.1. 비준시 유보를 붙이지 않았지만 월남전에 따른 아동복지상의
  제반문제점이 있으며 7, 9, 13, 15조등이 시행상의 문제조항임.
- 전쟁후유증의 하나로서 아동권리보호(특히 15세-18세)가 너무 취약,
  복잡하기 때문에 유보를 할 엄두를 낼 수 없었고 차차로 관계법과
  제도를 협약에 맞추어 정비해 나갈 계획임.

○ 라오스

- 26, 32, 37, 40, 42, 44조가 유보대상 조항임.

다. 공통적 유보대상 조항

○ 2개국 이상의 참가국이 유보의사를 표명한 조항은 대체로 다음과 같음.
- 1, 7, 9, 13, 14, 15, 17, 19, 21, 22, 23, 29, 37, 40조

0244

3. 관찰 및 건의

○ 금번 참가국중 수개국이 회교국가 였으므로 회교법과 동 협약간의 충돌문제가 허다히 거론되었지만 UNICEF와 회교국 어느나라도 통일적인 연구결과를 제시하지 못한채 시간낭비성 토의가 된 측면이 있음.

○ UNICEF는 더 많은 국가의 협약채택을 유도하기 위한 목적에서 협약채택에 따르는 입법문제를 소홀히 하고 협약의 성격을 법적인 것이라기 보다는 선언적 또는 프로그램적인 것으로 보려는 경향이 농후하였는 바, 협약상의 monitoring mechanism의 효율적 시행등과 관련하여 협약발효후 당사국의 범이행 확보가 어려울 것으로 예견됨.

○ 따라서 아국으로서는 현재 동 협약에 96개국이 서명했으며 90.9.2. 발효가 예상되고, 91.2. Monitoring 기구의 발족을 목전에 둔 만큼 더 이상 서명. 비준을 지연할 수는 없는 형편임을 감안, 금 9월 정기국회전에 서명하고, 정기국회에서 비준동의안을 통과시켜야 할 것으로 생각됨. 언이나, UNICEF 및 다수국가의 동 협약에 대한 태도(다수조항 유보 및 관계입법에 대한 무성의 내지 신축적태도)도 참작하여 관계법정비(다수 현행법령의 개정보다는 특별 단행법 제정방식이 용이)에 다소의 신축성을 두어도 무방할 것으로 생각됨.

○ UNICEF에 대한 아국 기여도등에 비추어 10인위원회(Monitoring) 구성시 아국인사도 포함되도록 추진함이 바람직할 것으로 판단됨.(금번 회의시 이윤구박사가 사회를 맡는등 아측참가자들이 회의진행에 적극 참여 하였음을 참고로 첨언함).

0245

| 관리
번호 | 90-212 |

외 무 부

종 별 :

번 호 : JAW-5065   일 시 : 90 0818 1842

수 신 : 장관(법규,아일)

발 신 : 주 일 대사(일정)

제 목 : 아동권리 협약

대 : WJA-3424

1. 대호 아동권리협약 가입문제 관련, 금 8.18. 당관 강대현 서기관이 일외무성 국제연합국 인권난민과 도도 차석을 면담, 청취한 일정부 입장을 하기 보고함.

가. 일본이 아직 동 협약에 서명하지 아니한것은 89.11. 유엔총회의 동협약채택 이후 국내법과의 조정 필요성이 대두되었으나 검토에 충분한 시간적 여유가 없었기 때문이며, 한편으로 동협약 가입에 대한 일국내 사회단체등의 여론도 ' 여성차별 철폐조약'(80 년 서명, 85 년 비준) 당시처럼 그간 그렇게 높지 않은 점도 이유의 하나임.

0 국내법과의 조정문제(예) :

- 일본민법 798 조는 미성년자를 양자로 할 경우 가정재판소의 허가를 받도록 되어 있으나, 자기 또는 배우자의 직계비속을 양자로 할 경우에는 예외로 하고 있음. 따라서 동 예외규정과 아동협약 21 조(AO '책임있는 당국의 허가규정' 과의 조정문제 발생

- 또한 일본 소년법은 미성년의 나이를 20 세 이하로 규정하고 있는 반면 아동협약은 18 세 이하로 규정함으로써, 동협약 37 조(C) '성인과의 분리 취급' 규정과의 조정 필요성

- 기타 법률상의 문제는 아니나 학교에서의 장발, 제복문제등 학교교육과 관련한 현실적 문제도 존재

나. 즉, 국내법과의 조정에 따른 작업이 빨리 진행되지 않은 점이 서명 않은 주요 이유이며, 일정부가 동 협약을 특별히 보류해야 할 입장에 있는 것은 아니었음.

0 그러나 9.29-30. 유엔에서 개최될 '아동을 위한 세계 정상회의' 에서 동 협약 서명 및 비준문제가 의제의 하나로 될것은 확실하고 또한 국내적으로도 일본

국기국   아주국

교원노조와 사회당등의 야당여론도 고려 동 정상회의 이전까지는 일정부도 서명할 방침을 정하였음.

0 그러나 서명일자 및 누가 서명할지는 아직 미정이며, 국내법과의 조정에 따른 시간적 문제, 국회사정등을 감안, 동 정상회의 이전에 비준까지 생각하고 있지는 않음.

2. 한편, 동 협약 30 조가 규정한 난민, 소수민족의 아동 특별보호규정 관련, 동 규정이 재일한국인등 일본내 상주 외국인의 아동권리에 미칠 영향에 대해,

동 차석은 동 조항이 포함할 권리내용에 대해 구체적 검토를 아직 행하지 않았기 때문에 현재 자신있는 해석이 어렵다고 하고, 이 문제에 대해서는 추후 정부내 관계성청간에 별도의 검토가 필요할 것으로 본다고 언급하였음.

3. 또한 도도 차석은 9.29-30 간 개최될 '아동을 위한 세계 정상회의'에는 카이후 수상의 참석가능성이 높으며, 부시 대통령등 서방국 정상회에도 고르바쵸프 대통령의 참석 가능성도 많은것으로 알고 있다 하였음. 끝

(공사 김병연-국장)

90.12.31. 까지

PAGE 2

0247

협조문용지

분류기호 문서번호	국연 2031- 1566 ( )		결 재	담 당	과 장	국 장
시행일자	1990. 8. 23.			(서명)		
수 신	국제법규과장	발 신	국제연합과장			(서명)
제 목	아동권리협약 서명					

1. 90.4월 개최된 UNICEF 집행이사회에서 아국은

아동권리협약을 제45차 총회개최 이전 서명할 예정임을 밝힌

바 있습니다.

2. 이와 관련, 장관님께서 금차 총회 참석을 위한

뉴욕체류기간중(9.23-10.4. 잠정예정) 동 협약에 서명토록

하실것을 검토중인 바, 장관님 총회 참석일정 작성에 참고코자

하니 아동권리협약 서명상의 문제점 및 서명가능 시기에 관한

귀견 회보바랍니다.   끝.

1990.10.31 에 예고문에
의거 일반문서로 재분류

0248

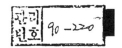

협 조 문 용 지

분류기호 문서번호	국연 2031- **1566** ( )		결 재	담 당	과 장	국 장
시행일자	1990. 8. 23.					
수 신	국제법규과장	발 신	국제연합과장 *My.* (서명)			
제 목	아동권리협약 서명					

　　　1.　90.4월 개최된 UNICEF 집행이사회에서 아국은

아동권리협약을 제45차 총회개최 이전 서명할 예정임을 밝힌

바 있습니다.

　　　2.　이와 관련, 장관님께서 금차 총회 참석을 위한

뉴욕체류기간중(9.23-10.4. 잠정예정)동 협약에 서명토록

하실것을 검토중인 바, 장관님 총회 참석일정 작성에 참고코자

하니 아동권리협약 서명상의 문제점 및 서명가능 시기에 관한

귀견 회보바랍니다.　　끝.

0249

분류번호	보존기간

발 신 전 보

번 호 : WJA-3573   900823 1427 DY   종별 :

수 신 : 주 일   대사 . 총영사

발 신 : 장 관 (법규)

제 목 : 아동권리협약

대 : JAW-5065(90.8.18)

1. 일본의 표제 협약 서명 준비와 관련、 표제협약과 같이 서명과 발효가 구분되어 있는 다자조약의 경우 서명만을 위한 내부 절차를 문의 보고 바람.

2. 발효 조치를 유보한 채 서명할 경우 각의심의 여부、 서명자에 대한 전권위임장의 명의 등을 확인 바람.

(국제기구조약국장   문동석)

앙고재	90년 8월 22일 국제법규과	기안자 신	과 장	심의관	국 장 린결	차 관	장 관	보안통제	외신과통제

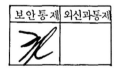

0250

외 무 부

종 별 :

번 호 : USW-3874   일 시 : 90 0823 1923

수 신 : 장 관(법규)

발 신 : 주 미 대사

제 목 : 아동권리 협약

대: WUS-2678

대호 아동권리 협약 관련, 당관 마영삼 서기관이 DAVID BOLTON 국무부 법률고문을 통해 파악한 내용을 아래 보고함.

1. 현재 미 정부 5개 부처에서 동협약 내용을 검토중이며, 최종 결과가 나오기까지는 다소 시간이 걸릴것으로 예상됨.

2. 현재까지의 검토 결과에 따르면 동협약 내용중에는 미국내법과 마찰되는 요소가 다소 있어 (18세 이하의 아동에 대한 사형금지문제, 아동교육에 대한 주정부의 권한 침해 가능성등) 이의해결 방안을 연구중이라함.

3. 부쉬 대통령은 아동을 위한 세계 정상회의에 참석예정이나, 동참석이 상기 협약을 서명할 것임을 의미하는것은 아님.

다만 동회의 개최전에 서명 문제에 대한 미국입장을 결정하기 위해 노력중이라함. (대사 박동진-국장)

국기국

신께관

결재사항

이○ 김동계

0252

Status of the Convention on

the Rights of the Child

States Parties to the Convention by ratification or accession

1.	Ghana	13.	Guinea
2.	Viet Nam	14.	Saint Kitts and Nevis
3.	Ecuador	15.	Mauritius
4.	Holy See	16.	Kenya
5.	Belize	17.	Senegal
6.	Guatemala	18.	Bhutan
7.	Sierra Leone	19.	Togo
8.	Bolivia	23.	Bangladesh
9.	Sweden		Benin
10.	Mongolia		Sudan
11.	Egypt		
12.	El Salvador		

Countries that have finished all required preparations for ratification/accession national level, but have not deposited instrument of ratification/accession with Secretary-General of the UN (i.e. Legal Office)

Burkina Faso	Nicaragua
Chad	Philippines
Colombia	Portugal
Gambia	USSR
Guinea-Bissau	

0253

STATUS OF SIGNATURES/RATIFICATIONS OF THE
CONVENTION ON THE RIGHTS OF THE CHILD

Number of signatures: 96

Number of States Parties (by ratification or accession) :   18

Countries	Date of signature	Date of ratification (r) or accession (a)*
Afghanistan		
Albania	26.01.1990	
Algeria	26.01.1990	
Angola	14.02.1990	
Antigua&Barbuda		
Argentina	29.06.1990	
Australia		
Austria	26.01.1990	
Bahamas		
Bahrain		
✓Bangladesh	26.01.1990	
Barbados	19.04.1990	
Belgium	26.01.1990	
Belize	02.03.1990	02.05.1990 (r)
Benin	25.04.1990	
Bhutan	04.06.1990	01.08.1990 (r)
Bolivia	08.03.1990	26.06.1990 (r)
Botswana		

*Date of receipt of instrument of ratification/accession by the UN Legal Office

0254

Countries	Date of signature	Date of ratification (r) or accession (a)*
Brazil	26.01.1990	
Brunei Darussalem		
Bulgaria	31.05.1990	
Burkina Faso	26.01.1990	
Burundi	08.05.1990	
Byelorussian SSR	26.01.1990	
Cameroon		
Canada	28.05.1990	
Cambodia		
Cape Verde		
Central African R.	30.07.1990	
Chad		
Chile	26.01.1990	
China		
Colombia	26.01.1990	
Comoros		
Congo		
Costa Rica	26.01.1990	
Cote D'Ivoire	26.01.1990	
Cuba	26.01.1990	
Cyprus		
Czechoslovakia		
Democratic Yemen	13.02.1990	
Denmark	26.01.1990	
Djibuti		

0255

Countries	Date of signature	Date of ratification (r) or accession (a)*
Dominica	26.01.1990	
Dominican Rep.		
Ecuador	26.01.1990	23.03.1990 (r)
Egypt	05.02.1990	06.07.1990 (r)
El Salvador	26.01.1990	10.07.1990 (r)
Equatorial Guinea		
Ethiopia		
Fiji		
Finland	26.01.1990	
France	26.01.1990	
Gabon	26.01.1990	
Gambia	05.02.1990	
GDR	07.03.1990	
FRG	26.01.1990	
Ghana	29.01.1990	05.02.1990 (r)
Greece	26.01.1990	
Grenada	21.02.1990	
Guatemala	26.01.1990	06.06.1990 (r)
Guinea		13.07.1990 (a)
Guinea-Bissau	26.01.1990	
Guyana		
Haiti	26.01.1990	
Honduras	31.05.1990	
Hungary	14.03.1990	

0256

Countries	Date of signature	Date of ratification (r) or accession (a)*
Iceland	26.01.1990	
India		
✓ Indonesia	26.01.1990	
Iran		
Iraq		
Ireland		
Israel	03.07.1990	
Italy	26.01.1990	
Jamaica	26.01.1990	
Japan		
Jordan		
Kenya	26.01.1990	30.07.1990 (r)
Kuwait	07.06.1990	
✓ Lao People's Dem. R.		
Lebanon	26.01.1990	
Lesotho		
Liberia	26.04.1990	
Libya		
Luxembourg	21.03.1990	
Madagascar	19.04.1990	
Malawi		
✓ Malaysia		
Maldives		
Mali	26.01.1990	
Malta	26.01.1990	

0257

Countries	Date of signature	Date of ratification (r) or accession (a)*
Mauritania	26.01.1990	
Mauritius	⁓	26.07.1990 (a)
Mexico	26.01.1990	
Mongolia	26.01.1990	05.07.1990 (r)
Morocco	26.01.1990	
Mozambique		
Myanmar		
Namibia		
Nepal	26.01.1990	
Netherlands	26.01.1990	
New Zealand		
Nicaragua	06.02.1990	
Niger	26.01.1990	
Nigeria	26.01.1990	
Norway	26.01.1990	
Oman		
Pakistan		
Panama	26.01.1990	
Papua New Guinea		
Paraguay	04.04.1990	
Peru	26.01.1990	
Philippines	26.01.1990	
Poland	26.01.1990	
Portugal	26.01.1990	
Qatar		

0258

Countries	Date of signature	Date of ratification (r) or accession (a)*
Romania	26.01.1990	
Rwanda	26.01.1990	
Saint Kitts & Nevis	26.01.1990	24.07.1990 (r)
Saint Lucia		
Saint Vincent & the Grenadines		
Samoa		
Sao Tome & Principe		
Saudi Arabia		
Senegal	26.01.1990	31.07.1990 (r)
Seychelles		
Sierra Leone	13.02.1990	18.06.1990 (r)
Singapore		
Solomone Islands		
Somalia		
South Africa		
Spain	26.01.1990	
Sri Lanka	26.01.1990	
Sudan	24.07.1990	
Suriname	26.01.1990	
Swaziland		
Sweden	26.01.1990	29.06.1990 (r)
Syrian Arab Rep.		
Thailand		
Togo	26.01.1990	

Countries	Date of signature	Date of ratification (r) or accession (a)*
Trinidad & Tobago		
Tunisia	26.02.1990	
Turkey		
Uganda		
Ukrainian SSR	21.02.1990	
USSR	26.01.1990	
United Arab Emirates		
UK	19.04.1990	
United Rep. of Tanzania	01.06.1990	
USA		
Uruguay	26.01.1990	
Vanuatu		
Venezuela	26.01.1990	
Vietnam	26.01.1990	01.03.1990 (r)
Yugoslavia	26.01.1990	
Zaire	20.03.1990	
Zambia		
Zimbabwe	08.03.1990	

Non-Member States of UN

Dem.People's Rep. of Korea		
Holy See	20.04.1990	20.04.1990 (r)
Rep.of Korea		
Switzerland		

0260

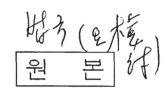

관리 번호	90-228

외 무 부

종 별 :

번 호 : UNW-1613   일 시 : 90 0827 1800

수 신 : 장관(법규,국연,기정)

발 신 : 주 유엔 대사

제 목 : 북한의 아동권리협약 서명

연:UNW-1215(1), 1603(2)

대:WUN-1008

1. 북한은 8.23. 자로 아동권리협약에 서명한 것으로 금일 파악된바, 이와관련 운서기관이 유엔조약과 담당관으로 부터 확인한 바에 의하면 박길연 주 유엔대사가 8.23. 유엔사무국내 조약과 서명실에서 조약과장 입회하에 동 협약에 서명을 하였다고함.

2. 동 협약은 8.24. 현재 31 개국이 비준(100 여 개국이 서명) , 협약발효에 필요한 20 개국을 이미 초과하므로써 협약규정에 따라 90.9.2. 부로 발효예정임.

3. 연호(1) 로 기 건의한 대로 당관으로서는 아동문제 정상회담 개최전에 동 협약에 서명하는것이 바람직하다고 사료하는바, 표제협약 서명 비준 문제에 대한 본부입장 회시바람.

4. 유엔사무국 조약과 담당관에 의하면, 통상적으로 현지 대사들이 협약 서명시에는 조약과장이, 외무장관등 장관급이상이 서명시에는 유엔법률담당 사무차장 (불연시 법률국장) 이 입회하는것이 일반적이라고 함을 참고 바람. 끝

(대사 현홍주-국장)

예고:90.12.31. 까지

국기국   장관   차관   2차보   국기국   정문국   청와대   안기부

PAGE 1   90.08.28   08:34
                                              외신 2과 통제관 CW

0261

외 무 부

관리
번호 90-230

종 별 :

번 호 : JAW-5220   일 시 : 90 0828 1841

수 신 : 장관(법규,아일)사본:주일대사

발 신 : 주 일 대사(일정)

제 목 : 아동권리협약

　　대 : WJA-3573

　　1. 대호관련, 금 8.28. 당관 강대현 서기관이 일외무성 인권난민과 및 법규과에 확인한 바에 의하면, 금번 아동권리 협약과 같이 서명과 발효가 구분되어 있는 다자조약의 경우에도, 서명을 위해서는 각료회의에 보고, 승인을 얻어야 하나 국회동의는 필요치 않다고함.

　　2. 한편, 일외무성은 서명자에 대한 전권위임장의 명의문제등에 대해서는 아직 구체적으로 검토하지 않았다고함.

　　- 다만, 9.29-30. '아동을 위한 세계정상회의'에는 카이후 수상의 참석 가능성이 아주 높다고 하며 동수상이 참석시에는 그 기회를 이용, 수상의 입회하에외무장관 또는 유엔대사가 서명할수도 있기 때문에 이 경우에는 별도의 전권위임장이 필요하지 않을것으로 본다고 하면서 일측 방침이 결정되는 대로 당관에도알려 주겠다고 하였음. 끝

　　(대사대리 김병연-국장)

　　예고 : 90.12.31. 까지

국기국　　차관　　1차보　　아주국　　대사실　　청와대

PAGE 1   90.08.28   19:55
　　　　　　　　　　　　　　　　　　　　　　　　　　외신 2과 통제관 BT

0262

長官報告事項

報告畢

1990 . 8 .29 .
國際機構條約局
國際法規課(24)

題目 : 아동권리협약 가입문제

아국의 "아동권리협약" 가입추진과 관련된 주요검토사항을 아래
보고 드립니다.

1. 현황

가. 협약문 채택 : 1989. 11. 20. (유엔총회)

- 90. 9. 2. 발효예정

나. 국내관계부처 ~~협의~~ 검토요청 1990. 1. 10

- 법무부, 문교부, 체육부, 보건사회부, 법제처

다. 관계부처 대책회의 개최 : 1990. 6. 14

- 문교부의 최종입장 결정 대기중

2. 협약 발효과정상 특징

ㅇ 동 협약은 금년 9.29-30간 유엔에서 개최될 "아동을 위한 세계정상회의"
의제로 채택됨으로써 여타협약에 비하여 조속히 발효됨.

3. 아국의 협약가입 관련 문제점

가. 아동의 권리를 포괄적으로 인정한 동 협약은 미성년자의 법률행위
능력을 제한하고 또한 가부장제를 근간으로 하고 있는 우리민법과
기본구조면에서 상충됨.

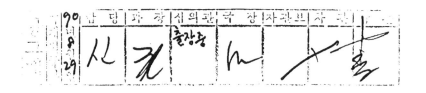

0263

나. 상기 법률상 상충 이외에도 새로운 입법을 요하는 조항을 포함하고
   있음. (문교부, 보건사회부 유보적 태도)

4. 협약가입 관련 각국의 태도

   ○ 다수국가의 서명 또는 가입에도 불구하고 미국, 일본 및 다수의
      동양권국가 서명하지 아니한 상태임.
      - 북한은 90. 8. 23 서명

5. 향후 추진방향

   가. 동 협약에 세계 다수국가가 서명하였으며 금번 "아동을 위한 세계
      정상회의"시 토의된다는 사실에 비추어, 가급적 "아동을 위한 세계
      정상회의"시 또는 그 이전에 서명하는 문제를 적극적으로 추진함.
      - 문교부 및 일본 입장 참고

   나. 서명을 하는 경우에도 상기 문제점을 감안 비준은 관계부처와 국내법
      정비 및 유보조항 합의결과와 협약의 운영추이를 보아가면서 검토함.

첨부: 아동권리협약 가입문제

0264

(첨 부)

아동권리협약 가입문제

1. 협약 개요

    가. 명칭 : 아동권리협약(Convention on the Rights of the Child)

    나. 채택 경위

        º 1989. 11. 20 유엔총회에서 컨센서스로 채택됨.

    다. 발효

        º 동 협약은 100여개국이 서명하였으며 발효요건인 20개국 비준이
           90. 8. 3 충족되어 90. 9. 2 발효예정임(90. 8. 24 현재 31개국 비준)

2. 협약 조기발효의 배경

    가. 90. 9. 29-30간 유엔에서 개최될 "아동을 위한 세계정상회의" 의제로
        채택된 점,

    나. 동 협약은 "세계아동의 해 10주년"을 맞은 1989년 유엔총회에서
        컨센서스에 의하여 채택되었다는 점,

    다. 국제연합아동구호기금(UNICEF)이 동 협약의 조기발효를 위하여
        적극적이고 다각적인 활동을 전개하고 있다는 점

    등이 협약의 조기발효를 촉진함.

3. 협약가입 관련 검토사항

    가. 협약과 국내법과의 상충문제

        º 동 협약은 18세 미만의 아동을 권리주체로 규정하고 사법적,
           경제적, 사회적, 가족법적 권리보장에 역점을 두고 있음.

0265

o 우리민법은,

　- 미성년자(20세 미만)의 법률행위능력을 제한하고 있으며,

　- 가족법이 가부장제(家父長制) 중심으로 규정되어 있어
　기본적으로 동 협약체계와 배치됨.

o 또한 국적법, 난민아동 보호, 각종 사회보장제도 등은 국내법과
배치되거나 새로운 입법을 요하는 사항을 포함하고 있음.

o 이러한 국내법상 문제점으로 인하여 문교부, 보사부 등 관계부처는
다소 소극적인 태도를 보이고 있음.

나. 협약의 성격 문제

o 다수 국가가 동 협약을 서명 또는 비준하고 있으나 상기한
협약과 국내법의 상충문제는 각국에 공통적인 사항임을 감안할
때 서명 또는 비준국 중 상당수 국가의 협약이행에 대한 성실성이
의문시됨.

o 이들 국가들은 동 협약을 단순히 선언적인 것으로 이해하고
있거나 또는 그렇지 아니한 경우에도 비준시 다수조항을 유보할
것으로 판단됨.

다. 주요 비서명국가의 태도

o 상기한 바와 같이 다수국이 서명 또는 비준하였음에도 불구하고
미국, 일본, 중국, 싱가포르, 말레이시아, 태국, 호주, 뉴질랜드
등 주요국가는 서명하지 아니하고 있음.

0266

o 비서명국가들은 주로 동양적 가족제도를 가지고 있거나 또는
  협약의 실효성 보장문제에 신중한 태도를 보이고 있는 국가들로
  판단됨.

o 현재까지 확인된 바에 의하면 일본과 미국은 상기한 국내법과의
  상충문제로 인하여 검토를 계속하고 있다함.

長 官 報 告 事 項

報 告 畢

1990 . 8 .29 .
國際機構條約局
國際法規課(24)

題 目 : 아동권리협약 가입문제

아국의 "아동권리협약" 가입추진과 관련된 주요검토사항을 아래
보고 드립니다.

1. 현황

　가. 협약문 채택 : 1989. 11. 20. (유엔총회)

　　- 90. 9. 2. 발효예정

　나. 국내관계부처 검토요청 : 1990. 1. 10

　　- 법무부, 문교부, 체육부, 보건사회부, 법제처

　다. 관계부처 대책회의 개최 : 1990. 6. 14

　　- 문교부의 최종입장 결정 대기중

2. 협약 발효과정상 특징

　ㅇ 동 협약은 금년 9.29-30간 유엔에서 개최될 "아동을 위한 세계정상회의"
　　의제로 채택됨으로써 여타협약에 비하여 조속히 발효됨.

3. 아국의 협약가입 관련 문제점

　가. 아동의 권리를 포괄적으로 인정한 동 협약은 미성년자의 법률행위
　　능력을 제한하고 또한 가부장제를 근간으로 하고 있는 우리민법과
　　기본구조면에서 상충됨.

0268

나. 상기 법률상 상충 이외에도 새로운 입법을 요하는 조항을 포함하고
    있음. (문교부, 보건사회부 유보적 태도)

4. 협약가입 관련 각국의 태도

  ㅇ 다수국가의 서명 또는 가입에도 불구하고 미국, 일본 및 다수의
     동양권국가 서명하지 아니한 상태임.
     - 북한은 90. 8. 23 서명

5. 향후 추진방향

  가. 동 협약에 세계 다수국가가 서명하였으며 금번 "아동을 위한 세계
      정상회의"시 토의된다는 사실에 비추어, 가급적 "아동을 위한 세계
      정상회의"시 또는 그 이전에 서명하는 문제를 적극적으로 추진함.
      - 문교부 및 일본 입장 참고

  나. 서명을 하는 경우에도 상기 문제점을 감안, 비준은 관계부처와 국내법
      정비 및 유보조항 합의결과와 협약의 운영추이를 보아가면서 검토함.

첨부: 아동권리협약 가입문제

0269

(첨 부)

아동권리협약 가입문제

1. 협약 개요

    가. 명칭 : 아동권리협약(Convention on the Rights of the Child)

    나. 채택 경위

        ° 1989. 11. 20 유엔총회에서 컨센서스로 채택됨.

    다. 발효

        ° 동 협약은 100여개국이 서명하였으며 발효요건인 20개국 비준이
          90. 8. 3 충족되어 90. 9. 2 발효예정임(90. 8. 24 현재 31개국 비준)

2. 협약 조기발효의 배경

    가. 90. 9. 29-30간 유엔에서 개최될 "아동을 위한 세계정상회의" 의제로
        채택된 점,

    나. 동 협약은 "세계아동의 해 10주년"을 맞은 1989년 유엔총회에서
        컨센서스에 의하여 채택되었다는 점,

    다. 국제연합아동구호기금(UNICEF)이 동 협약의 조기발효를 위하여
        적극적이고 다각적인 활동을 전개하고 있다는 점

    등이 협약의 조기발효를 촉진함.

3. 협약가입 관련 검토사항

    가. 협약과 국내법과의 상충문제

        ° 동 협약은 18세 미만의 아동을 권리주체로 규정하고 사법적,
          경제적, 사회적, 가족법적 권리보장에 역점을 두고 있음.

0270

○ 우리민법은,
  - 미성년자(20세 미만)의 법률행위능력을 제한하고 있으며,
  - 가족법이 가부장제(家父長制) 중심으로 규정되어 있어
  기본적으로 동 협약체계와 배치됨.

○ 또한 국적법, 난민아동 보호, 각종 사회보장제도 등은 국내법과
  배치되거나 새로운 입법을 요하는 사항을 포함하고 있음.

○ 이러한 국내법상 문제점으로 인하여 문교부, 보사부 등 관계부처는
  다소 소극적인 태도를 보이고 있음.

나. 협약의 성격 문제

○ 다수 국가가 동 협약을 서명 또는 비준하고 있으나 상기한
  협약과 국내법의 상충문제는 각국에 공통적인 사항임을 감안할
  때 서명 또는 비준국 중 상당수 국가의 협약이행에 대한 성실성이
  의문시됨.

○ 이들 국가들은 동 협약을 단순히 선언적인 것으로 이해하고
  있거나 또는 그렇지 아니한 경우에도 비준시 다수조항을 유보할
  것으로 판단됨.

다. 주요 비서명국가의 태도

○ 상기한 바와 같이 다수국이 서명 또는 비준하였음에도 불구하고
  미국, 일본, 중국, 싱가포르, 말레이시아, 태국, 호주, 뉴질랜드
  등 주요국가는 서명하지 아니하고 있음.

0271

o 비서명국가들은 주로 동양적 가족제도를 가지고 있거나 또는
   협약의 실효성 보장문제에 신중한 태도를 보이고 있는 국가들로
   판단됨.

o 현재까지 확인된 바에 의하면 일본과 미국은 상기한 국내법과의
   상충문제로 인하여 검토를 계속하고 있다함.

0272

원 본

외 무 부

종 별 :

번 호 : UNW-1668   일 시 : 90 0830 2400

수 신 : 장관(국연,법규)

발 신 : 주 유엔 대사

제 목 : 아동문제 세계정상회의

연:UNW-1647,1603,1553

1. 연호, 표제회의시까지 UNICEF (정상회의 사무국)내 아국담당관으로 지정된 M. THAPA 및 A.MARALIT 양인이 금 8.30 당관을 방문, 운서기관과 협의시 파악한 내용을 아래보고함.

가. 정상참가통보국 현황

0. 8.25 현재 73 개국(유엔사무총장 포함)

나. 유엔총회 참가 고위인사들의 정상회의 개폐회식 참관문제

0. 현재까지의 협의결과로는 정상 비참가국의 경우 국별로 2 명을 개폐회식에 참관초청하는 것으로 되어있으며, 동 2 명에 누구를 포함시킬것인지는 해당 참관 희망국의 의사를 반여하게 될것임.(연호 UNW-1603 참조)

0.9.30 폐회식후 개최되는 리셉션에도 상기 인사들이 초청될 가능성이 크나, 현재 초청범위가 확정되지는 않았음.

다. 회의일정

0.7.16 자로 기배포된 일정과 비교시 변경이 검토되고 있는 부분은 아래와같음.(이하 변경될 경우 일정)

0.9.30(일)

-09:30-10:45 개회식

-10:45-13:30 토론(3 개주제)

-15:00-16:00 토론속개 (나머지 1 개 주제)

-16:15-17:00 폐회식

-17:00-19:00 리셉션겸 기자회견

0.10.1.(월)

국기국   차관   1차보   2차보   국기국

PAGE 1   90.08.31   13:41
                                          외신 2과 통제관 EZ

0273

-09:45 부터 (약 30 분) 선언문 전달식

라. 자유토론 발언자수 축소 조정가능성

0. 주재별로 2 명이 발제발언(5-6 분), 3 명이 콩멘트(약 4 분) 후 , 자유토론은 모두 참가정상에게 개방하는 방향으로 협의중임.

0. 이경우 총 20 명 의 정상만이 대표발언을 하게되므로 당초보다 대표발언자수가 대폭 줄어드는 결과가 될것임.

0. 발언자수및 구체적인 발언자 명단은 9 월초까지는 확정될것임.

마. 부토 파키스탄 수상후임 공동의장

0.TRAOR'E 말리 대통령이 내정됨.

바. 제 1 차 종합 브리핑

0. 정상회의 대표단 (및 참관자)들에 대한 출입증발급등 제반 행정사항은 9.5. 실시되는 브리핑시 종합적으로 설명예정임.

사. 공식대표단및 수행원명단등 제출시한

0.9.7. 까지 기 송부한 양식에 의거 제출요망.

2. 아국의 참가문제와 관련, 상기 담당관들은 회의 주최측으로서는 아국을 여전히 참가가능성이 있는 19 개국중 하나로, 북한을 참가가능성이 희박한 18 개국중 하나로 분류하고 있다고 밝히고 , 아국의 참가가능성에 대하여 관심을 표명하였음.

3. 8.23. 현재 아동권리협약 서명및 비준국 현황은 8.31. 발 당관 정파편 송부예정임.끝

첨부:참가통보 정상명단((UNW(F)-0152))

(대사 현홍주-국장)

예고:90.12.31. 까지

UNHII(F)-0152 0083-2400

(국연. 법규)

충5메

EXPECTED SUMMIT ATTENDANCE

as of 24 August 1990

CF/WSC/1990/PC-036/Rev.
24 August 1990

매무처	장관실	차관실	一차보	二차보	기사실	기획실	의선장	아주교	미주교	구주교	중아국	국기국	경제국	통상국	정문국	영교과	총무과	감사관	공보관	외정실	청외대	종타실	앙기부	문꽁부
										②													

Expected attendance at the World Summit for Children as of 24 August 1990

The Initiators and/or the Secretariat have to date been notified by Governments that the following Heads of State or Government intend to participate in the World Summit for Children.

1. * ANGOLA
     President Jose Eduardo dos Santos

2. * ARGENTINA
     President Carlos Saul Menem

3. BANGLADESH
     President Hussain Muhammed Ershad

4. BARBADOS
     Prime Minister L. Erskine Sandiford

5. * BELGIUM
     H.M. King Baudouin

6. BENIN
     President Mathieu Kérékou

7. BRAZIL
     President Fernando Collor

8. * BULGARIA
     Prime Minister Andrei Lukanov

9. * BYELORUSSIAN SOVIET SOCIALIST REPUBLIC
     Chairman of the Presidium of the Supreme Soviet N.I. Dementei

10. CAMBODIA
     Prime Minister Son Sann

/...

(* After 2 August 1990)

5-1

11.   CANADA
          Prime Minister Brian Mulroney

12.   CENTRAL AFRICAN REPUBLIC
          President André Kolingba

13.   CHILE
          President Patricio Aylwin

14.   COLOMBIA
          President Cesar Gaviria

15.   COSTA RICA
          President Rafael Angel Calderon-Fournier

16.   CZECH AND SLOVAK FEDERAL REPUBLIC
          President Vaclav Havel

17. *   DENMARK
        Prime Minister Poul Schluter

18.   DOMINICA
          Prime Minister Mary E. Charles

19.   ECUADOR
          President Rodrigo Borja-Cevallos

20.   EGYPT
          President Mohamed Hosni Mubarak

21.   EL SALVADOR
          President Alfredo Félix Cristiani-Burkard

22. *   FINLAND
          Prime Minister Harri Holkeri

23.   FRANCE
          President François Mitterrand

24.   GAMBIA
          President Alhaji Sir Dawda Kairaba Jawara

25. *   GERMANY, FEDERAL REPUBLIC OF
          President Richard von Weizsacker

26.   GUATEMALA
          President Marco Vinicio Cerezo Arévalo

/...

(* After 2 August 1990)

5—2

0276

27.   GUINEA BISSAU
        President Joao Bernardo Vieira

28.   HOLY SEE
        Secretary of State [Head of Government] Agostino Cardinal Casaroli

29.   HONDURAS
        President Rafael Leonardo Callejas

30. * ICELAND
        Prime Minister Steingrimur Hermannsson

31.   IRELAND
        Prime Minister Charles J. Haughey

32. * ITALY
        Prime Minister Giulio Andreotti

33. * JAPAN
        Prime Minister Toshiki Kaifu

34.   JORDAN
        King Hussein Ibn Talal

35.   KENYA
        President Daniel Toroitich arap Moi

36.   MALAYSIA
        Prime Minister Dato'Seri Dr. Mahathir Mohamad

37.   MALDIVES
        President Maumoon Abdul Gayoom

38.   MALI
        President Moussa Traoré

39.   MALTA
        Prime Minister Eddie Fenech Adami

40.   MEXICO
        President Carlos Salinas de Gortari

41.   NAMIBIA
        President Sam Nujoma

42.   NEPAL
        Prime Minister Krishna Prasad Bhattarai

43.   NETHERLANDS
        Prime Minister R.F.M. Lubbers

(* after 2 August 1990)   5-3

/...

44. NICARAGUA
    President Violeta Barrios de Chamorro

45. NORWAY
    Prime Minister Jan P. Syse

46. PAKISTAN
    Prime Minister Ghulam Mustafa Jatoi

47. * PANAMA
    President Guillermo Endara Galimany

48. PARAGUAY
    President Andrés Rodriguez

49. PERU
    President Alberto Fujimori

50. RWANDA
    President Juvénal Habyarimana

51. ST. KITTS AND NEVIS
    Prime Minister Kennedy A. Simmonds

52. ST. LUCIA
    Prime Minister John G.M. Compton

53. ST. VINCENT AND THE GRENADINES
    Prime Minister James F. Mitchell

54. SAMOA
    Prime Minister Tofilau Eti Alesana

55. SAUDI ARABIA
    King Fahd Bin Abdul-Aziz Al-Saud

56. SENEGAL
    President Abdou Diouf

57. * SIERRA LEONE
    President Joseph S. Momoh

58. SUDAN
    President Omer Hassan Ahmed El Bashir

59. SURINAME
    President Ramsewak Shankar

60. SWEDEN
    Prime Minister Ingvar Carlsson

(* After 2 August 1990)

5-4

/...

0278

61.   TOGO
        President Gnassingbé Eyadema

62.   TURKEY
        President Turgut Ozal

63.   UGANDA
        President Yoweri Kaguta Museveni

64. *   UKRAINIAN SOVIET SOCIALIST REPUBLIC
        Chairman of the Council of Ministers Vitaly A. Masol

65.   UNITED ARAB EMIRATES
        President Zayed Bin Sultan Al Nahyan

66.   UNITED KINGDOM
        Prime Minister Margaret Thatcher

67.   UNITED STATES OF AMERICA
        President George Bush

68. *   URUGUAY
        President Luis Alberto Lacalle

69.   VANUATU
        Prime Minister Walter H. Lini

70.   VENEZUELA
        President Carlos Andrés Pérez

71.   YUGOSLAVIA
        President Borislav Jovic

72.   ZIMBABWE
        President Robert G. Mugabe

73.   UNITED NATIONS
        Secretary-General Javier Perez de Cuellar

.../

(* after 2 August 1990)

a737G

5-5

	분류번호	보존기간

발 신 전 보

번   호 : WUN-1181   900831 1425 CG   종별 :

수   신 : 주 유엔   대사. 총영사

발   신 : 장 관 (법규)

제   목 : 아동권리협약

대 : UNW-1613 (90.8.27)

표제 협약 서명 검토에 참고하고자 하니 90.6.25 이후 서명
또는 비준한 국가명 및 비준국들의 유보 내용에 관한 자료를 구득
가급적 금주 파편 송부 바람.

(국제기구조약국장 문동석)

앙 고 재	90년 8월 31일 국 제 법 규 과	기안자	과 장	국 장	차 관	장 관	보안통제	외신과통제
		신						

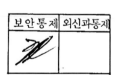

0280

원 본

외 무 부

종 별 :

번 호 : JAW-5289   일 시 : 90 0831 1509

수 신 : 장관(법규,아일)

발 신 : 주 일 대사(일정)

제 목 : 아동권리 협약

　　대: WJA-3573

　　연: JAW-5220

　　금 8.31. 일 외무성은 대호 아동권리 협약에 일측의 경우 누가 서명할 것인지는 아직 결정하지 않았으나, 일본의 경우 서명자에 대한 전권위임장은 일반적으로 외상명의로 작성되기 때문에 금번 아동권리협약 서명의 경우에도 외상명의로 작성할 것으로 본다고 당관에 알려왔음. 끝.

　　(공사 김병연-국장)

　　예고:90.12.31. 까지

국기국　　　아주국

외 무 부

종 별 : 지 급

번 호 : UNW-1681   일 시 : 90 0831 1830

수 신 : 장관(국연,법규)

발 신 : 주 유엔 대사

제 목 : 아동권리협약 발효관련 유엔사무총장 메세지

     연:UNW-1668,1613

     연호, 아동권리협약의 발효(90.9.2.)에 따른 CUELLAR 유엔사무총장의 금 8.31.
자 메세지(ADVANCE TEXT)를 별첨 FAX 송부함. 끝

     첨부:상기메세지 ((UNW(F)-155))

     (대사 현홍주-국장)

국기국   차관   1차보   2차보   국기국

PAGE 1   90.09.01   08:00
                                           외신 2과 통제관 CW

0282

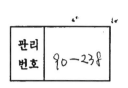

관리 번호	90-238

원 본

외 무 부

종 별 :

번 호 : UNW-1675

일 시 : 90 0831 1600

수 신 : 장관 (법규)

발 신 : 주 유엔대사

제 목 : 아동권리협약

연:UNW-1668, 주국련 203262-708(8.31.)

대:WUN-1181

대호 요청자료중 서명. 비준국 현황 (8.29. 현재)은 금 8.31. 당관 정파편으로 기송부하였으며 각국의 유보내용을 별전 FAX 송부함.

(대사 현홍주-국장)

예고:90.12.31. 까지

첨부: 각국 유보현황 (UNW(F)-0154)

국기국

90.09.01   06:30

외신 2과 통제관 CF

0283

NOTES:

1/

The Colombian Government considers that, while the minimum
age of 15 years for taking part in armed conflicts, set forth in
article 38 of the Convention, is the outcome of serious
negotiations which reflect various legal, political and cultural
systems in the world, it would have been preferable to fix that
age at 18 years in accordance with the principles and norms
prevailing in various regions and countries, Colombia among them,
for which reason the Colombian Government, for the purposes of
article 38 of the Convention, shall construe the age in question
to be 18 years.

2/

In signing the Convention on the Rights of the Child, Ecuador
reaffirms the points made in the statement delivered by Ambassador
José Ayala Lasso on agenda item 108, in the Third Committee on
14 November 1989, particularly as concerns the interpretation to
be given to article 24, in the light of the preamble of the
Convention, and article 38.

[Ecuador believes that the ninth preambular paragraph should
be borne in mind in interpreting the Convention, especially
its article 24. In the view of Ecuador, the minimum age set
in article 38 is too low.]

3/

(1) The Government of the French Republic declares that this
Convention, particularly article 6, cannot be interpreted as
constituting any obstacle to the implementation of the provisions
of French legislation relating to the voluntary interruption of
pregnancy.

(2) The Government of the Republic declares that, in the
light of article 2 of the Constitution of the French Republic,
article 30 is not applicable in so far as the Republic is
concerned.

(3) The Government of the Republic construes article 40,
paragraph 2 (b) (v), as establishing a general principle to which
limited exceptions may be made under law. This is particularly
the case for certain non-appealable offences tried by the Police
Court and for offences of a criminal nature. None the less, the
decisions handed down by the final court of jurisdiction may be
appealed before the Court of Cassation, which shall rule on the
legality of the decision taken.

6-1   0284

4/

The State of Guatemala is signing this Convention out of a humanitarian desire to strengthen the ideals on which the Convention is based, and because it is an instrument which seeks to institutionalize, at the global level, specific norms for the protection of children, who, not being legally of age, must be under the guardianship of the family, society and the State.

With reference to article 1 of the Convention, and with the aim of giving legal definition to its signing of the Convention, the Government of Guatemala declares that article 3 of its Political Constitution establishes that: "The State guarantees and protects human life from the time of its conception, as well as the integrity and security of the individual."

5/

In signing this important Convention, the Islamic Republic of Mauritania is making reservations to articles or provisions which may be contrary to the beliefs and values of Islam, the religion of the Mauritanian people and State.

6/

On signing this Convention, Uruguay reaffirms the right to make reservations upon ratification, if it considers it appropriate.

7/

Since the Islamic Shariah is one of the fundamental sources of legislation in Egyptian positive law and because the Shariah, in enjoining the provision of every means of protection and care for children by numerous ways and means, does not include among those ways and means the system of adoption existing in certain other bodies of positive law,

The Government of the Arab Republic of Egypt expresses its reservation with respect to all the clauses and provisions relating to adoption in the said Convention, and in particular with respect to the provisions governing adoption in articles 20 and 21 of the Convention.

6-2

8/

"(The Government of the Federal Republic of Germany) has the honour to inform the Secretary-General that it was [its] intention to make the following declaration on the occasion of the signing of the Convention on the Rights of the Child:

"The Government of the Federal Republic of Germany reserves the right to make, upon ratification, such declarations as it considers necessary, especially with regard to the interpretation of articles 9, 10, 18 and 22."

9/   "The United Kingdom reserves the right to formulate, upon ratifying the Convention, any reservations or interpretative declarations which it might consider necessary."

10/   RESERVATIONS

"The Holy See, in conformity with the dispositions of Article 51, [ratifies] to the Convention on the Rights of the Child with the following reservations:

a) that it interprets the phrase 'Family planning education and services' in Article 24.2, to mean only those methods of family planning which it considers morally acceptable, that is, the natural methods of family planning.

b) that it interprets the Articles of the Convention in a way which safeguards the primary and inalienable rights of parents, in particular insofar as these rights concern education (Articles 13 and 28), religion (Article 14), association with others (Article 15) and privacy (Article 16).

c) that the application of the Convention be compatible in practice with the particular nature of the Vatican City State and of the sources of its objective law (Art. 1, Law of 7 June 1929, n. 11), and, in consideration of its limited extent, with its legislation in the matters of citizenship, access and residence."

6—3

DECLARATION

"The Holy See regards the present convention as a proper and laudable instrument aimed at protecting the rights and interest of children, who are 'that precious treasure given to each generation as a challenge to its wisdom and humanity' (Pope John Paul II, 26 April 1984).

The Holy See recognizes that the convention represents an enactment of principles previously adopted by the United Nations, and once effective as a ratified instrument, will safeguard the rights of the child before as well as after birth, as expressly affirmed in the 'Declaration of the Rights of the Child' [Res. 136 (XIV)] and restated in the ninth preambular paragraph of the Convention. The Holy See remains confident that the ninth preambular paragraph will serve as the perspective through which the rest of the Convention will be interpreted, in conformity with Article 31 of the Vienna Convention on the Law of Treaties of 23 May 1969.

By acceding to the Convention on the Rights of the Child, the Holy See intends to give renewed expression to its constant concern for the well-being of children and families. In consideration of its singular nature and position, the Holy See, in acceding to this Convention, does not intend to prescind in any way from its specific mission which is of a religious and moral character."

6-4

11/

     "[Kuwait expresses] reservations on all provisions of the
Convention that are incompatible with the laws of Islamic
Shari'a and the local statutes in effect."

6-5

12/   It has been noticed that the Arabic, Chinese, English, French,
Russian and Spanish texts of the certified true copies of the
Convention contain a misprint which requires rectification: in
Article 10, paragraph 2, of the aforesaid certified true copies,
replace the reference to "article 9, paragraph 2," by "article 9,
paragraph 1,".

6 — 6

0289

United Nations

Press Release

Department of Public Information ⊙ News Coverage Service ⊙ New York

CAUTION: ADVANCE TEXT
Not for use before midnight, EDT
Saturday, 1 September

SG/SM/4485
31 August 1990

MESSAGE OF SECRETARY-GENERAL ON ENTRY INTO FORCE
OF CONVENTION ON RIGHTS OF CHILD

Following is the text of the message by Secretary-General Javier Perez de Cuellar on the entry into force on 2 September of the Convention on the Rights of the Child:

I welcome the entry into force on 2 September 1990 of the Convention on the Rights of the Child.

The Convention, guaranteeing as it does a wide range of economic, social, cultural, civil and political rights for, potentially, half of humanity is an important step towards the realization of human rights and fundamental freedoms for all, without distinction as to race, sex, language or religion, as called for by the United Nations Charter.

With its entry into force, the Convention becomes binding international law for those States that are parties to it. At present, 29 States have ratified the Convention, 2 States have acceded to it and 105 States have signed it.

The Convention on the Rights of the Child is unique. It addresses the needs of those who are humanity's most vulnerable as well as its most cherished resource. The United Nations has long maintained that children should be afforded special protection. Besides incorporating the whole spectrum of human rights, the Convention stresses that respect for and protection of children's rights is the starting point for the full development of the individual's potential in an atmosphere of freedom, dignity and justice. In seeking to protect these rights, it provides for the direct involvement of children in the exercise of their rights, while recognizing the equal worth of the diverse cultural values of the human community. The Convention further recognizes that children are particularly vulnerable to certain kinds of exploitation. In a series of important articles, it seeks to protect the child from attacks prejudicial to his or her welfare such as child labour, drug abuse, sexual exploitation, and sale, trafficking and abduction.

(more)

- 2 -   Press Release SG/SM/4485
                                31 August 1990

        One of the main tenets of the Convention is that the child is not alone:
the Convention recognizes the primary role of the family and parents for the
care and protection of children, as well as the need for special protection
for those who are without families or separated from them. But it also
recognizes the role, when necessary, of the community and State and the
crucial contribution that international co-operation and international
organizations can make to bringing about conditions in which each child can
fully and harmoniously develop his or her personality. Above all, the
Convention attempts to provide a framework within which the child, in the
light of his or her evolving capacities, can make the difficult transition
from infancy to adulthood.

        The entry into force of the Convention presents a significant challenge
to the United Nations: that of helping States to implement it. The Committee
on the Rights of the Child, to be set up under the Convention, will be the
main focal point for international efforts to translate the rights of the
child into national law and practice. This Committee of 10 experts will, in
co-operation with the States parties and with the assistance of specialized
agencies and organizations such as the United Nations Children's Fund (UNICEF)
and competent non-governmental organizations, seek to identify problems
preventing the child's full enjoyment of his or her rights, point out possible
solutions and encourage the mobilization of resources to respond to those
needs. The Convention is already having an effect in several countries, which
have carried out revisions of their laws in accordance with its provisions,
thus affecting many millions of children.

        In less than a month the World Summit for Children will take place at
United Nations Headquarters in New York. Many Heads of State and Government
will assemble to renew their commitment to the survival, protection and
development of the child and to adopt a declaration and a plan of action for
that purpose. The implementation of the Convention on the Rights of the Child
will be a central point in those documents.

        The rapidity with which States ratified the Convention, and its entry
into force less than a year after its adoption, demonstrates the deep
commitment of the international community to enhancing respect for the
dignity, well-being and development of the child. In order for this
commitment to benefit all the world's children I call on States which have not
yet done so to ratify the Convention.

        It is up to all concerned Governments, intergovernmental
organizations, non-governmental organizations and individuals -- to enhance
the human condition for coming generations. Let us all join forces to make
the principles of the Convention on the Rights of the Child a reality in every
corner of the globe.

                            * *** *

                                                        0291

                        ン ― ン

정 리 보 존 문 서 목 록

기록물종류	일반공문서철	등록번호	23807	등록일자	2005-03-08
분류번호	742.14	국가코드		보존기간	영구
명 칭	아동의 권리에 관한 협약 한국 가입, 1991.12.20. 전3권				
생 산 과	국제협약과/국제연합과	생산년도	1987~1991	담당그룹	
권 차 명	V.2 1990.9-12월				

내용목차	* 1989.11.20 New York에서 채택
	  1990.9.2 발효
	  1990.9.25 서명 : 최호중 장관 (유엔총회참석중)
	  1991.11.20 비준서 기탁
	  1991.12.20 한국에 대하여 발효 (조약 제1072호)				

0001

어린이권리 국제협약

내일부터 발효

지난해 11월 유엔에서 만 장일치로 통과된 「어린이의 권리에 관한 국제협약」이 2일부터 국제법으로서 효력을 발생하게 된다.

어린이의 「제공받고, 보호 받고 참여할 권리」를 골 자로 모두 54개조항으로 이 뤄진 이 협약은 전세계 1 백3개국이 조인하고 31개 국이 비준함으로써 국제법 으로 탄생했다.

이 규약이 발효된 후 모 든 유엔 회원국은 각국내 법규, 제도등과 비교해 상 치 또는 부족한 사항에 대 해 법률의 개폐작업을 해 야하며 유엔은 내년초 특 별위원회를 상설기구로 설 치해 각국이 이 협약을 위 반할때 유엔인권위원회를 통 해 고발하게 된다.

문   교   부

교협 25800-/82   (720-3404)   1990. 9. 3.

수신 외무부장관

참조 국제기구조약국장

제목 아동권리 협약 가입 검토의견회신

1. 외무부 법규 20420-678('90.1.9)관련입니다.

2. 아동 권리에 관한 협약 가입에 당부는 의견 없음을 통보합니다.

"끝".

문   교   부   장

24711   0003

분류번호	보존기간

발 신 전 보

WUN-1237   900905 0957 FC

번   호 :　　　　　　　　　　　종별 :

수   신 : 주 유엔   대사 . 총영사///

발   신 : 장   관   (법규)

제   목 : 아동권리협약

　　　　　대 : UNW-1613(90.8.27)

　　　　본직의 유엔총회 참석기간 중 본직이 표제 협약을 서명하기로 하고

　(비준은 추후 조치) 필요한 조치를 취하고 있는 바, 서명일정 등 관련

　사항을 유엔사무국측과 협의하고 결과 보고바랍.

　　　　　　　　　　　　　　　　　　　　　　　　　　(차관 유종하)

예고 : 90·12·31 일반

유엔과장 ///~   제1차관보 :

앙고재	90년9월3일	기안자	과 장	심의관	국 장	차 관	장 관	보안통제	외신과통제
		신							

0004

외 무 부

관리번호 90-185

종 별 : 지급

번 호 : UNW-1715

일 시 : 90 0905 2350

수 신 : 장관 (법규,국연)

발 신 : 주 유엔 대사

제 목 : 아동권리협약 서명

대:WUN-1237

연: UNW-1613

1. 대호 관련 윤서기관이 9.5. QUERE-MESSING 유엔조약과장 대리와 접촉, 파악한바에 의하면 연호 보고와 같이 통상적으로 외무장관이 협약에 서명할 경우에는 유엔 법률담당 사무차장실에서 동차장 (부재시 법률국장) 입회하에 서명식이 이루어지나, 9월말 아동정상회담에 참석하는 고위인사들의 협약서명을 장려하기 위해 현재 법률국측은 9.28-30. 간 ECOSOC 회의장 (정상회의 참가국의 경우) 에 서명대장 (SIGNATURE BOOK) 을 비치하는 방안을 내부 검토중이라고함.

2. 동과장대리에 의하면 정상회의에 옵서버로 참관하는 고위인사들의 서명장소등을 포함하여 정상회의 기간 전후에 서명을 희망하는 국가들에 대한 법률국의 종합방침이 90.9.7. 유엔 관계부서간에 협의될 예정이라고 함.

3. 대호 서명일정등은 일단 상기 2 항 유엔측 협의결과를 감안하여 법률국측과 재접촉 보고 예정임. 끝 (대사 현홍주-국장)

예고:90.12.31. 일반

국기국   장관   차관   2차보   국기국   정문국   정와대   안기부

PAGE 1

90.09.06 14:09
외신 2과 통제관 FE

0005

외 무 부

1990 년 9 월 7 일

"아동의 권리에 관한 협약" 서명

1. 건의내용

   o 90.9. 유엔총회 참석기간중 외무부 장관이
     정부를 대표하여 "아동의 권리에 관한
     협약"에 서명함.

2. 협약의 요지

   o 아동의 자유권 및 사회적 제권리의 보호와
     동 권리실현을 위한 국가의 조치의무를
     규정함.

   o 아동권리위원회를 설치, 당사국의 협약
     이행상황을 검토함.

3. 당사국 현황

   o 90.8.31. 현재 105개국 서명, 29개국 비준,
     2개국 가입

   * 1990.9.2. 협약 발효   0006

국 제 법 규 과

기 안 용 지

분류기호 문서번호	법규 20420-	(전화 :)		시 행 상 특별취급	
보존기간	영구·준영구. 10. 5. 3. 1.	차 관		장 관	
수 신 처 보존기간					
시행일자	1990. 9. 6.				

보 조 기 관	국 장		협 조 기 관	제1차관보 국제영랑제장	문 서 통 제	
	심의관					
	과 장					
	기안책임자	깁두엽			발 송 인	

경 유 수 신 참 조	건 의	발 신 명 의

제 목	"아동의 권리에 관한 협약" 서명

　　　　1989.11.20. 유엔총회에서 채택되고 1990.9.2. 발효한 "아동의

권리에 관한 협약"(Convention on the Rights of the Child)에

대하여 외무부장관이 "아동을 위한 세계정상회의" 참석 기회에

정부를 대표하여 서명 할 것을 아래와 같이 건의합니다.

　　　　　　　　　－　아　　　　　　　　　래　－

Ⅰ. 협약의 채택 및 발효경위

　　　　1924.9.26. 국제연맹총회, "아동의권리에 관한 제네바선언" 채택

　　　　　　　　　　　／ 계　속 ／

0007

1505-25(2-1) 일(1)갑
85. 9. 9. 승인　"내가아낀 종이 한장 늘어나는 나라살림"

190mm×268mm　인쇄용지 2급 60g/㎡
가 40-41 1990. 2. 10.

1959.11.20. 유엔총회, 결의 제1386(XIV) 호로 제네바 선언을
기초로 한 10개 항목의 아동권리선언 채택
1979. 유엔, 1979년을 「국제아동의 해」로 지정하고
"아동의 권리에 관한 협약" 초안 작성 추진
1989.11.20. 유엔총회, 콘센서스로 "아동의 권리에 관한 협약"
채택(총회결의 44/25)
1990.9.2. "아동의 권리에 관한 협약" 발효
II. 협약의 당사국 현황(90.8.31. 현재)
o 서명국: 105개국
o 비준국: 29개국
o 가입국: 2개국
o 주요 미서명국
미국, 일본, 인도, 태국
* 북한은 1990.8.23. 주유엔대사가 서명함.
III. 협약의 구성 및 주요 내용
1. 협약의 구성 : 전문 및 3부 54개조
/ 계 속 /　0008

1505-25(2-2) 일(1)을
85. 9. 9. 승인　"내가아낀 종이 한장 늘어나는 나라살림"

190㎜×268㎜ 인쇄용지 2급 60g/㎡
가 40-41 1989. 12. 7.

2. 협약의 주요 내용

　　가. 협약상 보호대상의 범위

　　　　o 외국인을 포함하여 자국 관할내에 있는 18세

　　　　　미만의 모든 아동

　　나. 협약상 보호되는 권리의 내용

　　　　(1) 시민적 권리의 보호

　　　　　　o 생명권, 국적권, 신분보존권, 의사표시권,

　　　　　　　표현·사상·양심·종교·집회·결사의 자유

　　　　　　　사생활보장, 형사처벌의 제한 등 권리의 보호

　　　　(2) 사회·경제적 권리의 보호

　　　　　　o 가족과의 동거권, 양육청구권, 입양관련권리,

　　　　　　　난민아동보호 및 사회보장·교육·소년노동·

　　　　　　　장애아동대우 등과 관련된 권리의 보호

　　　　(3) 기타 권리의 보호

　　　　　　o 착취, 마약, 납치, 인신매매, 무력분쟁

　　　　　　　등으로부터의 보호

/ 계　속 /　　　　　　　　　0009

1505-25(2-2) 일(1)을
85. 9. 9: 승인　　"내가아낀 종이 한장 늘어나는 나라살림"

190mm×268mm 인쇄용지 2 급 60g/㎡
가 40-41 1989. 12. 7.

다. 협약당사국의 의무

(1) 협약상 아동의 권리의 보장

ㅇ 협약상 보호되는 아동의 권리를 보장하기

위하여 필요한 입법적, 행정적, 기타 관련

조치를 취하여야 함.

ㅇ 경제적, 사회적, 문화적 권리의 경우, 가용

자원의 최대 한도내에서 조치를 취할 의무를

부담함.

(2) 보고서 제출

ㅇ 협약 내용과 관련된 국내조치 상황에 관하여

발효 후 2년내에 보고서를 제출하며, 그 이후

에는 매5년마다 보고서를 제출하여야 함.

라. 협약의 서명 및 비준

ㅇ 협약 제46조 및 제49조 규정에 따라 모든 나라에

서명이 개방되어 있으며, 20번째 비준서 또는

가입서가 기탁된 후 30일이 경과한 날로부터

발효함.

/ 계 속 / 0010

1505-25(2-2) 일(1)을
85. 9. 9. 승인   "내가아낀 종이 한장 늘어나는 나라살림"   190㎜×268㎜ 인쇄용지 2 급 60g/㎡
가 40-41 1989. 12. 7.

IV. 아국의 협약가입 문제

　　1. 각국의 동향

　　　o 1990.9.29-30간 유엔에서 개최되는 "아동을 위한

　　　　세계정상회의"에 동 협약의 가입 및 이행 촉구

　　　　문제가 의제로 채택됨으로써 단기간내에 다수 국가가

　　　　서명 또는 비준한 상태임.

　　　o 그러나 동 협약의 내용이 각국 특히 동양문화권 국가의

　　　　사회 규범과 맞지 아니한 부분이 적지 않고 실효성

　　　　있는 의무이행에 부담이 따른다는 점에 비추어 미국과

　　　　일본을 비롯한 일부 아시아 국가들이 아직 서명하지

　　　　아니하고 있음.

　　2. 아국의 기본입장

　　　o 동 협약이 아국의 가족법을 비롯한 일부 사회적 법령과

　　　　상충하는 부분이 있어 현 시점에서 이를 완전히 수용

　　　　하기는 어려움.

　　　o 그러나 세계 다수국가가 동 협약에 서명 또는 비준

　　　　하였고 "아동을 위한 세계 정상회의"에서 동 문제가

/ 계　속 /　　　　0011

1505-25(2-2) 일(1)을
85. 9. 9. 승인　　"내가아낀 종이 한장 늘어나는 나라살림"

190mm×268mm　인쇄용지 2 급 60g/㎡
가 40-41　1989. 12. 7.

토의된다는 점을 감안하여 아동의 인권과 복지향상을

위한 우리정부의 의지를 천명할 필요가 있으므로 우선

서명만을 행함.

ㅇ 협약의 비준은 국내관계 법령정비 및 협약 운영의

추이를 충분히 검토한 후 시행함.

3. 서명관련 국내 절차

ㅇ 조약의 체결(서명)을 위하여는 국무회의 심의가 필요하며

일부 조약의 경우 국회의 비준동의가 요구됨.

ㅇ 그러나 금번 협약의 경우, 각국에 대하여 비준시

상당히 광범위한 협약의 유보(留保)를 허용하고

있으므로 서명을 하는 행위가 동 협약에 대한 아국의

기속적 동의를 표시하는 것은 아님은 물론, 조약안이

아국에 대하여 확정되는 것도 아니라는 점에 비추어

서명시 국내절차를 완료할 필요는 없는 것으로 판단됨.

ㅇ 따라서 국무회의심의 등 국내법상 절차는 비준시

취하도록 함.

/ 계 속 /

0012

1505-25(2-2) 일(1)을
85. 9. 9. 승인   "내가아낀 종이 한장 늘어나는 나라살림"
190mm×268mm 인쇄용지 2급 60g/㎡
가 40-41 1989. 12. 7.

4. 관계부처 협의

   ㅇ 당부는 관계부처(내무, 법무, 문교, 체육, 보사부등)와

     동 협약 가입문제에 관하여 합의한 바 있음.

V. 건의사항

   "정부대표 및 특별사절의 임명과 권한에 관한법률" 제3조

   규정에 의거 외무부장관이 90.9. 유엔총회 및 "아동을 위한

   세계 정상회의" 참석 기간 중 동 협약에 서명토록 함.

   첨부: 협약원문(영문) 및 번역문(국문). 끝.

0013

1505-25(2-2) 일(1)을
85. 9. 9. 승인   "내가아낀 종이 한장 늘어나는 나라살림"

190mm×268mm 인쇄용지 2급 60g/㎡
가 40-41 1989. 12. 7.

분류기호 문서번호	법규 20420-	(전화번호:)		대 통 령
보존기간	영구·준영구. 10. 5. 3. 1.	외무부장관	국무총리	노태우
수 신 처 보존기간				90·9·18재가
시행일자	1990. 9. 7.			

관 련 기 관 협 조 여 부				
협 조 기 관				

수 신	내부결재	발 신		통 제	

제 목 "아동의 권리에 관한 협약" 서명

1989.11.20. 유엔총회에서 채택되고 1990.9.2. 발효한

"아동의 권리에 관한 협약"(Convention on the Rights

of the Child) 을 외무부장관이 정부를 대표하여 1990.9.

유엔총회 참석기간 중 서명하도록 조치 할 것을 건의합니다.

첨부: 1. 아동권리협약 서명 검토

2. 협약원본(영문) 및 국문 번역본 (파일 생략)

3. 협약 가입국 현황. 끝. (파일 생략) 0014

1205-27 (2-1) 일(3)
85. 9. 9 승인

190mm×268mm 인쇄용지특급 70g /㎡
가 40-41 1985. 11. 12.

(添附 1)

”児童의 權利에 関한 協約”檢討

I. 協約의 採擇 및 發効 經緯

　ㅇ 1989.11.20. 第44次 유엔總會, ”兒童의 權利에
　　　　　　　　　　　　　관한 協約”採擇(總會決議 44／25)
　ㅇ 1990. 9. 2. 協約 發効

　　* 1990.9.現在 105個國 署名, 29個國 批准,
　　　2個國 加入

II. 協約의 構成 및 主要內容

　1. 協約의 構成 : 前文 및 3部 54個條

　2. 協約의 主要內容

　　가. 協約上 保護對象의 範圍

　　　ㅇ 外國人을 包含하여 自國 管轄內에 있는 18歲
　　　　未滿의 모든 兒童

　　나. 協約上 保護되는 權利의 內容

　　　ㅇ 近代 民主主義 國家에서 認定하고 있는 市民의

- 1 -

0015

自由權的 權利 및 社會的 權利를 兒童에 대하여
包括的으로 保障함.

o 麻藥, 拉致, 人身売買等 國際的 性格의 犯罪 및
武力紛爭으로부터의 保護를 別途로 規定하고 있음.

다. 協約當事國의 義務

(1) 協約上 兒童의 權利 保障

o 協約上 保護되는 兒童의 權利를 保障하기 위하여
必要한 諸般 措置를 취함.

o 經濟的, 社會的, 文化的 權利의 경우, 可用資源의
最大限度內에서 措置를 취함.

(2) 報告書 提出

o 協約內容과 관련한 國內措置 狀況에 관하여
定期的으로 報告書를 提出함.

라. 兒童權利委員會 設置

o 各國의 協約 履行狀況을 檢討하기 위하여 10人의
委員會를 設置함.

마. 協約의 署名 및 批准

o 모든 나라에 署名이 開放되어 있으며, 20번째
批准書 또는 加入書가 寄託된 後 30日이
經過한 날로부터 發効함.

- 2 -

III. 我國의 協約加入問題

1. 各國의 動向

  ○ 同 協約의 加入 및 履行 促求問題가 1990.9.29.-
    30.間 유엔에서 開催되는 " 兒童을 위한 世界
    頂上會議"의 議題로 採擇됨으로써 短期間内에 많은
    國家가 署名 또는 批准한 상태임.

  ○ 그러나 同 協約의 内容이 各國 특히 東洋文化圈
    國家의 社會規範과 맞지 아니한 부분이 적지 않고,
    實效性 있는 義務履行에는 負擔이 따른다는 점에
    비추어 美國과 日本을 비롯한 一部 아시아 國家들이
    署名하지 아니하고 있음.

2. 我國의 基本立場

  ○ 同 協約이 我國의 家族法을 비롯한 一部 社會的
    法令과 相衝하는 部分이 있어 現 時点에서 이를
    完全히 受容하기는 어려움.

  ○ 그러나 世界 多數國家가 同 協約을 署名 또는 批准
    하였고 " 兒童을 위한 世界頂上會議"에서 同 問題가
    討議된다는 점을 勘案하여, 아동의 人權과 福祉
    向上을 위한 우리 政府의 意志를 천명할 필요가
    있으므로 우선 署名만을 行함.

- 3 -

0017

o 協約의 批准은 國內 關係法令과의 調和 및 協約
   運營의 推移를 充分히 檢討한 후 施行함.

3. 署名關聯 國內節次

   o 條約의 締結(署名) 을 위하여는 國務會議 審議가
      必要하며 一部 條約의 경우 國會의 批准同意가
      要求됨.

   o 그러나 금번 協約의 경우, 各國에 대하여 批准時
      상당히 廣範圍한 協約의 留保를 허용하고 있으므로
      署名을 하는 行爲가 同 協約에 대한 我國의
      기속적 同意를 表示하는 것은 아님은 물론, 條約案이
      我國에 대하여 確定되는 것도 아니라는 점에 비추어
      署名時 國內節次를 完了할 必要는 없는 것으로 判斷됨.

4. 關係部處 協議

   o 當部는 關係部處(內務, 法務, 文敎, 體育, 保社部等) 와
      同 協約 加入問題에 關하여 合議한 바 있음.

                                              끝.

- 4 -

0018

관리 번호	90-246

외 무 부

종   별 : 지급

번   호 : UNW-1752   일   시 : 90 0907 2100

수   신 : 장관(국연,법규,기정)

발   신 : 주 유엔 대사

제   목 : UNICEF 집행이사회 특별회기(아동정상회담관련)

연:UNW-1569,1690

대:WUN-1082,1258

1. 아동문제 정상회담 준비상황을 협의하기 위한 UNICEF 집행이사회 특별회기 회의가 90.9.6-7 간 유엔본부에서 개최되었음. 동회의에는 41 개 집행이사국 대표, 43 개국 옵서버, 6 개 유엔기구및 전문기구, 기타 NGO 대표등이 참석함. 당관에서는 본직외에 오공사, 윤서기관이 참석하였으며 북한에서는 김문덕 서기관이 옵서버로 참석함.

2.PALME 집행위 의장은 의제채택에 이은 개회 발언을 통해, 금번 역사적인 정상회담은 아동문제가 국제사회에서 차지하는 비중이 근본적으로 변화했음을 반영하는것이며, 최근 발효된 아동권리협약도 이러한 태도를 입장하는 것이라고 언급함.

3. 이어 GRANT UNICEF 사무처장은 서두에서 최근 중동사태는 전쟁등 무력행사 발생시 아동과 여성이 가장 커다란 희생자가 된다는점을 상기시켜주는 사례라고 전제하고 정상회의 준비현황을 아래보고함.

가.9.5. 현재 75 개국(및 유엔사무총장)이 참가통보, 30 여국이 불참통보,42 개국 미회신이며, 약 12 개국 정도가 추가참가 가능시됨.

나.9.2. 발효된 아동권리협약은 인권관련 협약사상 가장 조기에 발효된 것으로 9.5. 현재 34 개국이 비준, 105 개국이 서명함.

다. 이와 더불어 금년말까지 범세계적인 UCI (범 세계적인 아동면역) 달성이 가능시됨.

라. 정상회의 선언및 행동계획은 국별 개발계획 및 제 4 차 유엔개발년대 전략과 연계되어있으며, 향후 UNICEF 가 주관이 되어 후속조치 이행 상황을 점검함.

국기국	차관	1차보	2차보	국기국	안기부

PAGE 1

마. 참석 정상이 당초 예상참가 인원보다 배가되어 추가경비가 소요되는데 따른 이사회의 지원요망함.

4. 이어 준비위 공동위장, 선언문및 회의형태 W/G 의장들이 그간의 경과를 각각 보고함.FORTIER 주 유엔 카나다 대사는 원제안국을 대표한 발언에서 1 년전정상회의 개최를 추진키로 했을때 많은 국가들이 비관적 내지 냉소적 입장을 표명한바 있으나, 참석예정 정상의 수에서 보듯이 정상회의는 모든측면에서 성공적일수 밖에 없음을강조함.GARBA(말리) 회의형태 W/G 의장은 별첨 정상회의 일정(9.5. 현재)을 보고하고, DAHLGREN (스웨덴) 선언문 W/G 의장은 선언문및 행동계획이 각국 정부, 유엔기구, UNICEF 및 NGO 등의 의견을 반영한 타협안임을 설명하면서 9.12. 준비위 회의(P/C)에서 커다란 문제없이 채택될 수있도록 협조를요청함.

5. 상기보고에 이어 진행된 일반토의에서 대다수의 국가들은 정상회의 준비상황및 2 개문서내용에 만족을 표명하고, 아동권리협약의 발효를 축하하였는바, 특기사항은 아래와같음.

가. 중남미 및 아프리카 국가등 제 3 세계 국가들은 선언문중 전쟁, 개도국경제문제, 아파타이트 등이 아동에게 미치는 영향 부분이 보다 부각되어야 함을 강조함. 선진국들은 정상회의후 후속조치강화와 유엔내 관계기관간의 협조필요성을 역설함.

나. 선언문및 행동계획 문안중 가족계획 강화문제와 관련, 교황청및 태국이종교적.사회적 이유에 입각한 각국의 특수성을 감안해야함을 강조한데 반해, 덴마크, 노르웨이등 북구 국가들은 산모건강 및 인구증가 억제를 위해 철저한 가족계획 시행을 주장함. 이와관련 구체적인 문안수정등은 준비위 회의시 검토키로함.

다. 중국대표(YU 차석대사) 는 중국이 세계아동인구의 1/6 을 차지하고 있는 관계로 아동문제에 각별한 관심과 노력을 기울이고 있으나, 금번 정상회담에 양상곤 국가주석및 이붕 총리가 북경아시안 게임관계로 참가가 어렵게 되어 대신전기침 외상등이 대표로 참가하게 되었음을 밝히면서 이러한 경우에도 최대의 예우가 제공되기를 희망함. 또한 국가주석및 총리공동명의의 축하 메세지를 발송예정이라고 함.

라. 독일대표는 중동사태가 아동에 미치는 영향과관련, 정상회의에서 이 문제에 대하여 관심을 표명하기를 희망함.

6. 행정재정 위원회

가.9.6. 오후부터 9.7. 오후까지 개최된 행정재정위원회에서 LOKHAUG UNICEF 사무차장은 참가 정상들의 수가 90.4. 정기이사회시 예측에 비해 배이상 증대됨에따라 회의경비를 148 만 미불에서 299 만 미불로, 홍보활동비를 200 만 미불에서 214 만 미불로, 상기 경비증액에도 불구 예측 불가한 경우에 대비한 추가경비 지출권한을 UNICEF 사무처장에게 부여할 것을 골자로하는 3 개 결의안을 제안설명함.

나. 이에대해 미.영, 이태리, 일본, 불란서등 주요선진국들은 일제히 금번 증액요청이 사전에 유엔행정예산위원회 공식검토를 거치지 않았음과 추가 소요경비가 과도함을 지적한후, 회의및 홍보활동비 증액은 일정조건하에 인정하나, 추가경비 지출권한 부여는 백지위임장을 주는 것이라는 점에서 강력 반대함.

다. 반면, 카나다등 원제안국 및 사무국측은 ACABQ 와 사전협의가 있었음과증액불가피성을 설명한후, 추가지출 가능성에 대비한 장치는 반드시 필요하며,문안에 대해서도 타협의 여지를 밝힘.

라. 이어상기관련 결의안 심의에서 회의경비 및 홍보활동비 증액요청은 원안대로 통과시키고, 불예측 추가경비 지출권한 부여결의안에 대해서는 삭제를 요청하는 선진국과 타협문안을 선호하는 원제안국및 개도국들간의 격론(아국대표는타협문안 방식지지발언) 및 비공식 협의끝에 결의안(C)제 2 항을 "AUTHORIZES THE EXECUTIVE DIRECTOR, WITH PRIOR REVIEW OF ACABQ, TO ENTER INTO COMMITMENT UP TO THE LIMIT OF TOTAL CONFIRMED AND ANTICIPATED CONTRIBUTIONS, BASEDON THE EXPRESSION OF INTENT OF CONTRIBUTORS " 로 수정한 것을 주요골자로 하는 타협안을 채택함.

7.9.7. 오후 속개된 본회의에서는 행정재정위원회 위원장이 보고한 상기 3 개 결의안을 콘센서스로 채택함. 이어 본회의는 덴마크가 제안한 인구문제 관련 유엔기구간 협조강화를 요청하는 결의안을 콘센서스로 채택, 유엔의 대이락 경제제재 관련 이락대표의 발언에 대한 쿠웨이트 , 미국, 영국들의 답변권 행사와 GRANT UNICEF 사무처장의 정상회의 추가경비 발생에따른 각국(주로 정상회의 참가국및 미출연국) 의 적극적인 협조를 요청하는 폐회 발언후 종료됨.

8, 대호, 아국의 주요조치 사항및 행사는 금 9.7. 문서로 작성, UNICEF 사무국측에 전달하였으며, 금번회의 문서를 정파편 송부예정임.

첨부:1.9.5. 현재 정상회의일정(FAX)

2.9.5. 현재 각국 출연액현황(FAX)

UNW(F)-160 참조

PAGE 3

끝
(대사현홍주-국장)
예고:90.12.31. 까지

UNLS -160   00909 2100

(국연, 법규, 기관) 총 6페이지

E/ICEF/1990/CRP.35
5 September 1990

ORIGINAL: ENGLISH

UNITED NATIONS CHILDREN'S FUND
Executive Board
Special session

FOR INFORMATION

REVISED SCHEDULE OF THE WORLD SUMMIT FOR CHILDREN
AND RELATED EVENTS

THURSDAY, 27 SEPTEMBER

10 a.m. -   Final meeting of the Planning Committee of personal
                             representatives of participating heads of
                             State/Government

SATURDAY, 29 SEPTEMBER

1 p.m. - 4 p.m.   Pre-Summit press briefings

6.30 p.m. - 7.30 p.m.   Arrivals of heads of State/Government at United Nations
                            Headquarters

7.30 p.m. - 9.30 p.m.   Dinner (informal) for heads of State/Government only, in
                            North Lounge

                            - Welcoming comments and toasts

90-21390   2268a (E)   /...

6—1

-2-

SUNDAY, 30 SEPTEMBER

7.30 a.m. - 9.15 a.m.	<u>Arrivals</u> at United Nations Headquarters
	<u>Informal consultations</u> among heads of State/Government.
	<u>Convention on the Rights of the Child</u> available for signature
	<u>Buffet breakfast</u> available
9.05 a.m. - 9.30 a.m.	<u>Official photograph</u>
9.15 a.m. - 9.35 a.m.	<u>Children's chorus</u> at General Assembly Hall entrance
9.30 a.m. - 10.30 a.m.	<u>Opening session</u> in General Assembly Hall Co-Chairman A presiding

- Welcoming statement by the Secretary-General
- Overview statement by Co-Chairman B
- Perspectives on the Summit by one or two initiating Governments
- Introduction of video by UNICEF Executive Director
- Video presentation

10.30 a.m. - 10.45 a.m.	<u>Transfer</u> to Economic and Social Council Chamber
10.45 a.m. - 1.30 p.m.	<u>Morning discussion session</u> in Economic and Social Council Chamber Co-Chairman B presiding

THEME 1: ENSURING CHILD SURVIVAL
- Introductory statements by two heads of State/Government
- Responding commentaries by four heads of State/Government
- General discussion

THEME 2: PROTECTION OF CHILDREN
- Introductory statements by two heads of State/Government
- Responding commentaries by four heads of State/Government
- General discussion

THEME 3: ENHANCING CHILD DEVELOPMENT
- Introductory statements by two heads of State/Government
- Responding commentaries by four heads of State/Government
- General discussion

6 - 2

/...

0024

SUNDAY, 30 SEPTEMBER (continued)

1.45 p.m. - 2.45 p.m.   <u>Private working luncheon</u> in North Lounge

3 p.m. - 4 p.m.   <u>Afternoon discussion session</u> in Economic and Social
                               Council Chamber
                               Co-Chairman A presiding

                               THEME 4:   IMPLEMENTATION AND FOLLOW-UP
                               - Introductory statements by two heads of
                                  State/Government
                               - Responding commentaries by four heads of
                                  State/Government
                               - General discussion

4 p.m. - 4.15 p.m.   <u>Transfer</u> to General Assembly Hall

4.15 p.m. - 5 p.m.   <u>Concluding session</u> in General Assembly Hall
                               Co-Chairman B presiding

                               - Statement by Co-Chairman A
                               - Summary statement by an initiating Government
                               - Presentation of the Declaration by an initiating
                                  Government
                               - Reading of the Declaration by six children
                               - Signature of the Declaration by heads of
                                  State/Government, witnessed by children and presented
                                  to them
                               - Concluding remarks

5 p.m. - 6 p.m.   <u>Official press conference</u>

5 p.m. - 7 p.m.   <u>UNICEF reception</u> (by the Chairman of the Executive Board
                               and the Executive Director of UNICEF)

MONDAY, 1 OCTOBER

9:45 a.m. - 10 a.m.   <u>Presentation of the Declaration/Plan of Action to the
                               United Nations General Assembly</u> by the Co-Chairmen

6-3

E/ICEF/1990/CRP.37
5 September 1990

ENGLISH ONLY

UNITED NATIONS CHILDREN'S FUND

Executive Board
Special session

FOR INFORMATION

CONTRIBUTIONS PLEDGED/RECEIVED
AS OF 5 SEPTEMBER 1990
(In United States dollars)

CONTRIBUTIONS	SUMMIT BUDGET	MOBILIZATION ACTIVITIES BUDGET
CONFIRMED		
Governments		
Albania a/		2 000
Bangladesh a/	1 500	
Barbados b/	500	
Bhutan b/	5 000	
Byelorussian Soviet Socialist Republic a/		15 000
Canada b/	208 333	
Chad b/	1 045	
Chile a/		5 000
China b/	25 000	25 000
Czech and Slovak Federal Republic b/		100 000
Djibouti a/	1 000	
Egypt a/		50 000
El Salvador a/	5 000	
Finland b/	174 376	76 000
Holy See b/	3 000	
India b//a/	1 000	29 000
Indonesia b/	20 000	30 000
Ireland b/	159 270	
Italy b/ d/	250 000	
Liberia a/	5 000	
Maldives a/	500	1 000

3713H

6- 4

/...

0026

E/ICEF/1990/CRP.37
English
Page 2

CONTRIBUTIONS	SUMMIT BUDGET	MOBILIZATION ACTIVITIES BUDGET
Governments (continued)		
Mali b/	57 592	
Malaysia a/	50 000	
Mexico a/	75 000	
Nepal b/		1 000
Netherlands b/	100 000	
Nigeria b/	50 000	
Pakistan b/	50 080	
Republic of Korea b/		50 000
Senegal a/		20 000
Singapore b/	10 000	
Sweden b/	200 000	
Turkey a/	25 000	
Uganda a/		30 000
Ukrainian Soviet Socialist Republic a/		15 000
Union of Soviet Socialist Republics a/		100 000
Venezuela b/		48 167
Yugoslavia b/		20 000
Zimbabwe a/	50 000	
National Committees		
Austria a/		5 000
Belgium b/		10 000
Canada a/		50 000
France b/		49 541
Japan b/		103 333
Luxembourg b/		2 857
Netherlands a/		150 000 c/
Poland a/		2 500
Portugal b/		2 502
San Marino b/		811
Spain a/		100 000
Sweden a/		25 000
Turkey b/		25 000
United Kingdom b/		84 459
United States of America b/		100 000
United States of America a/		200 000
Yugoslavia b/		1 932
United States Ambassador to the United Nations, Geneva b/	500	
Subtotal, Confirmed	1 525 696	1 533 102

/...

6-5

CONTRIBUTIONS	SUMMIT BUDGET	MOBILIZATION ACTIVITIES BUDGET
PLEDGED		
Governments		
France d/	107 143	
Gambia d/	3 000	
Japan d/	200 000	
Kenya		
Myanmar	2 318	
Saint Vincent and the Grenadines	1 851	
United States of America d/	150 000	
National Committees		
Bulgaria		2 475
Italy		50 628
New Zealand		
Subtotal, Pledged	464 312	55 277
GRAND TOTAL	1 990 008	1 588 379
APPROVED BUDGET ESTIMATES	1 500 000	2 000 000
UNFUNDED BALANCE	(490 008)	411 621

-----

a/ Written confirmation received from the donor.
b/ Funds already deposited into UNICEF Account.
c/ In addition to the above amount, $50,000 has been earmarked by the Netherlands National Committee to support international mobilization activities outside the Summit budget.
d/ Exact allocation for Summit/mobilization activities to be confirmed by the donor.

6-6

0028

실.국장 회의 자료

90. 9.10.(월)
국제법규과

O   "아동의 권리에 관한 협약" 서명 추진

1.   장관님의 유엔총회 참석기간중 장관님이 정부를 대표하여
     "아동의 권리에 관한 협약"을 서명하도록 방침을 정하고 대통령
     재가등 절차를 취하고 있음.

2.   동 협약은 89.11.20. UN에 의하여 채택되어 90.9.2. 발효하였음.
     90.8.31. 현재 105개국이 서명하고 29개국이 비준하였으며
     2개국이 가입함.
     동 협약문제(가입 및 이행촉구)는 9.29.-30.간 유엔에서 개최되는
     "아동을 위한 정상회의" 의제에 포함되어 있어 동 회의이전에
     서명하는 것이 바람직하다는 판단하에 이를 추진하게 된 것임.

3.   동 협약내용중 일부조항이 가족법을 비롯한 일부 국내법과 조화되지
     아니하는 부분이 있으나, 협약비준시에 당사국은 광범위한 유보를
     할 수 있어 국내법과의 조화 및 유보내용 확정등은 비준시 이를
     행하고자 함.

4.   국내절차와 관련하여는, 동 협약은 별도의 발효조항이 있어 서명함
     으로서 서명국이 동 협약에 기속적 동의를 표하는 것이 아님은 물론,
     동 협약이 비준시 유보의 범위를 광범위하게 인정하고 있으므로 서명에
     의하여 동 협약내용이 아국에 대하여 확정되는 것도 아니라는 점에
     비추어 국무회의 심의등 절차는 비준시 행하고자 함.   끝.

0029

관리번호 90-248

외 무 부

종 별 :

번 호 : UNW-1769

일 시 : 90 0910 1930

수 신 : 장관(법규,국연)

발 신 : 주 유엔 대사

제 목 : 아동권리협약 서명

연:UNW-1715

대:WUN-1237

1. 연호, 윤서기관이 금 9.10 QUERE-MESSING 유엔조약과장 대리와 접촉, 표제관련 절차 파악 결과를 아래보고함.

가. 그룹서명식(정상회의 참석 대표들과함께)

0. 정상회의 사무국측과 계속 협의중인바, 최종확정된 것은 아님.

0. 일시(잠정):9.30(일) 개회식 시작(9 시반) 전 및 오후 자유토론후 폐회식 개최전(16:00-16:15)

0. 장소:상금 유동적이나, 총회장 인접 장소에 서명대장 비치

√ 0. 서명방식 및 서명 예상국가: 약 20 개국이 서명 예상되는바, 공식통보있는대로 이들의 희망시간을 감안, 2-3 그룹으로 배분예정임.

0. 서명 소요시간: 대표별 약 4-5 분

0. 배석자: 유엔법률담당 사무차장 또는 불연시 법률국장(조약과장)

0. 사무국측 지원사항: 사진사, 언론취재, 경호지원

나. 아국 단독서명

0.9.29-30 을 제외한 시기에 아국이 별도 서명을 희망할 경우 충분히 사전에 희망시기 통보필요

0. 장소:연호 1 항과 같이 유엔법률담당 사무차장실에서 사무차장 또는 조약국 관계자 입회하에 이루어지나 통상사진 촬영만 있음.

0. 서명 소요시간: 약 5-7 분

다. 기타 참고사항

0. 외무장관의 경우 전권위임장은 필요없음.

국기국   국기국

90.09.11   09:21
외신 2과 통제관 BT

0030

0. 동 과장대리는 그룹서명시 대 언론 홍보효과, 경호및 의전측면에서 매우유익할 것이라고 언급하고, 정상회의 직후 유엔총회 개최, 또한 동 회의 전후하여 안보리 개최 가능성등에 비추어 , FLEISCHAUER 법률담당 사무차장이 서명식(특히 단독) 에 입회하지 못할 가능성이 많음을 시사하였음.

2. 당관으로서는 단독서명시에는 유엔사무총장 예방전후(법률국은 같은 건물소재)로 추진예정인바, 단독또는 그룹서명에 대한 본부입장 회시바람. 끝

(대사 현홍주-국장)

예고:90.12.31. 까지

분류번호	보존기간

발 신 전 보

번 호 : WUN-1305   900911 2008 DA   종별 :

수 신 : 주 유엔   대사. ♣♣♣♣♣

발 신 : 장 관   (국연)

제 목 : 아동권리협약 서명

대 : UNW-1769

표제서명 관련 결정에 참고코자 하니 대호 1.가항의 그룹서명식에 참가할 것으로 보이는 국가(약 20개국) 명단 파악 회보바람. 끝.

(국제기구조약국장 문동석)

1990.12.31. 예 고문에 의거 인반문서로 책분됨

앙고재	90년 9월 11일	UN 과	기안자 상00아	과 장	국 장 20책1	차 관	장 관	보안통제	외신과통제

0032

기 안 용 지

분류기호 문서번호	법규 20420-			(전화 :)	시 행 상 특별취급	
보존기간	영구·준영구. 10. 5. 3. 1.			장 관		
수 신 처 보존기간				30670 ん		
시행일자	1990. 9. 12.					

보 조 기 관	국 장	전결	협 조 기 관		문 서 통 제 견협 1990. 9. 12 통지필
	심의관				
	과 장				발 송 인
기안책임자		김두영			반송 1990 9. 12 외무부

경 유 수 신 참 조	주 유엔대사	발 신 명 의	
제 목	아동권리협약 국문 번역본 송부		

"아동의 권리에 관한 협약" 국문 번역본을 별첨과 같이

송부하오니 업무에 참고 하시기 바랍니다.

첨부 : 표제협약 번역본 1부. 끝.

0033

1505-25(2-1) 일(1)갑
85. 9. 9. 승인   "내가아낀 종이 한장 늘어나는 나라살림"   190㎜×268㎜ 인쇄용지 2급 60g/㎡
가 40-41 1990. 2. 10.

관리 번호	90 -1692

외 무 부

종   별 :

번   호 : UNW-1802   일   시 : 90 0912 2100

수   신 : 장관(국연,법규)

발   신 : 주 유엔 대사

제   목 : 아동권리협약서명

대:WUN-1305

연:UNW-1769

1. 대호, 윤서기관이 9.12. 유엔법률국 조약과장대리및 정상회의 사무국 아동권리협약담당관으로부터 파악한바에 의하면, 연호그룹서명 예상국가는 금번 정상회의에참가 (옵서버포함) 하는 협약 미서명국 및 기 서명국중에서 이미 국내절차를 마쳤거나 그간 각종 경로를통해 서명, 비준, 가입 가능성을 시사한 국가들을 사무국이 추산한것이며, 정상회의기간중 그룹서명, 비준(가입)을 추진하기로 최근 결정되었기 때문에 공식통보를 토대로 한것은 아니라고함.

2. 동관계관들은 현재 일본, 멕시코, 핀랜드, 브라질 백러시아 바베이도스, 체코, 말리, 나이제리아, 노르웨이, 모잠비크, 파키스탄, 브루키나파소, 베네주엘라, 부룬디, 콜롬비아, 네팔, 니카라과, 페루등이 서명 또는 비준할 가능성이 있는것으로 판단되나, 동대상국들이 그룹서명(비준서 기탁)식을 선호할지 또는 제반사정상별도 서명(비준) 할는지는 내주경에나 윤곽이 드러날 것으로 보인다고함. 또한 정상들이 직접 서명. 비준할 경우 별도의 절차를 가질것인지 여부도 상금 확정되지 않았다고함.

3. 본건 진전사항있는대로 추보하겠음. 끝

예고:90.12.31. 까지

1990. 12. 31.   그믐대
외거 인단문서로 분류됨

국기국   국기국

90.09.13   10:30
외신 2과 롱제관 FE
0034

관리 번호	90 -1710

원 본

외 무 부

종   별 : 지급
번   호 : UNW-1848   일   시 : 90 0914 2030
수   신 : 장관(국연,법규)
발   신 : 주 유엔 대사
제   목 : 아동권리협약 서명

연:UNW-1802,1769

표제건관련, 아래사항 추보하니 본부방침 검토에 참고바람.

1. 그룹서명

0. 참가국수 및 서명절차가 내주말경 전후해서나 확정예상됨.

0. 현재로서는 협약서명대장을 9.30 07:30-09:00 간만 개방하고 있으며
(16:00-16:15 간 개방계획은 취소) , 아국과 같은 옵서버 대표단의 경우 서명시간대에
따라서는 정상회의 개회식(09:30) 까지 상당시간 대기해야 하는 불편이 예상됨.

0. 정상이 직접 서명하는 경우와 여타 경우를 구분, 시행가능성이 큼.

2. 단독서명

0. 늦어도 4-5 일전까지 서명계획을 법률국측에 통보필요함.

0.TV 카메라 출입은 봉상 허용되지 않으나, 교섭의 여지는 있음. 끝

(대사 현홍주-국장)

예고:90.12.31. 까지

국기국   국기국

	분류번호	보존기간

발 신 전 보

번 호 : WUN-1361   900917 2054   DN   종별 :

수 신 : 주 유엔   대사

발 신 : 장 관   (국연)

제 목 : 아동권리협약 서명

대 : UNW-1769

본직은 제45차 총회 참석기간중(가급적 아동정상회의 이전) 아동권리

협약에 단독서명코자 하니 법률국에 통보후 결과 회보바람. 끝.

예고 : 90.12.31. 일반

(국제기구조약국장 문동석)

1990.12.31. 예고문에
외거 일반문서로 재분류

앙고재	90년 9월 일	기안자	과 장	국 장	차 관	장 관	보안통제	외신과통제
	과	홍영애						

0036

외 무 부

원 본

종 별 : 지 급
번 호 : UNW-1879
수 신 : 장관(국연)
발 신 : 주 유엔 대사
제 목 : 아동권리협약 서명

일 시 : 90 0917 2330

대: WUN-1361 (WUN-1347 7 항)

1. 대호 입장을 운서기관이 금 9.17 유엔법률국측에 통보하였음.

2. 협약 서명시간은 현재 9.25. 중으로 추진하고 있는 장관님의 유엔사무총장 예방 전후로 하되, 사무총장 예방시간이 확정된후 최종 확정키로함.

3. 협약서명은 특별한 절차없이 대한민국 서명난 페이지에 장관님께서 일자와함께 서명만 하시면됨. 단, 서명시 유보등 선언을 할 경우에는 동 선언은 서면으로 별도준비, 제출토록함.

4. 아측 TV 카메라 출입을 최소한의 범위내에서 원칙적으로 허용하되 서명일시가 확정되는대로 법률담당사무차장실과 협의후, 최종방침을 아측에 알려주기로함. 끝

(대사 현홍주-국장)

예고:90.12.31. 일반

국기국

90.09.18   12:57
외신 2과 통제관 BT

0037

경향신문
聞 (제3종우편물(가)급인가) 1990年 9月 22日 (土曜日) 1版

초중고생 「집회·결사의 自由」 보장

「아동權利협약」 교육계 非常

29일 정식加入 결정따라

"학생의견 반영" 찬성·"學校교육 파괴" 반대

초·중·고생들의 결사및 집회권을 보장하는 유엔의 「아동의 권리에 관한 협약」에 우리나라가 가입키로 결정함에 따라 이 협약의 적용을 두고 학교현장에서 마찰이 예상되고있다.

제45차 유엔총회 기간중인 오는 29·30일 뉴욕에서 열리는 아동을위한 세계정상회의에서 우리나라가 「아동의 권리에관한 협약」에 정식가입하게 됨으로써 지금까지 전국·초·중·고생들에게 규제됐던 집회및결사의 자유가 보장돼 학내의 집단시위및 단체행동이 자유롭게 되기 때문이다.

22일 이협약의 정식가입이 알려지자 교육계는 「아동들도 스스로의 권리를 주장할수 있어야한다」는 찬성의견도 막상 실제형태의 혼란을 우려, 강한 반발을 보이고있다.

경복고 찬성회 교장이나 교육은 단위학교가 허용되면 학교교육은 파괴될 수도있다고 반대하고 나섰다.

교육계 일부에서도 스스로의 권리를 주장할수 있는데는 찬성하면서도 실질적인 것이기 때문에 계획적인 것이 기 때문에 학생활동을 보이고있다.

참교육이국제협약의 정신자체는 환영할지 몰라도 우리의 현실을 무시한채 이를 무턱대고 받아들일경우 학교가 집단행동장화해

또 협약 가입사실을 전해들은 고교생들이학내외문제에대해 학생들의 의견이극 반영될수있다는 점에서 적극 찬성한다」고 말하고있다.

그러나 학생층의 21세기를 앞두고 우리학생들에게도 집회및 결사의 자유를 주어 스스로 권리를 의식, 민주시민으로 키우기 위해 이 협약에 가입키로 했다」고 문교부는 설명했다.

한편 문교부는 이협약의 규정에따라 오는 29일 우리가 정식가입하는대로 교부내에 「아동권리위원회」를 발족, 협약 내용의 적극 홍보와함께 구체적인 협약 시행규칙을 마련키로 했다.

「아동의 권리에 관한 협약」은 국제아동 기금(UN ICEF)이 전세계 아동(18세이하 모든 청소년)의 생활여건 향상을 위한 국제협력을 돕기위해 제정했다.

악용, 정치목적 단체를만들 수있는 소지도 있기 때문에 운영상 적절한 조치가 필요할것」이라는 반응을 보였다.

이에비해 문교부측은 국내교육의 혼란은 걷잡을수없을것」이라고 주장했

〈金○材기자〉

외 무 부

종   별 : 지 급

번   호 : UNW-1991

일   시 : 90 0922 1630

수   신 : 장관(법규, 국연)

발   신 : 주 유엔 대사

제   목 : 제45차 유엔총회 장관일정(아동권리협약 서명)

연:UNW-1977

연호 9.25. 로 예정된 아동권리협약 서명과 관련 본부에서 보도자료를 준비하고 있을경우 동 TEXT 를 당관에 9.24. 까지 송부바람. 끝

(대사 현홍주-국장)

예고:90.12.31. 까지

국기국   국기국

90.09.23   06:33

외신 2과 통제관 CW

0039

원 본

외 무 부

종 별 : 지 급

번 호 : UNW-1994

일 시 : 90 0922 1930 UN

수 신 : 장관(국연)

발 신 : 주 유엔 대사

제 목 : 국별보고서작성

대: (1)WUN-1384, 주국련 2031-31562, (2)WUN-1419

연: UNW-1877,1958(첨부물중 "NATIONAL PAPERS")

1. 대호, 당관에서 작성한 국별보고서("LEADERSHIP FOR CHILDREN" MESSAGE) 영문안(초안)을 우선 별첨타전하니, 필요한 조치후 그결과를 늦어도 당시시간 9.25(화) 10:00 까지 회시바람.

2. 동문안중 도입 PARAGRAPH 는 인사말을 생략하고, 아국이 식민통치하에서도 아동문제에 관심을 기울여 왔음과 아동헌장중 주요문구를 인용하는 방향으로 수정예정임.

3. 동국별보고서는 형식상 대한민국정부가 아닌 대통령 개인명의로 제출(단, 메세지 형식이므로 서명불요)되는 것임을 감안하여 작성한 것이며, 정상회의시 여타 국별보고서와 함께 회의문서로 배포되기 위하여는 당지시간 9.25(화) 17:00 까지 정상회의 사무국에 제출되어야함을 유념바람.

4. 아측문서는 사무국에서 별도의 타자내지 수정없이 제출된대로 종합될 예정임. 끝

첨부:상기보고서(안)

(대사 현홍주-국장)

예고:90.12.31. 일반

첨부

"LEADERSHIP FOR CHILDREN" MESSAGE

MAY I JOIN, FIRST OF ALL, MY FELLOW HEADS OF STATE/GOVERNMENT IN EXTENDING MY MOST SINCERE CONGRATULATIONS TO THE OPENING OF THIS HISTORIC MEETING OF WORLD LEADERS TO MOBILIZE THEIR SUPPORT FOR THE CHILDREN'S CAUSE. DESPITE MY PERSONAL UNAVAILABILITY , I CAN ASSURE ALL THE LEADERS PRESENT AT THE

| 국기국 | 장관 | 차관 | 1차보 | 정와대 | 안기부 |

GATHERING THAT THE PEOPLE AND GOVERNMENT OF THE REPUBLIC OF KOREA STAND BEHIND THIS NOBLE ENDEAVOUR

THIS IS PARTICULARLY BECAUSE MY COUNTRY AND ITS PEOPLE HAD TO SUFFER, AND THEN WERE ABLE TO SUCCESSFULLY OVERCOME, SUCH HARDSHIPS AND CHALLENGES AS ILLUSTRATED IN THE DOCUMENTS BEFORE YOU.

OUR RECENT HISTORY HAS BEEN MARKED BY DECADES-LONG COLONIZATION , FRATRICIDAL WAR OF AN UNPRECEDENTED SCALE, RECOVERY FROM A WAR-TORN SOCIETY, AND THEN A RISE TO A STABLE AND PROSPEROUS DEMOCRACY.

THE THREE-YEAR LONG KOREAN WAR, BEGINNING JUST AFTER OUR INDEPENDENCE, LEFT COUNTLESS NUMBERS OF KOREAN CHILDREN HOMELESS, ORPHANED, DISABLED, STARVED, AND PLAGUED. CHILDREN WERE IN REFUGEE CAMPS ALL AROUND THE COUNTRY. SAVING THE CHILDREN FROM THE SCOURGE OF WAR NATURALLY BECAME ONE OF OUR PRIMARY OBJECTIVES.

THE PERIOD OF OUR RAPID ECONOMIC DEVELOPMENT SINCE THE WAR HAS ALSO BEEN A PERIOD OF OUR EXPERIMENTATION WITH A WIDE RANGE OF NEW ISSUES RELATING TO THE CHILDREN'S WELL-BEING. INITIALLY, WE COULD ONLY FOCUS ON THE BASIC HUMAN NEEDS, SUCH AS NUTRITION, HEALTH, SANITATION, MORTALITY REDUCTION, AND EDUCATION. WITH THE GROWTH OF THE ECONOMY, WE COULD AFFORD TO DEVOTE MORE ATTENTION TO THE QUALITY OF CHILDREN'S LIVES AND THEIR PLACE WITHIN THE FRAMEWORK OF SOCIAL DEVELOPMENT . WE HAVE ATTACHED GREAT IMPORTANCE TO EDUCATION, CHILD DEVELOPMENT, FAMILY PLANNING, WEMEN AND MATERNITY PROTECTION, AND DISADVANTAGED CHILDREN, ESPECIALLY IN URBAN AREAS.

SUCH EFFORTS HAVE ENABLED MY COUNTRY TO ACHIEVE MANY IMPORTANT RESULTS, INCLUDING UNIVERSAL PRIMARY AND MIDDLE-LEVEL EDUCATION, CHILD IMMUNIZATION, AND AN ENHANCED ROLE OF WOMEN AT HOME AND IN SOCIETY.

AT PRESENT, MY GOVERNMENT IS FOCUSING MORE ON CHILDREN OF VULNERABLE AND DISADVANTAGED GROUPS WHICH INCLUDE URBAN POOR, LOW-INCOME WORKING MOTHERS, UNWED/TEENAGE MOTHERS, AND ABANDONED OR NEGLECTED CHILDREN, WHILE REINFORCING OUR SUPPORT FOR EARLY CHILDHOOD DEVELOPMENT.

THOUGH WE HAVE ALREADY ATTAINED MOST OF THE UNICEF GOALS FOR CHILDREN AND

DEVELOPMENT IN THE 1990S, WE WILL CONTINUE TO WORK CLOSELY WITH UNICEF AND OTHER U.N. BODIES AND SEEK THEIR GUIDANCE, WHENEVER APPROPRIATE.

AS PART OF MY FIRM DETERMINATION TO ENDORSE THE WORLD DECLARATION ON THE SURVIVAL, PROTECTION AND DEVELOPMENT OF CHILDREN AND ITS PLAN OF ACTION, MY SPECIAL REPRESENTATIVE, MR. CHOI HO-JOONG, MINISTER OF FOREIGN AFFAIRS, WILL JOIN THE SIGNING CEREMONY AT THE CONCLUDING SESSION OF THE SUMMIT.

MY GOVERNMENT ATTACHES PARTICULAR IMPORTANCE TO THE FOLLOW-UP ACTIONS AT THE NATIONAL AND INTERNATIONAL LEVELS. KOREA'S SEVENTH FIVE-YEAR PLAN FOR ECONOMIC AND SOCIAL DEVELOPMENT WILL ALLOCATE SUBSTANTIAL RESOURCES FOR THE WELL-BEING OF THE CHILDREN, PARTICULARLY IN SUCH AREAS AS THE EXPANSION OF CHILD CARE FACILITIES, PROVISION OF BASIC SERVICES TO FAMILIES WITH EMPHASIS ON EDUCATION AND MEDICAL PROTECTION, PREVENTION OF CHILD ABUSE AND NEGLECT, SUPPORT FOR WORKING WOMEN, AND MATERNITY PROTECTION.

WHILE I WELCOME THE RECENT ENTRY INTO FORCE OF THE CONVENTION ON THE RIGHTS OF THE CHILD, I AM VERY PLEASED TO INFORM YOU THAT MY GOVERNMENT HAS SIGNED THE CONVENTION AND WILL WORK FOR THE EARLY RATIFICATION. OUR NATION-WIDE COMMITMENT TO THE PRINCIPLE OF FIRST CALL FOR CHILDREN IS ALREADY REFLECTED IN THE CHARTER OF KOREAN CHILDREN, WHICH WAS MADE MORE THAN THREE DECADES AGO. THIS CHARTER WAS RECENTLY REVISED TO MEET THE NEEDS OF THE CHANGING ENVIRONMENT AND WILL CONTINUE TO SERVE AS A WRITTEN COMMITMENT OF ALL SECTORS OF THE KOREAN SOCIETY TO THE PRINCIPLE.

AS THE 1990'S ARE UNFOLDING IN A POSITIVE INTERNATIONAL CLIMATE, I TRUST THAT WE LEADERS OF THE WORLD, REGARDLESS OF INDIVIDUAL ATTENDANCE AT THE SUMMIT, WILL REMAIN UNITED IN SECURING A BETTER WORLD FOR THE CHILDREN WHO WILL LEAD OUR FUTURE.

YOU MAY BE ASSURED OF EVERY SUPPORT FROM MY GOVERNMENT AND PEOPLE IN THIS GREAT UNDERTAKING.

ROH TAE WOO

PRESIDENT

REPUBLIC OF KOREA. 끝.

외 무 부

종 별 : 지 급

번 호 : UNW-2026

일 시 : 90 0925 1900

수 신 : 장관대리(법규,국연)

발 신 : 주 유엔대사

제 목 : 아동권리협약 서명

대: WUN-1472

연:(1) UNW-1977, (2) 주국련 203262-708

1. 연호, 외무장관은 예정대로 9.25. 16:30 유엔법률담당 사무차장실에서 아동권리
협약에 서명(109 번째 서명국) 하였음.

2. 금일 현재 협약 서명국은 총 110 개국이며 비준및 가입국은 43개국임. (연호이후
서명국은 시리아, 파키스탄, 일본 (9.21), 아국, 카메룬, (9.25)임.)

3. 북한은 9.21. 비준서를 기탁하였음. 끝

(대사 현홍주-국장대리)

예고: 90.12.31. 일반

국기국   국기국

90.09.26   23:13 DA

외신 1과 통제관

0043

동아일보
90. 9. 26 (二)

유엔 아동에 관한 협약서명 崔외무

[뉴욕=李載昊특파원] 제 45
차 유엔총회에 참석중인 崔
浩中외무부장관은 25일오후
(현지시간)유엔본부 법률담
당사무차장실에서「아동의 권
리에관한 협약」에 서명했다.

이 협약은 18세미만의 어
린이와 청소년의 보호, 인격
발달·복지증진을 위해 국가
와 사회 가정 모두가 특별한
배려를 해야한다는 취지아래
지난89년11월 제44차 유엔총
회에서 채택된 국제협약으로
지금까지 1백8개국가가 서
명했다.

한편 부시美國대통령 가이
후(海部)日수상 대처英國
수상등 세계80여개국의 정상
들은 29일 유엔본부에서어
린이를위한 세계정상회의 모

중앙일보
90. 9. 26 (二)

「아동권리협약」 署名
제45차 유엔총회에 참석
중인 崔浩中외무장관은 25
일오후 (현지시간)유엔본부
법률담당사무차장실에서「아
동의 권리에 관한 협약」
에 서명했다.

0044

한겨레신문 90.9.27 (2)

UN 아동권리협약 서명

유엔총회에 참석중인 최호중 외무장관은 25일 오후(현지 시각) 유엔본부 법률담당 사무차장실에서 '아동의 권리에 관한 협약'에 서명했다.

이 협약은 18살 미만의 어린이와 청소년의 보호·인격발달·복지증진을 위해 국가와 사회, 가정 모두가 특별한 배려를 해야 한다는 취지 아래 지난 89년 11월 제44차 유엔총회에서 채택된 국제협약으로 지금까지 1백8개 나라가 서명했다.

아동의 권리에 관한 협약
가　입

1990. 9.

외　무　부

목   차

I. 아동의 권리에 관한 협약 개관

1. 협약의 명칭 및 구성

  ○ "아동의 권리에 관한 협약"(Convention on the Rights of
    the Child)

  ○ 전문 및 3부, 54개조로 구성

2. 협약의 채택 및 발효 경위

  1924.9.26. 국제연맹총회, "아동의 권리에 관한 제네바선언" 채택

  1959.11.20. 유엔총회, 결의 제1386(XIV) 호로 제네바 선언을
       기초로 한 10개 항목의 아동권리선언 채택

  1976.12.21. 유엔총회, 1979년을 「세계아동의 해」로 지정
       (총회결의 31/169)

  1978.12.20. 유엔총회, 인권위원회에 "아동의 권리에 관한 협약"
       초안 작성요청(총회결의 33/166)

  1989.11.20. 유엔총회, 콘센서스로 "아동의 권리에 관한 협약" 채택
       (총회결의 44/25)

  1990.9.2. "아동의 권리에 관한 협약" 발효

3. 협약의 취지 및 주요내용

  가. 취지

    ○ 18세 미만의 모든 어린이와 청소년에게 필요한 보호와 도움을
      주며 이러한 아동의 인격발달과 복지증진을 위하여 국가와
      사회 및 가정 모두가 특별한 배려를 하여야 함.

  나. 협약상 보호대상의 범위

    ○ 외국인을 포함하여 자국 관할내에 있는 18세 미만의 모든
      아동

0048

다. 협약상 보호되는 권리의 내용

  (1) 시민적 권리의 보호

    ○ 생명권, 국적권, 신분보존권, 의사표시권, 표현 ·
      사상 · 양심 · 종교 · 집회 · 결사의 자유, 사생활보호,
      형사처벌의 제한 등

  (2) 사회적 · 경제적 · 문화적 권리의 보호

    ○ 가족과의 동거권, 양육을 받을 권리, 입양제도, 건강
      및 의료지원, 사회보장 · 교육 관련 권리, 결손가정과
      장애아동의 보호, 문화활동 참여권 등

  (3) 기타 권리의 보호

    ○ 학대, 유기, 착취, 마약, 약취 · 유인, 인신매매, 무력
      분쟁 등으로부터의 보호

라. 협약당사국의 의무

  (1) 협약상 권리실현 조치

    ○ 협약에 규정된 아동의 권리를 실현시기키 위하여 필요한
      입법적, 행정적, 기타 관련 조치를 취하여야 함.

    ○ 경제적, 사회적, 문화적 권리의 경우, 가용 자원의
      최대 한도내에서 조치를 취할 의무를 부담함.

0049

(2) 정기보고서 제출

    ㅇ 협약 내용과 관련된 국내조치 상황에 관하여 발효 후
      2년내에 보고서를 제출하며, 그 이후에는 매5년마다
      보고서를 제출하여야 함.

마. 아동권리위원회 설치

    ㅇ 협약의 이행상황을 검토하기 위하여 아동권리위원회를
      설치하며 동 위원회는 임기 4년인 10인의 위원으로 구성함.

바. 협약의 서명 및 비준

    ㅇ 협약 제46조에 따라 모든 나라에 서명이 개방되어 있으며,
      제49조에 따라 20번째 비준서 또는 가입서가 기탁된 후
      30일이 되는 날로부터 발효함.

4. 협약의 특징

가. 아동을 권리의 주체로 규정

    ㅇ 기준의 법률이 성인의 시각인 보호의 관점에 주로 치중
      아동문제를 다루고 있는데 비해, 협약은 아동을 보호의
      대상이자, 존엄성과 기본권을 적극 보장 받는 주체로
      규정함.

나. 국제인권규약과의 유사성

    ㅇ 협약이 당사국에 대하여 국내적 시행의무를 부과하고 있고,
      시행여부를 검토하게 될 아동권리 위원회 설치를 예정하고
      있는등 구속력있는 규범이 되기 위해 국제인권 규약이 채택
      하였던 많은 방식을 따르고 있음.

0050

5. 협약의 당사국 현황(90.9.25. 현재)

   o 서명국: 110개국

   o 비준국: 40개국

   o 가입국: 3개국

   o 주요 미서명국

      미국, 인도, 태국, 말레이지아, 싱가포르등

      * 북한은 90.8.23. 주유엔대사가 서명하였으며, 90.9.21.
        비준서를 기탁함.

Ⅱ. 합약 가입문제 검토

1. 서명추진 경위

   o 90.1.9. 협약 가입관련 관계부처(내무부, 법무부, 문교부,
              보건사회부) 의견문의
              - 이견없음 통보

   o 90.3.23. 협약 가입관련 체육부 의견문의
              - 가입찬성 입장 표명

   o 90.6.14. 관계부처(법무부, 문교부, 체육부, 보건사회부, 법제처)
              회의
              - 가입에 원칙적으로 찬성하나 국적법, 사회보장제도,
                국내교육현실상의 문제점을 감안 실무적 검토를
                계속하며, 우선 서명만 행하는 방안을 추진키로
                합의

0051

ㅇ　90.9.6.　서명건의

　ㅇ　90.9.18.　대통령 재가

　ㅇ　90.9.25.　서명(외무부장관)

2.　가입방안

　ㅇ　협약 내용중 가족법 등 우리나라 현행 관계법령과 저촉되는
　　　일부조항들에 대하여 비준시 유보하는 방식으로 가입

유보대상조항

- 제9조 3항(부모와의 교섭유지권)
  · 민법 제837조의 2는 부모의 면접권만을 보장하고 있을 뿐,
    아동의 면접교섭권은 보장되어 있지 못함.
- 제12조(아동의 의사표시권)
  · 민법 제869조에 따른 15세 미만자의 입양 및 민법 제924조에 따른
    친권상실 선고시, 아동의 의사표시권이 보장되어 있지 않음.
- 제21조(입양허가)
  · 협약은 관계당국의 허가에 의한 입양만 인정하나 민법 제878조와
    제881조는 호적법에 따른 신고만으로 입양이 가능토록 허용함.

- 제40조 2항 나호(5)(상소권 보장)
  · 비상계엄하 군사재판에서 단심제를 인정하는 헌법 제110조 4항 및
    및 군사법원법 제534조와 저촉됨.

0052

3. 가입의 의의

   o   협약이 조기발효하였으며, 협약가입 및 이행촉구를 위한 "아동을
       위한 세계정상회의" 개최 등, 유엔 주관하에 전개되고 있는
       아동보호를 위한 국제적 노력에 동참함.

   o   아동의 건전육성을 위한 특별한 보호와 배려문제에 대한, 국민적
       관심을 제고시킴.

첨 부

1. 협약 당사국 명단

2. 협약과 국내법규정 대비

3. 협약에 대한 각국별 유보내용

4. 협약 전문(국, 영문)

0054

1. 협약당사국 명단

1991. 1. 31. 현재
밑줄은 비준또는 가입국임

지 역	국 가
아 주 (21개국)	방글라데시, 호주, 인도네시아, 말디브, 몽고, 네팔, 필리핀, 스리랑카, 베트남, 아프가니스탄, 부르네이, 북한, 중국, 파키스탄, 일본, 대한민국, 부탄, 파프아뉴기니아, 사모아, 바누아투, 뉴질랜드
미 주 (32개국)	아르헨티나, 바베이도스, 벨리제, 볼리비아, 브라질, 카나다, 칠레, 콜롬비아, 코스타리카, 쿠바, 도미니카연방, 도미니카공화국, 에쿠아도르, 엘살바도르, 그레나다, 과테말라, 하이티, 온두라스, 자마이카, 멕시코, 니카라과, 파나마, 파라과이, 페루, 세인트 킷츠 네비스, 수리남, 우루과이, 베네수엘라, 가이아나, 세인트루시아, 트리니다드 토바고, 바하마
구 주 (33개국)	알바니아, 오지리, 벨지움, 불가리아, 백러시아, 덴마크, 핀랜드, 불란서, 서독, 동독, 그리스, 교황청, 헝가리, 아이슬랜드, 이태리, 룩셈부르크, 말타, 네델란드, 노르웨이, 폴란드, 포르투갈, 루마니아, 스페인, 스웨덴, 우크라이나, 영국, 소련, 유고, 아일랜드, 리히텐슈타인, 체코, 사이프러스, 터키
아중동 (48개국)	알제리아, 앙골라, 베넹, 부르키나파소, 부룬디, 중앙아, 코트디브와르, 이집트, 감비아, 가나, 기네, 기네비쏘, 이스라엘, 요르단, 케냐, 쿠웨이트, 레바논, 레소토, 라이베리아, 마다가스카르, 말리, 모리셔스, 모리타니아, 모로코, 니제, 나이지리아, 루완다, 세네갈, 시에라레온, 수단, 스와질랜드, 토고, 튀니지, 탄자니아, 우간다, 예멘, 자이르, 짐바브웨, 시리아, 카메룬, 나미비아, 챠드, 코모로, 지부티, 모잠비크, 잠비아, 쉐이셜, 말라위
계	서명국: 130개국 비준국: 66개국 가입국: 4개국(기네, 모리셔스, 쉐이셜, 말라위)

0055

1. 협약당사국 명단

1990. 9. 25. 현재
밑줄은 비준또는 가입국임

지 역	국 가
아 주 (16개국)	방글라데시, 호주, 인도네시아, 말디브, 몽고, 네팔, 필리핀, 스리랑카, 베트남, 부탄, 부르네이, 북한, 중국, 파키스탄, 일본, 대한민국
미 주 (28개국)	아르헨티나, 바베이도스, 벨리제, 볼리비아, 브라질, 카나다, 칠레, 콜롬비아, 코스타리카, 쿠바, 도미니카연방, 도미니카공화국, 에쿠아도르, 엘살바도르, 그레나다, 과테말라, 하이티, 온두라스, 자마이카, 멕시코, 니카라과, 파나마, 파라과이, 페루, 세인트 킷츠 네비스, 수리남, 우루과이, 베네수엘라
구 주 (28개국)	알바니아, 오지리, 벨지움, 불가리아, 백러시아, 덴마크, 핀랜드, 불란서, 서독, 동독, 그리스, 교황청, 헝가리, 아이슬랜드, 이태리, 룩셈부르크, 말타, 네덜란드, 노르웨이, 폴란드, 포르투갈, 루마니아, 스페인, 스웨덴, 우크라이나, 영국, 소련, 유고
아중동 (40개국)	알제리아, 앙골라, 베넹, 부르키나파소, 부룬디, 중앙아, 코트디브와르, 이집트, 감비아, 가나, 기네, 기네비쏘, 이스라엘, 요르단, 케냐, 쿠웨이트, 레바논, 레소토, 라이베리아, 마다가스카르, 말리, 모리셔스, 모리타니아, 모로코, 니제, 나이지리아, 루완다, 세네갈, 시에라레온, 수단, 스와질랜드, 토고, 튀니지, 탄자니아, 우간다, 예멘, 자이브, 짐바브웨, 시리아, 카메룬
계	서명국: 110개국 비준국: 40개국 가입국: 3개국(기네, 모리셔스)

* 90.8.31. 이후 추가비준 또는 가입국(11개 비준국, 1개 가입국)은 자료

입수되는 대로 보완 예정

0056

2. 협약과 국내법 규정 대비

협 약 규 정	관련 국내법 규정	비 고
전문 아동에 대한 기본권 존중 원칙과 특별보호 및 원조 선언		
제1조(아동의 정의) 18세 미만자. 단 국내법으로 단축가능	민법 제4조(20세를 성인 연령 으로) 아동복지법 제2조(18세 미만을 아동으로) 소년법 제2조(20세 미만자를 소년으로) 생활보호법 제3조(18세 미만자 를 요보호 대상으로) 민법 제826조의 2(혼인한 미성 년자의 성년 의제) 민법 제807조(혼인 연령 남자 18세, 여자 16세)	1. 18세 미만자는 모든 국내 법상 미성년 또는 기타 특별보호 대상으로 보호 받으므로 협약과 충돌은 없음. 단 16세 이상 18세 미만의 여자가 혼인하여 성년의제될 수 있으나, 이는 협약이 허용하는 범위임. 2. 협약 해석상 태아는 아동의 정의속에 포함되지 않는다는 것이 협약 기초자들의 취지 였음.
제2조(차별금지) ① 자국 관할권내의 각 아동 에 대한 차별 금지 ② 아동이 가족의 신분이나, 활동으로 인한 차별이나 처벌로부터 보호받도록 적절한 조치를 취할 의무	헌법 제11조(평등권, 모든 국민 의 법앞에 평등) 헌법 제13조 3항(친족 행위로 인한 불이익 처분 금지)	1. 국제인권규약 A 규약 제2조 2항(차별금지), B 규약 제26조(법앞의 평등), 동 규약 제2조 1항(차별금지) 2. 외국인 아동에게도 본협약 적용(국제인권규약 B 규약 제24조)
제3조(아동의 최상 이익 고려) ① 아동에 관련된 조치에 있어서 아동의 최상 이익 우선 고려		

0057

협 약 규 정	관련 국내법 규정	비 고
② 아동보호를 위한 모든 입법적 행정적 조치를 취할 의무	아동복지법 제3조 2항(아동을 건전하게 육성할 국가의 책임)	
③ 아동을 위한 시설의 안전 및 검사 기준 마련	동법 제20조(아동 복지시설의 설치) 동법 제22조(아동복지시설 종사자) 동법 제26조(인가취소와 사업정지 등) 유아교육진흥법 제7조(건강진단 등) 동법 제10조(폐쇄명령) 동법 제12조(지휘감독) 동법 제14조(새마을 유아원 교직원의 종별자격)	
제4조(당사국의 협약 실천 의무) 본 협약상의 권리 실현을 위하여 모든 입법적, 행정적, 기타의 조치를 취하여야 합. 단 경제적, 사회적, 문화적 권리에 대하여는 가용자원의 최대한도 내에서 조치를 취합.		1. 국제인권규약 A 규약 제2조 1항 참조(가용자원의 최대한도) 2. 당사국은 본협약상 시민적 권리에 대하여는 즉각적인 실천 의무를 부담.
제5조(부모 등의 책임 존중)	민법 제913조(친권자의 보호, 교양 권리의무)	
제6조(생명권) ① 아동의 생명권 존중 ② 아동의 생존과 발전 보장 의무	소년법 제59조(18세 미만자에 대한 사형, 무기형 금지)	국제인권규약 B 규약 제6조 5항(18세 미만자 사형금지)

0058

협 약 규 정	관련 국내법 규정	비 고
제7조(성명 및 국적권) ① 아동의 성명 및 국적에 대한 권리보장 ② 무국적방지 의무	국적법 제2조(출생에 의한 국적 취득) 호적법 제49조 이하(출생신고)	1. 국제인권규약 B 규약 제24조 2항(성명권), 3항 (국적권) 2 한국인 여자가 출생지 주의 국적법 국가 출신 남자와 혼인한 경우 그 자는 무국 적이 될수 있음.
제8조(신분 보존권) ① 국적, 성명, 가족관계 등 아동의 신분보존권 보장 ② 상실된 신분 회복의 지원 의무	국적법, 호적법 등 국적법 제3조 2호(인지에 의한 국적 취득) 민법 제863조(인지청구의 소)	
제9조(부모로부터의 분리 제한) ① 아동은 의사에 반하여 부모로부터 분리될 수 없음. 단 분리가 아동의 최상의 이익에 합치되는 경우에 한하여 당국은 분리 결정 가능 ② 분리결정 과정에 모든 이해당사자의 참여와 의사표시권의 보장 ③ 아동의 부모와의 교섭 유지권 보장 ④ 구속 사실 등에 관한 국가의 통보 의무	민법 제924조(법원에 의한 친권 상실 선고) 민법 제837의 2 (부모의 면접 교섭권만 보장) 형사소송법 제87조(구속의 통지) 행형법 제58조(시체의 가장 (假葬) 등) 동법 시행령 제166조(재소자 사망시 가족에 대한 통보)	친권상실이 반드시 부모와의 분리를 의미하지는 않으나, 이에 의하여 분리 될 수도 있음. 15세 미만자 입양의 경우 본인의사에 반하여 부모 로부터 분리될 수도 있음. 15세 미만자의 입양 및 친권 상실 선고시 아동의 의사 표시 권이 제도적으로 보장되고 있지 못함. 아동의 면접교섭권은 보장되고 있지 못함. 출입국관리법상 퇴거강제에 의한 분리의 경우 가족에 대한 통보가 제도적으로 보장되고 있지 못함.

0059

협 약 규 정	관련 국내법 규정	비 고
제10조(가족 재결합을 위한 출입국 보장) ① 가족 재결합을 위한 출입국 보장 ② 타국 거주 부모와의 관계 유지권 보장	헌법 제14조(거주이전의 자유) 출입국 관리법	국제인권규약 B 규약 제12조 (거주이전의 자유). 가족 결합을 위한 출입국에 관한 특별한 규정은 없음.
제11조(아동의 국외불법 이송 퇴치) ① 아동의 국외불법 이송을 막을 의무 ② 이를 위한 양자조약의 체결 및 다자조약의 가입	형법 제289조(국외 이송을 위한 약취·유인죄) 입양특례법 제18조(벌칙)	
제12조(의사표시권) ① 자신에 관한 모든 사항에 관하여 아동의 의사표시권 보장 ② 아동과 관련된 사법적·행정적 절차에 있어서 아동의 의사표시권 보장		1. 민법 제924조 친권상실 선고시 아동의 의사표시권이 제도적으로 보장되고 있지 못함. 2. 민법 제869조 15세 미만자의 입양결정시 법정대리인의 동의만으로 가능하므로, 아동의 의사표시권 미보장
제13조(표현의 자유) ① 아동의 표현의 자유 및 정보 취득의 자유 보장 ② 필요한 경우 1항상의 권리 제한 가능	헌법 제21조(언론·출판의 자유) 헌법 제37조2항(기본권의 제한) 동법 제77조 3항(비상계엄하 언론, 출판의 자유제한)	국제인권규약 B 규약 제19조 2항(표현의 자유 및 정보취득의 자유) 국제인권규약 B 규약 제19조 3항(권리의 제한)

0060

협 약 규 정	관련 국내법 규정	비 고
	형법 제243조(음화 등의 반포 금지) 동법 제244조(음화 등의 제조 금지) 동법 제309조 (명예훼손죄)) 국가보안법 제7조(반국가단체의 찬양·고무) 동법 제8조(반국가단체 구성원과의 회합·통신)	동 규약 제20조(표현의 자유의 제한)
제14조(사상·양심·종교의 자유) ① 아동의 사상·양심·종교의 자유 보장 ② 아동의 성장에 맞추어 부모의 감독권 및 의무 존중 ③ 일정 사유가 있는 경우의 종교의 자유 등 제한 가능성	헌법 제19조(양심의 자유) 동법 제20조(종교의 자유) 민법 제913조(친권자의 보호, 교양 권리의무) 미성년자 보호법 제3조(친권자의 의무) 헌법 제37조 2항(기본권 제한의 근거)	1. 국제인권규약 B 규약 제18조(사상·양심·종교의 자유) 2. 국가보안법상 불고지죄 (제10조)는 양심의 자유와 충돌문제 야기 가능
제15조(결사·집회의 자유) ① 아동의 결사 및 평화적 집회의 자유보장 ② 일정사유가 있는 경우의 제한 가능성	헌법 제21조 1항, 2항(집회, 결사의 자유) 집회 및 시위에 관한 법률 헌법 제37조 2항(기본권 제한의 근거) 동법 제77조 3항(집회, 결사의 자유의 제한)	국제인권규약 B 규약 제21조 (집회의 자유) 동 규약 제22조(결사의 자유)
제16조(사생활의 보호) ① 아동의 사생활, 가정, 주거, 통신에 대한 자의적·위법적 간섭금지, 아동의 명예나 신망에 대한 위법적 공격 금지	헌법 제16조(주거의 보장) 동법 제17조(사생활의 비밀과 자유) 동법 제18조(통신의 비밀) 동법 제21조 4항(언론·출판에 의한 명예나 권리 침해 금지)	국제인권규약 B 규약 제17조 (사생활, 가정, 주거, 통신, 명예, 신용의 보호)

0061

협 약 규 정	관련 국내법 규정	비 고
② 1항상의 간섭이나 공격 으로 부터 법의 보호를 받을 권리	동법 제36조1항(가정생활 보호) 동법 제309조(명예훼손죄) 동법 제316조(비밀침해죄) 동법 제319조(주거 침입죄) 동법 제320조(특수주거 침입죄) 우편법 제51조(신서의 비밀 침해죄)	국제인권규약 B 규약 제23조 1항(가정의 사회적·국가적 보호)
제17조(정보접근권 등) 대중매체의 중요성을 인식 하고, 국내외 정보원에 대한 아동의 접근권 보장. 이를 위하여 가. 대중매체가 아동에 유익 한 정보 및 자료를 보급 하도록 장려 나. 각종 정보 및 자료의 제작, 교환, 보급을 위한 국제협력의 고취 다. 아동서적의 제작, 보급 을 장려 라. 소수민족 아동에 대한 특별관심 장려 마. 아동에 해가되는 정보 및 자료로부터의 보호		국제인권규약 B 규약 제27조 (소수민족의 권리)
제18조(부모의 양육책임) ① 아동의 성장·발전에 관한 부모의 공동 책임 ② 아동양육 책임 수행을 위한 국가의 지원 ③ 취업부부 근로자 자녀를 위한 시설 준비	민법 제909조 1항(부모 공동의 친권행사) 동법 제913조(친권자의 자녀 보호·교양 의무) 모자복지법 아동복지법 유아교육진흥법 생활보호법 유아교육 진흥법	

0062

협 약 규 정	관련 국내법 규정	비 고

제19조(폭력·학대·착취 등으로 부터의 아동보호)
 	
① 폭력·학대·착취 등으로 부터의 아동보호
	아동복지법 제18조(아동에 대한 금지행위)
	  형법 제257조(상해죄)
	  동법 제271조(유기죄)
	  동법 제273조(학대죄)
	  동법 제274조(아동 혹사죄)
	  동법 제283조(협박죄)
	  동법 제288조(영리를 위한 약취·유인죄)
	  동법 제297조(정조에 관한죄)	

② 이를 위한 사회계획 수립	아동복지법 제11조(요보호 아동의 보호조치)
	  동법 제20조(아동복지 시설의 설치)
	  동법 제21조(아동복지 단체의 육성)
	  동법 제23조(아동복지시설 종사자의 교육훈련)	

제20조(결손가정 아동의 특별 보호) ① 가정이 없는 아동에 대한 국가의 특별보호 및 지원	아동복지법 제11조(요보호 아동의 보호조치) 동법 제12조(시설 보호 조치) 생활보호법	
② 이러한 아동의 보호에 관한 대안 마련	입양특례법	
③ 대안에서는 아동양육의 계속성, 아동의 인종적, 종교적, 문화적, 언어적 배경 고려		
제21조(입양제도) 입양은 아동의 최상의 이익에 합치되어야 함. 가. 입양은 권한있는 당국의 허가를 받아야 함.	민법 제866조 이하 (입양) 입양특례법	입양은 호적법에 의한 신고만 으로 효력이 발생하며(민법 제878조), 법원 등의 허가제도 는 없음(민법 제881조 참조), 특히 15세 미만자 입양의 경우 본인의 동의 불필요 (민법 제869조, 입양특례법 제4조)

0063

협 약 규 정	관련 국내법 규정	비 고
나. 국제간 입양은 자국내 입양이 불가능한 경우 차선책으로 고려함.		
다. 국제간 입양에도 국내입양과 같은 보장장치를 함.	입양특례법 제9조 3항(해외입양에는 보사부장관의 해외이주 허가요)	
라. 국제입양이 관계자의 부당한 급전적 이득을 주어서는 아니됨.	아동복지법 제18조 6호(급품을 목적으로 한 아동의 양육 알선 금지)	
마. 국제입양은 권한 있는 당국이나 기관에 의하도록 국제적 약정이나 협정 체결을 강구함.		
제22조(난민 아동의 보호) ① 난민아동에 대한 적절한 인도적 보호 ② 난민아동 지원 및 가족 재결합을 위한 국제협력 전개		출입국 관리법상 난민만을 위한 별도 조항은 없음. 아국은 난민의정서 미가입
제23조(장애 아동의 보호) ① 정신적, 신체적 장애아동의 충분히 품위있는 생활을 누릴 권리 인정 ② 장애 아동은 특별한 보호를 받을 권리가 있으며, 장애아동 및 그 부모등에 대한 지원 장려, 보장 ③ 2항의 지원은 가능한한 무료로 실시되어야 하며, 장애아동에 대한 교육, 훈련, 건강보호, 재활 지원, 사회진출의 대비 등에 관한 마련 ④ 예방의학 및 장애아동에 대한 의학적, 심리적, 기능적 처치분야에 관한 정보의 국제교류 촉진	헌법 제34조 5항(장애자 보호) 아동복지법 제18조 1호(장애 아동을 공중에 관람시키는 행위 금지) 장애인 복지법 교육법 제143조 내지 145조 (장애자 교육 및 훈련)	

협 약 규 정	관련 국내법 규정	비 고
제24조(건강 및 의료지원)		
① 건강 및 의료지원에 대한 아동의 권리	헌법 제36조 3항(건강보호) 아동복지법 제14조(아동의 건강 관리) 의료보험법 생활보호법 제7조2항(의료보호)	국제인권규약 A 규약 제12조 (건강향유권)
② 이를 위하여 다음과 같은 조치를 취합		
가. 유아 사망률 감소	상기 근거법 외에도	
나. 아동에 대한 의료지 원 및 건강관리의 보장	모자보건법 학교급식법 학교보건법	
다. 질병 및 영양부족의 치유	아동복지법 제11조(아동 및 임산부의 보호 조치) 전염병예방법	
라. 산전·산후 임산부 건강관리	결핵예방법 기생충질환 예방법 등	
마. 건강 및 영양, 환경, 위생 등에 관한 지식 보급		
바. 부모지도, 가족계획 등에 관한 교육		
③ 아동건강에 해가 되는 전통관습의 철폐		
④ 본조상의 권리 실현을 위한 국제협력의 촉진		
제25조(양육지정 아동의 권리)		
치료, 보호 등을 위하여 당국 이 양육지정 조치한 아동의 치료 및 여타 모든 사정에 관하여 정기적 심사 실시		
제26조(사회보장권)		
① 사회보험을 포함한 사회 보장에 대한 아동의 권리 인정	헌법 제34조 2항(국가의 사회 보장의무) 의료보험법 생활보호법	1. 국제인권규약 A 규약 제9조 (사회보장) 2. 국내사회보장 제도상 원칙

0065

협 약 규 정	관련 국내법 규정	비 고
② 급부시 고려사항		적으로 외국인은 배제되고 있음.
제27조(적정 생활수준 향유권) ① 적정한 생활수준에 대한 아동의 권리인정 ② 아동발달에 필요한 생활여건 확보에 대한 부모의 책임 ③ 본조 내용실현을 위한 국가의 지원의무 ④ 부모등으로부터 아동생계비 확보에 필요한 조치 의무	헌법 제34조 1항(인간다운 생활을 할 권리) 생활보호법 제8조 이하(생계보호) 모자복지법 제12조(복지급여, 생계비, 양육비 등) 제13조(복지자금대여)	국제인권규약 A 규약 제11조 1항(적절한 생활수준을 누릴 권리)
제28조(피교육권) ① 기회균등의 기반 위에서 교육의 권리인정 가. 초등교육의 의무·무상화 나. 각종 중등교육의 추진	헌법 제31조(교육권) 교육법 제9조(교육에 있어서의 기회균등) 헌법 제31조 2항, 3항(무상의무교육) 교육법 제8조 및 제8조의 2 (의무교육) 동법 제96조(국민학교에 취학시킬 의무) 동법 제99조(국민학교 교육비 보조) 교육법 제100조 내지 제103조의 7(중학교 교육), 동법 제104조 내지 제107조의 5(고등학교 교육), 동법 제129조 내지 제135조 (기술학교 등에서의 교육) 동법 제158조 내지 제162조 (장학제도) 학교시설사업 촉진법	1. 국제인권규약 A 규약 제13조(교육에 관한 권리), 동 규약 제14조(무상의무교육) 2. 국내초등교육의 완전무상화 미흡

1

0066

협 약 규 정	관련 국내법 규정	비 고
다. 능력에 따른 고등교 육의 기회 부여	교육법 제108조 내지 제128조의 11(대학교육) 학교시설 사업촉진법	
라. 아동과 관련된 교육 및 직업에 관한 정보 나 지침의 보급		
마. 학교출석의 고취와 탈락자 방지 조치		
② 학칙을 아동의 존엄성과 본 협약내용에 합치되도 복 운영	교육법 시행령 제77조(징계)	
③ 문맹률 감소 등 교육에 관한 국제협력 강화		
제29조(교육의 목표)		
① 당사국은 다음을 아동 교육의 목표로 삼음		국제인권규약 A 규약 제13조 1항(교육의 목적)
가. 아동의 인격, 재능, 능력의 최대한 계발	교육법 제94조(국민학교 교육의 목표) 동법 제101조(중학교 교육의 목표) 동법 제105조(고등학교 교육의 목표)	
나. 인권 및 국제연합 헌장원칙에 대한 존중심의 계발		
다. 현거주국과 출신국의 가치 및 타문화에 대한 존중심 계발	교육법 제94조 2호(국민학교 교육의 목표)	
라. 평화, 관용, 평등, 우정의 정신에 입각 책임있는 삶을 영위 하도록 준비		
마. 자연환경에 대한 존중		

협 약 규 정	관련 국내법 규정	비 고
② 개인 또는 단체의 교육 기관 설치의 자유, 교육 시설 기준 정립	교육법 제82조(학교의 설립) 사립학교법 제3조(사립학교의 설립)	사립학교법 제3조상 법인만이 정규학교 설립 가능
제30조(소수자 아동의 보호) 인종적, 종교적, 언어적 소수 자 및 원주민 아동에 대한 고유의 문화, 종교, 언어사용 권 인정		국제인권규약 B 규약 제27조 (소수민족의 권리)
제31조(휴식, 여가, 문화활동) ① 휴식, 여가, 오락활동에 대한 아동의 참여권 인정		국제인권규약 A 규약 제7조 다호(휴식 및 여가에 대한 권리)
② 아동의 문화적, 예술적 활동에의 참여 및 균등한 기회부여	헌법 제22조(예술의 자유)	국제인권규약 A 규약 제15조 1항 다호(과학적, 문학적, 예술 적 창작품에 관한 권리)
제32조(소년노동 보호) ① 경제적 착취와 위험하거 나 아동교육에 방해되는 노동으로 부터 보호	근로기준법 제50조 1항(13세 미만자는 근로자 고용금지) 동법 제51조(18세 미만자의 도덕상 또는 보건상 유해, 위험 한 사업에 고용금지) 아동복지법 제18조 2호(아동의 구걸행위 금지 동법 제18조 4호(14세 미만자는 접객업소 근무금지)	
② 본 조항 실천을 위한 입법적, 행정적, 사회적, 교육적 조치의 실천의무. 특히, 가. 최저 노동연령의 마련	근로기준법 제50조 1항 및 제51조 아동복지법 제18조 4호	근로기준법은 모든 근로자에게 적용되지는 않으므로(근로기준 법 제10조 참조), 근로기준법 비적용대상자의 경우 일반적 최저노동연령이 설정되어 있지 않음.

협 약 규 정	관련 국내법 규정	비 고
나. 근로시간 및 근로 조건의 규제	근로기준법 제53조(미성년자의 근로계약에 관한 감독) 동법 제55조(13세 이상 18세 미만자는 1일 7시간, 1주 42 시간이상 근무금지) 동법 제56조(18세 미만자의 야간 작업금지) 동법 제57조(18세 미만자의 시간외 근무제한) 동법 제58조(18세 미만자의 갱내 근로 급지) 교육법 제97조(국민학교 취학 연령 아동은 그의 사용이 의무 교육에 방해가 되어서는 아니됨)	근로기준법 비적용자에게는 최대 근로시간 등의 규제가 마련되어 있지 못함.
다. 위반시 제재조치	근로기준법 제109조 내지 제111조(벌칙조항)	
제33조(마약으로부터의 보호) 마약의 불법사용, 생산, 거래 로 부터 아동을 보호하기 위한 모든 입법적, 행정적, 사회적, 교육적 조치	형법 제198조 이하(아편에 관한 죄) 대마관리법 향정신성 의약품 관리법	
제34조(성적 착취와 학대로 부터의 보호) 성적 착취와 학대로부터 아동 보호를 위하여 다음 사항을 급지시키기 위한 국내적ㆍ 국제적 조치를 취함. 가. 아동이 위법한 성적 활동 에 종사하도록 유인하거나 강제하는 행위 나. 매음이나 기타 위법한 성적 활동에 아동을 착취 적으로 이용하는 행위 다. 외설스런 공연 및 자료에 아동을 착취적으로 이용 하는 행위	형법 제242조(음행매개죄) 동법 제244조(음화등의 제조 급지) 아동복지법 제18조 5호(아동의 음행에 사용 급지) 윤락행위 방지법	

0069

협 약 규 정	관련 국내법 규정	비 고
제38조(무력분쟁시의 아동 보호) ① 아동이 관련된 무력분쟁 시 국제인도법 규칙의 준수		아국은 1949년 제네바 4개협약 및 동 추가의정서 가입
② 15세 미만자의 적대행위 직접 개입금지	병역법 제8조 1항(18세 이상의 남자만 제국민역에 편입) 동법 제11조(현역병 입영은 19세 이상이 원칙	
③ 15세 미만자의 징집금지 및 15세 이상 18세 미만 자는 가급적 최연장자 우선으로 징집	동법 제19조(17세 이상자는 지원병 응모 가능) 민방위 기본법 제17조 1항 (20세 이상자가 민방위대 편성 대상임)	
④ 무력분쟁시 아동보호 조치		
제39조(피해아동의 사회복지 지원) 유기, 착취, 학대, 고문, 비 인간적 대우나 처벌, 무력분 쟁의 희생이 된 아동의 신체적 심리적 회복과 사회복귀를 지원함.	아동복지법 제11조(요보호 아동 의 보호조치)	-
제40조(소년법의 보호) ① 범죄피의 아동은 그 연령 과 사회복귀를 고려하여 아동의 존엄성과 가치 증진에 합당한 방법으로 처우	소년법 제9조(소년 보호사건의 조사방침) 동법 제12조(소년 보호사건에 대한 전문가 진단) 동법 제24조(보호사건의 심리 방식) 동법 제58조(소년법 심리의 방침) 형법 제51조(형의 양정시 고려 사항)	국제인권규약 B 규약 제10조 1항, 3항(피고인의 처우) 동 규약 제14조 4항(미성년자에 관한 형사 특별절차)
② 이를 위하여 관련 국제 문서를 고려하며, 당사국은, 가. 소급입법에 의한 처벌 금지	헌법 제13조 1항, 형법 제1조 (소급입법에 의한 처벌금지)	국제인권규약 B 규약 제15조 (소급입법에 의한 처벌금지)

협 약 규 정	관련 국내법 규정	비 고
제35조(아동의 약취유인· 매매·거래 금지) 아동의 약취유인, 매매, 거래 를 금지시키기 위한 국내적, 국제적 조치를 취할 의무	형법 제287조 내지 289조(미성 년자의 약취 유인금지, 국외 이송을 위한 약취 유인 매매금지) 아동복지법 제18조 6호(권한없는 자의 금품을 대가로한 아동양육 알선금지)	
제36조(기타형태의 착취금지) 기타 형태의 아동 착취로부터 보호 의무	아동복지법 제18조(아동에 대한 각종 금지 행위)	
제37조(아동에 대한 고문, 사형 등의 금지) 가. 아동에 대한 고문이나 기타 잔인하거나 비인간 적이거나 품위를 손상시 키는 처우 및 처벌 금지 18세 미만자에 대한 사형 및 종신형 배제	헌법 제12조 2항(고문금지) 형법 제125조(폭행, 가혹행위 금지) 소년법 제59조(18세 미만자에 대한 사형, 무기형 배제)	국제인권규약 B 규약 제7조 (고문, 잔혹행위, 비인도적 처우금지) 동 규약 제6조 5항(18세 미만 자에 대한 사형 금지)
나. 위법적 또는 자의적인 아동신체의 자유 박탈 금지	헌법 제12조 1항(신체의 자유) 형사소송법 제1편 제9장(피고인 의 구속)	국제인권규약 B 규약 제9조 1항(신체의 자유)
다. 신체적 자유를 구속당한 아동을 그 연령을 고려 하여 인도적으로 대우. 성인과 분리 처우 및 가족과의 연락 보장	소년법 제57조(소년법 심리의 분리) 동법 제58조(소년법에 대한 친절대우) 형사소송법 제89조(피구속자의 접견권 보장) 행형법 제2조 3항, 제3조(미성 년자의 분리 수용) 소년원법 제8조(소년원에서의 분리 수용)	국제인권규약 B 규약 제10조 (형사 피고인에 대한 대우)
라. 자유박탈조치의 합법성에 대한 이의 제기권 및 법률구조 등 보장	헌법 제12조 4항(변호인의 조력 을 받을 권리), 동 제6항(구속 적부심 청구권) 동법 제27조(재판을 받을 권리) 형사소송법 제33조 1항(미성년 자에 대한 국선 변호) 동법 제338조 이하(상소권보장)	국제인권규약 B 규약 제9조 4항 (구급에 대한 법원의 합법성 심사) 동 규약 제14조 1항, 3항(재판 을 받을 권리, 변호인의 조력을 받을 권리)

0071

협 약 규 정	관련 국내법 규정	비 고
나. 형사피의자 또는 피고인 아동에게는 최소한 다음 사항 보장		
(1) 유죄판정시까지 무죄추정	헌법 제27조 4항, 형사소송법 제275조의 2(형사피고인의 무죄 추정)	국제인권규약 B 규약 제14조 2항(형사피의자의 무죄추정)
(2) 피의사실은 즉각 직접 통고 합과 아울러 법률구조의 제공	헌법 제12조 5항(체포구속의 통지) 형사소송법 제72조(구속과 이유의 고지) 소년심판규칙 제14조(소환의 방식) 헌법 제12조 4항(변호인의 조력 을 받을 권리) 형사소송법 제33조 1호(미성년 자에 대한 국선 변호) 소년법 제17조(소년보호사건의 보호인 선임)	국제인권규약 B규약 제9조 2항 (체포 사유의 통고)
(3) 권한있고 독립 적인 사법당국 이 공정한 적법 절차에 따라 사건을 지체없 이 판결	헌법 제27조 1항, 3항(재판을 받을 권리) 형법 제51조(형의 양정시 참작 사항) 소년법	국제인권규약 B규약 제9조 3항 (법원의 재판을 받을 권리)
(4) 증언이나 자백 을 강요당하지 않으며, 증인 신문 참여권 보장	헌법 제12조 2항(형사상 불리한 진술의 거부권) 형사소송법 제148호(자기에게 불리한 증언의 거부권) 동법 제161조의 2(증인 신문의 방식) 동법 제163조(당사자의 증인신문 참여권)	국제인권규약 B규약 제14조 3항 마호(증인 신문권) 동 제사호(불리한 증언이나 자백을 강요당하지 않을 권리)
(5) 상소권보장	형사소송법 제338조 이하(상소 권 보장) 헌법 제110조 4항(비상계엄하 특수사건에 대한 단심 처리)	1. 국제인권규약 B규약 제14조 5항(상소권 보장) 2. 일정한 경우 비상계엄하 단심제를 허용하고 있는 헌법 제110조 4항과 군사 법원법 제534조가 이에 저촉, 국제인권규약 가입 시에도 유보사항

0072

협 약 규 정	관련 국내법 규정	비 고
(6) 통역권보장	형사소송법 제180조(통역의 보장) 법원조직법 제62조 2항(통역의 사용)	국제인권규약 B 규약 제14조 3항 바호(통역을 받을 권리)
(7) 아동의 사생활 존중	소년법 제24조 2항(소년보호 사건의 불공개 원칙) 동법 제68조(소년사건의 보도 금지)	
③ 소년법에 적용되는 특별 절차 수립 특히,	소년법	
가. 형사미성년 연령 설정	형법 제9조(14세 미만은 형사 미성년) 소년법 제4조 2호(12세 이상 14세 미만은 보호처분가능)	
나. 적절하고 바람직스러 운 경우에는 형사사 법절차 이외의 조치 강구	소년법상의 특별절차	
④ 아동의 여건과 범행에 비례하여 보호, 지도, 감독, 상담, 보호관찰, 교육, 직업훈련 등 각종 대안 강구	소년법 제32조 이하(보호처분)	
제41조(협약과 상치되지 않는 국내·국제법령 존중) 본 협약의 규정은 아동의 권리 실현을 위하여 가. 당사국 국내법, 나. 당사국에 대하여 효력을 갖는 국제법에 포함된 보다 유리한 규정에 영향을 미치지 않음.		
제 2 부 제42조(협약 홍보) 제43조(아동권리위원회 설치 및 운영) 제44조(당사국의 국내조치 보고)		

협 약 규 정	관련 국내법 규정	비 고
최초 2년 및 이후 매 5년마다 보고 의무 제45조(아동권리 위원회의 권한)		
제 3 부 제46조 내지 제54조 서명, 비준, 가입, 효력 발생, 개정, 유보, 폐기, 기탁, 정본		
※ 협약 각조의 ( )안의 제목은 원문에는 없으나, 편의상 붙인 것임.		

3. 협약에 대한 각국별 유보내용

(90.8.31. 현재)

협약규정	유보국가	유 보 및 선 언 내 용	시기	비고
제38조	콜롬비아	○ 제38조 2항 및 3항이 적대행위 참여 및 징병 제한 년령을 15세로 정한 것과 관련, 동 년령을 18세로 해석할 것임을 선언함.	서명시	
제24조 및 38조	에콰도르	○ 제24조 해석시 전문 9번째절에 유념함. ○ 제38조에 규정된 최소년령이 너무 낮게 정해짐.	서명시	
제6조 제30조 제40조 2항 나호 (5)	불란서	○ 제6조가 자발적 임신중절과 관련된 국내 법령 규정시행에 장애를 구성하는 것으로 해석할 수 없음을 선언함. ○ 헌법 제2조에 비추어 제30조 적용배제를 선언함. ○ 제40조 2항 나호(5)를 제한적인 예외가 설정될 수 있는 일반원칙으로 해석함. 특히 경찰법원이 심리하는 일부상소가 허용되지 않는 범죄 및 형사범죄가 이에 해당하나, 판결의 적법성과 관련하여서는 "최종심 법원"의 판결에 대해서도 "파훼 법원"에 상고가 가능함.	비준시	
제1조	과테말라	○ 제1조와 관련, 헌법 제3조가 "국가는 개인의 완전성과 안전은 물론 임신의 순간부터 인간의 생명을 보장, 보호한다"고 규정하고 있음을 선언함.	서명시	
	모리타니아	○ 국교인 회교의 신앙과 가치에 상반되는 조항 및 규정들을 유보함.	서명시	

0075

협약규정	유보국가	유 보 및 선 언 내 용	시기	비고
	우루과이	○ 비준시 유보권한을 재확인함.	서명시	
제20조 및 제21조	이집트	○ 회교율법이 입양제도를 채택하지 않고 있음에 비추어, 협약상 입양과 관련된 모든 조항 및 규정, 특히 제20조 및 제21조를 유보함.	비준시	
제9, 10, 18, 22조	서 독	○ 제9, 10, 18, 22조의 해석과 관련, 비준시 필요하다고 간주하는 선언을 할 권리를 유보함.	서명시	
	영 국	○ 비준시 필요하다고 판단되는 여하한 유보나 해석선언을 행할 권리를 유보함.	서명시	
제24조 2항	교 황 청	<u>유보</u> ○ 제24조 2항 바호 "가족계획에 관한 교육과 편의" 귀절을 오직 도덕적으로 수락할 만한 가족계획 방법 즉 자연적인 가족계획 방법만을 의미하는 것으로 해석함. ○ 협약의 제조항 중 특히 교육(제13조 및 제28조), 종교(제14조), 결사(제15조) 및 사생활(제16조)과 관한 조항들의 경우 부모에게 1차적인 불가양의 권리를 보장한 것으로 해석함. ○ 협약의 적용은 도시국가로서의 특수한 성격과 양립되어야 함. <u>선언</u> ○ 전문 제9절이 "조약에 관한 비엔나협약" 제31조에 따라 협약의 여타 부분해석의 지침이 되어야 한다고 확신함.	비준시	
	쿠웨이트	○ 회교율법 및 발효중인 국내법과 양립하지 않는 협약의 모든 규정을 유보함.	서명시	

0076

374 한국 인권문제 아동 권리에 관한 협약 가입

아동의 권리에 관한 협약

(국문번역본)

아동의 권리에 관한 협약

전 문

이 협약의 당사국은,

국제연합헌장에 선언된 원칙에 따라, 인류사회의 모든 구성원의 고유의
존엄성 및 평등하고 양도할 수 없는 권리를 인정하는 것이 세계의 자유,
정의 및 평화의 기초가 됨을 고려하고,

국제연합체제하의 모든 국민들은 기본적인 인권과 인간의 존엄성 및 가치에
대한 신념을 헌장에서 재확인하였고, 확대된 자유속에서 사회진보와 생활수준의
향상을 촉진하기로 결의하였음에 유념하며,

국제연합이 세계인권선언과 국제인권규약에서 모든 사람은 인종, 피부색,
성별, 언어, 종교, 정치적 또는 기타의 의견, 민족적 또는 사회적 출신, 재산,
출생 또는 기타의 신분 등 어떠한 종류 구분에 의한 차별없이 동 선언 및
규약에 규정된 모든 권리와 자유를 향유할 자격이 있음을 선언하고 동의하였음을
인정하고,

국제연합이 세계인권선언에서 아동시절에는 특별한 보호와 원조를 받을 권리가
있다고 선언하였음을 상기하며,

사회의 기초집단이며 모든 구성원 특히 아동의 성장과 복지를 위한 자연적
환경으로서의 가족에게는 공동체내에서 그 책임을 충분히 감당할 수 있도록
필요한 보호와 원조가 부여되어야 함을 확신하며,

- 1 -

아동은, 완전하고 조화로운 인격 발달을 위하여, 가족적 환경과 행복,
사랑 및 이해의 분위기 속에서 성장하여야 함을 인정하고,

아동은 사회에서 한 개인으로서의 삶을 영위할 수 있도록 충분히 준비되어져야
하며, 국제연합헌장에 선언된 이상의 정신과 특히 평화, 존엄, 관용, 자유,
평등, 연대의 정신 속에서 양육되어야 함을 고려하고,

아동에게 각별한 보호를 제공하여야 할 필요성은 1924년 아동권리에 관한
제네바선언과 1959년 11월 20일 총회에 의하여 채택된 아동권리선언에 명시
되어 있으며, 세계인권선언, 시민적 및 정치적 권리에 관한 국제규약(특히
제23조와 제24조), 경제적·사회적 및 문화적 권리에 관한 국제규약(특히
제10조) 및 아동의 복지와 관련된 전문기구와 국제기구의 규정 및 관련문서에서
인정되었음을 유념하고,

아동권리선언에 나타나 있는 바와 같이, "아동은 신체적, 정신적 미성숙으로
인하여 출생전후를 막론하고 적절한 법적보호를 포함한 특별한 보호와 배려를
필요로 한다"는 점에 유념하고,

"국내적 또는 국제적 양육위탁과 입양을 별도로 규정하는 아동의 보호와
복지에 관한 사회적 및 법적 원칙에 관한 선언"의 제규정, "소년법 운영을
위한 국제연합 최소표준규칙"(베이징 규칙) 및 "비상시 및 무력충돌시
부녀자와 아동의 보호에 관한 선언"을 상기하고,

세계 모든 국가에 예외적으로 어려운 여건하에 생활하고 있는 아동들이
있으며, 이 아동들은 특별한 고려를 필요로함을 인정하고,

아동의 보호와 조화로운 발전을 위하여 각 민족의 전통과 문화적 가치의
중요성을 충분히 고려하고,

- 2 -

모든 국가, 특히 개발도상국가 아동의 생활여건을 향상시키기 위한 국제
협력의 중요성을 인정하면서,

다음과 같이 합의하였다.

제1부

제 1 조

이 협약의 목적상, 아동은 아동에게 적용되는 법에 의하여 보다 조기에 성인
연령에 달하지 아니하는 한 18세 미만의 모든 사람을 의미한다.

제 2 조

1. 당사국은 자국의 관할권내에서 아동 또는 그의 부모나 법정 후견인의
   인종, 피부색, 성별, 언어, 종교, 정치적 또는 기타의 의견, 민족적,
   인종적 또는 사회적 출신, 재산, 무능력, 출생 또는 기타의 신분에 관계
   없이 그리고 어떠한 종류의 차별을 함이 없이 이 협약에 규정된 권리를
   존중하고, 각 아동에게 보장하여야 한다.

2. 당사국은 아동이 그의 부모나 법정 후견인 또는 가족 구성원의 신분,
   활동, 표명된 의견 또는 신념을 이유로하는 모든 형태의 차별이나 처벌로
   부터 보호되도록 보장하는 모든 적절한 조치를 취하여야 한다.

제 3 조

1. 공공 또는 민간 사회복지기관, 법원, 행정당국, 또는 입법기관 등에 의하여
   실시되는 아동에 관한 모든 활동에 있어서 아동의 최상의 이익이 최우선적
   으로 고려되어야 한다.

- 3 -

2. 당사국은, 아동의 부모, 법정 후견인, 또는 여타 아동에 대하여 법적
책임이 있는 자의 권리와 의무를 고려하여, 아동복지에 필요한 보호와
배려를 아동에게 보장하고, 이를 위하여 모든 적절한 입법적, 행정적
조치를 취하여야 한다.

3. 당사국은 아동에 대한 배려와 보호에 책임있는 기관, 편의 및 시설이
관계당국이 설정한 기준, 특히 안전과 위생분야 그리고 직원의 수 및
적격성은 물론 충분한 감독면에서의 기준에 따를 것을 보장하여야 한다.

제 4 조

당사국은 이 협약에서 인정된 권리를 실현하기 위한 모든 적절한 입법적,
행정적 및 여타의 조치를 취하여야 한다. 경제적, 사회적 및 문화적 권리에
관하여, 당사국은, 가용자원의 최대한도까지 그리고 필요한 경우에는 국제협력의
테두리내에서, 이러한 조치를 취하여야 한다.

제 5 조

아동이 이 협약에서 인정된 권리를 행사함에 있어서, 당사국은 부모 또는,
적용가능한 경우, 현지 관습에 의하여 인정되는 확대가족이나 공동체의 구성원,
법정 후견인 또는 기타 아동에 대한 법적 책임자들이 아동의 능력발달에 상응
하는 방법으로 적절한 감독과 지도를 행할 책임과 권리 및 의무를 가지고
있음을 존중하여야 한다.

- 4 -

0081

제 6 조

1. 당사국은 모든 아동이 고유의 생명권을 가지고 있음을 인정한다

2. 당사국은 가능한 최대한도로 아동의 생존과 발전을 보장하여야 한다.

제 7 조

1. 아동은 출생 후 즉시 등록되어야 하며, 출생시부터 성명권과 국적취득권을 가지며, 가능한 한 자신의 부모를 알고 부모에 의하여 양육받을 권리를 가진다.

2. 당사국은 이 분야의 국내법 및 관련국제문서상의 의무에 따라 이러한 권리가 실행되도록 보장하여야 하며, 권리가 실행되지 아니하여 아동이 무국적으로 되는 경우에는 특히 그러하다.

제 8 조

1. 당사국은 위법한 간섭을 받음이 없이 국적, 성명 및 가족관계를 포함하여 법률에 의하여 인정된 신분을 보존할 수 있는 아동의 권리를 존중한다.

2. 아동이 그의 신분요소 중 일부 또는 전부를 불법적으로 박탈당한 경우, 당사국은 그의 신분을 신속하게 회복하기 위하여 적절한 원조와 보호를 제공하여야 한다.

- 5 -

0082

제 9 조

1. 당사국은, 사법적 심사의 구속을 받는 관계당국이 적용 가능한 법률 및 절차에 따라서 분리가 아동의 최상의 이익을 위하여 필요하다고 결정하는 경우 이외에는, 아동이 그의 의사에 반하여 부모로부터 분리되지 아니하도록 보장하여야 한다. 상기한 결정은 부모에 의한 아동 학대 또는 유기의 경우나 부모의 별거로 인하여 아동의 거소에 관한 결정이 내려져야 하는 등 특별한 경우에 필요할 수 있다.

2. 본조 제1항에 따른 어떠한 절차에서도 모든 이해당사자는 그 절차에 참가하여 자신의 견해를 표시할 기회가 부여되어야 한다.

3. 당사국은 아동의 최상의 이익에 반하는 경우 이외에는, 부모의 일방 또는 쌍방으로부터 분리된 아동이 정기적으로 부모와 개인적 관계 및 직접적인 면접교섭을 유지할 권리를 가짐을 존중하여야 한다.

4. 그러한 분리가 부모의 일방이나 쌍방 또는 아동의 감금, 투옥, 방명, 강제퇴거 또는 사망(국가가 억류하고 있는 동안 여하한 원인에 기인한 사망을 포함하여)등과 같이 당사국에 의하여 취하여진 여하한 조치의 결과인 경우에는, 당사국은 그 정보의 제공이 아동의 복지에 해롭지 아니하는 한, 요청이 있는 경우, 부모, 아동 또는 적절한 경우 여타 가족구성원에게 부재중인 가족구성원의 소재에 관한 필수적인 정보를 제공하여야 한다. 또한 당사국은 그러한 요청의 제출이 그 자체로 관계인에게 불리한 결과를 초래하지 아니하도록 보장하여야 한다.

- 6 -

0083

제 10 조

1. 제9조 제1항에 규정된 당사국의 의무에 따라서, 가족의 재결합을 위하여 아동 또는 그 부모가 당사국에 입국하거나 출국하기 위한 신청은 당사국에 의하여 긍정적이며 인도적인 방법으로 그리고 신속하게 취급되어야 한다. 또한 당사국은 이러한 요청의 제출이 신청자와 그의 가족구성원들에게 불리한 결과를 수반하지 아니하도록 보장하여야 한다.

2. 부모가 타국에 거주하는 아동은 예외적 상황 이외에는 정기적으로 부모와 개인적 관계 및 직접적인 면접교섭을 유지할 권리를 갖는다. 이러한 목적에 비추어 그리고 제9조 제2항에 규정된 당사국의 의무에 따라서, 당사국은 아동과 그의 부모가 본국을 포함하여 어떠한 국가로부터 출국할 수 있고 또한 본국으로 입국할 수 있는 권리를 존중하여야 한다. 어떠한 국가로부터 출국할 수 있는 권리는 법률에 의하여 규정되고, 국가안보, 공공질서, 공중보건이나 도덕 또는 타인의 권리와 자유를 보호하기 위하여 필요하며 이 협약에서 인정된 여타 권리에 부합하는 제한에 의하여만 구속된다.

제 11 조

1. 당사국은 아동의 불법 해외이송 및 미귀환을 퇴치하기 위한 조치를 취하여야 한다.

2. 이 목적을 위하여 당사국은 양자 또는 다자협정의 체결이나 기존협정에의 가입을 촉진하여야 한다.

제 12 조

1. 당사국은 자신의 견해를 형성할 능력이 있는 아동에 대하여 본인에게
   영향을 미치는 모든 문제에 있어서 자신의 견해를 자유스럽게 표시할
   권리를 보장하며, 아동의 견해에 대하여는 아동의 연령과 성숙도에 따라
   정당한 비중이 부여되어야 한다.

2. 이러한 목적을 위하여, 아동에게는 특히 아동에게 영향을 미치는 여하한
   사법적, 행정적 절차에 있어서도 직접 또는 대표자나 적절한 기관을
   통하여 진술할 기회가 국내법상 절차규칙에 합치되는 방법으로 주어져야
   한다.

제 13 조

1. 아동은 표현에 대한 자유권을 갖는다. 이 권리는 구두, 필기 또는 인쇄,
   예술의 형태 또는 아동이 선택하는 기타의 매체를 통하여 모든 종류의
   정보와 사상을 국경에 관계없이 추구하고 접수하며 전달하는 자유를
   포함한다.

2. 이 권리의 행사는 일정한 제한을 받을 수 있다. 다만 이 제한은 오직
   법률에 의하여 규정되고 또한 다음 사항을 위하여 필요한 것이어야 한다.
       가. 타인의 권리 또는 신망의 존중
       나. 국가안보, 공공질서, 공중보건 또는 도덕의 보호

- 8 -

제 14 조

1. 당사국은 아동의 사상, 양심 및 종교의 자유에 대한 권리를 존중하여야
   한다.

2. 당사국은 아동이 권리를 행사함에 있어 부모 및, 경우에 따라서는, 법정
   후견인이 아동의 능력발달에 부합하는 방식으로 그를 감독할 수 있는
   권리와 의무를 존중하여야 한다.

3. 종교와 신념을 표현하는 자유는 오직 법률에 의하여 규정되고 공공의
   안전, 질서, 보건이나 도덕 또는 타인의 기본권적 권리와 자유를 보호하기
   위하여 필요한 경우에만 제한될 수 있다.

제 15 조

1. 당사국은 아동의 결사의 자유와 평화적 집회의 자유에 대한 권리를 인정
   한다.

2. 이 권리의 행사에 대하여는 법률에 따라 부과되고 국가안보 또는 공공의
   안전, 공공질서, 공중보건이나 도덕의 보호 또는 타인의 권리와 자유의
   보호를 위하여 민주사회에서 필요한 것 이외의 어떠한 제한도 과하여져서는
   아니된다.

제 16 조

1. 어떠한 아동도 사생활, 가족, 가정 또는 통신에 대하여 자의적이거나
   위법적인 간섭을 받지 아니하며 또한 명예나 신망에 대한 위법적인 공격을
   받지 아니한다.

- 9 -

2. 아동은 이러한 간섭 또는 비난으로부터 법률의 보호를 받을 권리를 갖는다.

제 17 조

당사국은 대중매체가 수행하는 중요한 기능을 인정하며, 아동이 다양한 국내적 및 국제적 정보원으로부터의 정보와 자료, 특히 아동의 사회적, 정신적, 도덕적 복지와 신체적, 정신적 건강의 향상을 목적으로 하는 정보와 자료에 대한 접근권을 가짐을 보장하여야 한다. 이 목적을 위하여 당사국은,

가. 대중매체가 아동에게 사회적, 문화적으로 유익하고 제29조의 정신에 부합되는 정보와 자료를 보급하도록 장려하여야 한다.

나. 다양한 문화적, 국내적 및 국제적 정보원으로부터의 정보와 자료를 제작, 교환 및 보급하는데 있어서의 국제협력을 장려하여야 한다.

다. 아동도서의 제작과 보급을 장려하여야 한다.

라. 대중매체로 하여금 소수집단에 속하거나 원주민인 아동의 언어상의 곤란에 특별한 관심을 기울이도록 장려하여야 한다.

마. 제13조와 제18조의 규정을 유념하며 아동 복지에 해로운 정보와 자료로부터 아동을 보호하기 위한 적절한 지침의 개발을 장려하여야 한다.

제 18 조

1. 당사국은 부모 쌍방이 아동의 양육과 발전에 공동책임을 진다는 원칙이 인정받을 수 있도록 최선의 노력을 기울여야 한다. 부모 또는 경우에 따라서 법정 후견인은 아동의 양육과 발전에 일차적 책임을 진다. 아동의 최상의 이익이 그들의 기본적 관심이 된다.

2. 이 협약에 규정된 권리를 보장하고 촉진시키기 위하여, 당사국은 아동의 양육책임 이행에 있어서 부모와 법정 후견인에게 적절한 지원을 제공하여야 하며, 아동 보호를 위한 기관, 시설 및 편의의 개발을 보장하여야 한다.

3. 당사국은 취업부모의 아동들이 이용할 자격이 있는 아동보호를 위한 편의 및 시설로부터 이익을 향유할 수 있는 권리가 있음을 보장하기 위하여 모든 적절한 조치를 취하여야 한다.

제 19 조

1. 당사국은 아동이 부모, 법정 후견인 또는 기타 아동양육자의 양육을 받고 있는 동안 모든 형태의 신체적, 정신적 폭력, 상해나 학대, 유기나 유기적 대우, 성적 학대를 포함한 혹사나 착취로부터 아동을 보호하기 위하여 모든 적절한 입법적, 행정적, 사회적 및 교육적 조치를 취하여야 한다.

2. 이러한 보호조치는 아동 및 아동양육자에게 필요한 지원을 제공하기 위한 사회계획의 수립은 물론, 상기된 바와 같은 아동학대 사례를 여타 형태로 방지하거나 확인, 보고, 조회, 조사, 처리 및 추적하고 또한 적절한 경우에는 사법적 개입을 가능하게 하는 효과적 절차를 적절히 포함하여야 한다.

제 20 조

1. 일시적 또는 항구적으로 가족환경을 박탈당하거나 가족환경에 있는 것이 스스로의 최상의 이익을 위하여 허용될 수 없는 아동은 국가로부터 특별한 보호와 원조를 부여 받을 권리가 있다.

0088

2. 당사국은 자국의 국내법에 따라 이러한 아동을 위한 대체적 보호를 확보
   하여야 한다.

3. 이러한 보호는 특히 양육위탁, 회교법의 카팔라, 입양, 또는 필요한
   경우 적절한 아동 양육기관에 두는 것을 포함한다. 해결책을 모색하는
   경우에는 아동 양육에 있어 계속성 보장이 바람직하다는 점과 아동의
   인종적, 종교적, 문화적 및 언어적 배경에 대하여 정당한 고려가
   베풀어져야 한다.

제 21 조

입양제도를 인정하거나 허용하는 당사국은 아동의 최상의 이익이 최우선적으로
고려되도록 보장하여야 하며, 또한 당사국은

가. 아동의 입양은, 적용가능한 법률과 절차에 따라서 그리고 적절하고 신빙성
   있는 모든 정보에 기초하여, 입양이 부모, 친척 및 법정 후견인에 대한
   아동의 신분에 비추어 허용될 수 있음을, 그리고 요구되는 경우 관계자
   들이 필요한 협의에 기하여 입양에 대한 분별있는 승낙을 하였음을
   결정하는 관계당국에 의하여만 허가되도록 보장하여야 한다.

나. 국제입양은, 아동이 위탁양육자나 입양가족에 두어질 수 없거나 또는
   어떠한 적절한 방법으로도 출신국에서 양육되어질 수 없는 경우, 아동
   양육의 대체수단으로서 고려될 수 있음을 인정하여야 한다.

- 12 -

다. 국제입양에 관계되는 아동이 국내입양의 경우와 대등한 보장장치와 기준을
   향유하도록 보장하여야 한다.

라. 국제입양에 있어서 양육지정이 관계자들에게 부당한 재정적 이익을 주는
   결과가 되지 아니하도록 모든 적절한 조치를 취하여야 한다.

마. 적절한 경우에는 양자 또는 다자약정이나 협정을 체결함으로써 본 조의
   목적을 촉진시키며, 이러한 테두리 내에서 아동의 타국내 양육지정이
   관계당국이나 기관에 의하여 실시되는 것을 확보하기 위하여 노력하여야
   한다.

제 22 조

1. 당사국은 난민으로서의 지위를 구하거나 또는, 적용가능한 국제법 및
   국내법과 절차에 따라 난민으로 취급되는 아동이, 부모나 기타 다른
   사람과의 동반 여부에 관계없이, 이 협약 및 당해 국가가 당사국인 다른
   국제 인권 또는 인도주의 관련 문서에 규정된 적용가능한 권리를 향유함에
   있어서 적절한 보호와 인도적 지원을 받을 수 있도록 하기 위하여 적절한
   조치를 취하여야 한다.

2. 이 목적을 위하여, 당사국은 국제연합 및 국제연합과 협력하는 여타의
   권한 있는 정부간 또는 비정부간 기구들이 그러한 아동을 보호, 원조하고
   가족재결합에 필요한 정보를 획득하기 위하여 난민 아동의 부모나 다른
   가족구성원을 추적하는데 기울이는 여하한 노력에 대하여도 적절하다고
   판단되는 협조를 제공하여야 한다. 부모나 다른 가족구성원을 발견할
   수 없는 경우, 그 아동은 여하한 이유로 인하여 영구적 또는 일시적으로
   가족환경을 박탈당한 다른 아동과 마찬가지로 이 협약에 규정된 바와 같은
   보호를 부여받아야 한다.

0090

제 23 조

1. 당사국은 정신적 또는 신체적 장애아동이 존엄성이 보장되고 자립이
   촉진되며 적극적 사회참여가 조장되는 여건 속에서 충분히 품위있는
   생활을 누려야 함을 인정한다.

2. 당사국은 장애아동의 특별한 보호를 받을 권리를 인정하며, 신청에
   기하여 그리고 아동의 여건과 부모나 다른 아동양육자의 사정에 적합한
   지원이, 활용가능한 재원의 범위내에서, 이를 받을만한 아동과 그의 양육
   책임자에게 제공될 것을 장려하고 보장하여야 한다.

3. 장애아동의 특별한 곤란을 인식하며, 본조 제2항에 따라 제공된 지원은
   부모나 다른 아동양육자의 재원을 고려하여 가능한 한 무상으로 제공
   되어야 하며, 장애아동의 가능한 한 전면적인 사회동참과 문화적, 정신적
   발전을 포함한 개인적 발전의 달성에 공헌하는 방법으로 그 아동이
   교육, 훈련, 건강관리지원, 재활지원, 취업준비 및 오락기회를 효과적으로
   이용하고 제공받을 수 있도록 계획되어야 한다.

4. 당사국은 국제협력의 정신에 입각하여, 그리고 해 분야에서의 능력과
   기술을 향상시키고 경험을 확대하기 위하여, 재활, 교육 및 직업보도
   방법에 관한 정보의 보급 및 이용을 포함하여, 예방의학분야 및 장애아동에
   대한 의학적, 심리적, 기능적 처치분야에 있어서의 적절한 정보의 교환을
   촉진하여야 한다. 이 문제에 있어서 개발도상국의 필요에 대하여 특별한
   고려가 베풀어져야 한다.

- 14 -

0091

제 24 조

1. 당사국은 도달가능한 최상의 건강수준을 향유하고, 질병의 치료와 건강의
   회복을 위한 시설을 사용할 수 있는 아동의 권리를 인정한다. 당사국은
   건강관리지원의 이용에 관한 아동의 권리가 박탈되지 아니하도록 노력하여야
   한다.

2. 당사국은 이 권리의 완전한 이행을 추구하여야 하며, 특히 다음과 같은
   적절한 조치를 취하여야 한다.
   가. 유아와 아동의 사망율을 감소시키기 위한 조치,
   나. 기초건강관리의 발전에 중점을 두면서 모든 아동에게 필요한 의료
       지원과 건강관리의 제공을 보장하는 조치,
   다. 환경오염의 위험과 손해를 감안하면서, 기초건강관리 체계 내에서
       무엇보다도 용이하게 이용가능한 기술의 적용과 충분한 영양식 및
       깨끗한 음료수의 제공 등을 통하여 질병과 영양실조를 퇴치하기
       위한 조치,
   라. 산모를 위하여 출산 전후의 적절한 건강관리를 보장하는 조치,
   마. 모든 사회구성원, 특히 부모와 아동은 아동의 건강과 영양, 모유
       수유의 이익, 위생 및 환경정화 그리고 사고예방에 관한 기초지식의
       활용에 있어서 정보를 제공받고, 교육을 받으며, 지원을 받을 것을
       확보하는 조치,
   바. 예방적 건강관리, 부모를 위한 지도 및 가족계획에 관한 교육과
       편의를 발전시키는 조치

3. 당사국은 아동의 건강을 해치는 전통관습을 폐지하기 위하여 모든 효과적이고
   적절한 조치를 취하여야 한다.

- 15 -

0092

4. 당사국은 본 조에서 인정된 권리의 완전한 실현을 점진적으로 달성하기 위하여 국제협력을 촉진하고 장려하여야 한다. 이 문제에 있어서 개발 도상국의 필요에 대하여 특별한 고려가 베풀어져야 한다.

제 25 조

당사국은 신체적, 정신적 건강의 관리, 보호 또는 치료의 목적으로 관계 당국에 의하여 양육지정 조치된 아동이, 제공되는 치료 및 양육지정과 관련된 여타 모든 사정을 정기적으로 심사받을 권리를 가짐을 인정한다.

제 26 조

1. 당사국은 모든 아동이 사회보험을 포함한 사회보장제도의 혜택을 받을 권리를 가짐을 인정하며, 자국 국내법에 따라 이 권리의 완전한 실현을 달성하기 위하여 필요한 조치를 취하여야 한다.

2. 이러한 혜택은 아동 및 아동에 대한 부양책임자의 재력과 상황은 물론 아동에 의하여 직접 행하여지거나 또는 아동을 대신하여 행하여지는 혜택의 신청과 관련된 여타의 사정을 참작하여 적절한 경우에 부여되어야 한다.

제 27 조

1. 당사국은 모든 아동이 신체적, 지적, 정신적, 도덕적 및 사회적 발달에 적합한 생활수준을 누릴 권리를 가짐을 인정한다.

2. 부모 또는 기타 아동에 대하여 책임 있는 자는 능력과 재정의 범위내에서 아동 발달에 필요한 생활여건을 확보할 일차적 책임을 진다.

3. 당사국은 국내 여건과 재원의 범위내에서 부모 또는 기타 아동에 대하여 책임있는 자가 이 권리를 실현하는 것을 지원하기 위한 적절한 조치를 취하여야 하며, 필요한 경우에는 특히 영양, 의복 및 주거에 대하여 물질적 보조 및 지원계획을 제공하여야 한다.

4. 당사국은 국내외에 거주하는 부모 또는 기타 아동에 대하여 재정적으로 책임있는 자로부터 아동양육비의 회수를 확보하기 위한 모든 적절한 조치를 취하여야 한다. 특히 아동에 대하여 재정적으로 책임있는 자가 아동이 거주하는 국가와 다른 국가에 거주하는 경우, 당사국은 국제협약의 가입이나 그러한 협약의 체결은 물론 다른 적절한 조치의 강구를 촉진 하여야 한다.

제 28 조

1. 당사국은 아동의 교육에 대한 권리를 인정하며, 점진적으로 그리고 기회 균등의 기초 위에서 이 권리를 달성하기 위하여 특히 다음의 조치를 취하여야 한다.
   가. 초등교육은 의무적이며, 모든 사람에게 무료로 제공되어야 한다.
   나. 일반교육 및 직업교육을 포함한 여러 형태의 중등교육의 발전을 장려하고, 이에 대한 모든 아동의 이용 및 접근이 가능하도록 하며, 무료교육의 도입 및 필요한 경우 재정적 지원을 제공하는 등의 적절한 조치를 취하여야 한다.

다. 고등교육의 기회가 모든 사람에게 능력에 입각하여 개방될 수 있도록 모든 적절한 조치를 취하여야 한다.

라. 교육 및 직업에 관한 정보와 지도를 모든 아동이 이용하고 접근할 수 있도록 조치하여야 한다.

마. 학교에의 정기적 출석과 탈락율 감소를 장려하기 위한 조취를 취하여야 한다.

2. 당사국은 학교 규율이 아동의 인간적 존엄성과 합치하고 이 협약에 부합하도록 운영되는 것을 보장하기 위한 모든 적절한 조치를 취하여야 한다.

3. 당사국은, 특히 전세계의 무지와 문맹의 퇴치에 기여하고, 과학적, 기술적 지식과 현대적 교육방법에의 접근을 용이하게 하기 위하여, 교육에 관련되는 사항에 있어서 국제협력을 촉진하고 장려하여야 한다. 이 문제에 있어서 개발도상국의 필요에 대하여 특별한 고려가 베풀어져야 한다.

제 29 조

1. 당사국은 아동교육이 다음의 목표를 지향하여야 한다는데 동의한다.

가. 아동의 인격, 재능 및 정신적, 신체적 능력의 최대한의 계발

나. 인권과 기본적 자유 및 국제연합헌장에 내포된 원칙에 대한 존중의 계발

다. 자신의 부모, 문화적 주체성, 언어 및 가치 그리고 현거주국과 출신국의 국가적 가치 및 이질문명에 대한 존중의 계발,

라. 아동이 인종적, 민족적, 종교적 집단 및 원주민 등 모든 사람과의
    관계에 있어서 이해, 평화, 관용, 성(姓)의 평등 및 우정의 정신에
    입각하여, 자유사회에서 책임있는 삶을 영위하도록 하는 준비

마. 자연환경에 대한 존중의 계발

2. 본조 또는 제28조의 여하한 부분도 개인 및 단체가, 언제나 본조 제1항에
   규정된 원칙들을 준수하고 당해교육기관에서 실시되는 교육이 국가에
   의하여 설정된 최소한의 기준에 부합하여야 한다는 조건하에, 교육기관을
   설립하여 운영할 수 있는 자유를 침해하는 것으로 해석되어서는 아니된다.

제 30 조

인종적, 종교적 또는 언어적 소수자나 원주민이 존재하는 국가에서 이러한
소수자에 속하거나 원주민인 아동은, 자기 집단의 다른 구성원과 함께, 고유
문화를 향유하고, 고유의 종교를 신앙하고 실천하며, 고유의 언어를 사용할
권리를 부인당하지 아니한다.

제 31 조

1. 당사국은 휴식과 여가를 즐기고, 자신의 연령에 적합한 놀이와 오락활동에
   참여하며, 문화생활과 예술에 자유롭게 참여할 수 있는 아동의 권리를
   인정한다.

2. 당사국은 문화적, 예술적 생활에 완전하게 참여할 수 있는 아동의 권리를
   존중하고 촉진하며, 문화, 예술, 오락 및 여가활동을 위한 적절하고
   균등한 기회의 제공을 장려하여야 한다.

- 19 -

0096

제 32 조

1. 당사국은 경제적 착취 및 위험하거나, 아동의 교육에 방해되거나, 아동의
   건강이나 신체적, 지적, 정신적, 도덕적 또는 사회적 발전에 유해한
   여하한 노동의 수행으로부터 보호받을 아동의 권리를 인정한다.

2. 당사국은 본 조의 이행을 보장하기 위한 입법적, 행정적, 사회적 및
   교육적 조치를 강구하여야 한다. 이 목적을 위하여 그리고 여타 국제문서의
   관련 규정을 고려하여 당사국은 특히 다음의 조치를 취하여야 한다.

   가. 단일 또는 복수의 최저 고용연령의 규정
   나. 고용시간 및 조건에 관한 적절한 규정의 마련
   다. 본 조의 효과적인 실시를 확보하기 위한 적절한 처벌 또는 기타
       제재수단의 규정

제 33 조

   당사국은 관련 국제조약에서 규정하고 있는 마약과 향정신성 물질의 불법적
사용으로부터 아동을 보호하고 이러한 물질의 불법적 생산과 거래에 아동이
이용되는 것을 방지하기 위하여 입법적, 행정적, 사회적, 교육적 조치를 포함한
모든 적절한 조치를 취하여야 한다.

제 34 조

   당사국은 모든 형태의 성적 착취와 성적 학대로부터 아동을 보호할 의무를
진다. 이 목적을 달성하기 위하여, 당사국은 특히 다음의 사항을 방지하기
위한 모든 적절한 국내적, 양국간, 다국간 조치를 취하여야 한다.

가. 아동을 여하한 위법한 성적 활동에 종사하도록 유인하거나 강제하는 행위

나. 아동을 매음이나 기타 위법한 성적 활동에 착취적으로 이용하는 행위

다. 아동을 외설스러운 공연 및 자료에 착취적으로 이용하는 행위

제 35 조

당사국은 여하한 목적과 형태의 아동의 약취유인이나 매매 또는 거래를 방지하기 위한 모든 적절한 국내적, 양국간, 다국간 조치를 취하여야 한다.

제 36 조

당사국은 아동복지의 어떠한 측면에 대하여라도 해가되는 기타 모든 형태의 착취로부터 아동을 보호하여야 한다.

제 37 조

당사국은 다음의 사항을 보장하여야 한다.

가. 어떠한 아동도 고문 또는 기타 잔혹하거나 비인간적이거나 굴욕적인 대우나 처벌을 받지 아니한다. 사형 또는 석방의 가능성이 없는 종신형은 18세 미만의 사람이 범한 범죄에 대하여 과하여져서는 아니된다.

나. 어떠한 아동도 위법적 또는 자의적으로 자유를 박탈당하지 아니한다. 아동의 체포, 억류 또는 구금은 법률에 따라 행하여져야 하며, 오직 최후의 수단으로서 또한 적절한 최단기간 동안만 사용되어야 한다.

다. 자유를 박탈당한 모든 아동은 인도주의와 인간 고유의 존엄성에 대한 존중에 입각하여 그리고 그들의 연령상의 필요를 고려하여 처우되어야 한다. 특히 자유를 박탈당한 모든 아동은, 성인으로부터 격리되지 아니하는 것이 아동의 최상의 이익에 합치한다고 생각되는 경우를 제외하고는 성인으로부터 격리되어야 하며, 예외적인 경우를 제외하고는 서신과 방문을 통하여 자기 가족과의 접촉을 유지할 권리를 갖는다.

- 21 -

라. 자유를 박탈당한 모든 아동은 법률적 및 기타 적절한 구조에 신속하게
접근할 권리를 가짐은 물론 법원이나 기타 권한있고, 독립적이며 공정한
당국 앞에서 자신에 대한 자유박탈의 합법성에 이의를 제기하고 이러한
소송에 대하여 신속한 결정을 받을 권리를 갖는다.

제 38 조

1. 당사국은, 아동에게 관련이 있는 무력분쟁에 있어서, 당사국에 적용가능한
국제인도법의 규칙을 존중하고 동 존중을 보장할 의무를 진다.

2. 당사국은 15세에 달하지 아니한 자가 적대행위에 직접 참여하지 아니할
것을 보장하기 위하여 실행가능한 모든 조치를 취하여야 한다.

3. 당사국은 15세에 달하지 아니한 자의 징병을 삼가하여야 한다. 15세에
달하였으나 18세에 달하지 아니한 자 중에서 징병하는 경우, 당사국은
최연장자에게 우선순위를 두도록 노력하여야 한다.

4. 무력분쟁에 있어서 민간인 보호를 위한 국제인도법상의 의무에 따라서,
당사국은 무력분쟁의 영향을 받는 아동의 보호 및 배려를 확보하기 위하여
실행가능한 모든 조치를 취하여야 한다.

제 39 조

당사국은 여하한 형태의 유기, 착취, 학대, 또는 고문이나 기타 여하한
형태의 잔혹하거나 비인간적이거나 굴욕적인 대우나 처벌, 또는 무력분쟁으로
인하여 희생이 된 아동의 신체적, 심리적 회복 및 사회복귀를 촉진시키기
위한 모든 적절한 조치를 취하여야 한다.

- 22 -

제 40 조

1. 당사국은, 형사피의자나 형사피고인 또는 유죄로 인정받은 모든 아동에
   대하여, 아동의 연령 그리고 아동의 사회복귀 및 사회에서의 건설적 역할
   담당을 촉진하는 것이 바람직스럽다는 점을 고려하고, 인권과 타인의
   기본적 자유에 대한 아동의 존중심을 강화시키며, 존엄과 가치에 대한
   아동의 자각을 촉진시키는데 부합하도록 처우받을 권리를 가짐을 인정한다.

2. 이 목적을 위하여 그리고 국제문서의 관련규정을 고려하며, 당사국은
   특히 다음 사항을 보장하여야 한다.

   가. 모든 아동은 행위시의 국내법 또는 국제법에 의하여 금지되지
       아니한 작위 또는 부작위를 이유로 하여 형사피의자가 되거나
       형사기소되거나 유죄로 인정받지 아니한다.
   나. 형사피의자 또는 형사피고인인 모든 아동은 최소한 다음사항을
       보장받는다.
       (1) 법률에 따라 유죄가 입증될 때까지는 무죄로 추정받는다.
       (2) 피의사실을 신속하게 그리고 직접 또는, 적절한 경우, 부모나
           법정 후견인을 통하여 통지받으며, 변론의 준비 및 제출시
           법률적 또는 기타 적절한 지원을 받는다.
       (3) 권한있고 독립적이며 공평한 기관 또는 사법기관에 의하여
           법률적 또는 기타 적당한 지원하에 법률에 따른 공정한 심리를
           받아 지체없이 사건이 판결되어야 하며, 아동의 최상의 이익에
           반한다고 판단되지 아니하는 경우, 특히 그의 연령이나 주변환경,
           부모 또는 법정후견인 등을 고려하여야 한다.

0100

(4) 증언이나 유죄의 자백을 강요당하지 아니하며, 자신에게 불리한 증인을 신문하거나 또는 신문받도록 하며, 대등한 조건하에 자신을 위한 증인의 출석과 신문을 확보한다.

(5) 형법위반으로 간주되는 경우, 그 결정 및 그에 따라 부과된 여하한 조치는 법률에 따라 권한있고 독립적이며 공정한 상급당국이나 사법기관에 의하여 심사되어야 한다.

(6) 아동이 사용되는 언어를 이해하지 못하거나 말하지 못하는 경우, 무료로 통역원의 지원을 받는다.

(7) 사법절차의 모든 단계에서 아동의 사생활은 충분히 존중되어야 한다.

3. 당사국은 형사피의자, 형사피고인 또는 유죄로 인정받은 아동에게 특별히 적용될 수 있는 법률, 절차, 기관 및 기구의 설립을 촉진하도록 노력하며, 특히 다음 사항에 노력하여야 한다.

가. 형법위반능력이 없다고 추정되는 최저 연령의 설정
나. 적절하고 바람직스러운 경우, 인권과 법적 보장이 완전히 존중된다는 조건하에 이러한 아동을 사법절차에 의하지 아니하고 다루기 위한 조치

4. 아동이 그들의 복지에 적절하고 그들의 여건 및 범행에 비례하여 취급될 것을 보장하기 위하여, 보호, 지도 및 감독명령, 상담, 보호관찰, 보호 양육, 교육과 직업훈련계획 및 제도적 보호에 대한 여타 대체방안 등 여러가지 처분이 이용 가능하여야 한다.

제 41 조

이 협약의 규정은 다음 사항에 포함되어 있는 아동권리의 실현에 보다
공헌할 수 있는 여하한 규정에도 영향을 미치지 아니한다.

가. 당사국의 법 또는,
나. 당사국에 대하여 효력을 갖는 국제법

제 2 부

제 42 조

당사국은 이 협약의 원칙과 규정을 적절하고 적극적인 수단을 통하여 성인과
아동 모두에게 널리 알릴 의무를 진다.

제 43 조

1. 이 협약상의 의무이행을 달성함에 있어서 당사국이 이룩한 진전상황을
   심사하기 위하여 이하에 규정된 기능을 수행하는 아동권리위원회를
   설립한다.

2. 위원회는 고매한 인격을 가지고 이 협약이 대상으로 하는 분야에서 능력이
   인정된 10명의 전문가로 구성된다. 위원회의 위원은 형평한 지리적 배분과
   주요 법체계를 고려하여 당사국의 국민 중에서 선출되며, 개인적 자격으로
   임무를 수행한다.

3. 위원회의 위원은 당사국에 의하여 지명된 자의 명단중에서 비밀투표에
   의하여 선출된다. 각 당사국은 자국민 중에서 1인을 지명할 수 있다.

4. 위원회의 최초의 선거는 이 협약 발효일로부터 6월 이내에 실시되며, 그 이후는 매 2년마다 실시된다. 각 선거일의 최소 4월 이전에 국제연합 사무총장은 당사국에 대하여 2월 이내에 후보자 지명을 제출하라는 서한을 발송하여야 한다. 사무총장은 지명한 당사국의 표시와 함께 알파벳 순으로 지명된 후보들의 명단을 작성하여, 이를 이 협약의 당사국에게 제시하여야 한다.

5. 선거는 국제연합 본부에서 사무총장에 의하여 소집된 당사국 회의에서 실시된다. 이 회의는 당사국의 3분의 2를 의사정족수로 하고, 출석하고 투표한 당사국 대표의 최대다수표 및 절대다수표를 획득하는 자가 위원으로 선출된다.

6. 위원회의 위원은 4년 임기로 선출된다. 위원은 재지명된 경우에 재선될 수 있다. 최초의 선거에서 선출된 위원 중 5인의 임기는 2년 후에 종료된다. 이들 5인 위원의 명단은 최초선거 후 즉시 동 회의의 의장에 의하여 추첨으로 선정된다.

7. 위원회 위원이 사망, 사퇴 또는 본인이 여하한 이유로 인하여 위원회의 임무를 더 이상 수행할 수 없다고 선언하는 경우, 그 위원을 지명한 당사국은 위원회의 승인을 조건으로 자국민 중에서 잔여 임기를 수행할 다른 전문가를 임명한다.

8. 위원회는 자체의 절차규정을 제정한다.

9. 위원회는 2년 임기의 임원을 선출한다.

10. 위원회의 회의는 통상 국제연합 본부나 위원회가 결정하는 여타의 편리한 장소에서 개최된다. 위원회는 통상 매년 회의를 한다. 위원회의 회의 기간은, 필요한 경우, 총회의 승인을 조건으로 이 협약 당사국 회의에 의하여 결정되고 재검토된다.

- 26 -

0103

11. 국제연합 사무총장은 이 협약에 설립된 위원회의 효과적인 기능수행을 위하여 필요한 직원과 편의를 제공한다.

12. 이 협약에 따라 설립된 위원회의 위원은, 총회의 승인을 얻고, 총회가 결정하는 기간과 조건에 따라 국제연합의 재원으로부터 보수를 받는다.

제 44 조

1. 당사국은 이 협약에서 인정된 권리를 실행하기 위하여 그들이 채택한 조치와 동 권리의 향유와 관련하여 이룩한 진전상황에 관한 보고서를 다음과 같이 국제연합 사무총장을 통하여 위원회에 제출한다.

   가. 관계 당사국에 대하여 이 협약이 발효한 후 2년 이내
   나. 그 후 매 5년마다

2. 본 조에 따라 제출되는 보고서는 이 협약상 의무의 이행정도에 영향을 미치는 요소와 장애가 있을 경우 이를 적시하여야 한다. 보고서는 또한 관계국에서의 협약이행에 관한 포괄적인 이해를 위원회에 제공하기 위한 충분한 정보를 포함하여야 한다.

3. 위원회에 포괄적인 최초의 보고서를 제출한 당사국은, 본조 제1항 나호에 따라서 제출하는 후속보고서에 이미 제출된 기초적 정보를 반복할 필요는 없다.

4. 위원회는 당사국으로부터 이 협약의 이행과 관련이 있는 추가정보를 요청할 수 있다.

5. 위원회는 위원회의 활동에 관한 보고서를 매 2년마다 경제사회이사회를 통하여 총회에 제출한다.

6. 당사국은 자국의 활동에 관한 보고서를 자국 내 일반에게 널리 활용가능
   하도록 하여야 한다.

제45조

이 협약의 효과적인 이행을 촉진하고 이 협약이 대상으로 하는 분야에서의
국제협력을 장려하기 위하여,

가. 전문기구, 국제연합 아동기금 및 국제연합의 여타 기관은 이 협약 중
    그들의 권한 범위내에 속하는 규정의 이행에 관한 논의에 대표를 파견할
    권리를 갖는다. 위원회는 전문기구, 국제연합 아동기금 및 위원회가
    적절하다고 판단하는 여타의 권한있는 기구에 대하여 각 기구의 권한
    법위에 속하는 분야에 있어서 이 협약의 이행에 관한 전문적인 자문을
    제공하여 줄 것을 요청할 수 있다. 위원회는 전문기구, 국제연합 아동기금
    및 국제연합의 여타 기관에게 그들의 활동법위에 속하는 분야에서의 이
    협약의 이행에 관한 보고서를 제출할 것을 요청할 수 있다.

나. 위원회는, 적절하다고 판단되는 경우, 기술적 자문이나 지원을 요청하거나
    그 필요성을 지적하고 있는 당사국의 모든 보고서를 그러한 요청이나
    지적에 대한 위원회의 의견이나 제안이 있으면 동 의견이나 제안과 함께,
    전문기구, 국제연합 아동기금 및 여타 권한있는 기구에 전달하여야 한다.

다. 위원회는 사무총장이 위원회를 대신하여 아동권리와 관련이 있는 특정
    문제를 조사하도록 요청할 것을 총회에 대하여 권고할 수 있다.

라. 위원회는 이 협약 제44조와 제45조에 따라 접수한 정보에 기초하여
    제안과 일반적 권고를 할 수 있다. 이러한 제안과 일반적 권고는 당사국의
    논평이 있으면 그 논평과 함께 모든 관계 당사국에 전달되고 총회에 보고
    되어야 한다.

- 28 -

0105

제 3 부

제 46 조

이 협약은 모든 국가에 의한 서명을 위하여 개방된다.

제 47 조

이 협약은 비준되어야 한다. 비준서는 국제연합 사무총장에게 기탁되어야 한다.

제 48 조

이 협약은 모든 국가에 의한 가입을 위하여 개방된다. 가입서는 국제연합 사무총장에게 기탁되어야 한다.

제 49 조

1. 이 협약은 20번째의 비준서 또는 가입서가 국제연합 사무총장에게 기탁 되는 날로부터 30일째 되는 날 발효한다.

2. 20번째의 비준서 또는 가입서의 기탁 이후에 이 협약을 비준하거나 가입하는 각 국가에 대하여, 이 협약은 그 국가의 비준서 또는 가입서 기탁 후 30일째 되는 날 발효한다.

제 50 조

1. 모든 당사국은 개정안을 제안하고 이를 국제연합 사무총장에게 제출할
   수 있다. 동 제출에 기하여 사무총장은, 당사국에게 동 제안을 심의하고
   표결에 붙이기 위한 당사국회의 개최에 대한 찬성 여부에 관한 의견을
   표시하여 줄 것을 요청하는 것과 함께, 개정안을 당사국에게 송부하여야
   한다. 이러한 통보일로부터 4월 이내에 당사국 중 최소 3분의 1이 회의
   개최에 찬성하는 경우, 사무총장은 국제연합 주관하에 동 회의를 소집하여야
   한다. 동 회의에 출석하고 표결한 당사국의 과반수에 의하여 채택된 개정안은
   그 승인을 위하여 국제연합 총회에 제출된다.

2. 본 조 제1항에 따라서 채택된 개정안은 국제연합 총회에 의하여 승인
   되고, 당사국의 3분의 2의 다수가 수락하는 때에 발효한다.

3. 개정안은 발효한 때에 이를 수락한 당사국을 구속하며, 여타의 당사국은
   계속하여 이 협약의 규정 및 이미 수락한 그 이전의 모든 개정에 의하여
   구속된다.

제 51 조

1. 국제연합 사무총장은 비준 또는 가입시 각국이 행한 유보문을 접수하고
   모든 국가에게 이를 배포하여야 한다.

2. 이 협약의 대상 및 목적과 양립할 수 없는 유보는 허용되지 아니한다.

3. 유보는 국제연합 사무총장에게 발송된 통고를 통하여 언제든지 철회될 수
   있으며, 사무총장은 이를 모든 국가에게 통보하여야 한다. 그러한 통고는
   사무총장에게 접수된 날로부터 발효한다.

- 30 -

0107

제 52 조

당사국은 국제연합 사무총장에 대한 서면통고를 통하여 이 협약을 폐기할 수 있다. 폐기는 사무총장이 통고를 접수한 날로부터 1년 후에 발효한다.

제 53 조

국제연합 사무총장은 이 협약의 수탁자로 지명된다.

제 54 조

아랍어, 중국어, 영어, 불어, 러시아어 및 서반아어본이 동등히 정본인 이 협약의 원본은 국제연합 사무총장에게 기탁된다.

이상의 증거로, 아래의 서명 전권대표들은 각국 정부에 의하여 정당히 권한을 위임받아 이 협약에 서명하였다.

아동의 권리에 관한 협약
(영문 정본)

0109

Convention on the Rights of the Child

PREAMBLE

The States Parties to the present Convention,

Considering that, in accordance with the principles proclaimed in the Charter of the United Nations, recognition of the inherent dignity and of the equal and inalienable rights of all members of the human family is the foundation of freedom, justice and peace in the world,

Bearing in mind that the peoples of the United Nations have, in the Charter, reaffirmed their faith in fundamental human rights and in the dignity and worth of the human person, and have determined to promote social progress and better standards of life in larger freedom,

Recognizing that the United Nations has, in the Universal Declaration of Human Rights 3/ and in the International Covenants on Human Rights, 4/ proclaimed and agreed that everyone is entitled to all the rights and freedoms set forth therein, without distinction of any kind, such as race, colour, sex, language, religion, political or other opinion, national or social origin, property, birth or other status,

Recalling that, in the Universal Declaration of Human Rights, the United Nations has proclaimed that childhood is entitled to special care and assistance,

Convinced that the family, as the fundamental group of society and the natural environment for the growth and well-being of all its members and particularly children, should be afforded the necessary protection and assistance so that it can fully assume its responsibilities within the community,

Recognizing that the child, for the full and harmonious development of his or her personality, should grow up in a family environment, in an atmosphere of happiness, love and understanding,

Considering that the child should be fully prepared to live an individual life in society, and brought up in the spirit of the ideals proclaimed in the Charter of the United Nations, and in particular in the spirit of peace, dignity, tolerance, freedom, equality and solidarity,

---

3/   Resolution 217 A (III).

4/   See resolution 2200 A (XXI), annex.

/...

(1)   0110

Bearing in mind that the need to extend particular care to the child has been stated in the Geneva Declaration of the Rights of the Child of 1924 5/ and in the Declaration of the Rights of the Child adopted by the General Assembly on 20 November 1959 2/ and recognized in the Universal Declaration of Human Rights, in the International Covenant on Civil and Political Rights (in particular in articles 23 and 24), 4/ in the International Covenant on Economic, Social and Cultural Rights (in particular in article 10) 4/ and in the statutes and relevant instruments of specialized agencies and international organizations concerned with the welfare of children,

Bearing in mind that, as indicated in the Declaration of the Rights of the Child, "the child, by reason of his physical and mental immaturity, needs special safeguards and care, including appropriate legal protection, before as well as after birth", 6/

Recalling the provisions of the Declaration on Social and Legal Principles relating to the Protection and Welfare of Children, with Special Reference to Foster Placement and Adoption Nationally and Internationally; 7/ the United Nations Standard Minimum Rules for the Administration of Juvenile Justice (The Beijing Rules); 8/ and the Declaration on the Protection of Women and Children in Emergency and Armed Conflict, 9/

Recognizing that, in all countries in the world, there are children living in exceptionally difficult conditions, and that such children need special consideration,

Taking due account of the importance of the traditions and cultural values of each people for the protection and harmonious development of the child,

Recognizing the importance of international co-operation for improving the living conditions of children in every country, in particular in the developing countries,

Have agreed as follows:

5/   See League of Nations, Official Journal, Special Supplement No. 21, October 1924, p. 43.

6/   Resolution 1386 (XIV), third preambular paragraph.

7/   Resolution 41/85, annex.

8/   Resolution 40/33, annex.

9/   Resolution 3318 (XXIX).

0111   /...

(2)

PART I

Article 1

For the purposes of the present Convention, a child means every human being below the age of eighteen years unless, under the law applicable to the child, majority is attained earlier.

Article 2

1.   States Parties shall respect and ensure the rights set forth in the present Convention to each child within their jurisdiction without discrimination of any kind, irrespective of the child's or his or her parent's or legal guardian's race, colour, sex, language, religion, political or other opinion, national, ethnic or social origin, property, disability, birth or other status.

2.   States Parties shall take all appropriate measures to ensure that the child is protected against all forms of discrimination or punishment on the basis of the status, activities, expressed opinions, or beliefs of the child's parents, legal guardians, or family members.

Article 3

1.   In all actions concerning children, whether undertaken by public or private social welfare institutions, courts of law, administrative authorities or legislative bodies, the best interests of the child shall be a primary consideration.

2.   States Parties undertake to ensure the child such protection and care as is necessary for his or her well-being, taking into account the rights and duties of his or her parents, legal guardians, or other individuals legally responsible for him or her, and, to this end, shall take all appropriate legislative and administrative measures.

3.   States Parties shall ensure that the institutions, services and facilities responsible for the care or protection of children shall conform with the standards established by competent authorities, particularly in the areas of safety, health, in the number and suitability of their staff, as well as competent supervision.

Article 4

States Parties shall undertake all appropriate legislative, administrative, and other measures for the implementation of the rights recognized in the present Convention. With regard to economic, social and cultural rights, States Parties shall undertake such measures to the maximum extent of their available resources and, where needed, within the framework of international co-operation.

/...

(3)

0113
0112

Article 5

States Parties shall respect the responsibilities, rights and duties of parents or, where applicable, the members of the extended family or community as provided for by local custom, legal guardians or other persons legally responsible for the child, to provide, in a manner consistent with the evolving capacities of the child, appropriate direction and guidance in the exercise by the child of the rights recognized in the present Convention.

Article 6

1.   States Parties recognize that every child has the inherent right to life.

2.   States Parties shall ensure to the maximum extent possible the survival and development of the child.

Article 7

1.   The child shall be registered immediately after birth and shall have the right from birth to a name, the right to acquire a nationality and, as far as possible, the right to know and be cared for by his or her parents.

2.   States Parties shall ensure the implementation of these rights in accordance with their national law and their obligations under the relevant international instruments in this field, in particular where the child would otherwise be stateless.

Article 8

1.   States Parties undertake to respect the right of the child to preserve his or her identity, including nationality, name and family relations as recognized by law without unlawful interference.

2.   Where a child is illegally deprived of some or all of the elements of his or her identity, States Parties shall provide appropriate assistance and protection, with a view to speedily re-establishing his or her identity.

Article 9

1.   States Parties shall ensure that a child shall not be separated from his or her parents against their will, except when competent authorities subject to judicial review determine, in accordance with applicable law and procedures, that such separation is necessary for the best interests of the child. Such determination may be necessary in a particular case such as one involving abuse or neglect of the child by the parents, or one where the parents are living separately and a decision must be made as to the child's place of residence.

/...

(4)

0113

2.   In any proceedings pursuant to paragraph 1 of the present article, all interested parties shall be given an opportunity to participate in the proceedings and make their views known.

3.   States Parties shall respect the right of the child who is separated from one or both parents to maintain personal relations and direct contact with both parents on a regular basis, except if it is contrary to the child's best interests.

4.   Where such separation results from any action initiated by a State Party, such as the detention, imprisonment, exile, deportation or death (including death arising from any cause while the person is in the custody of the State) of one or both parents or of the child, that State Party shall, upon request, provide the parents, the child or, if appropriate, another member of the family with the essential information concerning the whereabouts of the absent member(s) of the family unless the provision of the information would be detrimental to the well-being of the child. States Parties shall further ensure that the submission of such a request shall of itself entail no adverse consequences for the person(s) concerned.

Article 10

1.   In accordance with the obligation of States Parties under article 9, paragraph 1, applications by a child or his or her parents to enter or leave a State Party for the purpose of family reunification shall be dealt with by States Parties in a positive, humane and expeditious manner. States Parties shall further ensure that the submission of such a request shall entail no adverse consequences for the applicants and for the members of their family.

2.   A child whose parents reside in different States shall have the right to maintain on a regular basis, save in exceptional circumstances personal relations and direct contacts with both parents. Towards that end and in accordance with the obligation of States Parties under article 9, paragraph 2, States Parties shall respect the right of the child and his or her parents to leave any country, including their own, and to enter their own country. The right to leave any country shall be subject only to such restrictions as are prescribed by law and which are necessary to protect the national security, public order (ordre public), public health or morals or the rights and freedoms of others and are consistent with the other rights recognized in the present Convention.

Article 11

1.   States Parties shall take measures to combat the illicit transfer and non-return of children abroad.

2.   To this end, States Parties shall promote the conclusion of bilateral or multilateral agreements or accession to existing agreements.

0114   /...

(5)

Article 12

1.   States Parties shall assure to the child who is capable of forming his or her own views the right to express those views freely in all matters affecting the child, the views of the child being given due weight in accordance with the age and maturity of the child.

2.   For this purpose, the child shall in particular be provided the opportunity to be heard in any judicial and administrative proceedings affecting the child, either directly, or through a representative or an appropriate body, in a manner consistent with the procedural rules of national law.

Article 13

1.   The child shall have the right to freedom of expression; this right shall include freedom to seek, receive and impart information and ideas of all kinds, regardless of frontiers, either orally, in writing or in print, in the form of art, or through any other media of the child's choice.

2.   The exercise of this right may be subject to certain restrictions, but these shall only be such as are provided by law and are necessary:

   (a) For respect of the rights or reputations of others; or

   (b) For the protection of national security or of public order (ordre public), or of public health or morals.

Article 14

1.   States Parties shall respect the right of the child to freedom of thought, conscience and religion.

2.   States Parties shall respect the rights and duties of the parents and, when applicable, legal guardians, to provide direction to the child in the exercise of his or her right in a manner consistent with the evolving capacities of the child.

3.   Freedom to manifest one's religion or beliefs may be subject only to such limitations as are prescribed by law and are necessary to protect public safety, order, health or morals, or the fundamental rights and freedoms of others.

Article 15

1.   States Parties recognize the rights of the child to freedom of association and to freedom of peaceful assembly.

0115   /...

(6)

2.   No restrictions may be placed on the exercise of these rights other than those imposed in conformity with the law and which are necessary in a democratic society in the interests of national security or public safety, public order (ordre public), the protection of public health or morals or the protection of the rights and freedoms of others.

Article 16

1.   No child shall be subjected to arbitrary or unlawful interference with his or her privacy, family, home or correspondence, nor to unlawful attacks on his or her honour and reputation.

2.   The child has the right to the protection of the law against such interference or attacks.

Article 17

States Parties recognize the important function performed by the mass media and shall ensure that the child has access to information and material from a diversity of national and international sources, especially those aimed at the promotion of his or her social, spiritual and moral well-being and physical and mental health. To this end, States Parties shall:

(a) Encourage the mass media to disseminate information and material of social and cultural benefit to the child and in accordance with the spirit of article 29;

(b) Encourage international co-operation in the production, exchange and dissemination of such information and material from a diversity of cultural, national and international sources;

(c) Encourage the production and dissemination of children's books;

(d) Encourage the mass media to have particular regard to the linguistic needs of the child who belongs to a minority group or who is indigenous;

(e) Encourage the development of appropriate guidelines for the protection of the child from information and material injurious to his or her well-being, bearing in mind the provisions of articles 13 and 18.

Article 18

1.   States Parties shall use their best efforts to ensure recognition of the principle that both parents have common responsibilities for the upbringing and development of the child. Parents or, as the case may be, legal guardians, have the primary responsibility for the upbringing and development of the child. The best interests of the child will be their basic concern.

/...

(7)

0116

2.   For the purpose of guaranteeing and promoting the rights set forth in the present Convention, States Parties shall render appropriate assistance to parents and legal guardians in the performance of their child-rearing responsibilities and shall ensure the development of institutions, facilities and services for the care of children.

3.   States Parties shall take all appropriate measures to ensure that children of working parents have the right to benefit from child-care services and facilities for which they are eligible.

Article 19

1.   States Parties shall take all appropriate legislative, administrative, social and educational measures to protect the child from all forms of physical or mental violence, injury or abuse, neglect or negligent treatment, maltreatment or exploitation, including sexual abuse, while in the care of parent(s), legal guardian(s) or any other person who has the care of the child.

2.   Such protective measures should, as appropriate, include effective procedures for the establishment of social programmes to provide necessary support for the child and for those who have the care of the child, as well as for other forms of prevention and for identification, reporting, referral, investigation, treatment and follow-up of instances of child maltreatment described heretofore, and, as appropriate, for judicial involvement.

Article 20

1.   A child temporarily or permanently deprived of his or her family environment, or in whose own best interests cannot be allowed to remain in that environment, shall be entitled to special protection and assistance provided by the State.

2.   States Parties shall in accordance with their national laws ensure alternative care for such a child.

3.   Such care could include, inter alia, foster placement, kafalah of Islamic law, adoption or if necessary placement in suitable institutions for the care of children. When considering solutions, due regard shall be paid to the desirability of continuity in a child's upbringing and to the child's ethnic, religious, cultural and linguistic background.

Article 21

     States Parties that recognize and/or permit the system of adoption shall ensure that the best interests of the child shall be the paramount consideration and they shall:

0117   /...

(8)

(<u>a</u>) Ensure that the adoption of a child is authorized only by competent authorities who determine, in accordance with applicable law and procedures and on the basis of all pertinent and reliable information, that the adoption is permissible in view of the child's status concerning parents, relatives and legal guardians and that, if required, the persons concerned have given their informed consent to the adoption on the basis of such counselling as may be necessary;

(<u>b</u>) Recognize that inter-country adoption may be considered as an alternative means of child's care, if the child cannot be placed in a foster or an adoptive family or cannot in any suitable manner be cared for in the child's country of origin;

(<u>c</u>) Ensure that the child concerned by inter-country adoption enjoys safeguards and standards equivalent to those existing in the case of national adoption;

(<u>d</u>) Take all appropriate measures to ensure that, in inter-country adoption, the placement does not result in improper financial gain for those involved in it;

(<u>e</u>) Promote, where appropriate, the objectives of the present article by concluding bilateral or multilateral arrangements or agreements, and endeavour, within this framework, to ensure that the placement of the child in another country is carried out by competent authorities or organs.

Article 22

1.   States Parties shall take appropriate measures to ensure that a child who is seeking refugee status or who is considered a refugee in accordance with applicable international or domestic law and procedures shall, whether unaccompanied or accompanied by his or her parents or by any other person, receive appropriate protection and humanitarian assistance in the enjoyment of applicable rights set forth in the present Convention and in other international human rights or humanitarian instruments to which the said States are Parties.

2.   For this purpose, States Parties shall provide, as they consider appropriate, co-operation in any efforts by the United Nations and other competent intergovernmental organizations or non-governmental organizations co-operating with the United Nations to protect and assist such a child and to trace the parents or other members of the family of any refugee child in order to obtain information necessary for reunification with his or her family. In cases where no parents or other members of the family can be found, the child shall be accorded the same protection as any other child permanently or temporarily deprived of his or her family environment for any reason, as set forth in the present Convention.

(9)

/...

0118

Article 23

1.   States Parties recognize that a mentally or physically disabled child should enjoy a full and decent life, in conditions which ensure dignity, promote self-reliance and facilitate the child's active participation in the community.

2.   States Parties recognize the right of the disabled child to special care and shall encourage and ensure the extension, subject to available resources, to the eligible child and those responsible for his or her care, of assistance for which application is made and which is appropriate to the child's condition and to the circumstances of the parents or others caring for the child.

3.   Recognizing the special needs of a disabled child, assistance extended in accordance with paragraph 2 of the present article shall be provided free of charge, whenever possible, taking into account the financial resources of the parents or others caring for the child, and shall be designed to ensure that the disabled child has effective access to and receives education, training, health care services, rehabilitation services, preparation for employment and recreation opportunities in a manner conducive to the child's achieving the fullest possible social integration and individual development, including his or her cultural and spiritual development.

4.   States Parties shall promote, in the spirit of international co-operation, the exchange of appropriate information in the field of preventive health care and of medical, psychological and functional treatment of disabled children, including dissemination of and access to information concerning methods of rehabilitation, education and vocational services, with the aim of enabling States Parties to improve their capabilities and skills and to widen their experience in these areas.   In this regard, particular account shall be taken of the needs of developing countries.

Article 24

1.   States Parties recognize the right of the child to the enjoyment of the highest attainable standard of health and to facilities for the treatment of illness and rehabilitation of health.   States Parties shall strive to ensure that no child is deprived of his or her right of access to such health care services.

2.   States Parties shall pursue full implementation of this right and, in particular, shall take appropriate measures:

   (a) To diminish infant and child mortality;

   (b) To ensure the provision of necessary medical assistance and health care to all children with emphasis on the development of primary health care;

(<u>c</u>)   To combat disease and malnutrition, including within the framework of primary health care, through, <u>inter alia</u>, the application of readily available technology and through the provision of adequate nutritious foods and clean drinking-water, taking into consideration the dangers and risks of environmental pollution;

(<u>d</u>)   To ensure appropriate pre-natal and post-natal health care for mothers;

(<u>e</u>)   To ensure that all segments of society, in particular parents and children, are informed, have access to education and are supported in the use of basic knowledge of child health and nutrition, the advantages of breast-feeding, hygiene and environmental sanitation and the prevention of accidents;

(<u>f</u>)   To develop preventive health care, guidance for parents and family planning education and services.

3.   States Parties shall take all effective and appropriate measures with a view to abolishing traditional practices prejudicial to the health of children.

4.   States Parties undertake to promote and encourage international co-operation with a view to achieving progressively the full realization of the right recognized in the present article.   In this regard, particular account shall be taken of the needs of developing countries.

Article 25

States Parties recognize the right of a child who has been placed by the competent authorities for the purposes of care, protection or treatment of his or her physical or mental health, to a periodic review of the treatment provided to the child and all other circumstances relevant to his or her placement.

Article 26

1.   States Parties shall recognize for every child the right to benefit from social security, including social insurance, and shall take the necessary measures to achieve the full realization of this right in accordance with their national law.

2.   The benefits should, where appropriate, be granted, taking into account the resources and the circumstances of the child and persons having responsibility for the maintenance of the child, as well as any other consideration relevant to an application for benefits made by or on behalf of the child.

(11)

0120 /...

Article 27

1.   States Parties recognize the right of every child to a standard of living adequate for the child's physical, mental, spiritual, moral and social development.

2.   The parent(s) or others responsible for the child have the primary responsibility to secure, within their abilities and financial capacities, the conditions of living necessary for the child's development.

3.   States Parties, in accordance with national conditions and within their means, shall take appropriate measures to assist parents and others responsible for the child to implement this right and shall in case of need provide material assistance and support programmes, particularly with regard to nutrition, clothing and housing.

4.   States Parties shall take all appropriate measures to secure the recovery of maintenance for the child from the parents or other persons having financial responsibility for the child, both within the State Party and from abroad. In particular, where the person having financial responsibility for the child lives in a State different from that of the child, States Parties shall promote the accession to international agreements or the conclusion of such agreements, as well as the making of other appropriate arrangements.

Article 28

1.   States Parties recognize the right of the child to education, and with a view to achieving this right progressively and on the basis of equal opportunity, they shall, in particular:

(a) Make primary education compulsory and available free to all;

(b) Encourage the development of different forms of secondary education, including general and vocational education, make them available and accessible to every child, and take appropriate measures such as the introduction of free education and offering financial assistance in case of need;

(c) Make higher education accessible to all on the basis of capacity by every appropriate means;

(d) Make educational and vocational information and guidance available and accessible to all children;

(e) Take measures to encourage regular attendance at schools and the reduction of drop-out rates.

2.   States Parties shall take all appropriate measures to ensure that school discipline is administered in a manner consistent with the child's human dignity and in conformity with the present Convention.

(12)

0121   /...

3.   States Parties shall promote and encourage international co-operation in matters relating to education, in particular with a view to contributing to the elimination of ignorance and illiteracy throughout the world and facilitating access to scientific and technical knowledge and modern teaching methods. In this regard, particular account shall be taken of the needs of developing countries.

Article 29

1.   States Parties agree that the education of the child shall be directed to:

    (a) The development of the child's personality, talents and mental and physical abilities to their fullest potential;

    (b) The development of respect for human rights and fundamental freedoms, and for the principles enshrined in the Charter of the United Nations;

    (c) The development of respect for the child's parents, his or her own cultural identity, language and values, for the national values of the country in which the child is living, the country from which he or she may originate, and for civilizations different from his or her own;

    (d) The preparation of the child for responsible life in a free society, in the spirit of understanding, peace, tolerance, equality of sexes, and friendship among all peoples, ethnic, national and religious groups and persons of indigenous origin;

    (e) The development of respect for the natural environment.

2.   No part of the present article or article 28 shall be construed so as to interfere with the liberty of individuals and bodies to establish and direct educational institutions, subject always to the observance of the principles set forth in paragraph 1 of the present article and to the requirements that the education given in such institutions shall conform to such minimum standards as may be laid down by the State.

Article 30

    In those States in which ethnic, religious or linguistic minorities or persons of indigenous origin exist, a child belonging to such a minority or who is indigenous shall not be denied the right, in community with other members of his or her group, to enjoy his or her own culture, to profess and practise his or her own religion, or to use his or her own language.

(13)

0122   /...

Article 31

1.   States Parties recognize the right of the child to rest and leisure, to engage in play and recreational activities appropriate to the age of the child and to participate freely in cultural life and the arts.

2.   States Parties shall respect and promote the right of the child to participate fully in cultural and artistic life and shall encourage the provision of appropriate and equal opportunities for cultural, artistic, recreational and leisure activity.

Article 32

1.   States Parties recognize the right of the child to be protected from economic exploitation and from performing any work that is likely to be hazardous or to interfere with the child's education, or to be harmful to the child's health or physical, mental, spiritual, moral or social development.

2.   States Parties shall take legislative, administrative, social and educational measures to ensure the implementation of the present article. To this end, and having regard to the relevant provisions of other international instruments, States Parties shall in particular:

   (a) Provide for a minimum age or minimum ages for admission to employment;

   (b) Provide for appropriate regulation of the hours and conditions of employment;

   (c) Provide for appropriate penalties or other sanctions to ensure the effective enforcement of the present article.

Article 33

   States Parties shall take all appropriate measures, including legislative, administrative, social and educational measures, to protect children from the illicit use of narcotic drugs and psychotropic substances as defined in the relevant international treaties, and to prevent the use of children in the illicit production and trafficking of such substances.

Article 34

   States Parties undertake to protect the child from all forms of sexual exploitation and sexual abuse. For these purposes, States Parties shall in particular take all appropriate national, bilateral and multilateral measures to prevent:

(14)

0123   /...

(a) The inducement or coercion of a child to engage in any unlawful sexual activity;

(b) The exploitative use of children in prostitution or other unlawful sexual practices;

(c) The exploitative use of children in pornographic performances and materials.

Article 35

States Parties shall take all appropriate national, bilateral and multilateral measures to prevent the abduction of, the sale of or traffic in children for any purpose or in any form.

Article 36

States Parties shall protect the child against all other forms of exploitation prejudicial to any aspects of the child's welfare.

Article 37

States Parties shall ensure that:

(a) No child shall be subjected to torture or other cruel, inhuman or degrading treatment or punishment. Neither capital punishment nor life imprisonment without possibility of release shall be imposed for offences committed by persons below eighteen years of age;

(b) No child shall be deprived of his or her liberty unlawfully or arbitrarily. The arrest, detention or imprisonment of a child shall be in conformity with the law and shall be used only as a measure of last resort and for the shortest appropriate period of time;

(c) Every child deprived of liberty shall be treated with humanity and respect for the inherent dignity of the human person, and in a manner which takes into account the needs of persons of his or her age. In particular, every child deprived of liberty shall be separated from adults unless it is considered in the child's best interest not to do so and shall have the right to maintain contact with his or her family through correspondence and visits, save in exceptional circumstances;

(d) Every child deprived of his or her liberty shall have the right to prompt access to legal and other appropriate assistance, as well as the right to challenge the legality of the deprivation of his or her liberty before a court or other competent, independent and impartial authority, and to a prompt decision on any such action.

(15)

/...

0124

Article 38

1.   States Parties undertake to respect and to ensure respect for rules of international humanitarian law applicable to them in armed conflicts which are relevant to the child.

2.   States Parties shall take all feasible measures to ensure that persons who have not attained the age of fifteen years do not take a direct part in hostilities.

3.   States Parties shall refrain from recruiting any person who has not attained the age of fifteen years into their armed forces. In recruiting among those persons who have attained the age of fifteen years but who have not attained the age of eighteen years, States Parties shall endeavour to give priority to those who are oldest.

4.   In accordance with their obligations under international humanitarian law to protect the civilian population in armed conflicts, States Parties shall take all feasible measures to ensure protection and care of children who are affected by an armed conflict.

Article 39

     States Parties shall take all appropriate measures to promote physical and psychological recovery and social reintegration of a child victim of: any form of neglect, exploitation, or abuse; torture or any other form of cruel, inhuman or degrading treatment or punishment; or armed conflicts. Such recovery and reintegration shall take place in an environment which fosters the health, self-respect and dignity of the child.

Article 40

1.   States Parties recognize the right of every child alleged as, accused of, or recognized as having infringed the penal law to be treated in a manner consistent with the promotion of the child's sense of dignity and worth, which reinforces the child's respect for the human rights and fundamental freedoms of others and which takes into account the child's age and the desirability of promoting the child's reintegration and the child's assuming a constructive role in society.

2.   To this end, and having regard to the relevant provisions of international instruments, States Parties shall, in particular, ensure that:

     (a) No child shall be alleged as, be accused of, or recognized as having infringed the penal law by reason of acts or omissions that were not prohibited by national or international law at the time they were committed;

     (b) Every child alleged as or accused of having infringed the penal law has at least the following guarantees:

(16)

/...

0125

(i) To be presumed innocent until proven guilty according to law;

(ii) To be informed promptly and directly of the charges against him or her, and, if appropriate, through his or her parents or legal guardians, and to have legal or other appropriate assistance in the preparation and presentation of his or her defence;

(iii) To have the matter determined without delay by a competent, independent and impartial authority or judicial body in a fair hearing according to law, in the presence of legal or other appropriate assistance and, unless it is considered not to be in the best interest of the child, in particular, taking into account his or her age or situation, his or her parents or legal guardians;

(iv) Not to be compelled to give testimony or to confess guilt; to examine or have examined adverse witnesses and to obtain the participation and examination of witnesses on his or her behalf under conditions of equality;

(v) If considered to have infringed the penal law, to have this decision and any measures imposed in consequence thereof reviewed by a higher competent, independent and impartial authority or judicial body according to law;

(vi) To have the free assistance of an interpreter if the child cannot understand or speak the language used;

(vii) To have his or her privacy fully respected at all stages of the proceedings.

3. States Parties shall seek to promote the establishment of laws, procedures, authorities and institutions specifically applicable to children alleged as, accused of, or recognized as having infringed the penal law, and, in particular:

(a) The establishment of a minimum age below which children shall be presumed not to have the capacity to infringe the penal law;

(b) Whenever appropriate and desirable, measures for dealing with such children without resorting to judicial proceedings, providing that human rights and legal safeguards are fully respected.

4. A variety of dispositions, such as care, guidance and supervision orders; counselling; probation; foster care; education and vocational training programmes and other alternatives to institutional care shall be available to ensure that children are dealt with in a manner appropriate to their well-being and proportionate both to their circumstances and the offence.

(17)

0126   /...

Article 41

Nothing in the present Convention shall affect any provisions which are more conducive to the realization of the rights of the child and which may be contained in:

(a) The law of a State Party; or

(b) International law in force for that State.

PART II

Article 42

States Parties undertake to make the principles and provisions of the Convention widely known, by appropriate and active means, to adults and children alike.

Article 43

1. For the purpose of examining the progress made by States Parties in achieving the realization of the obligations undertaken in the present Convention, there shall be established a Committee on the Rights of the Child, which shall carry out the functions hereinafter provided.

2. The Committee shall consist of ten experts of high moral standing and recognized competence in the field covered by this Convention. The members of the Committee shall be elected by States Parties from among their nationals and shall serve in their personal capacity, consideration being given to equitable geographical distribution, as well as to the principal legal systems.

3. The members of the Committee shall be elected by secret ballot from a list of persons nominated by States Parties. Each State Party may nominate one person from among its own nationals.

4. The initial election to the Committee shall be held no later than six months after the date of the entry into force of the present Convention and thereafter every second year. At least four months before the date of each election, the Secretary-General of the United Nations shall address a letter to States Parties inviting them to submit their nominations within two months. The Secretary-General shall subsequently prepare a list in alphabetical order of all persons thus nominated, indicating States Parties which have nominated them, and shall submit it to the States Parties to the present Convention.

5. The elections shall be held at meetings of States Parties convened by the Secretary-General at United Nations Headquarters. At those meetings, for which two thirds of States Parties shall constitute a quorum, the persons elected to the Committee shall be those who obtain the largest number of votes and an absolute majority of the votes of the representatives of States Parties present and voting.

(18)

0127   /...

6. The members of the Committee shall be elected for a term of four years. They shall be eligible for re-election if renominated. The term of five of the members elected at the first election shall expire at the end of two years; immediately after the first election, the names of these five members shall be chosen by lot by the Chairman of the meeting.

7. If a member of the Committee dies or resigns or declares that for any other cause he or she can no longer perform the duties of the Committee, the State Party which nominated the member shall appoint another expert from among its nationals to serve for the remainder of the term, subject to the approval of the Committee.

8. The Committee shall establish its own rules of procedure.

9. The Committee shall elect its officers for a period of two years.

10. The meetings of the Committee shall normally be held at United Nations Headquarters or at any other convenient place as determined by the Committee. The Committee shall normally meet annually. The duration of the meetings of the Committee shall be determined, and reviewed, if necessary, by a meeting of the States Parties to the present Convention, subject to the approval of the General Assembly.

11. The Secretary-General of the United Nations shall provide the necessary staff and facilities for the effective performance of the functions of the Committee under the present Convention.

12. With the approval of the General Assembly, the members of the Committee established under the present Convention shall receive emoluments from United Nations resources on such terms and conditions as the Assembly may decide.

Article 44

1. States Parties undertake to submit to the Committee, through the Secretary-General of the United Nations, reports on the measures they have adopted which give effect to the rights recognized herein and on the progress made on the enjoyment of those rights:

   (a) Within two years of the entry into force of the Convention for the State Party concerned;

   (b) Thereafter every five years.

2. Reports made under the present article shall indicate factors and difficulties, if any, affecting the degree of fulfilment of the obligations under the present Convention. Reports shall also contain sufficient information to provide the Committee with a comprehensive understanding of the implementation of the Convention in the country concerned.

(19)

0128   /...

3.   A State Party which has submitted a comprehensive initial report to the Committee need not, in its subsequent reports submitted in accordance with paragraph 1 (b) of the present article, repeat basic information previously provided.

4.   The Committee may request from States Parties further information relevant to the implementation of the Convention.

5.   The Committee shall submit to the General Assembly, through the Economic and Social Council, every two years, reports on its activities.

6.   States Parties shall make their reports widely available to the public in their own countries.

Article 45

In order to foster the effective implementation of the Convention and to encourage international co-operation in the field covered by the Convention:

(a) The specialized agencies, the United Nations Children's Fund, and other United Nations organs shall be entitled to be represented at the consideration of the implementation of such provisions of the present Convention as fall within the scope of their mandate. The Committee may invite the specialized agencies, the United Nations Children's Fund and other competent bodies as it may consider appropriate to provide expert advice on the implementation of the Convention in areas falling within the scope of their respective mandates. The Committee may invite the specialized agencies, the United Nations Children's Fund, and other United Nations organs to submit reports on the implementation of the Convention in areas falling within the scope of their activities;

(b) The Committee shall transmit, as it may consider appropriate, to the specialized agencies, the United Nations Children's Fund and other competent bodies, any reports from States Parties that contain a request, or indicate a need, for technical advice or assistance, along with the Committee's observations and suggestions, if any, on these requests or indications;

(c) The Committee may recommend to the General Assembly to request the Secretary-General to undertake on its behalf studies on specific issues relating to the rights of the child;

(d) The Committee may make suggestions and general recommendations based on information received pursuant to articles 44 and 45 of the present Convention. Such suggestions and general recommendations shall be transmitted to any State Party concerned and reported to the General Assembly, together with comments, if any, from States Parties.

(20)

0129   /...

PART III

Article 46

The present Convention shall be open for signature by all States.

Article 47

The present Convention is subject to ratification. Instruments of ratification shall be deposited with the Secretary-General of the United Nations.

Article 48

The present Convention shall remain open for accession by any State. The instruments of accession shall be deposited with the Secretary-General of the United Nations.

Article 49

1. The present Convention shall enter into force on the thirtieth day following the date of deposit with the Secretary-General of the United Nations of the twentieth instrument of ratification or accession.

2. For each State ratifying or acceding to the Convention after the deposit of the twentieth instrument of ratification or accession, the Convention shall enter into force on the thirtieth day after the deposit by such State of its instrument of ratification or accession.

Article 50

1. Any State Party may propose an amendment and file it with the Secretary-General of the United Nations. The Secretary-General shall thereupon communicate the proposed amendment to States Parties, with a request that they indicate whether they favour a conference of States Parties for the purpose of considering and voting upon the proposals. In the event that, within four months from the date of such communication, at least one third of the States Parties favour such a conference, the Secretary-General shall convene the conference under the auspices of the United Nations. Any amendment adopted by a majority of States Parties present and voting at the conference shall be submitted to the General Assembly for approval.

2. An amendment adopted in accordance with paragraph 1 of the present article shall enter into force when it has been approved by the General Assembly of the United Nations and accepted by a two-thirds majority of States Parties.

(21)

/...

0130

3.   When an amendment enters into force, it shall be binding on those States Parties which have accepted it, other States Parties still being bound by the provisions of the present Convention and any earlier amendments which they have accepted.

Article 51

1.   The Secretary-General of the United Nations shall receive and circulate to all States the text of reservations made by States at the time of ratification or accession.

2.   A reservation incompatible with the object and purpose of the present Convention shall not be permitted.

3.   Reservations may be withdrawn at any time by notification to that effect addressed to the Secretary-General of the United Nations, who shall then inform all States. Such notification shall take effect on the date on which it is received by the Secretary-General.

Article 52

A State Party may denounce the present Convention by written notification to the Secretary-General of the United Nations. Denunciation becomes effective one year after the date of receipt of the notification by the Secretary-General.

Article 53

The Secretary-General of the United Nations is designated as the depositary of the present Convention.

Article 54

The original of the present Convention, of which the Arabic, Chinese, English, French, Russian and Spanish texts are equally authentic, shall be deposited with the Secretary-General of the United Nations.

In witness thereof the undersigned plenipotentiaries, being duly authorized thereto by their respective Governments, have signed the present Convention.

아동권리협약 요지

전문: 아동에 대한 기본권 존중원칙과 특별한 보호 및 원조 선언

第1조: 아동의 정의

第2조: 차별금지

第3조: 아동의 최상 이익 고려

第4조: 당사국의 협약 실천의무

第5조: 부모 등의 책임존중

第6조: 생명권

第7조: 성명 및 국적권

第8조: 신분 보존권

第9조: 부모로부터의 분리 제한

第10조: 가족재결합을 위한 출입국 보장

第11조: 아동의 국외불법 이송 퇴치

第12조: 의사표시권

第13조: 표현의 자유

第14조: 사상·양심·종교의 자유

第15조: 결사·집회의 자유

第16조: 사생활의 보호

第17조: 정보접근권 등

第18조: 부모의 양육책임

第19조: 폭력·학대·착취 등으로 부터의 아동보호

第20조: 결손가정 아동의 특별보호

第21조: 입양제도

第22조: 난민 아동의 보호

0132

0133

90.8.31. 이후 추가서명국(5개국)

   아 주(3개국): 파키스탄, 일본, 한국

   아중동(2개국): 시리아, 카메룬

   비준 및 가입: 43개국(가입 3개국)

   일본서명일: 9.20(목)

   북한 비준서 기탁일: 9.21(금)

보　도　자　료

외　무　부

제목: "아동의 권리에 관한 협약" 서명

(　　　　　)

1. 유엔 총회에 참석중인 최호중 외무부장관은　　.　.　.　시 뉴욕 유엔 본부에서 정부를 대표하여 "아동의 권리에 관한 협약"에 서명하였습니다.

2. "아동의 권리에 관한 협약"은 18세 미만의 모든 어린이와 청소년에게 필요한 보호와 도움을 주며 이러한 아동의 인격 발달과 복지증진을 위하여 국가와 사회 및 가정 모두가 특별한 배려를 하여야 한다는 취지 아래 지난 1989.11.20. 제44차 유엔총회에서 채택된 국제협약입니다. 지난 9.2. 발효한 동 협약에는 90.9. 현재　　개국이 서명하였습니다.

3. 정부는 최근 아동문제에 관한 범국민적 관심을 존중하고 90.5.12 제정된 청소년헌장의 정신을 구현하며, 어린이와 청소년을 건전하게 보호 육성한다는 기본정책의 일환으로 금번에 상기 협약에 서명하게 되었습니다.

첨부: 참고자료

COPY → 송서기관

0135

(참고자료)

아동의 권리에 관한 협약

(Convention on the Rights of the Child)

I. 협약의 채택 및 발효경위

　　1924.9.26.　국제연맹총회, "아동의 권리에 관한 제네바선언" 채택

　　1959.11.20.　유엔총회, 결의 제1386(XIV)호로 제네바 선언을 기초로 한
　　　　　　　　　10개 항목의 아동권리선언 채택

　　1976.12.21.　유엔총회, 1979년을 「세계아동의 해」로 지정
　　　　　　　　　(총회결의 31/169)

　　1978.12.20.　유엔총회, 인권위원회에 "아동의 권리에 관한 협약" 초안 작성
　　　　　　　　　요청(총회결의 33/166)

　　1989.11.20.　유엔총회, 콘센서스로 "아동의 권리에 관한 협약" 채택(총회
　　　　　　　　　결의 44/25)(구성: 전문 및 3부 54개조)

　　1990.9.2.　　"아동의 권리에 관한 협약" 발효

II. 협약의 당사국 현황(90.9.25. 현재)

　　○　서명국:　110개국(아주 16개국, 미주 28개국, 구주 28개국,
　　　　　　　　　　　　　아중동 38개국)

　　○　비준국:　40개국

　　○　가입국:　3개국

　　＊　주요서명국: 일본, 영국, 캐나다, 소련, 중국 등
　　　　－ 미국, 인도 등은 미서명

- 1 -

0136

III. 협약의 취지 및 주요 내용

1. 취지

    o 18세 미만의 모든 어린이와 청소년에게 필요한 보호와 도움을
      주며 이러한 아동의 인격발달과 복지증진을 위하여 국가와 사회
      및 가정 모두가 특별한 배려를 하여야 함.

2. 주요 내용

    가. 보호대상의 범위

        o 외국인을 포함하여 자국 관할내에 있는 18세 미만의 모든
          아동

    나. 보호 내용

        (1) 시민적 권리

            o 생명권, 국적권, 신분보존권, 의사표시권, 표현·사상·
              종교·집회·결사의 자유, 사생활 보호, 형사처벌 제한 등

        (2) 경제적·사회적·문화적 권리

            o 가족과의 동거권, 양육을 받을 권리, 입양제도, 건강
              및 의료지원·사회보장·교육 관련 권리, 결손가정
              아동과 장애아동의 보호, 문화활동 참여권 등

- 2 -

0137

(3) 기타

 ㅇ 유괴, 인신매매, 마약, 학대, 착취, 유기 등으로부터
   보호

다. 당사국의 의무

(1) 협약상 권리실현 조치

 ㅇ 협약에 규정된 아동의 권리를 실현시키기 위하여
   필요한 입법적, 행정적, 기타 관련 조치를 취하여야 함.

 ㅇ 경제적, 사회적, 문화적 권리의 경우, 가용자원의
   최대한도 내에서 조치를 취할 의무를 부담함.

(2) 정기보고서 제출

 ㅇ 협약내용과 관련된 국내조치 상황에 관하여 발효 후
   2년내에 보고서를 제출하며, 그 이후에는 매 5년마다
   보고서를 제출함.

라. 아동권리 위원회 설치

 ㅇ 협약의 이행상황을 검토하기 위하여 아동권리위원회를
   설치하며 동 위원회는 임기 4년인 10인의 위원으로 구성됨.

마. 협약의 서명 및 비준

 ㅇ 협약 제46조에 따라 모든 나라에 서명이 개방되어 있으며,
   제49조에 따라 20번째 비준서 또는 가입서가 기탁된 후
   30일이 되는 날로부터 발효함.

- 3 -

0138

Ⅳ. 아동을 위한 세계정상회의

o "아동의 권리에 관한 협약"에 대한 가입 및 이행을 촉구하고, 아동의
생존, 보호, 발달문제를 논의할 "아동을 위한 세계정상회의"(World
Summit for Children)가 90.9.29.-30. 양일간 뉴욕 유엔본부에서
개최되며, 80여개국의 정상 또는 정부수반들이 동 회의에 참석할
예정임.

Ⅴ. 국내조치 예정사항

o 정부의 청소년 건전보호 육성 기본정책의 일환으로 금번에 협약에
서명하였으며, 협약은 비준절차를 거친후 우리나라에 대하여
최종적으로 발효하게 될 것임.

o 협약내용중 일부조항이 가족법 등 우리나라 현행 관계법령과 저촉되는
부분이 있으므로, 비준시 동 조항들에 대하여 유보하게 될 것임. 끝.

아동의 권리에 관한 협약 가입추진 관련 관계부처 의견

( )은 회신일자

내무부

ㅇ 이견없음(90.6.1)

법무부

1차의견(90.3.15)

ㅇ 국내관련법규와 특별히 저촉되는 부분이 없으며 협약내용이 대부분 국내관련 법규에 구현되어 있음.

2차의견(90.6.15)

ㅇ 제9조(부모로부터 분리제한)

- 친족상속법상 친권상실선고를 제9조의 부모로부터 분리로 보기에는 난점이 있음.
- 친권상실선고는 친족, 검사의 청구에 의해 법원이 결정하므로 사법심사에 의한 것이며, 이 경우 변론주의에 따라 재판과정에서 이해관계자들의 자유로운 견해표명이 가능, 제9조 2항의 저촉문제는 생기지 아니함.

문교부

ㅇ 이견없음(90.9.3)

0140

체육부

o   소관 관련 법규 및 행정업무 관련 문제가 없으며 협약 가입을 찬성함
    (90.4.18)

보건사회부

1차의견(90.5.18)

o   이견없음.

2차의견(90..27)

o   소관법령상 외국인(아동)에 대한 명시적 제한 또는 배제규정은 없음.

o   협약상 규정되고 있는 아동의 권리존중은 협약당사국간의 상호호혜주의
    원칙에 입각하여 적용하면 가능할 것임.

o   다만, 외국인 아동에 대한 생계, 의료 등의 문제는 정부의 재정부담
    상태와 필요상황(불법입국, 치료를 위한 입국)등을 참작하여 결정
    하여야할 것임.

0141

	분류번호	보존기간

발 신 전 보

번 호 : WUN-1450   900924 0945 FC   종별 :

수 신 : 주 유엔   대사. 참영사

발 신 : 장 관 (법규)

제 목 : 아동권리협약 서명

대 : UNW-1991

대호, 보도자료는 송영완 서기관이 지참하였음을 참고바람.

(조약심의관   이봉구)

앙고재	90년 9월 24일 국정3과	기안자 김두영	과 장	심의관 전결	국 장	차 관	장 관	보안통제	외신과통제

0142

발 신 전 보

번 호 : WUN-1472   900925 1746 DY   종별 :

수 신 : 주 유엔   대사 . 총영사

발 신 : 장 관 (법규)

제 목 : 아동권리협약 서명

1. 본부 보도자료 배포에 참고코져하니 서명행사 직후 보고(전화)바라며
   추가서명국 여부(일본의 서명계획 여부 포합)도 아울러 보고바랍.

2. 현재 본부는 서명국을 105개국으로 파악하고 있음을 참고바랍.

국제조약과대리
(조약심의관 이봉구)

앙고재	90년 8월 25일 축진 ① 유 과	기안자 김두영	과 장	심의관 전결	국 장	차 관	장 관	보안통제	외신과통제

0143

발 신 전 보

	분류번호	보존기간

번 호 : WUN-1474   900925 1900 DY종별 :

수 신 : 주 유엔 대사. 총영사// (송영완 서기관)

발 신 : 장 관   (국제법규과장 최종무)

제 목 : 업 연

대 : UNW-1991

아동권리협약의 조문별 요지를 별첨 전Fax 송부하니 필요시 국장님께 보고
하고 대호 관련 활용바랍.

별32/
첨부: 아동권리협약 요지 (WUNF-56)

	보 안 통 제	

앙고재	90년 9월 25일	주 제법 3과	기안자 성명 김수영	과 장	국 장	차 관	장 관	외신과통제

0144

아동권리협약 요지

전문: 아동에 대한 기본권 존중원칙과 특별한 보호 및 원조 선언

第1조: 아동의 정의

第2조: 차별금지

第3조: 아동의 최상 이익 고려

第4조: 당사국의 협약 실천의무

第5조: 부모 등의 책임존중

第6조: 생명권

第7조: 성명 및 국적권

第8조: 신분 보존권

第9조: 부모로부터의 분리 제한

第10조: 가족재결합을 위한 출입국 보장

第11조: 아동의 국외불법 이송 퇴치

第12조: 의사표시권

第13조: 표현의 자유

第14조: 사상·양심·종교의 자유

第15조: 결사·집회의 자유

第16조: 사생활의 보호

第17조: 정보접근권 등

第18조: 부모의 양육책임

第19조: 폭력·학대·착취 등으로 부터의 아동보호

第20조: 결손가정 아동의 특별보호

第21조: 입양제도

第22조: 난민 아동의 보호

0145

0146

실국장회의자료

90.9.26.(수)
국제법규과

1. 아동의 권리에 관한 협약 서명

   ㅇ 유엔총회에 참석중인 장관께서는 한국시간 금 9.26. 오전 6시 유엔
      본부에서 "아동의 권리에 관한 협약"에 서명하였음.

   ㅇ 동 협약은 18세 미만 아동의 보호 및 복지증진을 위하여 89.11.20.
      제44차 유엔총회에서 채택되어 금일 현재 110개국이 서명하고
      43개국이 비준 또는 가입하였으며 90.9.2. 발효한 바 있음.

   ㅇ 동 협약의 가입 및 이행촉구를 주요목적으로 하는 "아동을 위한
      세계정상회의"가 9.29.-30. 양일간 유엔본부에서 개최되는 바,
      장관께서는 정부를 대표하여 동 회의에 참관할 예정임.

   ㅇ 협약서명과 관련 당국은 보도자료를 작성 금일 오전 배포하였음.

   * 첨부: 보도자료 및 관련 참고자료 1부.

0147

동아일보
90. 9. 26 (ㄹ)

유엔 아동에 관한 협약서명 崔외무

[다록=李載昊특파원] 제45차 유엔총회에 참석중인 崔 (현지시간)유엔본부 법률담당사무차장실에서「아동의 권리에 관한 협약」에 서명했다. 25일오후

이 협약은 18세미만의 어린이와 청소년의 보호, 인격 발달·복지증진을 위해 국가 와 사회 가정 모두가 특별한 배려를 해야한다는 취지아래 지난89년11월 제44차 유엔총 회에서 채택된 국제협약으로 지금까지 1백8개국가가 서명했다.

당사무차장실에서「아동의 권리에 관한 협약」의 효과적인 이행방 안, 同협약이 규정하고 있는 유엔아동권리위원회 설치운 영방법에관한 토의를갖는다.

한편 부시美國대통령 가이후(海部)日本수상 대처英國수상등 세계80여개국의 정상 들은 29일 유엔본부에서어린이를위한 세계정상들의 모

중앙일보
90. 9. 26 (ㄹ)

「아동권리협약」署名 제45차 유엔총회에 참석 중인 崔浩中외무장관은 25일오후 (현지시간) 유엔본부 법률담당사무차장실에서「아동의 권리에 관한 협약」에 서명했다.

동아일보
90.9.28
(4)

어린이 위한 史上첫 世界頂上회담

유엔본부서 내일 개막

70여國 참가…"기아 질병서 해방" 토의

우리 모두에게 가장 소중하면서도 정작 어른들의 정책적관심의 대상에서 소외되어온 미래의 資産, 어린이를 위한 역사적인 세계정상회담이 29, 30일 이틀동안 뉴욕의 유엔본부에서 열린다.

세계의 정상들이 페르시아灣사태등 정치적 군사적인 문제에 정신이 팔려있는동안 제삼세계를 비롯한 세계도처에서 지금도 하루 4만명의 신생아나 유아들이 홍역이나 파상풍 백일해 폐렴 설사로 인한 탈수증으로 죽어가고 있다. 이들 질병은 발병원인이 비교적 단순하고 예방과 치료에 그리 큰돈이 드는 것도 아니어서 전적으로 「어른들의 정책적 무관심의 産物」로 지탄받고 있다.

어린이 문제로 세계 정상회담이 열리는 것은 이번이 처음이고 더구나 세계70여개국 정상들이 한 자리에 모이는 이번 회담은 규모면에서 사상 최대다. 보호대상1번지인 아프리카국가의 원수들은 물론 東유럽의 알바니아, 심지어 한창 분쟁중인 쿠웨이트및 사우디아라비아국왕과 쿠바의 카스트로국가평의회의장도 참석할것으로 예상되고있다. 그러나 고르바초프 蘇聯대통령은 이번에 오지 않는다.

이번 정상회담을 주관하고 있는 유엔아동기금(UNICEF)은「할 수 있는 일을 해내는 90년대」라는 슬로건아래 2000년까지 △어린이들에 대한 90%면역접종△유아사망률을 현재의 3분의1로 축소△태아사망률 절반으로 축소△소아마비 근절△모든 어린이에 초등교육 의무화를 그 실천목표로 내 걸었다. 유엔아동기금은 이번 정상회담에서 이같은 목표를 행동계획으로 추인받고 그 구체적인 추진일정과 자금지원을 얻어낼 계획이다.

이번 정상회담은 당초 기아선상에서 허덕이는 아프리카어린이들을 돕기위해 이집트와 파키스탄 말리 멕시코 스웨덴 캐나다등 6개국의 발의로 시작됐으며 추진과정에서 캐나다와 스웨덴 두나라, 그리고 세계어린이보호단체들이 제삼세계뿐만 아니라 이왕이면 선진국들도 포함시켜 명실상부한 인류의 공동관장으로 만들자고 제의, 세계의 정상회담으로 격상됐다.

따라서 이번 회담에서는 제삼세계뿐만 아니라 선진산업사회의 응달에서 소외되고 있는 어린이들의 사회적 문제도 중점 논의된다. 세계1등국가라는 美國의 경우 유아사망률은 세계19위, 5세미만 어린이 사망률은 세계21위, 그리고 6세미만 어린이 네명중에 한명이 소위 貧困線아래 처져있으며 首都워싱턴의 유아사망률이 스리랑카나 자메이카 코스타리카보다 더 높은 기현상을 보이고있다.

이에따라 어린이 복지문제에 대한 정치지도자들의 관심촉구는 선·후진국 구별이 있을수 없다. 더구나 세계 어린이의 복지향상은 결국 돈 문제로 귀결되기때문에 선진국의 힘을 빌리지 않을수 없다.

이번 회담은 우선 어린이에 관한 새 국제조약인「어린이 권리에 관한 협약」을 모든 국가들이 조속히 조인, 비준을 끝내도록 촉구할 예정이다. 어린이를 위한 마그나카르타(大憲章)또는 어린이 權利憲典으로 불리는 이 국제협약은 10년간의 토의끝에 작년 유엔총회에서 채택됐으나 현재까지 1백9개국가만 조인했을뿐 美國을 포함한 42개 국가들은 아직 국내 비준절차를 끝내지 않고있다.

이 협약은 지난주부터 국제법으로 발효됐으며 이에 조인한 국가는 상응하는 국내입법을 이미 완료했음을 의미한다. 美國 부시행정부의 경우 상원에 언제 비준을 요청할지 아직껏 그 시기를 밝히지않고 있는데 美國내 일부 보수계층에선 이 협약내용이 태아보호와 인공유산금지에 관해 입장이 명확하지 않고 18세미만 위반사범을 벌금형에서 제외시키는 규정이 마음에 들지 않는다며 반대입장을 천명하고 있다. 美國의 아동보호단체들은 부시행정부의 이같은 늑장은 어린이복지문제에 대한 무관심을 반증하는 것이라며 예산적자 축소과정에서 많은 어린이 후생사업계획이 희생됐음을 지적, 美國은 어린이 브건및 복지에서 다른나라의 모델이 되기는 커녕 「문제국가」로 전락했다고 비난을 퍼붓고 있다.

유엔아동기금의 관계자들은 이번 회담에 최소한 70여개국 원수들이 대거 참여하게된데 크게 안도하면서도 「어린이들이라면 어느정치가든 같이 사진을 찍고 싶어한다. 그러나 화려한 쇼가 지나간뒤 가난에 찌든 어머니와 어린이는 항상 그대로 남게 마련이다」며 불안을 감추지 않고 있다.

이들은 앞으로 10년간 사업목표를 추진 달성하려면 연간 25억달러의 자금이 소요된다고 밝히고 있다. 유엔아동기금의 제임스 그랜트 전무이사는 이것이 엄청난 금액이긴 하지만 따지고 보면 美國내 담배회사들의 작년한해 광고비정도며 세계의 하루 군사비지출액에 불과하고 더구나 美國이 연간 애완동물 먹이에 지출하는 돈의 절반에 지나지않는다고 강조했다. 「세계가 이 정도의 자금을 마련하지 못한다면 결국 아무런 일도 할수가 없다는 얘기이지 않느냐고 그는 반문한다.

월요일인 오는 10월1일에는 세계 각국의 어린이 2백50여명이 유엔본부 건물 건너편에서 어린이 세계대회를 갖고 어른들을 향한 시위를 벌인다. 대부분 美國주재 각국외교관의 자녀들인 이들 어린이들은 세계 어린이들이 진정으로 바라는 바를 어른들에게 말함으로써 그들처럼 행복하지 못한 세계 대다수 어린이들을 위해 투쟁을 하겠다고 기염을 토한다.

아프리카 탄자니아에서 온 올해 열한살된 폴 데이비드 무부리란 이름의 소녀가 이날을 위해 준비중인 피켓에는 크레용으로 이렇게 씌어있다. 「우리에게 필요한것은 먹을 것과 물과 의복과 집이다. 침대와 의약품과 학교와 맑은 공기 그리고 사랑과 친구들이지 총과 폭탄은 아니다」

워싱턴=卞相根특파원

0149

48138

기 안 용 지

분류기호 문서번호	법규 20420-	(전화 :　　　　)	시 행 상 특별취급	
보존기간	영구·준영구. 10. 5. 3. 1.	장　　　　　관		
수 신 처 보존기간		김代		
시행일자	1990. 9. 28.			

보 조 기 관	국 장	전결	협 조 기 관		문 서 통 제
	심의관				접수 1990.9.29 공 제 관
	과 장				
기안책임자		김두영		발　　송　　인	1990.9.29 외무부

경 유 수 신 참 조	수신처 참조	발 신 명 의	

제 목 "아동의 권리에 관한 협약" 가입 검토

　　　대 : 법무 02101-004891(90.6.1.) (내무부) ∨

　　　섭외 20420-3408 (90.3.15.) (법무부)

　　　교협 25800-782(90.9.3.) (문교부)

　　　법무 20420-1786(90.4.18.) (체육부) ✓

　　　아동 20420-6466(90.5.18.),

　　　아동 31420-9909(90.7.27.) (보건사회부)

　　연 : 법규 20420-638(90.1.9.), 20420-12742(90.3.23.),

　　　20420-23373(90.5.22.)　　　　　　　　0150

1505-25(2-1) 일(1)갑　　　／ 계 속 ／　　　　　190㎜×268㎜　인쇄용지 2 급 60g/㎡
85. 9. 9. 승인　　"내가아낀 종이 한장 늘어나는 나라살림"　　가 40-41 1990. 2. 10.

1. "아동의 권리에 관한 협약"은 다수국가들이 조기에 서명·비준

함으로써 90.9.2. 발효한 바 있으며, 90.9.29.-30. 양일간 뉴욕 유엔본부

에서는 80여개국의 정상 및 정부수반들이 참석하는 "아동을 위한 세계

정상회의"가 개최되어 협약 주요내용을 논의하게 되는 등, 동 협약에 대한

국제적 차원의 관심과 지지가 단기간내에 크게 확대되어 왔습니다.

2. 당부는 이와같이 범세계적인 지지속에 유엔이 전개하고 있는

아동보호 노력에 아국의 동참 필요성과 청소년 헌장 제정 선포등 청소년

문제에 관한 국민적 관심 증대를 감안하고, 그간 귀부를 포함한 관계부처

간 협의결과를 기초로 동 협약에 대한 서명을 추진하여 왔으며, 제45차

유엔총회에 참석중인 최호중 외무부장관이 90.9.25. 정부를 대표하여 동

협약에 서명하였습니다.

3. 동 협약의 당사국이 되기 위해 향후 취해야 하는 비준절차

진행에 앞서 최종적으로 아국에 적용될 협약내용을 확정시키고자 하오니,

별첨 자료를 검토하여 아래사항들에 관한 귀부의 의견을 90.10.31.한 회보

하여 주시기 바랍니다.

/ 계 속 /　　　0151

1505-25(2-2) 일(1)을
85. 9. 9. 승인　　"내가아낀 종이 한장 늘어나는 나라살림"　　190mm×268mm 인쇄용지 2급 60g/㎡
가 40-41 · 1989. 12. 7.

- 아　　　　　래 -
가. 국내관계 법령에 비추어 유보대상조항(제9조 3항, 제12조,
제21조 및 제40조 2항 나호(5))의 비준시 유보필요 여부
나. 상기 4개조항 외에 추가로 유보가 필요하다고 판단되는 조항
다. 비준의 시기
첨부: 아동의 권리에 관한 협약 가입검토서.　끝.
수신처: 내무부, 법무부, 문교부, 체육부, 보건사회부
0152

1505-25(2-2) 일(1)을
85. 9. 9. 승인　　"내가아낀 종이 한장 늘어나는 나라살림"　190㎜×268㎜ 인쇄용지 2 급 60g/㎡
가 40-41 1989. 12. 7.

대　한　민　국
외　무　부

(720-4045)　　　　　　1990 . 9. 29.

법규 20420-
수신　수신처 참조
제목　"아동의 권리에 관한 협약"가입 검토

대 :

연 : 법규 20420-638(90.1.9.)、20420-12742(90.3.23.)、
　　　20420-23373(90.5.22.)

　　　1.　"아동의 권리에 관한 협약"은 다수국가들이 조기에 서명．
비준함으로써 90.9.2. 발효한 바 있으며、90.9.29.-30. 양일간 뉴욕
유엔 본부에서는 80여개국의 정상 및 정부수반들이 참석하는 "아동을
위한 세계 정상회의"가 개최되어 협약 주요내용을 논의하게 되는 등、
동 협약에 대한 국제적 차원의 관심과 지지가 단기간내에 크게 확대
되어 왔습니다．

　　　2.　당부는 이와같이 범세계적인 지지속에 유엔이 전개하고 있는
아동보호 노력에 아국의 동참 필요성과 청소년 헌장 제정 선포등 청소년
문제에 관한 국민적 관심 증대를 감안하고、그간 귀부를 포함한 관계
부처간 협의결과를 기초로 동 협약에 대한 서명을 추진하여 왔으며、
제45차 유엔총회에 참석중인 최호중 외무부장관이 90.9.25.정부를 대표
하여 동 협약에 서명하였습니다．

0153

3. 동 협약의 당사국이 되기 위해 향후 취해야 하는 비준절차 진행에 앞서 최종적으로 아국에 적용될 협약내용을 확정시키고자 하오니, 별첨자료를 검토하여 아래사항들에 관한 귀부의 의견을 90·10·31·한 회보하여 주시기 바랍니다.

- 아   래 -

가. 국내관계 법령에 비추어 유보대상조항(제9조 3항、제12조、제21조 및 제40조 2항 나호(5))의 비준시 유보필요 여부

나. 상기 4개조항 외에 추가로 유보가 필요하다고 판단되는 조항

다. 비준의 시기

첨부: 아동의 권리에 관한 협약 가입검토서· 끝·

외　무　부　장　관

국제기구조약국장

수신처: 내무부、법무부、문교부、체육부、보건사회부

0154

어린이에 資源 최우선 사용을

─ 유니세프主최 「세계 정상회담」 선언문 채택

전세계 71개국 정상들이 UN본부에서 열렸던 「어린이들을 위한 세계정상회담」이 참석한 가운데 지난 29, 30일 이를 위한 세계정상회담」이

어린이들의 생존과 보호, 발달을 위해 세계의 자원을 최우선적으로 사용하도록 촉구하는 선언문을 만장일치로 채택한 뒤 30일 오후 폐막됐다.

각국 정상들은 이날 채택한 선언문에서 어린이들을 위해 세계의 자원을 우선적으로 사용할 것을 촉구했다.

이번 정상회담에서는 이미 지난달 2일부터 20개국이 세명한 「어린이 권리에 관한 국제법」을 현실화시킬수 있다며 전세계의 어린이들을 보호하기 위해 각국 지도자들의 어른들과 부

조지 부시美국대통령의 부시大통령, 영국의 대처 총리, 일본의 가이후총리등 71개국 정상이 참석했으며 우리나라는 崔浩中외무장관이 옵서버자격으로 참가했다.

71개국 頂上 첫 한자리에
세계銀 지원 매년 백만명 구호

된 선언문과 행동계획에서 어린이들이 고통받고있는 가난이나 질병 문맹등을 타파하고 세계자원에 아동들을 구하는 선언문을 채택한뒤 됐다.

◇어린이를 위한 정상회담에 초청된 부시美대통령이 지난 30일 유엔본부 대회의실에서 자신의 연설이 방영되는 가운데 연설하고 있다.
【유엔본부=AP연합】

제협약」에 다수의국가 새로 가입, 49개국으로 가입국가수가 늘어났고, 또한 13개국이 협약안에 서명함으로써 국가수는 한꺼번에 26개국에 이르게 됐다. 이 협약안은 가입국가의 어린이 대통령령에 각국정상들도 역시 「세계가 어린이를 구호하고있다」고 지적하며 이들의 보호와 생존에 위해서는 자금과 강력한 정치적의

마거릿 대처영국총리와 바츠라프 하벨 체코슬로바키아 대통령등 각국정상들이 참가한 세계 공동체회담의 공동의장을 맡았으며 브라이언 멀로니 캐나다 총리와 말리의 무사 트라오르大통령은 1일 오전 유엔총회에서 이번에 채택된 선언문과 실행계획을 보고

캐나다 이집트 말리 파키스탄등 6개국정상이 호응해 「담진전됐다. 케야르유엔사무총장이 지난 3월 각국 정상들에게 초청장을 발송한 뒤 80여개국 정상들의 참가 의사를 밝혔었다.

「어린이에게 밝은 미래를」이란 주제로 사상최초로 열린 이번 정상회담에는 미국의 부시대통령, 영국의 대처총리등 세계유명의 어린이교육과 진료를위한 90년대 10년동안 매년 5억달러의 추

이번회담을 주관한국제연합아동기금(UNICEF)의 관계자들은 세계은행이 어린이를 위한 세계정상회담은 유니세프의 제임스그 란트총재가 지난 88년12월 「89세계아동현황보고」표 제로 백만명이상의 어린이들을 구호할것이라고 말했다.

지가 절실히 필요하다고 강조했다.

〈朴斗植기자〉

"어린이 매일 4만명꼴 死亡 깨달아"

아동보호 77개국 頂上會談 산파역
제임스 그랜트 유엔아동기금 총재

〈편집자注〉

불쌍한 죽음 3분의2는 관심 부족 때문

"이 모임은 인류 평화의 거대한 里程標"

0156

국민의 아동정책 새전환

UN 아동權利협약 서명 → 비준 준비

보호차원 떠나 「독립된 人間」으로 대접
유괴 性폭행등 방지 義務조항도 명문화
國籍權등 국내법相衝부분고쳐 내년봄 가입등의 안 제출

우리의 어린이정책이 새로운 전기를 맞게 됐다.

외무부는 지난달 25일 뉴욕 유엔본부장에서 「아동의 권리에 관한 협약」에 서명함으로써 국내비준절차를 거치기위해 관련 부처들과 협약조항을 점검하고 있다.

이협약에 서명함으로써 정부는 각종 위협과 범죄로부터 어린이가 독립된 인간으로서 한결같이 보호받을 권리를 인정하고 마땅히 펼쳐수 있는 독립적인 제도적으로 뒷받침되는 부담을 안게됐다.

특히 지난달 29, 30일 세계 70여 개국 정상들이 참석한 가운데 유엔에서 열린 어린이를 위한 세계 정상회의는 각국에 이 협약의 가입을 촉구하기로 결의해 이러한 국제적추세에 우리나라가 적극 동참한다는 점에서도 뜻깊은 조치라고 할 수 있다.

18세 미만 어린이와 청소년의 보호, 인격과 복지증진을 위해 국가와 사회 가정 모두 특별한 배려를 해야한다는 취지로 만들어진 이 협약은 보호대상범주를 위한 인권선언 또는 실천하기 위한 법적인 규정과 의무 조항으로 되어 있다.

보호차원을 떠나 「독립된 人間」으로 대접한다는 이 협약은 어린이의 기본적 권리를 보장받을 수 있는 방안으로 먼저 아동이 국적을 가질 권리, 이름을 가질 권리, 부모를 알 권리, 부모와 같이 살 권리, 표현의 자유, 사상종교 집회 결사의 자유 등을 규정하고 있다.

경제 사회 문화적 권리와 관련해서는 가족과의 떨어지지 않을 권리, 실천적인 위 실현할 권리 등 아동권리보장의무의 준수와 문제가 있다. 우리헌법과 민법 소년법 민법에 의해 보호되고있기 때문이다.

그러나 이협약에 가입함으로써 영아의 유기, 어린이의 성학대, 어린이의 유괴 소년범죄에 대한 법적인 문제가 담긴 조항도 명문화하기는 것을 수 있다.

國籍權등 국내법과 相衝부분은 스위적권 〈7조·1항〉 〈의사표시권〈12조〉 〈입양시 전문기관 개입 〈21조〉이고, 조항은 우리법과 상충되고 있다.

협약은 59년 유엔에서 채택된 10개항의 아동권리선언과 구속력 등과 상당부분 일치한다.

아동의 권리에 관한 협약 한국 가입, 1991.12.20. 전3권 (V.2 1990.9-12월) 455

〈손태규기자〉

체   육   부

청고 01225-*5260*   734-0185   1990. 10. 22.

수신 외무부장관

참조 국제기구조약국장

제목 의견 회신

1. 관련 : 법규 20420-48138 ('90. 9. 29)

2. 상기관련 당부의 의견을 아래와 같이 회시합니다.

- 아   래 -

가. 비준시기

  - 동 협약의 기본이념 구현에 노력을 기울이고 있는 당부로서는
비준시기가 빠를수록 좋음

  나. 유보대상 조항의 비준시 유보필요 여부

  - 동 조항들은 당부관련 법규 및 행정업무와는 상충되지 않는
사항으로서, 현재로선 국내법규와의 상충관계로 동 협약의 조기가입을 위해
유보가 불가피 하더라도

  - 아동의 실질적인 권리보호 구현 및 국제조류 측면에서 적극
권장 되어야 할 사항인 만큼(헌법상 비상계엄하 단심제는 예외)

  - 향후 국내 관계법규의 개정을 통해 동유보조항을 해제하고 동
협약 내용의 명실상부한 구현이 이루어질 수 있도록 하여야 할 것임.

  다. 추가 유보대상 조항 : 없음. 끝.

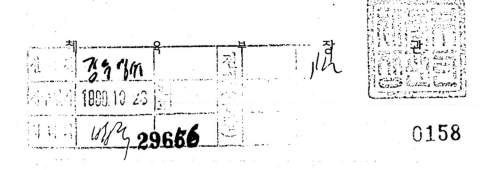

0158

"정직.성실하게 봉사한다."

내   무   부

№009672

법무 02101-   731-2180   1990. 10. 24

수신   외무부장관   (1년)

제목   "아동의 권리에 관한 협약" 검토의견 회시

1. 법무 02101-4891('90.6.1)의 관련입니다.

2. 법규 20420-48138('90.9.29)에 의거 "아동의 권리에
관한 협약"에 대하여 당부 특이이견없음을 통보합니다.   "끝"

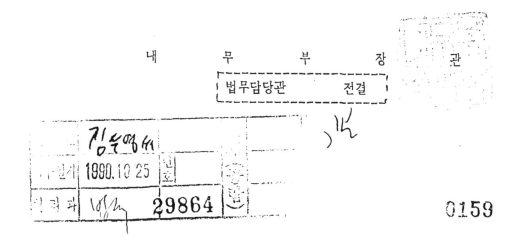

내   무   부   장   관

법무담당관	전결

김무액씨

1990. 10 25

29864

0159

UNITED NATIONS NATIONS UNIES

POSTAL ADDRESS—ADRESSE POSTALE UNITED NATIONS, N.Y. 10017
CABLE ADDRESS—ADRESSE TELEGRAPHIQUE UNATIONS NEWYORK

REFERENCE. C.N.245.1990.TREATIES-9 (Depositary Notification)

CONVENTION ON THE RIGHTS OF THE CHILD
ADOPTED BY THE GENERAL ASSEMBLY OF THE UNITED NATIONS
ON 20 NOVEMBER 1989

SIGNATURES, RATIFICATIONS AND ACCESSIONS

ENTRY INTO FORCE

CURRENT STATUS

The Secretary-General of the United Nations, acting in his capacity as depositary and with reference to depositary notifications C.N.46.1990.TREATIES-1 of 30 April 1990, C.N.67.1990.TREATIES-2 of 2 May 1990, C.N.87.1990.TREATIES-3 of 16 May 1990, C.N.112.1990.TREATIES-4 of 4 June 1990, C.N.125.1990.TREATIES-6 of 6 June 1990, C.N.148.1990.TREATIES-7 of 29 June 1990 and C.N.163.1990.TREATIES-8 of 3 August 1990, communicates the following:

The conditions for the entry into force of the Convention, as provided for in article 49 (1), were met upon the deposit, on 3 August 1990, of the twentieth instrument of ratification, as follows:

Participant	Date of ratification or accession (a)
Ghana	5 February 1990
Viet Nam	28 February 1990
Ecuador	23 March 1990
Holy See	20 April 1990
Belize	2 May 1990
Guatemala	6 June 1990
Sierra Leone	18 June 1990
Bolivia	26 June 1990
Sweden	29 June 1990
Mongolia	5 July 1990
Egypt	6 July 1990
El Salvador	10 July 1990
Guinea	13 July 1990 (a)
Saint Kitts and Nevis	24 July 1990
Mauritius	26 July 1990 (a)
Kenya	30 July 1990
Senegal	31 July 1990
Bhutan	1 August 1990
Togo	1 August 1990
Bangladesh	3 August 1990

Attention: Treaty Services of Ministries of Foreign Affairs and of
international organizations concerned   0160

In accordance with said article 49 (1), the Convention entered into force on 2 September 1990, i.e. the thirtieth day after the date of deposit of said twentieth instrument.

As at the date of the present depositary notification, i.e. 28 November 1990, the status of the Convention stands as set out in Annex A to this notification, which also indicates the date of entry into force for each State concerned in accordance with article 49 (2). As will be seen, to date 130 States have signed the Convention and 58 States have ratified or acceded to it.

The texts of declarations and reservations made upon signature, ratification or accession will be found in Annex B.

28 November 1990

0161

C.N.245.1990.TREATIES-9 (Depositary Notification)

STATUS AS AT 20 NOVEMBER 1990

(Signatures, ratifications and accessions in chronological order of signature)

State	Signature	Ratification, accession (a)	Entry into force
Albania	26 January 1990		
Algeria	26 January 1990		
Austria	26 January 1990		
Bangladesh*	26 January 1990	3 August 1990	2 September 1990
Belgium	26 January 1990		
Brazil	26 January 1990	24 September 1990	24 October 1990
Burkina Faso	26 January 1990	31 August 1990	30 September 1990
Byelorussian Soviet Socialist Republic	26 January 1990	1 October 1990	31 October 1990
Chile	26 January 1990	13 August 1990	12 September 1990
Colombia2/	26 January 1990		
Costa Rica	26 January 1990	21 August 1990	20 September 1990
Côte d'Ivoire	26 January 1990		
Cuba	26 January 1990		
Denmark	26 January 1990		
Dominica	26 January 1990		
Ecuador	26 January 1990	23 March 1990	2 September 1990
El Salvador	26 January 1990	10 July 1990	2 September 1990
Finland	26 January 1990		
France*	26 January 1990	7 August 1990	6 September 1990
Gabon	26 January 1990		
Germany, Federal Republic of	26 January 1990		
Greece	26 January 1990		
Guatemala	26 January 1990	6 June 1990	2 September 1990
Guinea-Bissau	26 January 1990	20 August 1990	19 September 1990
Haiti	26 January 1990		
Iceland	26 January 1990		
Indonesia*	26 January 1990	5 September 1990	5 October 1990
Italy	26 January 1990		
Jamaica	26 January 1990		
Kenya	26 January 1990	30 July 1990	2 September 1990
Lebanon	26 January 1990		

0162

State	Signature		Ratification, accession (a)		Entry into force	
Mali*	26 January	1990	20 September	1990	20 October	1990
Malta*	26 January	1990	30 September	1990**·	30 October	1990
Mauritania	26 January	1990				
Mexico2/	26 January	1990	21 September	1990	21 October	1990
Mongolia	26 January	1990	5 July	1990	2 September	1990
Morocco	26 January	1990				
Nepal	26 January	1990	14 September	1990	14 October	1990
Netherlands	26 January	1990				
Niger	26 January	1990	30 September	1990**·	30 October	1990
Nigeria	26 January	1990				
Norway	26 January	1990				
Panama2/	26 January	1990				
Peru	26 January	1990	4 September	1990	4 October	1990
Philippines	26 January	1990	21 August	1990	20 September	1990
Poland	26 January	1990				
Portugal	26 January	1990	21 September	1990	21 October	1990
Romania	26 January	1990	28 September	1990 ·	28 October	1990
Rwanda	26 January	1990				
Saint Kitts and Nevis	26 January	1990	24 July	1990	2 September	1990
Senegal	26 January	1990	31 July	1990	2 September	1990
Spain	26 January	1990				
Sri Lanka	26 January	1990				
Suriname	26 January	1990				
Sweden	26 January	1990	29 June	1990	2 September	1990
Togo	26 January	1990	1 August	1990	2 September	1990
Union of Soviet Socialist Republics	26 January	1990	16 August	1990	15 September	1990
Uruguay*	26 January	1990	20 November	1990·	20 December	1990
Venezuela*	26 January	1990	13 September	1990	13 October	1990
Viet Nam	26 January	1990	28 February	1990	2 September	1990
Yugoslavia	26 January	1990				
Ghana	29 January	1990	5 February	1990	2 September	1990
Egypt*	5 February	1990	6 July	1990	2 September	1990
Gambia	5 February	1990	8 August	1990	7 September	1990
Nicaragua	6 February	1990	5 October	1990 ·	4 November	1990
Sierra Leone	13 February	1990	18 June	1990	2 September	1990
Yemen	13 February	1990				
Angola	14 February	1990				
Grenada	21 February	1990	5 November	1990 ´	5 December	1990
Ukrainian Soviet Socialist Republic	21 February	1990				
Tunisia	26 February	1990				

0163

State	Signature	Ratification, accession (a)	Entry into force
Belize	2 March 1990	2 May 1990	2 September 1990
German Democratic Republic	7 March 1990	2 October 1990	—— 1/
Bolivia	8 March 1990	26 June 1990	2 September 1990
Zimbabwe	8 March 1990	11 September 1990	11 October 1990
Hungary	14 March 1990		
Zaire	20 March 1990	27 September 1990	27 October 1990
Luxembourg	21 March 1990		
Paraguay	4 April 1990	25 September 1990	25 October 1990
Barbados	19 April 1990	9 October 1990	8 November 1990
Madagascar	19 April 1990		
United Kingdom of Great Britain and Northern Ireland	19 April 1990		
Holy See	20 April 1990	20 April 1990	2 September 1990
Benin	25 April 1990	3 August 1990	2 September 1990
Liberia	26 April 1990		
Burundi	8 May 1990	19 October 1990	18 November 1990
Canada	28 May 1990		
Bulgaria	31 May 1990		
Honduras	31 May 1990	10 August 1990	9 September 1990
United Republic of Tanzania	1 June 1990		
Bhutan	4 June 1990	1 August 1990	2 September 1990
Kuwait	7 June 1990		
Argentina*	29 June 1990		
Israel	3 July 1990		
Guinea		13 July 1990(a)	2 September 1990
Sudan	24 July 1990	3 August 1990	2 September 1990
Mauritius*		26 July 1990(a)	2 September 1990
Central African Republic	30 July 1990		
Dominican Republic	8 August 1990		
Uganda	17 August 1990	17 August 1990	16 September 1990
Lesotho	21 August 1990		
Maldives*	21 August 1990		
Australia	22 August 1990		
Swaziland	22 August 1990		
Democratic People's Republic of Korea	23 August 1990	21 September 1990	21 October 1990
China	29 August 1990		
Jordan	29 August 1990		

1/ The Convention would have entered into force for the German Democratic Republic on 1 November 1990. In this connection, it is recalled that, on 3 October 1990, the German Democratic Republic acceded to the Federal Republic of Germany. (See depositary letter LA 41 TR/222 GERMANY, circulated by the Secretary-General on 28 November 1990.)

0164

State	Signature	Ratification, accession (a)	Entry into force
Seychelles		7 September 1990(a)	7 October 1990
Turkey*	14 September 1990		
Syrian Arab Republic	18 September 1990		
Pakistan*	20 September 1990	12 November 1990 ·	12 December 1990
Japan	21 September 1990		
Cameroon	25 September 1990		
Republic of Korea	25 September 1990		
Namibia	26 September 1990	30 September 1990**	30 October 1990
Afghanistan*	27 September 1990		
Chad	30 September 1990**	2 October 1990	1 November 1990
Comoros	30 September 1990**		
Czech and Slovak Federal Republic	30 September 1990**		
Djibouti	30 September 1990**		
Guyana	30 September 1990**		
Ireland*	30 September 1990**		
Liechtenstein	30 September 1990**		
Mozambique	30 September 1990**		
Papua New Guinea	30 September 1990**		
Saint Lucia	30 September 1990**		
Samoa	30 September 1990**		
Trinidad and Tobago	30 September 1990**		
Vanuatu	30 September 1990**		
Zambia	30 September 1990**		
New Zealand	1 October 1990		
Cyprus	5 October 1990		
Bahamas*	30 October 1990		

2/ Signature effected ad referendum.

* The asterisk indicates signatures or instruments accompanied by a reservation or
declaration, the text of which will be found in annex B to this notification.

** Actions effected during the World Summit for Children, which took place on
30 September 1990.

0165

C.N.245.1990.TREATIES-9 (Depositary Notification)

* DECLARATIONS AND RESERVATIONS

I

Upon signature, the Governments of Afghanistan, Argentina, Bahamas, Ireland, Maldives, Pakistan and Turkey made the following declarations and reservations:

AFGHANISTAN

(Original: English)

Declaration

"The Government of the Republic of Afghanistan reserves the right to express, upon ratifying the Convention, reservations on all provisions of the Convention that are incompatible with the laws of Islamic Shari'a and the local legislation in effect."

ARGENTINA

(Translation) (Original: Spanish)

Reservation

The Argentine Republic enters a reservation to subparagraphs (b),(c), (d) and (e) of article 21 of the Convention on the Rights of the Child and declares that those subparagraphs shall not apply in areas within its jurisdiction because, in its view, before they can be applied a strict mechanism must exist for the legal protection of children in matters of inter-country adoption, in order to prevent trafficking in and the sale of children.

Declarations

Concerning article 1 of the Convention, the Argentine Republic declares that the article must be interpreted to the effect that a child means every human being from the moment of conception up to the age of eighteen.

. 0166

Concerning article 38 of the Convention, the Argentine Republic declares that it would have liked the Convention categorically to prohibit the use of children in armed conflicts; such a prohibition exists in its domestic law which, by virtue of article 41 of the Convention, it shall continue to apply in this regard.

BAHAMAS

(Original: English)

Reservation

"The Government of the Commonwealth of The Bahamas upon signing the Convention reserves the right not to apply the Provisions of Article 2 of the said Convention insofar as those Provisions relate to the conferment of citizenship upon a child having regard to the Provisions of the Constitution of the Commonwealth of The Bahamas".

IRELAND

(Original: English)

Declaration

"Ireland reserves the right to make, when ratifying the Convention, such declarations or reservations as it may consider necessary."

MALDIVES

(Original: English)

Reservations

"1) Since the Islamic Shariah is one of the fundamental sources of Maldivian Law and since Islamic Shariah does not include the system of adoption among the ways and means for the protection and care of children contained in Shariah, the Government of the Republic of Maldives expresses its reservation with respect to all the clauses and provisions relating to adoption in the said Convention on the Rights of the Child.

0167

2) The Government of the Republic of Maldives expresses its reservation to paragraph 1 of Article 14 of the said Convention on the Rights of the Child, since the Constitution and the Laws of the Republic of Maldives stipulate that all Maldivians should be Muslims."

PAKISTAN

(Original: English)

Reservation

"Provisions of the Convention shall be interpreted in the light of the principles of Islamic laws and values."

TURKEY

(Translation) (Original: French)

Reservation

The Republic of Turkey reserves the right to interpret and apply the provisions of articles 17, 29 and 30 of the United Nations Convention on the Rights of the Child according to the letter and the spirit of the Constitution of the Republic of Turkey and those of the Treaty of Lausanne of 24 July 1923.

II

Upon ratification or accession, the Governments of Bangladesh, Egypt, France, Indonesia, Mali, Malta, Mauritius, Pakistan, Uruguay and Venezuela made the following declarations and reservations:

BANGLADESH

(Original: English)

Reservation

"[The Government of Bangladesh] ratifies the Convention with a reservation to Article 14, paragraph 1.

Also, Article 21 would apply subject to the existing laws and practices in Bangladesh."

0168

EGYPT

(Translation) (Original: Arabic)

Reservation

The Arab Republic of Egypt,

Considering that the Islamic Shariah is the fundamental source of legislation in Egyptian positive law and that, under the said Shariah, it is obligatory to provide all means of protection and care to children by diverse ways and means, not including, however, the system of adoption established in certain other bodies of positive law,

Expresses its reservation with respect to all the clauses and provisions relating to adoption in this Convention, and in particular to those parts of articles 20 and 21 of the Convention which concern adoption.

FRANCE

(Translation) (Original: French)

Declarations and Reservations

(1) The Government of the French Republic declares that this Convention, particularly article 6, cannot be interpreted as constituting any obstacle to the implementation of the provisions of French legislation relating to the voluntary interruption of pregnancy.

(2) The Government of the Republic declares that, in the light of article 2 of the Constitution of the French Republic, article 30 is not applicable in so far as the Republic is concerned.

(3) The Government of the Republic construes article 40, paragraph 2 (b) (v), as establishing a general principle to which limited exceptions may be made under law. This is particularly the case for certain non-appealable offences tried by the Police Court and for offences of a criminal nature. None the less, the decisions handed down by the final court of jurisdiction may be appealed before the Court of Cassation, which shall rule on the legality of the decision taken.

0169

INDONESIA

(Courtesy Translation) (Original: Indonesian)

Reservation

The 1945 Constitution of the Republic of Indonesia guarantees the fundamental rights of the child irrespective of their sex, ethnic or race. The Constitution prescribes those rights to be implemented by national laws and regulations.

The ratification of the Convention on the Rights of the Child by the Republic of Indonesia does not imply the acceptance of obligations going beyond the Constitutional limits nor the acceptance of any obligation to introduce any right beyond those prescribed under the Constitution.

With reference to the provisions of Articles 1, 14, 16, 17, 21, 22 and 29 of this Convention, the Government of the Republic of Indonesia declares that it will apply these articles in conformity with its Constitution.

MALI

(Translation) (Original: French)

Reservation

The Government of the Republic of Mali declares that, in view of the provisions of the Mali Family Code, there is no reason to apply article 16 of the Convention.

MALTA

(Original: English)

Reservation

"Article 26 - The Government of Malta is bound by the obligations arising out of this Article to the extent of present social security legislation."

0170

MAURITIUS

(Original: English)

Reservation

"[Mauritius] having considered the Convention, hereby accedes to it with express reservation with regard to Article 22 of the said Convention."

PAKISTAN

(Original: English)

Reservation

"The provisions of the Convention shall be interpreted in the light of the principle of Islamic Laws and Values."

URUGUAY

(Translation) (Original: Spanish)

Reservation

With reference to the Declaration submitted on the occasion of the signing, on 26 January 1990, of the Convention on the Rights of the Child, adopted by that Government on 6 December 1989, the Government of the Eastern Republic of Uruguay affirms, in regard to the provisions of article 38, paragraphs 2 and 3, that in accordance with Uruguayan law it would have been desirable for the lower age limit for taking a direct part in hostilities in the event of an armed conflict to be set at 18 years instead of 15 years as provided in the Convention.

Furthermore, the Government of Uruguay declares that, in the exercise of its sovereign will, it will not authorize any persons under its jurisdiction who have not attained the age of 18 years to take a direct part in hostilities and will not under any circumstances recruit persons who have not attained the age of 18 years.

0171

VENEZUELA

(Translation) (Original: Spanish)

Interpretative declarations

1. Article 21 (b):

The Government of Venezuela understands this provision as referring to international adoption and in no circumstances to placement in a foster home outside the country. It is also its view that the provision cannot be interpreted to the detriment of the State's obligation to ensure due protection of the child.

2. Article 21 (d):

The Government of Venezuela takes the position that neither the adoption nor the placement of children should in any circumstances result in financial gain for those in any way involved in it.

3. Article 30:

The Government of Venezuela takes the position that this article must be interpreted as a case in which article 2 of the Convention applies.

0172

IV.11. CONVENTION ON THE RIGHTS OF THE CHILD

Adopted by the General Assembly of the United Nations on 20 November 1989

Actions effected since 1 January 1991

	Participant/Authority	Action	Date	
1.	Malawi	Accession	2 January 1991	
2.	Yugoslavia	Ratification	3 January 1991	1/
3.	Czech and Slovak Federal Republic	Ratification	7 January 1991	2/
4.	Norway	Ratification	8 January 1991	3/
5.	Guyana	Ratification	14 January 1991	
6.	Rwanda	Ratification	24 January 1991	

0173

NOTES:

1/

    "The competent authorities (ward authorities) of the Socialist Federal Republic of Yugoslavia may, under Article 9, paragraph 1 of the Convention, make decisions to deprive parents of their right to raise their children and give them an upbringing without prior judicial determination in accordance with the internal legislation of the SFR of Yugoslavia".

2/   "The Government of the Czech and Slovak Federal Republic interpret the provision of Article 7, paragraph 1, of the Convention as follows:

In cases of irrevocable adoptions, which are based on the principle of anonymity of such adoptions, and of artificial fertilization, where the physician charged with the operation is required to ensure that the husband and wife on one hand and the donor on the other remain unknown to each other, the non-communication of a natural parent´s name or natural parents´ names to the child is not in contradiction with this provision."

3/ Reservations in respect of Article 40 2 (B) (V).

0174

IV.11   CONVENTION ON THE RIGHTS OF THE CHILD, ADOPTED BY THE GENERAL ASSEMBLY OF THE UNITED NATIONS ON 20 NOVEMBER 1989

ENTRY INTO FORCE: 2 SEPTEMBER 1990

Actions effected between 1 January and 18 December 1990

	Participant/Authority	Action	Date	
1.	Albania	Signature	26 January 1990	
2.	Algeria	Signature	26 January 1990	
3.	Austria	Signature	26 January 1990	
4.	Bangladesh	Signature	26 January 1990	
5.	Belgium	Signature	26 January 1990	
6.	Brazil	Signature	26 January 1990	
7.	Burkina Faso	Signature	26 January 1990	
8.	Byelorussian Soviet Socialist Republic	Signature	26 January 1990	
9.	Chile	Signature	26 January 1990	
10.	Colombia	Signature	26 January 1990	1/
11.	Costa Rica	Signature	26 January 1990	
12.	Côte d'Ivoire	Signature	26 January 1990	
13.	Cuba	Signature	26 January 1990	
14.	Denmark	Signature	26 January 1990	
15.	Dominica	Signature	26 January 1990	
16.	Ecuador	Signature	26 January 1990	2/
17.	El Salvador	Signature	26 January 1990	
18.	Finland	Signature	26 January 1990	
19.	France	Signature	26 January 1990	3/
20.	Gabon	Signature	26 January 1990	
21.	Germany, Federal Republic of	Signature	26 January 1990	
22.	Greece	Signature	26 January 1990	
23.	Guatemala	Signature	26 January 1990	4/
24.	Guinea-Bissau	Signature	26 January 1990	
25.	Haiti	Signature	26 January 1990	
26.	Iceland	Signature	26 January 1990	
27.	Indonesia	Signature	26 January 1990	
28.	Italy	Signature	26 January 1990	
29.	Jamaica	Signature	26 January 1990	
30.	Kenya	Signature	26 January 1990	
31.	Lebanon	Signature	26 January 1990	
32.	Mali	Signature	26 January 1990	
33.	Malta	Signature	26 January 1990	

0175

	Participant/Authority	Action	Date	
34.	Mauritania	Signature	26 January 1990	5/
35.	Mexico	Signature	26 January 1990	
36.	Mongolia	Signature	26 January 1990	
37.	Morocco	Signature	26 January 1990	
38.	Nepal	Signature	26 January 1990	
39.	Netherlands	Signature	26 January 1990	
40.	Niger	Signature	26 January 1990	
41.	Nigeria	Signature	26 January 1990	
42.	Norway	Signature	26 January 1990	
43.	Panama	Signature	26 January 1990	
44.	Peru	Signature	26 January 1990	
45.	Philippines	Signature	26 January 1990	
46.	Poland	Signature	26 January 1990	
47.	Portugal	Signature	26 January 1990	
48.	Romania	Signature	26 January 1990	
49.	Rwanda	Signature	26 January 1990	
50.	Saint Kitts and Nevis	Signature	26 January 1990	
51.	Senegal	Signature	26 January 1990	
52.	Spain	Signature	26 January 1990	
53.	Sri Lanka	Signature	26 January 1990	
54.	Suriname	Signature	26 January 1990	
55.	Sweden	Signature	26 January 1990	
56.	Togo	Signature	26 January 1990	
57.	Union of Soviet Socialist Republics	Signature	26 January 1990	
58.	Uruguay	Signature	26 January 1990	6/
59.	Venezuela	Signature	26 January 1990	
60.	Viet Nam	Signature	26 January 1990	
61.	Yugoslavia	Signature	26 January 1990	
62.	Ghana	Signature	29 January 1990	
63.	Egypt	Signature	5 February 1990	7/
64.	Gambia	Signature	5 February 1990	
65.	Ghana	Ratification	5 February 1990	
66.	Nicaragua	Signature	6 February 1990	
67.	Sierra Leone	Signature	13 February 1990	
68.	Yemen	Signature	13 February 1990	
69.	Angola	Signature	14 February 1990	
	Germany, Federal Republic of	Communication	15 February 1990	8/
70.	Grenada	Signature	21 February 1990	
71.	Ukrainian Soviet Socialist Republic	Signature	21 February 1990	
72.	Tunisia	Signature	26 February 1990	
73.	Viet Nam	Ratification	28 February 1990	
74.	Belize	Signature	2 March 1990	
75.	German Democratic Republic	Signature	7 March 1990	

0176

Participant/Authority	*Action*	*Date*	
76. *Bolivia*	*Signature*	8 March 1990	
77. *Zimbabwe*	*Signature*	8 March 1990	
78. *Hungary*	*Signature*	14 March 1990	
79. *Zaire*	*Signature*	20 March 1990	
80. *Luxembourg*	*Signature*	21 March 1990	
81. *Ecuador*	*Ratificaton*	23 March 1990	
82. *Paraguay*	*Signature*	4 April 1990	
83. *Barbados*	*Signature*	19 April 1990	
84. *Madagascar*	*Signature*	19 April 1990	
85. *United Kingdom of Great Britain and Northern Ireland*	*Signature*	19 April 1990	*9/*
86. *Holy See*	*Signature*	20 April 1990	
87. *Holy See*	*Ratification*	20 April 1990	*10/*
88. *Benin*	*Signature*	25 April 1990	
89. *Liberia*	*Signature*	26 April 1990	
90. *Belize*	*Ratification*	2 May 1990	
91. *Burundi*	*Signature*	8 May 1990	
92. *Canada*	*Signature*	28 May 1990	
93. *Bulgaria*	*Signature*	31 May 1990	
94. *Honduras*	*Signature*	31 May 1990	
95. *United Republic of Tanzania*	*Signature*	1 June 1990	
96. *Bhutan*	*Signature*	4 June 1990	
97. *Guatemala*	*Ratification*	6 June 1990	
98. *Kuwait*	*Signature*	7 June 1990	*11/*
99. *Sierra Leone*	*Ratification*	18 June 1990	

*Rectification of the Certified True Copies of the Convention. See
    C.N.117.1990.TREATIES-5 of 4 June 1990. 12/*

100. *Bolivia*	*Ratification*	26 June 1990	
101. *Argentina*	*Signature*	29 June 1990	*13/*
102. *Sweden*	*Ratification*	29 June 1990	
103. *Israel*	*Signature*	3 July 1990	
104. *Mongolia*	*Ratification*	5 July 1990	
105. *Egypt*	*Ratification*	6 July 1990	*14/*
106. *El Salvador*	*Ratification*	10 July 1990	
107. *Guinea*	*Accession*	13 July 1990	
108. *Sudan*	*Signature*	24 July 1990	
109. *Saint Kitts and Nevis*	*Ratification*	24 July 1990	
110. *Mauritius*	*Accession*	26 July 1990	*15/*

0177

Participant/Authority	Action	Date	

Rectification of the French text to be effected by the depositary.

	Participant/Authority	Action	Date		
111.	Central African Republic	Signature	30 July	1990	
112.	Kenya	Ratification	30 July	1990	
113.	Senegal	Ratification	31 July	1990	
114.	Bhutan	Ratification	1 August	1990	
115.	Togo	Ratification	1 August	1990	
116.	Bangladesh	Ratification	3 August	1990	16/
117.	Benin	Ratification	3 August	1990	
118.	Sudan	Ratification	3 August	1990	
119.	France	Ratification	7 August	1990	17/
120.	Dominican Republic	Signature	8 August	1990	
121.	Gambia	Ratification	8 August	1990	
122.	Honduras	Ratification	10 August	1990	
123.	Chile	Ratification	13 August	1990	
124.	Union of Soviet Socialist Republics	Ratification	16 August	1990	
125.	Uganda	Signature	17 August	1990	
126.	Uganda	Ratification	17 August	1990	
127.	Guinea Bissau	Ratification	20 August	1990	
128.	Costa Rica	Ratification	21 August	1990	
129.	Lesotho	Signature	21 August	1990	
130.	Maldives	Signature	21 August	1990	18/
131.	Philippines	Ratification	21 August	1990	
132.	Australia	Signature	22 August	1990	
133.	Swaziland	Signature	22 August	1990	
134.	Democratic People's Republic of Korea	Signature	23 August	1990	
135.	China	Signature	29 August	1990	
136.	Jordan	Signature	29 August	1990	
137.	Burkina Faso	Ratification	31 August	1990	
138.	Peru	Ratification	4 September	1990	
139.	Indonesia	Ratification	5 September	1990	19/
140.	Seychelles	Accession	7 September	1990	
141.	Zimbabwe	Ratification	11 September	1990	
142.	Venezuela	Ratification	13 September	1990	20/
143.	Nepal	Ratification	14 September	1990	
144.	Turkey	Signature	14 September	1990	21/
145.	Syrian Arab Republic	Signature	18 September	1990	
146.	Mali	Ratification	20 September	1990	22/
147.	Pakistan	Signature	20 September	1990	23/
148.	Democratic People's Republic of Korea	Ratification	21 September	1990	
149.	Japan	Signature	21 September	1990	
150.	Mexico	Ratification	21 September	1990	
151.	Portugal	Ratification	21 September	1990	

0178

152.	Brazil	Ratification	24 September	1990	
153.	Cameroon	Signature	25 September	1990	
154.	Paraguay	Ratification	25 September	1990	
155.	Republic of Korea	Signature	25 September	1990	
156.	Namibia	Signature	26 September	1990	
157.	Afghanistan	Signature	27 September	1990	24/
158.	Zaire	Ratification	27 September	1990	
159.	Romania	Ratification	28 September	1990	
160.	Chad	Signature	30 September	1990	
161.	Comoros	Signature	30 September	1990	
162.	Czechoslovakia	Signature	30 September	1990	
163.	Djibouti	Signature	30 September	1990	
164.	Guyana	Signature	30 September	1990	
165.	Ireland	Signature	30 September	1990	25/
166.	Liechtenstein	Signature	30 September	1990	
167.	Malta	Ratification	30 September	1990	26/
168.	Mozambique	Signature	30 September	1990	
169.	Namibia	Ratification	30 September	1990	
170.	Niger	Ratification	30 September	1990	
171.	Papua New Guinea	Signature	30 September	1990	
172.	Saint Lucia	Signature	30 September	1990	
173.	Samoa	Signature	30 September	1990	
174.	Trinidad and Tobago	Signature	30 September	1990	
175.	Vanuatu	Signature	30 September	1990	
176.	Zambia	Signature	30 September	1990	
177.	Byelorussian Soviet Socialist Republic	Ratification	1 October	1990	
178.	New Zealand	Signature	1 October	1990	
179.	Chad	Ratification	2 October	1990	
180.	German Democratic Republic	Ratification	2 October	1990	
181.	Cyprus	Signature	5 October	1990	
182.	Nicaragua	Ratification	5 October	1990	
183.	Barbados	Ratification	9 October	1990	
184.	Burundi	Ratification	19 October	1990	
185.	Bahamas	Signature	30 October	1990	27/
186.	Grenada	Ratification	5 November	1990	
187.	Pakistan	Ratification	12 November	1990	28/
188.	Uruguay	Ratification	20 November	1990	29/
189.	Argentina	Ratification	4 December	1990	30/
190.	Angola	Ratification	5 December	1990	
191.	Djibouti	Ratification	6 December	1990	31/
192.	Spain	Ratification	6 December	1990	32/
193.	Panama	Ratification	12 December	1990	
194.	Australia	Ratification	17 December	1990	33/

Total   Signatures: 130
               Ratifications: 61
               Accessions: 3

0179

NOTES: <u>*Declarations, Reservations and Objections*</u>

<u>1/</u>   <u>Declaration</u>

   The Colombian Government considers that, while the
minimum age of 15 years for taking part in armed conflicts,
set forth in article 38 of the Convention, is the outcome of
serious negotiations which reflect various legal, political
and cultural systems in the world, it would have been
preferable to fix that age at 18 years in accordance with
the principles and norms prevailing in various regions and
countries, Colombia among them, for which reason the
Colombian Government, for the purposes of article 38 of the
Convention, shall construe the age in question to be
18 years.

<u>2/</u>   <u>Declaration</u>

   In signing the Convention on the Rights of the Child,
Ecuador reaffirms the points made in the statement delivered
by Ambassador José Ayala Lasso on agenda item 108, in the
Third Committee on 14 November 1989, particularly as
concerns the interpretation to be given to article 24, in
the light of the preamble of the Convention, and article 38.

   [Ecuador believes that the ninth preambular paragraph
   should be borne in mind in interpreting the
   Convention, especially its article 24. In the view of
   Ecuador, the minimum age set in article 38 is too
   low.]

<u>3/</u>, <u>17/</u>   <u>Declarations</u>

   (1) The Government of the French Republic declares
that this Convention, particularly article 6, cannot be
interpreted as constituting any obstacle to the
implementation of the provisions of French legislation
relating to the voluntary interruption of pregnancy.

   (2) The Government of the Republic declares that, in
the light of article 2 of the Constitution of the French
Republic, article 30 is not applicable in so far as the
Republic is concerned.

0180

Reservation

(3) The Government of the Republic construes article 40, paragraph 2 (b) (v), as establishing a general principle to which limited exceptions may be made under law. This is particularly the case for certain non-appealable offences tried by the Police Court and for offences of a criminal nature. None the less, the decisions handed down by the final court of jurisdiction may be appealed before the Court of Cassation, which shall rule on the legality of the decision taken.

4/

Declaration

The State of Guatemala is signing this Convention out of a humanitarian desire to strengthen the ideals on which the Convention is based, and because it is an instrument which seeks to institutionalize, at the global level, specific norms for the protection of children, who, not being legally of age, must be under the guardianship of the family, society and the State.

With reference to article 1 of the Convention, and with the aim of giving legal definition to its signing of the Convention, the Government of Guatemala declares that article 3 of its Political Constitution establishes that: "The State guarantees and protects human life from the time of its conception, as well as the integrity and security of the individual."

5/

Reservation

In signing this important Convention, the Islamic Republic of Mauritania is making reservations to articles or provisions which may be contrary to the beliefs and values of Islam, the religion of the Mauritanian people and State.

6/

Reservation

On signing this Convention, Uruguay reaffirms the right to make reservations upon ratification, if it considers it appropriate.

0181

7/   <u>Reservation</u>

    Since the Islamic Shariah is one of the fundamental
sources of legislation in Egyptian positive law and because
the Shariah, in enjoining the provision of every means of
protection and care for children by numerous ways and means,
does not include among those ways and means the system of
adoption existing in certain other bodies of positive law,

    The Government of the Arab Republic of Egypt expresses
its reservation with respect to all the clauses and
provisions relating to adoption in the said Convention, and
in particular with respect to the provisions governing
adoption in articles 20 and 21 of the Convention.

8/   <u>Declaration</u>

    "(The Government of the Federal Republic of Germany)
has the honour to inform the Secretary-General that it was
[its] intention to make the following declaration on the
occasion of ths signing of the Convention on the Rights of
the Child:

    The Government of the Federal Republic of Germany
reserves the right to make, upon ratification, such
declarations as it considers necessary, especially with
regard to the interpretation of articles 9, 10, 18 and 22."

9/   <u>Reservation</u>

    "The United Kingdom reserves the right to formulate,
upon ratifying the Convention, any reservations or
interpretative declarations which it might consider
necessary."

10/   <u>Reservations</u>

    "The Holy See, in conformity with the dispositions of
Article 51, [ratifies] to the Convention on the Rights of
the Child with the following reservations:

    a) that it interprets the phrase 'Family planning
education and services' in Article 24.2, to mean only those
methods of family planning which it considers morally
acceptable, that is, the natural methods of family planning.

0182

b) that it interprets the articles of the Convention in a way which safeguards the primary and inalienable rights of parents, in particular insofar as these rights concern education (Articles 13 and 28), religion (Article 14), association with others (Article 15) and privacy (Article 16).

c) that the application of the Convention be compatible in practice with the particular nature of the Vatican City State and of the sources of its objective law (Art. 1, Law of 7 June 1929, n. 11), and, in consideration of its limited extent, with its legislation in the matters of citizenship, access and residence."

Declarations

"The Holy See regards the present convention as a proper and laudable instrument aimed at protecting the rights and interest of children, who are 'that precious treasure given to each generation as a challenge to its wisdom and humanity' (Pope John Paul II, 26 April 1984).

The Holy See recognizes that the Convention represents an enactment of principles previously adopted by the United Nations, and once effective as a ratified instrument, will safeguard the rights of the child before as well as after birth, as expressly affirmed in the 'Declaration of the Rights of the Child' [Res. 136 (XIV)] and restated in the ninth preambular paragraph of the Convention. The Holy See remains confident that the ninth preambular paragraph will serve as the perspective through which the rest of the Convention will be interpreted, in conformity with Article 31 of the Vienna Convention on the Law of Treaties of 23 May 1969.

By acceding to the Convention on the Rights of the Child, the Holy See intends to give renewed expression to its constant concern for the well-being of children and families. In consideration of its singular nature and position, the Holy See, in acceding to this Convention, does not intend to prescind in any way from its specific mission which is of a religious and moral character."

11/   ### Reservation

"[Kuwait expresses] reservations on all provisions of the Convention that are incompatible with the laws of Islamic Shari'a and the local statutes in effect."

0183

<u>12/</u>   <u>Corrigendum</u>

It has been noticed that the Arabic, Chinese, English, French, Russian and Spanish texts of the certified true copies of the Convention contain a misprint which requires rectification: in Article 10, paragraph 2, of the aforesaid certified true copies, replace the reference to "article 9, paragraph 2," by "article 9, paragraph 1,".

<u>13/</u>, <u>30/</u>   <u>Reservation</u>

The Argentine Republic enters a reservation to subparagraphs (b), (c), (d) and (e) of article 21 of the Convention on the Rights of the Child and declares that those subparagraphs shall not apply in areas within its jurisidiction because, in its view, before they can be applied a strict mechanism must exist for the legal protection of children in matters of inter-country adoption, in order to prevent trafficking in and the sale of children.

<u>Declarations</u>

Concerning article 1 of the Convention, the Argentine Republic declares that the article must be interpreted to the effect that a child means every human being from the moment of conception up to the age of eighteen.

Concerning article 38 of the Convention, the Argentine Republic declares that it would have liked the Convention categorically to prohibit the use of children in armed conflicts; such a prohibition exists in its domestic law which, by virtue of article 41 of the Convention, it shall continue to apply in this regard.

<u>14/</u>   <u>Reservation</u>

The Arab Republic of Egypt, considering that the Islamic Shariah is the fundamental source of legislation in Egyptian positive law and that, under the said Shariah, it is obligatory to provide all means of protection and care to children by diverse ways and means, not including, however, the system of adoption established in certain other bodies of positive law,
Expresses its reservation with respect to all the clauses and provisions relating to adoption in this Convention, and in particular to those parts of articles 20 and 21 of the Convention which concern adoption.

√

0184

11

15/   Reservation

        [The Government of Mauritius] hereby accedes to it
with express reservation with regard to Article 22 of the
said Convention.

16/   Reservations

        [The Government of the People's Republic of
Bangladesh] hereby enter [our] reservations on Article 14
para 1.

        Also, Article 21 would apply subject to the existing
laws and practices in Bangladesh.

17/   See footnote 3/

18/   Reservations

        "1. Since the Islamic Shariah is one of the
fundamental sources of Maldivian Law and since Islamic
Shariah does not include the system of adoption among the
ways and means for the protection and care of children
contained in Shariah, the Government of the Republic of
Maldives expresses its reservation with respect to all the
clauses and provisions relating to adoption in the said
Convention on the Rights of the Child.

        2. The Government of the Republic of Maldives
expresses its reservation to paragraph 1 of Article 14 of
the said Convention on the Rights of the Child, since the
Constitution and the Laws of the Republic of Maldives
stipulate that all Maldivians should be Muslims."

19/   Declaration

        "The 1945 Constitution of the Republic of Indonesia
guarantees the fundamental rights of the child irrespective
of their sex, ethnic or race. The Constitution prescribes
those rights to be implemented by national laws and
regulations.

        The ratification of the Convention on the Rights of
the Child by the Republic of Indonesia does not imply the
acceptance of obligations going beyond the Constitutional
limits nor the acceptance of any obligation to introduce any
right beyond those prescribed under the Constitution.

0185

12

> *With reference to the provisions of Articles 1, 14, 16, 17, 21, 22 and 29 of this Convention, the Government of the Republic of Indonesia declares that it will apply these articles in conformity with its Constitution."*

20/ <u>Declarations</u>

1. *Article 21 (b):*

The Government of Venezuela understands this provision as referring to international adoption and in no circumstances to placement in a foster home outside the country. It is also its view that the provision cannot be interpreted to the detriment of the State's obligation to ensure due protection of the child.

2. *Article 21 (d):*

The Government of Venezuela takes the position that neither the adoption nor the placement of children should in any circumstances result in financial gain for those in any way involved in it.

3. *Article 30:*

The Government of Venezuela takes the position that this article must be interpreted as a case in which article 2 of the Convention applies.

21/ <u>Reservation</u>

The Republic of Turkey reserves the right to interpret and apply the provisions of articles 17, 29 and 30 of the United Nations Convention on the Rights of the Child according to the letter and the spirit of the Constitution of the Republic of Turkey and those of the Treaty of Lausanne of 24 July 1923.

22/ <u>Declaration</u>

The Government of the Republic of Mali declares that, in view of the provisions of the Mali Family Code, there is no reason to apply article 16 of the Convention.

0186

23/   <u>Reservation</u>

"The Government of Pakistan intends to make the following reservation on the Convention on the Right of the Child:

Provisions of the Convention shall be interpreted in the light of the principles of Islamic laws and values."

<u>24</u>/   <u>Declaration</u>

"The Government of the Republic of Afghanistan reserves the right to express, upon ratifying the Convention, reservations on all provisions of the Convention that are incompatible with the laws of Islamic Shari'a and the local legislation in effect."

<u>25</u>/   <u>Declaration</u>

"Ireland reserves the right to make, when ratifying the Convention, such declarations or reservations as it may consider necessary."

<u>26</u>/   <u>Reservation</u>

"Article 26 - The Government of Malta is bound by the obligations arising out of this Article to the extend of present social security legislation."

<u>27</u>/   <u>Reservation</u>

"The Government of the Commonwealth of the Bahamas upon signing the Convention reserves the right not to apply the provisions of Article 2 of the said Convention insofar as those provisions relate to the conferment of citizenship upon a child having regard to the provisions of the Constitution of the Commonwealth of the Bahamas."

<u>28</u>/   <u>Reservation</u>

"The provisions of the Convention shall be interpreted in the light of the principle of Islamic Laws and Values."

0187

29/   *Reservation*

   With reference to the Declaration submitted on the occasion of the signing, on 26 January 1990, of the Convention on the Rights of the Child, adopted by that Government on 6 December 1989, the Government of the Eastern Republic of Uruguay affirms, in regard to the provisions of article 38, paragraphs 2 and 3, that in accordance with Uruguayan law it would have been desirable for the lower age limit for taking a direct part in hostilities in the event of an armed conflict to be set at 18 years insted of 15 years as provided in the Convention.

   Furthermore, the Government of Uruguay declares that, in the exercise of its sovereign will, it will not authorize any persons under its jurisdiction who have not attained the age of 18 years to take a direct part in hostilities and will not under any circumstances recruit persons who have not attained the age of 18 years.

30/   *See footnote 13/*

31/   *Declaration*

   [Djibouti] hereby formally declares its accession to the Convention and pledges, on behalf of the Republic of Djibouti, to adhere to it conscientiously and at all times, except that it shall not consider itself bound by any provisions or articles that are incompatible with its religion and its traditional values.

32/   *Declaration*

   "1. Spain understands that article 21, paragraph (d), of the Convention may never be construed to permit financial benefits other than those needed to cover strictly necessary expenditure which may have arisen from the adoption of children residing in another country.

   2. Spain, wishing to make common cause with those States and humanitarian organizations which have manifested their disagreement with the contents of article 38, paragraphs 2 and 3, of the Convention, also wishes to express its disagreement with the age limit fixed therein and to declare that the said limit appears insufficient, by permitting the recruitment and participation in armed conflict of children having attained the age of fifteen years."

0188

<u>*33/*</u>   <u>*Reservation*</u>

　　　"Australia accepts the general principles of
article 37. In relation to the second sentence of
paragraph (c), the obligation to separate children from
adults in prison is accepted only to the extent that such
imprisonment is considered by the responsible authorities to
be feasible and consistent with the obligation that children
be able to maintain contact with their families, having
regard to the geography and demography of Australia.
Australia, therefore, ratifies the Convention to the extent
that it is unable to comply with the obligation imposed by
article 37 (c).

보 건 사 회 부

아동 20420-   **16098**   503-7578   1990. 12. 8.
수신 외무부장관
제목 "아동의 권리에 관한 협약 "가입 검토

1. 관련
   가. 외무부 법규 20420-48138('90.5.18)호,
   나. 보사부 아동 20420-6466('90.5.18) 및 아동 31420-9909
('90.7.27)
   2. 귀부에서 위 관련문서로 "아동의 권리에 관한 협약"의 가입과 관련한
사항에 대하여 우리부 검토의견을 다음과 같이 회신합니다.

다   음

   가. 아동의 권리에 관한 협약 제24조 내지 제26조에 규정된 아동의
건강 및 의료지원에 관련한 사항은 동 협약에 의한 의료보호등의 조치는 가능하나
사회보험인 의료보험의 경우 의료보험법 제73조의 3 및 동법 시행령 제4조의
2호의 규정에 의한 외국인 (아동)을 제외한 일시체제 외국인 (아동)에
보험급여를 적용하는 것은 보험재정의 적자를 초래하고 악의적 체류목적의 입국
등을 배제할 수 없다고 판단됨.

   나. 따라서 동 협약 가입시 관계 규정에 의한 보험급여를 받기 위하여
보험금을 납부하는 외국인 (아동)이 아닌 일시 체류를 목적으로 하는 자는 사회보험
(의료보험)에 대한 건강의료권은 유보하여야 할 것임.

첨부 사회보험 (의료보험)에 관한 우리부 검토의견 1부. 끝.

보 건 사 회 부 장 관

34746   0190

아동권리협약 가입에 따른 사회보험(의료보험) 관련사항 검토의견

----

1. 현 황

   O 의료보험제도상 의료보험 피보험대상은 원칙적으로 내국인중 국내에 거주하는 국민에
     한하고 있으며, 예외적으로 외국인에 한하여, 외국정부가 사용자인 사업장의 근로자는
     외국정부와의 합의에 의하여 따로 정할 수 있으며 국내에 영주하는 외국인과 국내
     사업장에 취업하고 있는 외국인은 본인의 신청에 의하여 의료보험의 적용을 받을 수
     있음.

   O 적용법규 :
     의료보험법 제73조의 3 및 동법 시행령 제4조의 2

   O 구체적 적용범위 및 내용
     - 정부투자기관, 정부출연기관, 보건사회부장관이 국가시책상 인정하는 국내사업장에
       취업하는 외국인은 본인의 신청에 의하여 직장의료보험의 적용을 받을 수 있고
     - 국내에 영주하는 외국인
       출입국 관리법 제27조 및 동법시행령 제43조의 규정에 의하여 기류신고 및 외국인
       등록을 필하고 90일이상 국내에 체류중인자는 본인의 신청에 의하여 지역의료보험의
       적용을 받을 수 있음.

2. 검토의견

   O 제도상 문제점
     - 의료보험은 아국의 전국민을 대상으로 하여 이들로 부터 평소에 정기적으로 일정액의
       보험료를 갹출하여 기금화 하였다가 보험사고가 발생한 국민에게 보험급여를 행
       함으로써 아국민의 의료를 제도적으로 보장해 주는 것이나 외국인에 대하여는 상호
       주의 원칙에 입각하여 의료보험에 적용시키고 있는 바.

0191

· · 아국내에서 단기 체류를 하는 외국인(아동)에 대하여는 지역의료보험을 적용하기 곤란함. 그 이유는 지역의료보험은 주소지를 중심으로 이루워지므로 이들 단기 체류자는 주소지가 없기 때문에 현실적으로 적용이 곤란함.

- 의료보험제도 운영에 있어 무엇보다 중요한 것은 부담과 급여의 형평을 기하여야 함에도 불구하고 일시 체제하는 외국인(아동)에 대하여 급여를 행하는 경우 부담없이 급여만 받게 되는 경우와 악의적인 치료목적의 입국을 배제할 수 없어 보험재정의 불균형 초래

0 아동권리협약 가입에 따른 문제점

- 유엔 아동권리협약에 주요 선진국(미국,일본,영국)등이 비준 내지 서명하지 않고 있는 점.

- 동 협약상 보험급여를 받기 위해 부담금을 부담하는 외국인(아동)을 제외한 일시 체류자에 대한 사회보험에 의한 건강위료권에 대해서는 유보함이 타당함.

0192

법　　　무　　　부

국심 20420- **16621**　　　　503-9505　　　　1990. 12. 20

수신　외무부장관

참조　국제기구조약국장

제목　아동권리협약 가입에 대한 검토의견

　　　1. 법규 20420-48138(90.9.29)와 관련입니다.

　　　2. 아동권리에 관한 협약중 제9조 3항 (부모와의 교섭유지권),
제12조 (아동의 의사표시권), 제21조 (입양허가), 제40조 제2항 나호 (5)
(상소권 보장)의 유보여부에 관한 당부의견을 별첨과 같이 송부합니다.

　　　첨부 : 아동권리에 관한 협약 검토의견　1부.　　　끝.

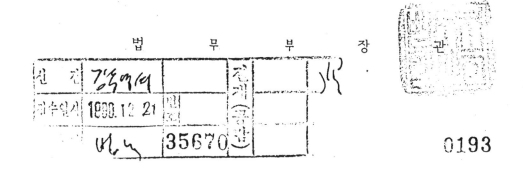

0193

아동권리에 관한 협약 검토의견

1990.   11.

법   무   부

1. 의 견

o 제9조 제3항 (부모와의 교섭유지권), 제21조 (8) (입양허가), 제40조 제2항
  나호 (5) (상소권보장)은 유보를 함이 상당함.

o 그외의 조항은 유보가 불필요함.

2. 이 유

가. 유보이유

(1) 제9조 제3항 (부모와의 교섭유지권)

o 협약에 따르면 당사국은 부모쌍방 또는 일방으로부터 분리된 아동에
  대하여 정기적으로 부모와 접촉할 권리를 존중하도록 규정하고 있음.

o 그런데 현행 민법 제837조의 2에는 자를 양육하지 아니하는 부모중
  일방에 대하여만 면접교섭권을 인정하고 있을 뿐, 자의 면접교섭권리에
  대하여는 규정이 없음.

o 다만 이혼시 양육에 관한 사항에 관하여 부모 쌍방간에 협의가 이루어
  지지 아니할 경우에는 이를 법원이 결정하도록 되어 있으므로 그 결정
  시에 자의 면접을 위한 사항을 포함시킴으로써 실질적으로 면접이 이루어
  지도록 할 수는 있으나 부모 쌍방간에 자의 면접에 관한 사항을 정하지
  않고 합의한 경우에는 자의 부모 면접권이 보장되지 아니할 수 있으며,

0195

또한 법원이 결정한 자의 면접을 양육하고 있는 부모의 일방이 방해한 경우에 자의 면접권에 관한 규정이 없는 현행민법하에서는 양육하지 아니하고 있는 부모의 일방만이 이로인한 손해배상청구권등을 행사할 수 있을 뿐 자에게는 손해배상청구권을 인정하기에 어려움이 있어, 자의 부모의 면접이 권리로서 보장되지 못하는 측면이 있음.

ㅇ 따라서 이 규정은 위 한도에서 유보함이 상당함.

(2) 제21조 (a) (입양허가)

ㅇ 협약에 따르면 관련법률, 절차 및 모든 관련자료에 기하여 부모등의 승락이 있는지 여부와 입양이 아동의 지위에서 볼 때 허용될 수 있음을 판단하는 관계기관의 승인에 의하여만 아동입양이 가능하게 하여야 한다고 규정하고 있음.

ㅇ 그런데 현행 민법 제871조에 의하면 미성년자 입양의 경우에 부모 또는 후견인의 동의가 필요하도록 하면서, 후견인이 동의를 할 경우에만 가정법원의 허가를 얻도록 규정하고 있으므로 부모가 동의할 경우에는 협약상에 규정된 바와 같이 실질적으로 입양의 적격성을 심사하는 관계기관의 심사절차 없이 입양이 가능하게 됨.

ㅇ 따라서 이 규정은 위 한도에서 유보함이 상당함.

0196

(3) 제40조 제2항 (b) (v) 상소권 보장조항

   o 협약에 따르면 아동이 형법을 위반하였다는 결정에 관하여는 독립적
     이고 공정한 상급기관이나 사법기관에 의한 심리가 보장되어야 한다고
     규정하고 있음.

   o 그러나 현행 헌법 제110조 제4항에 의하면 비상계엄하의 군사재판은
     군인, 군무원의 경우나 군사에 관한 간첩죄의 경우와 초병, 초소, 유해
     음식물 공급, 포로에 관한 죄중 법률에 정한 경우에 한하여 단심으로
     할 수 있다고 규정하고 있음.   이에 따르면 18세미만의 아동의 경우도
     비상계엄하에 유해음식물 공급등 죄를 범하여 재판을 받을 수 있는 바,
     이 경우에는 단심재이므로 협약상의 상소권이 보장될 수 없음.

   o 따라서 이 규정은 위 한도에서 유보함이 상당

나. 기타 관련사항

(1) 제12조 (아동의 의사표시권)의 유보여부에 관한 사항

   o 협약에 따르면 아동에게 영향을 끼치는 사항에 관하여 그에 관한 견해
     를 표시할 권리를 부여하도록 하면서 특히 아동에게 영향을 끼치는 사법,
     행정절차에 있어 아동에게 직접 또는 대리인을 통하여 의사표시를 할
     기회를 부여하도록 되어 있음.

0197

o 현행 민법상 아동에게 영향을 끼치는 사법절차로서 입양과 친권상실
   선고를 들 수 있는데, 먼저 입양의 경우에는 양자가 될 자가 15세미만
   인 경우에는 법정대리인이 그에 갈음하여 입양의 승락을 하도록 하고
   있어 아동의 의사표시기회를 주지 않고 있는 것으로 보이나 이는 협약상
   의 대리인을 통하여 의사표시를 하는 것에 해당되고, 15세미만인 경우에
   는 그 연령에 비추어 부모 또는 후견인들이 승락을 하도록 하는 것이
   합리적이어서 그와 같이 정한 것이므로 협약상 연령과 성숙도에 따라
   아동의 의사에 적절한 비중을 인정한다는 규정에도 부합하므로, 협약에
   저촉된다고 볼 수 없고, 친권상실선고의 경우에는 가사 아동의 의사표시
   권이 명문으로 보장되어 있지 않다 하더라도 실제 심리를 함에 있어서
   아동의 의사를 적절히 고려, 반영할 수 있으므로 사실상 아동에게 의사
   표시의 기회가 부여되므로 협약규정 실행에 문제가 없다고 보여짐.

o 따라서 이 규정은 유보하지 아니함이 상당함.

(2) 당부관련조항중 위 검토한 사항외에는 국내법에 모두 구현되어 있으므로
    특별히 유보가 필요하다고 판단되는 조항은 없음.

0198

정 리 보 존 문 서 목 록					
기록물종류	일반공문서철	등록번호	23808	등록일자	2005-03-08
분류번호	742.14	국가코드		보존기간	영구
명 칭	아동의 권리에 관한 협약 한국 가입, 1991.12.20. 전3권				
생 산 과	국제협약과/국제연합과	생산년도	1987~1991	담당그룹	
권 차 명	V.3 1991				
내용목차	* 1989.11.20 New York에서 채택 1990.9.2 발효 1991.11.20 비준서 기탁 1991.12.20 한국에 대하여 발효 (조약 제1072호)				

0001

2778

기 안 용 지

(전화 :   )

분류기호 문서번호	법규 20420-		시 행 상 특별취급	
보존기간	영구·준영구. 10.5.3.1.	장 관		
수 신 처 보존기간				
시행일자	1991. 1. 23.			

보 조 기 관	국 장	전결	협 조 기 관		문 서 통 제	
	심의관					
	과 장					
	기안책임자	김두영			발 송 인	

경 유 수 신 참 조	수신처 참조	발 신 명 의			

제 목	아동의 권리에 관한 협약 비준문제

연: 법규 20420-48138(90.9.28.)

1. 아국 정부는 90.9.25. "아동의 권리에 관한 협약"에

서명, 유엔이 전개하고 있는 국제적 아동보호 노력을 지지하고 이에

대한 동참 의사를 표명한 바 있습니다.

2. 그간 동 협약에 대한 국제사회의 지지 확산 및 청소년

문제에 대한 국민적 관심을 감안 할 때, 아국도 동 협약에 대한 비준을

조속히 추진할 필요가 있다고 사료됩니다.   0002

1505-25(2-1) 일(1)갑   / 계   속 /   190mm×268mm 인쇄용지 2급 60g/㎡
85. 9. 9. 승인   "내가아낀 종이 한장 늘어나는 나라살림"   가 40-41 1990. 5. 28

3. 비준절차 진행에 앞서 연호 당부 의견요청에 대한

귀부처의 회신등 검토 결과를 기초로, 아국에 적용될 최종협약 내용을

확정시키기 위한 관계부처회의를 아래와 같이 개최코자 하오니

귀부(처)의 담당과장이 참석토록 협조하여 주시기 바랍니다.

                          - 아   래 -

        가. 회의일시 : 91·2·12·(화) 15:00-17:00

        나. 장   소 : 정부종합청사 제 817 실

        다. 참석범위 : 내무부、법무부、문교부、체육청소년부、

                       보건사회부、법제처

        라. 토의과제 : 아동의 권리에 관한 협약 비준

                       - 유보내용등 비준방안

    4. 동회의 참석시에는 연호로 기 배포한바 있는 검토자료를

~~필히~~ 여주 지참하시기 바랍니다. 끝.

    수신처 : 내무부、법무부、문교부、체육청소년부、보건사회부、법제처

                                            0003

1505-25(2-2) 일(1)을 "내가아낀 종이 한장 늘어나는 나라살림"   190㎜×268㎜ 인쇄용지 2급 60g/㎡
85. 9. 9.승인   가 40-41 1990. 5. 28

대 한 민 국
외 무 부

(720-4045)   19 91 . 1 . 23 .

법규 20420-

수신

제목   아동의 권리에 관한 협약 비준문제

연 : 법규 20420-48138(90.9.28.)

1. 아국 정부는 90.9.25. "아동의 권리에 관한 협약"에 서명、
유엔이 전개하고 있는 국제적 아동보호 노력을 지지하고 이에 대한 동참
의사를 표명한 바 있습니다.

2. 그간 동 협약에 대한 국제사회의 지지 확산 및 청소년문제에
대한 국민적 관심을 감안 할 때、아국도 동 협약에 대한 비준을 조속히
추진할 필요가 있다고 사료됩니다.

3. 비준절차 진행에 앞서 연호 당부 의견요청에 대한 귀부처의
회신등 결과를 기초로、아국에 적용될 최종협약 내용을 확정시키기 위한
관계부처회의를 아래와 같이 개최코자 하오니 귀부(처)의 담당과장이
참석토록 협조하여 주시기 바랍니다.

                    - 아   래 -

가. 회의일시 :   91.2.12.(화) 15:00 - 17:00

나. 장   소 :   정부종합청사 제817호실

다. 참석범위 :   내무부、법무부、문교부、체육청소년부、
                보건사회부、법제처

                                        0004

라. 토의과제: 아동의 권리에 관한 협약 비준

           - 유보내용등 비준방안

    4. 동회의 참석시에는 연호로 기 배포한바 잇는 검토자료를 지참하여 주시기 바랍니다. 끝.

       외   무   부   장   관

         국제기구조약국장

교   육   부

교협 25800-6?   (720-3404)   1991. 1. 28.

수신 외무부장관

제목 "아동의 권리에 관한 협약" 가입 검토

1. 외무부 법규 20420-48138('90.9.29)와 관련입니다.

2. 연호 아동의 권리에 협약 가입에 관하여 당부의견을 다음과 같이 통보합니다.

다   음

가. 비준서 유보 필요조항 여부 : 의견 없음.

나. 비준의 시기 : 의견 없음   "끝".

교   육   부   장

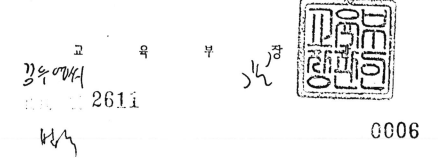

2611

0006

1. 협약당사국 명단

1991. 1. 31. 현재
밑줄은 비준또는 가입국임

지 역	국 가
아 주 (21개국)	방글라데시, 호주, 인도네시아, 말디브, 몽고, 네팔, 필리핀, 스리랑카, 베트남, 아프가니스탄, 부르네이, 북한, 중국, 파키스탄, 일본, 대한민국, 부탄, 파프아뉴기니아, 사모아, 바누아투, 뉴질랜드
미 주 (32개국)	아르헨티나, 바베이도스, 벨리제, 볼리비아, 브라질, 카나다, 칠레, 콜롬비아, 코스타리카, 쿠바, 도미니카연방, 도미니카공화국, 에쿠아도르, 엘살바도르, 그레나다, 과테말라, 하이티, 온두라스, 자마이카, 멕시코, 니카라과, 파나마, 파라과이, 페루, 세인트 킷츠 네비스, 수리남, 우루과이, 베네수엘라, 가이아나, 세인트루시아, 트리니다드 토바고, 바하마
구 주 (33개국)	알바니아, 오지리, 벨지움, 불가리아, 백러시아, 덴마크, 핀란드, 불란서, 서독, 동독, 그리스, 교황청, 헝가리, 아이슬랜드, 이태리, 룩셈부르크, 말타, 네델란드, 노르웨이, 폴란드, 포르투갈, 루마니아, 스페인, 스웨덴, 우크라이나, 영국, 소련, 유고, 아일랜드, 리히텐슈타인, 첵코, 사이프러스, 터키
아중동 (48개국)	알제리아, 앙골라, 베넹, 부르키나파소, 부룬디, 중앙아, 코트디브와르, 이집트, 감비아, 가나, 기네, 기네비쏘, 이스라엘, 요르단, 케냐, 쿠웨이트, 래바논, 래소토, 라이베리아, 마다가스카르, 말리, 모리셔스, 모리타니아, 모로코, 니제르, 나이지리아, 루완다, 세네갈, 시에라래온, 수단, 스와질랜드, 토고, 튀니지, 탄자니아, 우간다, 예멘, 자이르, 짐바브웨, 시리아, 카메룬 나미비아, 챠드, 코모로, 지부티, 모잠비크 잠비아, 쉐이셜, 말라위
계	서명국 : 130개국 비준국 : 66개국 가입국 : 4개국(기네, 모리셔스, 쉐이셜, 말라위)

0007

兒童의 權利에 관한 協約 批准 檢討

1991. 2. 12.

外　　務　　部

國　際　法　規　課

0008

Ⅰ. 批准推進 經緯

- 1989.11.20. 유엔總會 "兒童의 權利에 관한 協約" 採擇
- 1990.1.9.   1次 關係部處 意見問議
- 1990.6.14.   1次 關係部處 會議
- 1990.9.2.   協約發效
- 1990.9.25.   我國署名
- 1990.9.29.   2次 關係部處 意見問議

Ⅱ. 部處別 檢討意見

1. 內務部
   - 1, 2次 意見(90.6.1. 및 90.10.24.)
     - 意見없음.

2. 法務部

   - 1次意見(90.3.15.)
     - 國內 關聯法規와 特別히 抵觸되는 部分이 없으며 協約內容이
       大部分 國內 關聯法規에 具現되어 있음.

   - 2次意見(90.6.15.)
     - 親族相續法上 親權喪失宣告를 第9條의 父母로부터 分離로
       보기에는 難點이 있음.
     - 親權喪失宣告는 親族, 檢事의 請求에 의해 法院이 決定하므로
       司法審査에 의한 것이며, 이경우 辯論主義에 따라 裁判過程에서
       利害關係者들의 自由로운 見解表明이 可能, 第9條 第2項의
       抵觸問題는 생기지 아니함.

- 1 -

0009

ㅇ 3次意見(90.12.20.)

  - 第9條 第3項(父母와의 面接交涉維持權), 第21條(入養許可),
    第40條 第2項 나호(5)(上訴權 保障)은 留保함이 相當함.

3. 教育部

  ㅇ 1次意見(90.9.3.)

    - 意見없음.

  ㅇ 2次意見(91.1.28.)

    - 批准時 留保條項 必要與否: 意見없음.

    - 批准의 時期 : 意見없음.

4. 體育靑少年部

  ㅇ 1次意見(90.4.18.)

    - 所管關聯法規 및 行政業務關聯問題가 없으며 協約加入을
      贊成함.

  ㅇ 2次意見(90.10.22.)

    - 批准時期: 可能限한 빠를수록 좋음.

    - 留保必要與否: 留保가 不可避하더라도 향후 關係法規 改正
      等을 통해 留保 撤回가 바람직함.

5. 保健社會部

  ㅇ 1次意見(90.5.18.)

    - 意見없음.

- 2 -

○ 2次意見

- 所管法令上 外國人(兒童)에 대한 明示的 制限 또는 排除
  規定은 없음.

- 協約上 規定되고 있는 兒童의 權利尊重은 協約當事國間의
  相互互惠主義 原則에 立脚하여 適用하면 可能할 것임.

- 다만, 外國人 兒童에 대한 生計·醫療 等의 문제는 政府의
  財政負擔 狀態와 必要 狀況(不法入國, 치료를 위한 入國)
  等을 참작하여 決定하여야 할 것임.

○ 3次意見(90.12.8.)

- 保險金을 납부하는 外國人(兒童)이 아닌 一時 체류를 目的으로
  하는 外國人에 대한 社會保險을 통한 健康醫療權을 留保함이
  妥當함.

Ⅲ. 留保條項 確定問題

1. 留保對象條項 檢討

가. 第9條 第3項(父母와의 面接交涉維持權)

- 留保妥當(法務部)

나. 第12條(兒童의 意思表示權)

- 留保不要(法務部)

다. 第21條(入養許可)

- 留保妥當(法務部)

라. 第40條 第2項 나號 (5)(上訴權 保障)

- 留保妥當(法務部)

- 3 -

0011

2. 追加 留保與否

　ㅇ 協約 第24條내지 第26條(健康 및 醫療支援)

　　- 一時的 滯留 外國人 兒童에 대한 保險 혜택 부여여부 관련
　　留保必要性 提起(保社部)

Ⅳ. 國會批准同意 必要與否 檢討

1. 國會의 同意가 必要한 條約

　ㅇ 憲法 第60條 第1項은 國會의 同意가 必要한 條約으로 아래
　　7個 範疇의 條約을 열거하고 있음.

　　가. 相互援助 또는 安全保障에 관한 條約
　　나. 중요한 國際組織에 관한 條約
　　다. 友好通商航海 條約
　　라. 主權의 制約에 관한 條約
　　마. 講和條約
　　바. 國家나 國民에게 중대한 財政的 負擔을 지우는 條約
　　사. 立法事項에 관한 條約

2. 兒童權利 協約의 國會批准同意 必要 與否

　ㅇ 同 協約이 上記 가-바의 範疇에는 속하지 아니함.

　ㅇ 따라서 國會同意 必要與否는 同 協約이 立法事項에 관한 條約
　　인지를 檢討해 보아야 함.

　ㅇ 立法事項에 관한 條約이란 條約에 加入으로 國會가 새로운
　　立法을 하거나 旣施行中인 國會立法을 改正할 必要를 發生시키는
　　條約으로 理解됨.

- 4 -

0012

o 兒童權利協約의 一部條項은 國內關聯法規와 抵觸되는 것으로
  判明됨. 따라서 關係條項들은 留保하지 않고 同 協約을 批准하게
  될 경우 國內法을 改正하여야만 對外的인 法律關係가 調整이 될
  수 있음.

o 그러나 關係條項들을 留保하고 批准한다면 國內法規와의 抵觸
  問題가 생기지 않아 國內法을 改正할 必要는 없음. 즉 同 協約을
  留保附로 批准할시 同 協約은 立法事項에 關한 條約의 범주에
  속하지 아니함.

- 5 -

0013

아동권리협약 비준대책회의

1. 일시 및 장소: 1991.2.12.(화) 15:00-17:00

    외무부조약심의관실 (717호실)

2. 참가부서: 외무부, 법무부, 교육부, 보건사회부, 체육청소년부, 법제처

3. 회의주재: 이봉구 조약심의관

4. 회의의제: 협약비준을 위한 최종조약안 확정

5. 토의요지

    가. 국내법과 저촉되는 조항의 유보문제

    ㅇ 교육부와 체육청소년부는 2차 회신에서 밝힌바대로 외무부측
        의견에 이의없음을 표명

    - 교육부는 90.6.14. 1차회의 이후에도 부내에서 전교조문제
       등과 관련 협약일부조항에 대해 상당히 유보적인 의견들이
       있었으나, 의견수렴과정에서 협약의 정신과 취지를 수용하여야
       한다는 점이 강조되어 아동의 의사표시권 등에 대한 유보
       방침이 정해졌다고 함.

    ㅇ 법무부는 외무부가 2차 의견문의시 유보대상조항으로 거론한
        4개조항중 3개조항(제9조 3항: 부모와의 면접교섭 유지권,
        제21조: 입양허가, 제40조 2항 나호 (5): 상소권보장)에 대한
        유보는 현 관계국내법에 비추어 필요하나 나머지 1개 조항
        (제12조: 아동의 의사표시권)에 대한 유보는 불필요하다는
        의견을 피력함.

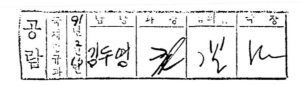

0014

o 보건사회부는 2차 회신시 사회보장권의 일시체류 외국인에 대한 적용문제를 이유로 제26조에 대한 추가유보문제를 제기한 바 있으나, 협약이 사회보장권에 대하여 점진적 실천을 상정하고 있으며, 관계조항이 당사국의 국내법과 재정적 여력의 범위 내에서 사회보장을 규정하고 있음에 비추어 협약이 일시체류 외국인에 대하여까지 사회보장혜택의 무차별적 확대 적용을 요구하고 있지 않다고 보아야 한다고 보고 유보는 불필요하다는 의견들이 개진됨.

나. 협약 국회비준동의 문제

o 법제처는 국내법과 저촉되는 조항을 유보할 시 국회 비준동의는 불필요하다는 외무부의견에 대해 동의를 하고, 법제처의 법안 및 조약심사권에 비추어 협약 국문본 확정을 위한 심사를 신청해 주도록 요망함.

6. 각부처 회의 참가자

외 무 부: 이봉구 조약심의관
        김두영 국제법규과 사무관
법 무 부: 한상대 국제법무심의관실 검사
교 육 부: 유강하 교육협력과장
체육청소년부: 이춘헌 청소년교류과 사무관
보건사회부 : 신현수 아동복지과 사무관
법 제 처: 조영규 제1국 사무관

7131

기 안 용 지

분류기호 문서번호	법규20420-	(전화 :)	시 행 상 특별취급	
보존기간	영구·준영구. 10. 5. 3. 1.	장	관	
수 신 처 보존기간				
시행일자	1991. 2. 19.			

보 조 기 관	국 장	전결	협 조 기 관		문 서 통 제
	심의관				1991. 2. 19
	과 장				
기안책임자	김두영			1991. 2. 19

경 유		발 신 명 의	
수 신	법제처장		
참 조			

제 목	아동의 권리에 관한 협약

1. 정부는 91년 상반기중 "아동의 권리에 관한 협약"의

비준을 추진하고 있습니다.

2. 동 협약 비준추진관련 별첨과 같이 자료를 송부하오니

아래사항을 검토, 그 결과를 조속히 회시하여 주시기 바랍니다.

- 아 래 -

가. 협약 국문번역문

나. 국내법령과 저촉되는 협약 조항들을 유보할 경우 국회

비준동의 필요 여부

0016

1505－25(2－1) 일(1)갑
85. 9. 9. 승인   "내가아낀 종이 한장 늘어나는 나라살림"   190㎜×268㎜ 인쇄용지 2급 60g/㎡
가 40－41 1990. 5. 28

첨부: 협약 가입검토자료. 끝.

0017

대 한 민 국
외 무 부

(720-4045)   1991. 2. 19.

법규 20420-
수신 법제처장
제목 아동의 권리에 관한 협약

    1. 정부는 91년 상반기중 "아동의 권리에 관한 협약"의 비준을
추진하고 있습니다.

    2. 동 협약 비준추진관련 별첨과 같이 자료를 송부하오니 아래
사항을 검토, 그 결과를 조속히 회시하여 주시기 바랍니다.
                    - 아   래 -

    가. 협약 국문번역문
    나. 국내법령과 저촉되는 협약 조항들을 유보할 경우 국회
         비준동의 필요 여부

첨부: 협약 가입검토자료. 끝.

    외   무   부   장   관
        국제기구조약국장

                                                      0018

주 제 네 바 대 표 부

제네(정) 2031-*197*   1991. 2.21

수신 : 장관

참조 : 국제기구조약국장

제목 : 아동권리 협약 현황

      제 47차 유엔인권위 문서로 배포된 아동권리 협약 현황에 관한 유엔사무총장
보고서를 별첨 송부하오니 업무에 참고 하시기 바랍니다.

첨부 : 상기 보고서 (E/CN.4/1991/58) 1부.   끝.

     주   제   네   바   대   사

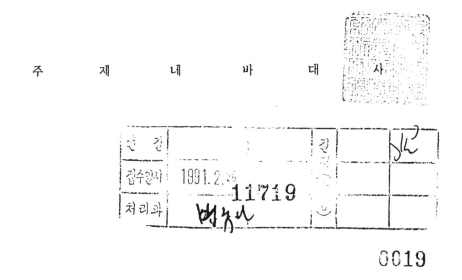

UNITED
NATIONS

E

Economic and Social Council

Distr.
GENERAL

E/CN.4/1991/58
22 January 1991

Original: ENGLISH

COMMISSION ON HUMAN RIGHTS

Forty-seventh session
Item 24 of the provisional agenda

STATUS OF THE CONVENTION ON THE RIGHTS OF THE CHILD

Report of the Secretary-General

1.   The General Assembly, by its resolution 44/25 of 20 November 1989, adopted the Convention on the Rights of the Child and expressed the hope that the Convention would be signed, ratified or acceded to without delay. By its resolution 45/104 of 14 December 1990, the General Assembly called upon all States that have not done so to ratify or accede to the Convention as a matter of priority.

2.   By its resolution 1990/74 of 7 March 1990, the Commission on Human Rights, *inter alia*, called upon all States to consider signing and ratifying or acceding to the Convention on the Rights of the Child; requested the Secretary-General to prepare a report on the status of the Convention for submission to the Commission; and decided to include in the agenda of its forty-seventh session an item entitled: "Status of the Convention on the Rights of the Child".

3.   The Convention was opened for signature in New York on 26 January 1990. In accordance with article 49 thereof, the Convention entered into force on 2 September 1990, on the thirtieth day after the date of the deposit with the Secretary-General of the United Nations of the twentieth instrument of ratification or accession.

GE.91-10145/5298a

0020

4.   As at 21 January 1991, the Convention had received 130 */
signatures, 65 of which had been followed by ratification. In addition,
four States had acceded to the Convention, bringing the total of ratifications
and accessions to the Convention to 69. */ A list of States that have signed,
ratified or acceded to the Convention, and the dates of their signature,
ratification or accession, appears in the annex to the present report.

5.   In accordance with article 43, paragraphs 4 and 5, of the Convention, the
first meeting of the States Parties to the Convention has been convened by the
Secretary-General for 27 February 1991 at United Nations Headquarters in order
to elect from a list of persons having the qualities prescribed in article 43,
paragraph 2, of the Convention, the members of the Committee on the Rights of
the Child.

---

*/   See the footnote in the annex to this document.

0021

Annex

List of States which have signed, ratified or acceded to the
Convention on the Rights of the Child as at 21 January 1990

States	Date of signature	Date of receipt of the instrument of ratification or accession (a)
Afghanistan	27 September 1990	
Albania	26 January 1990	
Algeria	26 January 1990	
Angola	14 February 1990	5 December 1990
Argentina	29 June 1990	4 December 1990
Australia	22 August 1990	17 December 1990
Austria	26 January 1990	
Bahamas	30 October 1990	
Barbados	19 April 1990	9 October 1990
Bangladesh	26 January 1990	3 August 1990
Belgium	26 January 1990	
Belize	2 March 1990	2 May 1990
Benin	25 April 1990	3 August 1990
Bhutan	4 June 1990	1 August 1990
Bolivia	8 March 1990	26 June 1990
Brazil	26 January 1990	24 September 1990
Bulgaria	31 May 1990	
Burkina Faso	26 January 1990	31 August 1990
Burundi	8 May 1990	19 October 1990
Byelorussian Soviet Socialist Republic	26 January 1990	1 October 1990
Cameroon	25 September 1990	
Canada	28 May 1990	
Central African Republic	30 July 1990	
Chad	30 September 1990	2 October 1990
Chile	26 January 1990	13 August 1990
China	29 August 1990	
Colombia	26 January 1990	
Comoros	30 September 1990	
Costa Rica	26 January 1990	21 August 1990
Côte d'Ivoire	26 January 1990	
Cuba	26 January 1990	
Cyprus	5 October 1990	
Czech and Slovak Fed. Rep.	30 September 1990	7 January 1991
Democratic People's Republic of Korea	23 August 1990	21 September 1990
Denmark	26 January 1990	

States	Date of signature	Date or receipt of the instrument of ratification or accession (a)
Djibouti	30 September 1990	6 December 1990
Dominica	26 January 1990	
Dominican Republic	8 August 1990	
Ecuador	26 January 1990	23 March 1990
Egypt	5 February 1990	6 July 1990
El Salvador	26 January 1990	10 July 1990
Finland	26 January 1990	
France	26 January 1990	7 August 1990
Gabon	26 January 1990	
Gambia	5 February 1990	8 August 1990
German Democratic Republic */	7 March 1990	2 October 1990
Germany, Federal Republic of */	26 January 1990	
Ghana	29 January 1990	5 February 1990
Greece	26 January 1990	
Grenada	21 February 1990	5 November 1990
Guatemala	26 January 1990	6 June 1990
Guinea		13 July 1990 (a)
Guinea Bissau	26 January 1990	20 August 1990
Guyana	30 September 1990	14 January 1991
Haiti	26 January 1990	
Holy See	20 April 1990	20 April 1990
Honduras	31 May 1990	10 August 1990
Hungary	14 March 1990	
Iceland	26 January 1990	
Indonesia	26 January 1990	5 September 1990
Ireland	30 September 1990	
Israel	3 July 1990	
Italy	26 January 1990	
Jamaica	26 January 1990	
Japan	21 September 1990	

---

*/ By letter of 27 September 1990, the Secretary-General was informed by the Prime Minister of the German Democratic Republic "that the People's Chamber of the German Democratic Republic has declared the accession, as at 3 October 1990, of the German Democratic Republic to the scope of the Basic Law of the Federal Republic of Germany ... so as to unite Germany in a single State." In a letter dated 3 October 1990, the Federal Minister for Foreign Affairs of the Federal Republic of Germany informed the Secretary-General "that, through the accession of the German Democratic Republic to the Federal Republic of Germany with effect from 3 October 1990, the two German States have united to form one sovereign State ..."

0023

States	Date of signature	Date of receipt of the instrument of ratification or accession (a)
Jordan	29 August 1990	
Kenya	26 January 1990	30 July 1990
Kuwait	7 June 1990	
Lebanon	26 January 1990	
Lesotho	21 August 1990	
Liberia	26 April 1990	
Liechtenstein	30 September 1990	
Luxembourg	21 March 1990	
Madagascar	19 April 1990	
Malawi		2 January 1991 (a)
Maldives	21 August 1990	
Mali	26 January 1990	20 September 1990
Malta	26 January 1990	30 September 1990
Mauritania	26 January 1990	
Mauritius		26 July 1990 (a)
Mexico	26 January 1990	21 September 1990
Mongolia	26 January 1990	5 July 1990
Morocco	26 January 1990	
Mozambique	30 September 1990	
Namibia	26 September 1990	30 September 1990
Nepal	26 January 1990	14 September 1990
Netherlands	26 January 1990	
New Zealand	1 October 1990	
Nicaragua	6 February 1990	5 October 1990
Niger	26 January 1990	30 September 1990
Nigeria	26 January 1990	
Norway	26 January 1990	8 January 1991
Pakistan	20 September 1990	12 November 1990
Panama	26 January 1990	12 December 1990
Papua New Guinea	30 September 1990	
Paraguay	4 April 1990	25 September 1990
Peru	26 January 1990	4 September 1990
Philippines	26 January 1990	21 August 1990
Poland	26 January 1990	
Portugal	26 January 1990	21 September 1990
Republic of Korea	25 September 1990	
Romania	26 January 1990	28 September 1990
Rwanda	26 January 1990	
Saint Kitts and Nevis	26 January 1990	24 July 1990
Saint Lucia	30 September 1990	

0024

States	Date of signature	Date of receipt of the instrument of ratification or accession (a)
Samoa	30 September 1990	
Senegal	26 January 1990	31 July 1990
Seychelles		7 September 1990 (a)
Sierra Leone	13 February 1990	18 June 1990
Spain	26 January 1990	6 December 1990
Sri Lanka	26 January 1990	
Sudan	24 July 1990	3 August 1990
Suriname	21 February 1990	
Swaziland	22 August 1990	
Sweden	26 January 1990	29 June 1990
Syrian Arab Republic	18 September 1990	
Togo	26 January 1990	1 August 1990
Trinidad and Tobago	30 September 1990	
Tunisia	26 February 1990	
Turkey	14 September 1990	
Uganda	17 August 1990	17 August 1990
Ukrainian Soviet Socialist Republic	21 February 1990	
Union of Soviet Socialist Republics	26 January 1990	16 August 1990
United Kingdom of Great Britain and Northern Ireland	19 April 1990	
United Republic of Tanzania	1 June 1990	
Uruguay	26 January 1990	20 November 1990
Vanuatu	30 September 1990	
Venezuela	26 January 1990	13 September 1990
Viet Nam	26 January 1990	28 February 1990
Yemen	13 February 1990	
Yugoslavia	26 January 1990	3 January 1991
Zaire	20 March 1990	27 September 1990
Zambia	30 September 1990	
Zimbabwe	8 March 1990	11 September 1990

주 스 위 스 대 사 관

스위스(정) 790-188   1991.4.11.

수신: 장관

참조: 구주국장, 국제기구조약국장

제목: 주재국 아동권리 협약 가입

1. 주재국은 91.4.10. 아동권리 협약에 가입하였다고 공식 발표하였는 바,
   동 발표문 사본을 별첨 송부하오니 업무에 참고 하시기 바랍니다.

2. 1989.11.20. 발효된 동 협약에는 현재 약 130개국이 가입했으며, 70개국이
   비준을 완료했는 바, 동 협약은 시민권, 정치, 경제, 사회 및 문화분야에서
   아동의 권리를 보장하며, 협약 당사국으로 하여금 동 권리보장을 위한 제반
   조치를 취하도록 규정하고 있습니다.

3. 주재국은 금년도에 유엔 인권협약에 가입하였으며, 년내 모든형태의 인종
   차별 철폐에 관한 협약에도 가입예정임을 참고로 첨언합니다.

첨부: 상기 발표문 사본 1부. 끝.

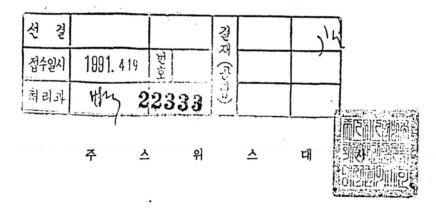

선 결			결재(공란)		ノᆫ
접수일시	1991. 4.19	번호			
처리과	비치	22333			

주 스 위 스 대

Uebereinkommen über die Rechte des Kindes

Der Bundesrat hat beschlossen, das Uebereinkommen über die
Rechte des Kindes vom 20. November 1989 zu unterzeichnen. Dieser
Entscheid entspricht der schweizerischen Politik zugunsten der
Menschenrechte und ist ein Akt internationaler Solidarität, wel-
cher einen besseren rechtlichen Schutz der Kinder dieser Welt an-
strebt und damit die Bemühungen der Schweiz zugunsten der Kinder
im Bereich der Entwicklungszusammenarbeit und der humanitären
Hilfe ergänzt.

Ziel dieses Uebereinkommens ist es, dem Kind auf universeller
Ebene Schutz und eine seinen Bedürfnisse entsprechende Unterstüt-
zung zu gewährleisten. Das Uebereinkommen garantiert die bür-
gerlichen, politischen, wirtschaftlichen, sozialen und kulturellen
Rechte des Kindes und verpflichtet die Vertragsstaaten zu spezifi-
schen Massnahmen, um die praktische Umsetzung dieser Rechte zu
konkretisieren. Das Uebereinkommen ist bereits von mehr als 130
Staaten unterzeichnet und von deren 70 ratifiziert worden.

Die Bestimmungen des Uebereinkommens sind mit der schweizeri-
schen Rechtsordnung zum grössten Teil vereinbar. Den Unstim-
migkeiten, welche im Zusammenhang mit dem fehlenden Recht auf Fa-
miliennachzug für bestimmte Kategorien von Ausländern zum Zeit-
punkt der Ratifikation allenfalls noch bestehen werden, könnte mit
einer auslegenden Erklärung oder einem Vorbehalt begegnet werden.

Der Bundesrat hat vor einigen Wochen die Botschaft an die
Eidgenössischen Räte betreffend den Beitritt zu den beiden UNO-
Menschenrechtspakten verabschiedet, welche grundlegende Bestimmun-
gen des universellen Menschenrechtsschutzes, aber auch speziell
für Kinder geltende Vorschriften enthalten. Die Botschaft über den
vorgesehenen Beitritt zum Rassendiskriminierungsübereinkommen wird
im Laufe dieses Jahres verabschiedet werden. Alle diese Ue-
bereinkommen sind im Hinblick auf einen besseren Schutz der Men-
schenrechte, die selbstverständlich auch für Kinder gelten, wich-
tig. Nach dem Abschluss dieser Arbeiten wird der Bundesrat die
Botschaft zur Ratifikation des Uebereinkommens über die Rechte des
Kindes vorlegen.

                    EIDGENOESSISCHES DEPARTEMENT FüR
                     AUSWAERTIGE ANGELEGENHEITEN
                      Presse und Information

Weitere Auskünfte beim Dienst für Menschenrechte, Herrn J.D.Vigny,
Tel. 61 30 77, oder Frau E. Schläppi, Tel. 61 30 59.

0027

Communiqué de presse   Berne, le 10 avril 1991

Convention relative aux droits de l'enfant

    Le Conseil fédéral a décidé de signer la Convention du 20 novembre 1989 relative aux droits de l'enfant. Cette décision s'inscrit dans le cadre de la politique de la Suisse en faveur des droits de l'homme; elle représente un acte de solidarité avec la communauté internationale, qui vise à instaurer une meilleure protection juridique de l'enfant dans le monde et complète les efforts que la Suisse déploie en faveur des enfants dans le domaine de la coopération au développement et l'aide humanitaire.

    Cette Convention a pour but d'assurer à l'enfant, sur le plan universel, une protection et un soutien appropriés à ses besoins spécifiques. Elle garantit les droits civils, politiques, économiques, sociaux et culturels de l'enfant et impose aux Etats parties l'obligation de prendre des mesures spécifiques pour que ces droits soient effectivement respectés. La Convention a été signée par plus de 130 Etats, 70 d'entre eux l'ont ratifiée.

    Les dispositions de la Convention sont dans une large mesure compatibles avec l'ordre juridique suisse. Si au moment de la ratification notre législation présente encore des incompatibilités avec la Convention, en particulier en ce qui concerne l'absence de droit au regroupement familial en Suisse de certaines catégories d'étrangers, une déclaration interprétative ou une réserve pourrait être faite à ce sujet.

    Il y a quelques semaines, le Conseil fédéral adoptait un Message soumettant à l'approbation des Chambres fédérales les deux Pactes internationaux de 1966 relatifs aux droits de l'homme, qui contiennent des dispositions fondamentales relatives à la protection universelle des droits de l'homme, dont certaines concernent spécialement les enfants. Le Message relatif à l'adhésion de la Suisse à la Convention internationale sur l'élimination de toutes les formes de discrimination raciale sera, quant à lui, adopté au cours de cette année. Ces trois instruments internationaux importants au titre d'une meilleure protection des droits de l'homme sont bien entendu aussi applicables à l'enfant. A l'issue des travaux relatifs à l'adhésion de la Suisse à ces textes, le Conseil fédéral soumettra aux Chambres le Message concernant la ratification de la Convention sur les droits de l'enfant.

DEPARTEMENT FEDERAL DES
AFFAIRES ETRANGERES
Presse et Information

Renseignements complémentaires au service droits de l'homme M. J.-D. Vigny, tél. 61.30.77, ou Mme Erika Schläppi, tél. 61.30.59.

0028

법   제   처

조약20420-587   720-3633   1991. 4. 13

수신 외무부장관

제목 아동의권리에관한협약안에 대한 의견 회신

    1. 법규20420-7131(1991. 2. 19)과 관련됩니다.

    2. 위의 협약안을 검토한바, 이는 18세미만의 모든 아동에게 필요한 보호와 도움

을 주며 그들의 인격발달과 복지증진을 위하여 국가·사회 및 가정에서 특별한 배려를 함

으로써 아동의 보호를 위한 국제적 노력에 동참하고 국민적 관심을 높이려는 것으로서,

이 협약 제 9조제 3(부모와의 면접교섭유지권), 제 21조(입약의 허가) 및 제 40조

제 2항 나호(5) (상소권의 보장)의 규정이 우리 나라의 현행 민법, 호적법 및 군사법

원법등의 규정과 상충되므로 이들 조항을 유보하지 아니하고 이 협약에 가입하는 한

국회의 동의를 요하는 조약에 해당되는 것으로 판단됩니다. 끝.

법   제   처

아동의 권리에 관한 협약

전 문

이 협약의 당사국은,

국제연합헌장에 선언된 원칙에 따라, 인류사회의 모든 구성원의 고유의
존엄성 및 평등하고 양도할 수 없는 권리를 인정하는 것이 세계의 자유
정의 및 평화의 기초가 됨을 고려하고,

국제연합체제하의 모든 국민들은 기본적인 인권과 인간의 존엄성 및 가치에
대한 신념을 헌장에서 재확인하였고, 확대된 자유속에서 사회진보와 생활수준의
향상을 촉진하기로 결의하였음에 유념하며,

국제연합이 세계인권선언과 국제인권규약에서 모든 사람은 인종, 피부색,
성별, 언어, 종교, 정치적 또는 기타의 의견, 민족적 또는 사회적 출신, 재산,
출생 또는 기타의 신분 등 어떠한 종류 구분에 의한 차별없이 동 선언 및
규약에 규정된 모든 권리와 자유를 향유할 자격이 있음을 선언하고 동의하였음을
인정하고,

국제연합이 세계인권선언에서 아동기에는 특별한 보호와 원조를 받을 권리가
있다고 선언하였음을 상기하며,

사회의 기초집단이며 모든 구성원 특히 아동의 성장과 복지를 위한 자연적
환경으로서의 가족에게는 공동체에서 그 책임을 충분히 감당할 수 있도록
필요한 보호와 원조가 부여되어야 함을 확신하며,

- 1 -

0030

아동은 완전하고 조화로운 인격 발달을 위하여 가족적 환경과 행복,
사랑 및 이해의 분위기 속에서 성장하여야 함을 인정하고,

아동은 사회에서 한 개인으로서의 삶을 영위할 수 있도록 충분히 준비되어져야
하며, 국제연합헌장에 선언된 이상의 정신과 특히 평화∨존엄∨관용∨자유∨
평등∨연대의 정신 속에서 양육되어야 함을 고려하고,

아동에게 특별한 보호를 제공하여야 할 필요성은 1924년 아동권리에 관한
제네바선언과 1959년 11월 20일 총회에 의하여 채택된 아동권리선언에 명시
되어 있으며, 세계인권선언, 시민적 및 정치적 권리에 관한 국제규약(특히
제23조 및 제24조), 경제적·사회적 및 문화적 권리에 관한 국제규약(특히
제10조) 및 아동의 복지와 관련된 전문기구와 국제기구의 규정 및 관련문서에서
인정되었음을 유념하고,

아동권리선언에 나타나 있는 바와 같이, "아동은 신체적∨정신적 미성숙으로
인하여 출생전후를 막론하고 적절한 법적보호를 포함한 특별한 보호와 배려를
필요로 한다"는 점에 유념하고,

"국내적 또는 국제적 양육위탁과 입양을 별도로 규정하는 아동의 보호와
복지에 관한 사회적 및 법적 원칙에 관한 선언"의 제규정, "소년법 운영을
위한 국제연합 최소표준규칙"(베이징 규칙) 및 "비상시 및 무력충돌시
부녀자와 아동의 보호에 관한 선언"을 상기하고,

세계 모든 국가에 예외적으로 어려운 여건하에 생활하고 있는 아동들이
있으며, 이 아동들은 특별한 배려를 필요로함을 인정하고,

아동의 보호와 조화로운 발전을 위하여 각 민족의 전통과 문화적 가치의
중요성을 충분히 고려하고,

- 2 -

0031

모든 국가, 특히 개발도상국가 아동의 생활여건을 향상시키기 위한 국제
협력의 중요성을 인정하면서,

다음과 같이 합의하였다.

제 1 부

제 1 조

이 협약의 목적상, "아동"이라 함은 아동에게 적용되는 법에 의하여 보다 조기에 성인
연령에 달하지 아니하는 한 18세 미만의 모든 사람을 말한다.

제 2 조

1. 당사국은 자국의 관할권안에서 아동 또는 그의 부모나 법정 후견인의
    인종, 피부색, 성별, 언어, 종교, 정치적 또는 기타의 의견, 민족적,
    인종적 또는 사회적 출신, 재산, 무능력, 출생 또는 기타의 신분에 관계
    없이 그리고 어떠한 종류의 차별을 함이 없이 이 협약에 규정된 권리를
    존중하고, 각 아동에게 보장하여야 한다.

2. 당사국은 아동이 그의 부모나 법정 후견인 또는 가족 구성원의 신분,
    활동, 표명된 의견 또는 신념을 이유로하는 모든 형태의 차별이나 처벌로
    부터 보호되도록 보장하는 모든 적절한 조치를 취하여야 한다.

제 3 조

1. 공공 또는 민간 사회복지기관, 법원, 행정당국, 또는 입법기관 등에 의하여
    실시되는 아동에 관한 모든 활동에 있어서 아동의 최선의 이익이 최우선적
    으로 고려되어야 한다.

- 3 -

0032

2. 당사국은 아동의 부모, 법정 후견인, 또는 여타 기타 아동에 대하여 법적
   책임이 있는 자의 권리와 의무를 고려하여, 아동복지에 필요한 보호와
   배려를 아동에게 보장하고, 이를 위하여 모든 적절한 입법적✓행정적
   조치를 취하여야 한다.

3. 당사국은 아동에 대한 배려와 보호에 책임있는 기관, 편의 및 시설이
   관계당국이 설정한 기준, 특히 안전과 위생분야 그리고 직원의 수 및
   적격성은 물론 충분한 감독면에서 기준에 따를 것을 보장하여야 한다.

제 4 조

당사국은 이 협약에서 인정된 권리를 실현하기 위하여 모든 적절한 입법적✓
행정적 및 여타의 조치를 취하여야 한다. 경제적✓사회적 및 문화적 권리에
관하여 당사국은 가용자원의 최대한도까지 그리고 필요한 경우에는 국제협력의
테두리내에서 이러한 조치를 취하여야 한다.

제 5 조

아동이 이 협약에서 인정된 권리를 행사함에 있어서 당사국은 부모 또는
적용가능한 경우 현지 관습에 의하여 인정되는 확대가족이나 공동체의 구성원,
법정 후견인 또는 기타 아동에 대한 법적 책임자들이 아동의 능력발달에 상응
하는 방법으로 적절한 감독과 지도를 행할 책임과 권리 및 의무를 가지고
있음을 존중하여야 한다.

- 4 -

제 6 조

1. 당사국은 모든 아동이 ~~고유의~~ 에 관한 고유의 권리를 생명권을 가지고 있음을 인정한다

2. 당사국은 가능한 한 최대한도로 아동의 생존과 발전을 보장하여야 한다.

제 7 조

1. 아동은 출생 후 즉시 등록되어야 하며, 출생시부터 성명권과 국적취득권을 가지며, 가능한 한 자신의 부모를 알고 부모에 의하여 양육받을 권리를 가진다.

2. 당사국은 이 분야의 국내법 및 관련국제문서상의 의무에 따라 이러한 권리가 실행되도록 보장하여야 하며, 권리가 실행되지 아니하여 아동이 무국적으로 되는 경우에는 특히 그러하다.

제 8 조

1. 당사국은 위법한 간섭을 ~~받음이 없이~~ 받지 아니하고 국적, 성명 및 가족관계를 포함하여 법률에 의하여 인정된 신분을 보존할 수 있는 아동의 권리를 존중한다.

2. 아동이 그의 신분요소 중 일부 또는 전부를 불법적으로 박탈당한 경우, 당사국은 그의 신분을 신속하게 회복하기 위하여 적절한 원조와 보호를 제공하여야 한다.

제 9 조

1. 당사국은 사법적 심사의 구속을 받는 관계당국이 적용 가능한 법률 및 절차에 따라서 분리가 아동의 최상의 이익을 위하여 필요하다고 결정하는 경우 외에는, 아동이 그의 의사에 반하여 부모로부터 분리되지 아니하도록 보장하여야 한다. 위의 결정은 부모에 의한 아동 학대 또는 유기의 경우나 부모의 별거로 인하여 아동의 거소에 관한 결정이 내려져야 하는 등 특별한 경우에 필요할 수 있다.

2. 본조 제1항의 규정에 의한 어떠한 절차에서도 모든 이해당사자는 그 절차에 참가하여 자신의 견해를 표시할 기회가 부여되어야 한다.

3. 당사국은 아동의 최선의 이익에 반하는 경우 외에는, 부모의 일방 또는 쌍방으로부터 분리된 아동이 정기적으로 부모와 개인적 관계 및 직접적인 면접교섭을 유지할 권리를 가짐을 존중하여야 한다.

4. 그러한 분리가 부모의 일방이나 쌍방 또는 아동의 감금, 투옥, 망명, 강제퇴거 또는 사망(국가가 억류하고 있는 동안 어떠한 원인에 기인한 사망을 포함한다)등과 같이 당사국에 의하여 취하여진 어떠한 조치의 결과인 경우에는, 당사국은 그 정보의 제공이 아동의 복지에 해롭지 아니하는 한, 요청이 있는 경우, 부모, 아동 또는 적절한 경우 다른 가족구성원에게 부재중인 가족구성원의 소재에 관한 필수적인 정보를 제공하여야 한다. 또한 당사국은 그러한 요청의 제출이 그 자체로 관계인에게 불리한 결과를 초래하지 아니하도록 보장하여야 한다.

- 6 -

제 10 조

1. 제9조 제1항에 규정된 당사국의 의무에 따라서, 가족의 재결합을 위하여
   아동 또는 그 부모가 당사국에 입국하거나 출국하기 위한 신청은 당사국에
   의하여 긍정적이며 인도적인 방법으로 그리고 신속하게 취급되어야 한다.
   또한 당사국은 이러한 요청의 제출이 신청자와 그의 가족구성원들에게
   불리한 결과를 수반하지 아니하도록 보장하여야 한다.

2. 부모가 타국에 거주하는 아동은 예외적 상황 이외에는 정기적으로 부모와
   개인적 관계 및 직접적인 면접교섭을 유지할 권리를 가진다. 이러한
   목적에 비추어 그리고 제9조 제2항에 규정된 당사국의 의무에 따라서,
   당사국은 아동과 그의 부모가 본국을 포함하여 어떠한 국가로부터 출국할
   수 있고 또한 본국으로 입국할 수 있는 권리를 존중하여야 한다. 어떠한
   국가로부터 출국할 수 있는 권리는 법률에 의하여 규정되고, 국가안보,
   공공질서, 공중보건이나 도덕 또는 타인의 권리와 자유를 보호하기 위하여
   필요하며 이 협약에서 인정된 그밖의 권리에 부합되는 제한에 의하여만
   구속된다.

제 11 조

1. 당사국은 아동의 불법 해외이송 및 미귀환을 퇴치하기 위한 조치를 취하여야
   한다.

2. 이 목적을 위하여 당사국은 양자 또는 다자협정의 체결이나 기존협정에의
   가입을 촉진하여야 한다.

- 7 -

0036

제 12 조

1. 당사국은 자신의 견해를 형성할 능력이 있는 아동에 대하여 그에게
   영향을 미치는 모든 문제에 있어서 자신의 견해를 자유스럽게 표시할
   권리를 보장하며, 아동의 견해에 대하여는 아동의 연령과 성숙도에 따라
   정당한 비중이 부여되어야 한다.

2. 이러한 목적을 위하여, 아동에게는 특히 아동에게 영향을 미치는 어떠한
   사법적·행정적 절차에 있어서도 직접 또는 대표자나 적절한 기관을
   통하여 진술할 기회가 국내법적 절차 규칙에 합치되는 방법으로 주어져야
   한다.

제 13 조

1. 아동은 표현에 대한 자유권을 가진다. 이 권리는 구두, 필기 또는 인쇄,
   예술의 형태 또는 아동이 선택하는 기타의 매체를 통하여 모든 종류의
   정보와 사상을 국경에 관계없이 추구하고 접수하며 전달하는 자유를
   포함한다.

2. 이 권리의 행사는 일정한 제한을 받을 수 있다. 다만 이 제한은 오직
   법률에 의하여 규정되고 또한 다음 사항을 위하여 필요한 것이어야 한다.
   가. 타인의 권리 또는 신망의 존중
   나. 국가안보, 공공질서, 공중보건 또는 도덕의 보호

- 8 -

0037

제 14 조

1. 당사국은 아동의 사상/양심 및 종교의 자유에 대한 권리를 존중하여야
   한다.

2. 당사국은 아동이 권리를 행사함에 있어 부모 및 경우에 따라서는, 법정
   후견인이 아동의 능력발달에 부합하는 방식으로 그를 감독할 수 있는
   권리와 의무를 존중하여야 한다.

3. 종교와 신념을 표현하는 자유는 오직 법률에 의하여 규정되고 공공의
   안전, 질서, 보건이나 도덕 또는 타인의 기본권적 권리와 자유를 보호하기
   위하여 필요한 경우에만 제한될 수 있다.

제 15 조

1. 당사국은 아동의 결사의 자유와 평화적 집회의 자유에 대한 권리를 인정
   한다.

2. 이 권리의 행사에 대하여는 법률에 따라 부과되고 국가안보 또는 공공의
   안전, 공공질서, 공중보건이나 도덕의 보호 또는 타인의 권리와 자유의
   보호를 위하여 민주사회에서 필요한 것 이외의 어떠한 제한도 과하여져서는
   아니된다.

제 16 조

1. 어떠한 아동도 사생활, 가족, 가정 또는 통신에 대하여 자의적이거나
   위법적인 간섭을 받지 아니하며 또한 명예나 신망에 대한 위법적인 공격을
   받지 아니한다.

- 9 -

0038

2. 아동은 이러한 간섭 또는 비난으로부터 법률의 보호를 받을 권리를 가진다.

제 17 조

당사국은 대중매체가 수행하는 중요한 기능을 인정하며, 아동이 다양한
국내적 및 국제적 정보원으로부터의 정보와 자료, 특히 아동의 사회적∨정신적∨
도덕적 복지와 신체적∨정신적 건강의 향상을 목적으로 하는 정보와 자료에
대한 접근권을 가짐을 보장하여야 한다. 이 목적을 위하여 당사국은,

가. 대중매체가 아동에게 사회적∨문화적으로 유익하고 제29조의 정신에
     부합되는 정보와 자료를 보급하도록 장려하여야 한다.

나. 다양한 문화적∨국내적 및 국제적 정보원으로부터의 정보와 자료를
     제작∨교환 및 보급하는데 있어서의 국제협력을 장려하여야 한다.

다. 아동도서의 제작과 보급을 장려하여야 한다.

라. 대중매체로 하여금 소수집단에 속하거나 원주민인 아동의 언어상의
     곤란에 특별한 관심을 기울이도록 장려하여야 한다.

마. 제13조와 제18조의 규정을 유념하며 아동 복지에 해로운 정보와
     자료로부터 아동을 보호하기 위한 적절한 지침의 개발을 장려하여야
     한다.

제 18 조

1. 당사국은 부모 쌍방이 아동의 양육과 발전에 공동책임을 진다는 원칙이
    인정받을 수 있도록 최선의 노력을 기울여야 한다. 부모 또는 경우에
    따라서 법정 후견인은 아동의 양육과 발달에 일차적 책임을 진다.
    아동의 최선의 이익이 그들의 기본적 관심이 된다.

- 10 -

0039

2. 이 협약에 규정된 권리를 보장하고 촉진시키기 위하여, 당사국은 아동의 양육책임 이행에 있어서 부모와 법정 후견인에게 적절한 지원을 제공하여야 하며, 아동 보호를 위한 기관∨시설 및 편의의 개발을 보장하여야 한다.

3. 당사국은 취업부모의 아동들이 이용할 자격이 있는 아동보호를 위한 편의 및 시설로부터 이익을 향유할 수 있는 권리가 있음을 보장하기 위하여 모든 적절한 조치를 취하여야 한다.

제 19 조

1. 당사국은 아동이 부모∨법정 후견인 또는 기타 아동양육자의 양육을 받고 있는 동안 모든 형태의 신체적∨정신적 폭력, 상해나 학대, 유기나 유기적 대우, 성적 학대를 포함한 혹사나 착취로부터 아동을 보호하기 위하여 모든 적절한 입법적∨행정적∨사회적 및 교육적 조치를 취하여야 한다.

2. 이러한 보호조치는 아동 및 아동양육자에게 필요한 지원을 제공하기 위한 사회계획의 수립은 물론, 상기된 바와 같은 아동학대 사례를 다른 형태로 방지하거나 확인∨보고∨조회∨조사∨처리 및 추적하고 또한 적절한 경우에는 사법적 개입을 가능하게 하는 효과적 절차를 적절히 포함하여야 한다.

제 20 조

1. 일시적 또는 항구적으로 가정환경을 박탈당하거나 가정환경에 있는 것이 스스로의 최선의 이익을 위하여 허용될 수 없는 아동은 국가로부터 특별한 보호와 원조를 부여 받을 권리가 있다.

- 11 -

0040

2. 당사국은 자국의 국내법에 따라 이러한 아동을 위한 ~~대체적 보호를~~ 보호의 대안을 확보
하여야 한다.

3. 이러한 보호는 특히 양육위탁, 회교법의 카팔라, 입양, 또는 필요한
경우 적절한 아동 양육기관에 두는 것을 포함한다. 해결책을 모색하는
경우에는 아동 양육에 있어 계속성의 보장이 바람직하다는 점과 아동의
인종적∨종교적∨문화적 및 언어적 배경에 대하여 정당한 고려가
베풀어져야 한다.

제 21 조

입양제도를 인정하거나 허용하는 당사국은 아동의 최선의 이익이 최우선적으로
고려되도록 보장하여야 하며, 또한 당사국은

가. 아동의 입양은, 적용가능한 법률과 절차에 따라서 그리고 적절하고 신빙성
있는 모든 정보에 기초하여, 입양이 부모∨친척 및 법정 후견인에 대한
아동의 신분에 비추어 허용될 수 있음을, 그리고 요구되는 경우 관계자
들이 필요한 협의에 의하여 입양에 대한 분별있는 승낙을 하였음을
결정하는 관계당국에 의하여만 허가되도록 보장하여야 한다.

나. 국제입양은, 아동이 위탁양육자나 입양가족에 두어질 수 없거나 또는
어떠한 적절한 방법으로도 출신국에서 양육되어질 수 없는 경우, 아동
양육의 대체수단으로서 고려될 수 있음을 인정하여야 한다.

아동의 권리에 관한 협약 한국 가입, 1991.12.20. 전3권 (V.3 1991) 537

다. 국제입양에 관계되는 아동이 국내입양의 경우와 대등한 보호장치(보장장치)와 기준을 향유하도록 보장하여야 한다.

라. 국제입양에 있어서 양육지정이 관계자들에게 부당한 재정적 이익을 주는 결과가 되지 아니하도록 모든 적절한 조치를 취하여야 한다.

마. 적절한 경우에는 양자 또는 다자약정이나 협정을 체결함으로써 이 본 조의 목적을 촉진시키며, 이러한 테두리 안내에서 아동의 타국내 양육지정이 관계당국이나 기관에 의하여 실시되는 것을 학보하기 위하여 노력하여야 한다.

제 22 조

1. 당사국은 난민으로서의 지위를 구하거나 또는 적용가능한 국제법 및 국내법과 절차에 따라 난민으로 취급되는 아동이, 부모나 기타 다른 사람과의 동반 여부에 관계없이, 이 협약 및 당해 국가가 당사국인 다른 국제 인권 또는 인도주의 관련 문서에 규정된 적용가능한 권리를 향유함에 있어서 적절한 보호와 인도적 지원을 받을 수 있도록 하기 위하여 적절한 조치를 취하여야 한다.

2. 이 목적을 위하여, 당사국은 국제연합 및 국제연합과 협력하는 그밖의 어타의 권한 있는 정부간 또는 비정부간 기구들이 그러한 아동을 보호ㆍ원조하고 가족재결합에 필요한 정보를 획득얻기 위하여 난민 아동의 부모나 다른 가족구성원을 추적하는데 기울이는 모든 어떠한 노력에 대하여도 적절하다고 판단되는 협조를 제공하여야 한다. 부모나 다른 가족구성원을 발견할 수 없는 경우, 그 아동은 어떠 어떠한 이유로 인하여 영구적 또는 일시적으로 가정 가족환경을 박탈당한 다른 아동과 마찬가지로 이 협약에 규정된 바와 같은 보호를 부여받아야 한다.

- 13 -

제 23 조

1. 당사국은 정신적 또는 신체적 장애아동이 존엄성이 보장되고 자립이 촉진되며 적극적 사회참여가 조장되는 여건 속에서 충분히 품위있는 생활을 누려야 함을 인정한다.

2. 당사국은 장애아동의 특별한 보호를 받을 권리를 인정하며, 신청에 의하여 그리고 아동의 여건과 부모나 다른 아동양육자의 사정에 적합한 지원이, 활용가능한 재원의 범위내에서, 이를 받을만한 아동과 그의 양육책임자에게 제공될 것을 장려하고 보장하여야 한다.

3. 장애아동의 특별한 어려움을 인식하며, 본조 제2항에 따라 제공된 지원은 부모나 다른 아동양육자의 재원을 고려하여 가능한 한 무상으로 제공되어야 하며, 장애아동의 가능한 한 전면적인 사회참여와 문화적·정신적 발전을 포함한 개인적 발전의 달성에 이바지하는 방법으로 그 아동이 교육, 훈련, 건강관리지원, 재활지원, 취업준비 및 오락기회를 효과적으로 이용하고 제공받을 수 있도록 계획되어야 한다.

4. 당사국은 국제협력의 정신에 입각하여, 그리고 당해 분야에서의 능력과 기술을 향상시키고 경험을 확대하기 위하여 재활, 교육 및 직업보도 방법에 관한 정보의 보급 및 이용을 포함하여, 예방의학분야 및 장애아동에 대한 의학적·심리적·기능적 처치분야에 있어서의 적절한 정보의 교환을 촉진하여야 한다. 이 문제에 있어서 개발도상국의 필요에 대하여 특별한 고려가 베풀어져야 한다.

- 14 -

제 24 조

1. 당사국은 도달가능한 최상의 건강수준을 향유하고, 질병의 치료와 건강의 회복을 위한 시설을 사용할 수 있는 아동의 권리를 인정한다. 당사국은 건강관리지원의 이용에 관한 아동의 권리가 박탈되지 아니하도록 노력하여야 한다.

2. 당사국은 이 권리의 완전한 이행을 추구하여야 하며, 특히 다음과 같은 적절한 조치를 취하여야 한다.

   가. 유아와 아동의 사망율을 감소시키기 위한 조치

   나. 기초건강관리의 발전에 중점을 두면서 모든 아동에게 필요한 의료지원과 건강관리의 제공을 보장하는 조치

   다. 환경오염의 위험과 손해를 감안하면서, 기초건강관리 체계 내에서 무엇보다도 용이하게 이용가능한 기술의 적용과 충분한 영양식 및 깨끗한 음료수의 제공 등을 통하여 질병과 영양실조를 퇴치하기 위한 조치

   라. 산모를 위하여 출산 전후의 적절한 건강관리를 보장하는 조치

   마. 모든 사회구성원, 특히 부모와 아동은 아동의 건강과 영양, 모유수유의 이익, 위생 및 환경정화 그리고 사고예방에 관한 기초지식의 활용에 있어서 정보를 제공받고, 교육을 받으며, 지원을 받을 것을 확보하는 조치

   바. 예방적 건강관리, 부모를 위한 지도 및 가족계획에 관한 교육과 편의를 발전시키는 조치

3. 당사국은 아동의 건강을 해치는 전통관습을 폐지하기 위하여 모든 효과적이고 적절한 조치를 취하여야 한다.

- 15 -

0044

4. 당사국은 본 조에서 인정된 권리의 완전한 실현을 점진적으로 달성하기
   위하여 국제협력을 촉진하고 장려하여야 한다. 이 문제에 있어서 개발
   도상국의 필요에 대하여 특별한 고려가 베풀어져야 한다.

제 25 조

당사국은 신체적 정신적 건강의 관리, 보호 또는 치료의 목적으로 관계
당국에 의하여 양육지정 조치된 아동이, 제공되는 치료 및 양육지정과 관련된
그밖의 모든 사정을 정기적으로 심사받을 권리를 가짐을 인정한다.

제 26 조

1. 당사국은 모든 아동이 사회보험을 포함한 사회보장제도의 혜택을 받을
   권리를 가짐을 인정하며, 자국의 국내법에 따라 이 권리의 완전한 실현을
   달성하기 위하여 필요한 조치를 취하여야 한다.

2. 이러한 혜택은 아동 및 아동에 대한 부양책임자의 자력과 주변사정은 물론
   아동에 의하여 직접 행하여지거나 또는 아동을 대신하여 행하여지는
   혜택의 신청과 관련된 그밖의 사정을 참작하여 적절한 경우에 부여되어야
   한다.

제 27 조

1. 당사국은 모든 아동이 신체적 지적 정신적 도덕적 및 사회적 발달에
   적합한 생활수준을 누릴 권리를 가짐을 인정한다.

- 16 -

0045

2. 부모 또는 기타 아동에 대하여 책임 있는 자는 능력과 재산의 범위내에서
   아동 발달에 필요한 생활여건을 확보할 일차적 책임을 진다.

3. 당사국은 국내 여건과 재정의 범위내에서 부모 또는 기타 아동에 대하여
   책임있는 자가 이 권리를 실현하는 것을 지원하기 위한 적절한 조치를
   취하여야 하며, 필요한 경우에는 특히 영양, 의복 및 주거에 대하여 물질적
   보조 및 지원계획을 제공하여야 한다.

4. 당사국은 국내외에 거주하는 부모 또는 기타 아동에 대하여 재정적으로
   책임있는 자로부터 아동양육비의 회수를 확보하기 위한 모든 적절한
   조치를 취하여야 한다. 특히 아동에 대하여 재정적으로 책임있는 자가
   아동이 거주하는 국가와 다른 국가에 거주하는 경우, 당사국은 국제협약의
   가입이나 그러한 협약의 체결은 물론 다른 적절한 조치의 강구를 촉진
   하여야 한다.

제 28 조

1. 당사국은 아동의 교육에 대한 권리를 인정하며, 점진적으로 그리고 기회
   균등의 기초 위에서 이 권리를 달성하기 위하여 특히 다음의 조치를 취하여야
   한다.
   가. 초등교육은 의무적이며, 모든 사람에게 무료로 제공되어야 한다.
   나. 일반교육 및 직업교육을 포함한 여러 형태의 중등교육의 발전을
       장려하고, 이에 대한 모든 아동의 이용 및 접근이 가능하도록 하며,
       무료교육의 도입 및 필요한 경우 재정적 지원을 제공하는 등의
       적절한 조치를 취하여야 한다.

- 17 -

0046

다. 고등교육의 기회가 모든 사람에게 능력에 입각하여 개방될 수 있도록 모든 적절한 조치를 취하여야 한다.

라. 교육 및 직업에 관한 정보와 지도를 모든 아동이 이용하고 접근할 수 있도록 조치하여야 한다.

마. 학교에의 정기적 출석과 탈락율 감소를 장려하기 위한 조취를 취하여야 한다.

2. 당사국은 학교 규율이 아동의 인간적 존엄성과 합치하고 이 협약에 부합하도록 운영되는 것을 보장하기 위한 모든 적절한 조치를 취하여야 한다.

3. 당사국은, 특히 전세계의 무지와 문맹의 퇴치에 기여하고, 과학적∨기술적 지식과 현대적 교육방법에의 접근을 용이하게하기 위하여, 교육에 관련되는 사항에 있어서 국제협력을 촉진하고 장려하여야 한다. 이 문제에 있어서 개발도상국의 필요에 대하여 특별한 고려가 베풀어져야 한다.

제 29 조

1. 당사국은 아동교육이 다음의 목표를 지향하여야 한다는데 동의한다.

가. 아동의 인격, 재능 및 정신적∨신체적 능력의 최대한의 계발

나. 인권과 기본적 자유 및 국제연합헌장에 내포된 원칙에 대한 존중의 계발

다. 자신의 부모, 문화적 주체성, 언어 및 가치 그리고 현거주국과 출신국의 국가적 가치 및 이질문명에 대한 존중의 계발

- 18 -

0047

라. 아동이 인종적∨민족적∨종교적 집단 및 원주민 등 모든 사람과의
   관계에 있어서 이해, 평화, 관용, 성(性)의 평등 및 우정의 정신에
   입각하여 자유사회에서 책임있는 삶을 영위하도록 하는 준비

마. 자연환경에 대한 존중의 계발

2. 본조 또는 제28조의 어떠한 부분도 개인 및 단체가, 언제나 본조 제1항에
   규정된 원칙들을 준수하고 당해교육기관에서 실시되는 교육이 국가에
   의하여 설정된 최소한의 기준에 부합하여야 한다는 조건하에, 교육기관을
   설립하여 운영할 수 있는 자유를 침해하는 것으로 해석되어서는 아니된다.

제 30 조

인종적∨종교적 또는 언어적 소수자나 원주민이 존재하는 국가에서 이러한
소수자에 속하거나 원주민인 아동은 자기 집단의 다른 구성원과 함께 고유
문화를 향유하고, 고유의 종교를 신앙하고 실천하며, 고유의 언어를 사용할
권리를 부인당하지 아니한다.

제 31 조

1. 당사국은 휴식과 여가를 즐기고, 자신의 연령에 적합한 놀이와 오락활동에
   참여하며, 문화생활과 예술에 자유롭게 참여할 수 있는 아동의 권리를
   인정한다.

2. 당사국은 문화적∨예술적 생활에 완전하게 참여할 수 있는 아동의 권리를
   존중하고 촉진하며, 문화, 예술, 오락 및 여가활동을 위한 적절하고
   균등한 기회의 제공을 장려하여야 한다.

- 19 -

0048

제 32 조

1. 당사국은 경제적 착취 및 위험하거나, 아동의 교육에 방해되거나, 아동의
   건강이나 신체적ㅣ지적ㅣ정신적ㅣ도덕적 또는 사회적 발전에 유해한
   여하한 노동의 수행으로부터 보호받을 아동의 권리를 인정한다.

2. 당사국은 이 조의 이행을 보장하기 위한 입법적ㅣ행정적ㅣ사회적 및
   교육적 조치를 강구하여야 한다. 이 목적을 위하여 그리고 그밖의 국제문서의
   관련 규정을 고려하여 당사국은 특히 다음의 조치를 취하여야 한다.

   가. 단일 또는 복수의 최저 고용연령의 규정
   나. 고용시간 및 조건에 관한 적절한 규정의 마련
   다. 이 조의 효과적인 실시를 확보하기 위한 적절한 처벌 또는 기타
       제재수단의 규정

제 33 조

   당사국은 관련 국제조약에서 규정하고 있는 마약과 향정신성 물질의 불법적
사용으로부터 아동을 보호하고 이러한 물질의 불법적 생산과 거래에 아동이
이용되는 것을 방지하기 위하여 입법적ㅣ행정적ㅣ사회적ㅣ교육적 조치를 포함한
모든 적절한 조치를 취하여야 한다.

제 34 조

   당사국은 모든 형태의 성적 착취와 성적 학대로부터 아동을 보호할 의무를
진다. 이 목적을 달성하기 위하여 당사국은 특히 다음의 사항을 방지하기
위한 모든 적절한 국내적ㅣ양국간ㅣ다국간 조치를 취하여야 한다.

- 20 -

가. 아동을 ~~어하한~~ 모든 위법한 성적 활동에 종사하도록 유인하거나 강제하는 행위

나. 아동을 매음이나 기타 위법한 성적 활동에 착취적으로 이용하는 행위

다. 아동을 외설스러운 공연 및 자료에 착취적으로 이용하는 행위

제 35 조

당사국은 ~~어하한~~ 모든 목적과 형태의 아동의 약취유인이나 매매 또는 거래를 방지하기 위한 모든 적절한 국내적∨양국간∨다국간 조치를 취하여야 한다.

제 36 조

당사국은 아동복지의 어떠한 측면에 대하여라도 ~~해가되는~~ 해로운 기타 모든 형태의 착취로부터 아동을 보호하여야 한다.

제 37 조

당사국은 다음의 사항을 보장하여야 한다.

가. 어떠한 아동도 고문 또는 기타 잔혹하거나 비인간적이거나 굴욕적인 대우나 처벌을 받지 아니한다. 사형 또는 석방의 가능성이 없는 중신형은 18세 미만의 사람이 범한 범죄에 대하여 과하여져서는 아니된다.

나. 어떠한 아동도 위법적 또는 자의적으로 자유를 박탈당하지 아니한다. 아동의 체포, 억류 또는 구금은 법률에 따라 행하여져야 하며, 오직 최후의 수단으로서 또한 적절한 최단기간 동안만 사용되어야 한다.

다. 자유를 박탈당한 모든 아동은 인도주의와 인간 고유의 존엄성에 대한 존중에 입각하여 그리고 그들의 연령상의 필요를 고려하여 처우되어야 한다. 특히 자유를 박탈당한 모든 아동은 성인으로부터 격리되지 아니하는 것이 아동의 최선의 이익에 합치된다고 생각되는 경우를 제외하고는 성인으로부터 격리되어야 하며, 예외적인 경우를 제외하고는 서신과 방문을 통하여 자기 가족과의 접촉을 유지할 권리를 가진다.

- 21 -

라. 자유를 박탈당한 모든 아동은 법률적 및 기타 적절한 구조에 신속하게
접근할 권리를 가짐은 물론 법원이나 기타 권한있고 독립적이며 공정한
당국 앞에서 자신에 대한 자유박탈의 합법성에 이의를 제기하고 이러한
소송에 대하여 신속한 결정을 받을 권리를 가진다.

제 38 조

1. 당사국은 아동과 관련이 있는 무력분쟁에 있어서, 당사국에 적용가능한
   국제인도법의 규칙을 존중하고 동 존중을 보장할 의무를 진다.

2. 당사국은 15세에 달하지 아니한 자가 적대행위에 직접 참여하지 아니할
   것을 보장하기 위하여 실행가능한 모든 조치를 취하여야 한다.

3. 당사국은 15세에 달하지 아니한 자의 징병을 삼가하여야 한다. 15세에
   달하였으나 18세에 달하지 아니한 자 중에서 징병하는 경우, 당사국은
   최연장자에게 우선순위를 두도록 노력하여야 한다.

4. 무력분쟁에 있어서 민간인 보호를 위한 국제인도법상의 의무에 따라서,
   당사국은 무력분쟁의 영향을 받는 아동의 보호 및 배려를 확보하기 위하여
   실행가능한 모든 조치를 취하여야 한다.

제 39 조

당사국은 모든 형태의 유기, 착취, 학대, 또는 고문이나 기타 모든
형태의 잔혹하거나 비인간적이거나 굴욕적인 대우나 처벌, 또는 무력분쟁으로
인하여 희생이 된 아동의 신체적·심리적 회복 및 사회복귀를 촉진시키기
위한 모든 적절한 조치를 취하여야 한다.

- 22 -

0051

제 40 조

1. 당사국은 형사피의자나 형사피고인 또는 유죄로 인정받은 모든 아동에 대하여, 아동의 연령 그리고 아동의 사회복귀 및 사회에서의 건설적 역할 담당을 촉진하는 것이 바람직스럽다는 점을 고려하고, 인권과 타인의 기본적 자유에 대한 아동의 존중심을 강화시키며, 존엄과 가치에 대한 아동의 자각을 촉진시키는데 부합하도록 처우받을 권리를 가짐을 인정한다.

2. 이 목적을 위하여 그리고 국제문서의 관련규정을 고려하며, 당사국은 특히 다음 사항을 보장하여야 한다.

   가. 모든 아동은 행위시의 국내법 또는 국제법에 의하여 금지되지 아니한 작위 또는 부작위를 이유로 하여 형사피의자가 되거나 형사기소되거나 유죄로 인정받지 아니한다.

   나. 형사피의자 또는 형사피고인인 모든 아동은 최소한 다음사항을 보장받는다.

   (1) 법률에 따라 유죄가 입증될 때까지는 무죄로 추정받는다.

   (2) 피의사실을 신속하게 그리고 직접 또는, 적절한 경우, 부모나 법정 후견인을 통하여 통지받으며, 변론의 준비 및 제출시 법률적 또는 기타 적절한 지원을 받는다.

   (3) 권한있고 독립적이며 공평한 기관 또는 사법기관에 의하여 법률적 또는 기타 적당한 지원하에 법률에 따른 공정한 심리를 받아 지체없이 사건이 판결되어야 하며, 아동의 최선의 이익에 반한다고 판단되지 아니하는 경우, 특히 그의 연령이나 주변환경, 부모 또는 법정후견인 등을 고려하여야 한다.

(4) 증언이나 유죄의 자백을 강요당하지 아니하며, 자신에게 불리한
     증인을 신문하거나 또는 신문받도록 하며, 대등한 조건하에
     자신을 위한 증인의 출석과 신문을 확보한다.

(5) 형법위반으로 간주되는 경우, 그 ~~결정~~ 관결 및 그에 따라 부과된
     여하한 조치는 법률에 따라 권한있고 독립적이며 궁정한
     상급당국이나 사법기관에 의하여 심사되어야 한다.

(6) 아동이 사용되는 언어를 이해하지 못하거나 말하지 못하는 경우,
     무료로 통역원의 지원을 받는다.

(7) 사법절차의 모든 단계에서 아동의 사생활은 충분히 존중되어야
     한다.

3. 당사국은 형사피의자, 형사피고인 또는 유죄로 인정받은 아동에게 특별히
    적용될 수 있는 법률, 절차, 기관 및 기구의 설립을 촉진하도록 노력하며,
    특히 다음 사항에 노력하여야 한다.

    가. 형법위반능력이 없다고 추정되는 최저 연령의 설정
    나. 적절하고 바람직스러운 경우, 인권과 법적 보장이 완전히 존중된다는
         조건하에 이러한 아동을 사업절차에 의하지 아니하고 다루기 위한
         조치

4. 아동이 그들의 복지에 적절하고 그들의 여건 및 범행에 비례하여 취급될
    것을 보장하기 위하여 보호, 지도 및 감독명령, 상담, 보호관찰, 보호
    양육, 교육과 직업훈련계획 및 제도적 보호에 대한 ~~여타~~ 그밖의 대체방안 등
    여러가지 처분이 이용 가능하여야 한다.

- 24 -

제 41 조

이 협약의 규정은 다음 사항에 포함되어 있는 아동권리의 실현에 보다
공헌할 수 있는 어떠한 규정에도 영향을 미치지 아니한다.

가. 당사국의 법 또는
나. 당사국에 대하여 효력을 가지는 국제법

제 2 부

제 42 조

당사국은 이 협약의 원칙과 규정을 적절하고 적극적인 수단을 통하여 성인과
아동 모두에게 널리 알릴 의무를 진다.

제 43 조

1. 이 협약상의 의무이행을 달성함에 있어서 당사국이 이룩한 진전상황을
   심사하기 위하여 이하에 규정된 기능을 수행하는 아동권리위원회를
   설립한다.

2. 위원회는 고매한 인격을 가지고 이 협약이 대상으로 하는 분야에서 능력이
   인정된 10명의 전문가로 구성된다. 위원회의 위원은 형평한 지리적 배분과
   주요 법체계를 고려하여 당사국의 국민 중에서 선출되며, 개인적 자격으로
   임무를 수행한다.

3. 위원회의 위원은 당사국에 의하여 지명된 자의 명단중에서 비밀투표에
   의하여 선출된다. 각 당사국은 자국민 중에서 1인을 지명할 수 있다.

- 25 -

0054

4. 위원회의 최초의 선거는 이 협약 발효일부터 6월 이내에 실시되며, 그 이후는 매 2년마다 실시된다. 각 선거일의 최소 4월 이전에 국제연합 사무총장은 당사국에 대하여 2월 이내에 후보자 지명을 제출하라는 서한을 발송하여야 한다. 사무총장은 지명한 당사국의 표시와 함께 알파벳 순으로 지명된 후보들의 명단을 작성하여, 이를 이 협약의 당사국에게 제시하여야 한다.

5. 선거는 국제연합 본부에서 사무총장에 의하여 소집된 당사국 회의에서 실시된다. 이 회의는 당사국의 3분의 2를 의사정족수로 하고, 출석하고 투표한 당사국 대표의 최대다수표 및 절대다수표를 획득하는 자가 위원으로 선출된다.

6. 위원회의 위원은 4년 임기로 선출된다. 위원은 재지명된 경우에 재선될 수 있다. 최초의 선거에서 선출된 위원 중 5인의 임기는 2년 후에 종료된다. 이들 5인 위원의 명단은 최초선거 후 즉시 동 회의의 의장에 의하여 추첨으로 선정된다.

7. 위원회 위원이 사망, 사퇴 또는 본인이 어떠한 이유로 인하여 위원회의 임무를 더 이상 수행할 수 없다고 선언하는 경우, 그 위원을 지명한 당사국은 위원회의 승인을 조건으로 자국민 중에서 잔여 임기를 수행할 다른 전문가를 임명한다.

8. 위원회는 자체의 절차규정을 제정한다.

9. 위원회는 2년 임기의 임원을 선출한다.

10. 위원회의 회의는 통상 국제연합 본부나 위원회가 결정하는 그밖의 편리한 장소에서 개최된다. 위원회는 통상 매년 회의를 한다. 위원회의 회의 기간은 필요한 경우 총회의 승인을 조건으로 이 협약 당사국 회의에 의하여 결정되고 재검토된다.

- 26 -

0055

11. 국제연합 사무총장은 이 협약에 설립된 위원회의 효과적인 기능수행을
    위하여 필요한 직원과 편의를 제공한다.

12. 이 협약에 따라 설립된 위원회의 위원은 총회의 승인을 얻고, 총회가
    결정하는 기간과 조건에 따라 국제연합의 재원으로부터 보수를 받는다.

                              제 44 조

1. 당사국은 이 협약에서 인정된 권리를 실행하기 위하여 그들이 채택한
   조치와 동 권리의 향유와 관련하여 이룩한 진전상황에 관한 보고서를
   다음과 같이 국제연합 사무총장을 통하여 위원회에 제출한다.

   가. 관계 당사국에 대하여 이 협약이 발효한 후 2년 이내
   나. 그 후 5년마다

2. 이 조에 따라 제출되는 보고서는 이 협약상 의무의 이행정도에 영향을
   미치는 요소와 장애가 있을 경우 이를 적시하여야 한다. 보고서는 또한
   관계국에서의 협약이행에 관한 포괄적인 이해를 위원회에 제공하기 위한
   충분한 정보를 포함하여야 한다.

3. 위원회에 포괄적인 최초의 보고서를 제출한 당사국은 본조 제1항 나호에
   따라서 제출하는 후속보고서에 이미 제출된 기초적 정보를 반복할 필요는
   없다.

4. 위원회는 당사국으로부터 이 협약의 이행과 관련이 있는 추가정보를 요청할
   수 있다.

5. 위원회는 위원회의 활동에 관한 보고서를 2년마다 경제사회이사회를
   통하여 총회에 제출한다.

                              - 27 -

                                              0056

6. 당사국은 자국의 활동에 관한 보고서를 자국 내 일반에게 널리 활용가능
   하도록 하여야 한다.

제45조

이 협약의 효과적인 이행을 촉진하고 이 협약이 대상으로 하는 분야에서의
국제협력을 장려하기 위하여

가. 전문기구, 국제연합 아동기금 및 국제연합의 그밖의 기관은 이 협약 중
    그들의 권한 범위내에 속하는 규정의 이행에 관한 논의에 대표를 파견할
    권리를 갖는다. 위원회는 전문기구, 국제연합 아동기금 및 위원회가
    적절하다고 판단하는 그밖의 권한있는 기구에 대하여 각 기구의 권한
    범위에 속하는 분야에 있어서 이 협약의 이행에 관한 전문적인 자문을
    제공하여 줄 것을 요청할 수 있다. 위원회는 전문기구, 국제연합 아동기금
    및 국제연합의 그밖의 기관에게 그들의 활동범위에 속하는 분야에서의 이
    협약의 이행에 관한 보고서를 제출할 것을 요청할 수 있다.

나. 위원회는 적절하다고 판단되는 경우 기술적 자문이나 지원을 요청하거나
    그 필요성을 지적하고 있는 당사국의 모든 보고서를 그러한 요청이나
    지적에 대한 위원회의 의견이나 제안이 있으면 동 의견이나 제안과 함께
    전문기구, 국제연합 아동기금 및 그밖의 권한있는 기구에 전달하여야 한다.

다. 위원회는 사무총장이 위원회를 대신하여 아동권리와 관련이 있는 특정
    문제를 조사하도록 요청할 것을 총회에 대하여 권고할 수 있다.

라. 위원회는 이 협약 제44조와 제45조에 따라 접수한 정보에 기초하여
    제안과 일반적 권고를 할 수 있다. 이러한 제안과 일반적 권고는 당사국의
    논평이 있으면 그 논평과 함께 모든 관계 당사국에 전달되고 총회에 보고
    되어야 한다.

- 28 -

0057

제3부

제 46 조

이 협약은 모든 국가에 의한 서명을 위하여 개방된다.

제 47 조

이 협약은 비준되어야 한다. 비준서는 국제연합 사무총장에게 기탁되어야 한다.

제 48 조

이 협약은 모든 국가에 의한 가입을 위하여 개방된다. 가입서는 국제연합 사무총장에게 기탁되어야 한다.

제 49 조

1. 이 협약은 20번째의 비준서 또는 가입서가 국제연합 사무총장에게 기탁 되는 날로부터 30일째 되는 날 발효한다.

2. 20번째의 비준서 또는 가입서의 기탁 이후에 이 협약을 비준하거나 가입하는 각 국가에 대하여, 이 협약은 그 국가의 비준서 또는 가입서 기탁 후 30일째 되는 날 발효한다.

제 50 조

1. 모든 당사국은 개정안을 제안하고 이를 국제연합 사무총장에게 제출할
   수 있다. 동 제출에 관하여 사무총장은 당사국에게 동 제안을 심의하고
   표결에 붙이기 위한 당사국회의 개최에 대한 찬성 여부에 관한 의견을
   표시하여 줄 것을 요청하는 것과 함께 개정안을 당사국에게 송부하여야
   한다. 이러한 통보일부터 4월 이내에 당사국 중 최소 3분의 1이 회의
   개최에 찬성하는 경우 사무총장은 국제연합 주관하에 동 회의를 소집하여야
   한다. 동 회의에 출석하고 표결한 당사국의 과반수에 의하여 채택된 개정안은
   그 승인을 위하여 국제연합 총회에 제출된다.

2. 본 조 제1항에 따라서 채택된 개정안은 국제연합 총회에 의하여 승인
   되고, 당사국의 3분의 2의 다수가 수락하는 때에 발효한다.

3. 개정안은 발효한 때에 이를 수락한 당사국을 구속하며, 그밖의 당사국은
   계속하여 이 협약의 규정 및 이미 수락한 그 이전의 모든 개정에 의하여
   구속된다.

제 51 조

1. 국제연합 사무총장은 비준 또는 가입시 각국이 행한 유보문을 접수하고
   모든 국가에게 이를 배포하여야 한다.

2. 이 협약의 대상 및 목적과 양립할 수 없는 유보는 허용되지 아니한다.

3. 유보는 국제연합 사무총장에게 발송된 통고를 통하여 언제든지 철회될 수
   있으며, 사무총장은 이를 모든 국가에게 통보하여야 한다. 그러한 통고는
   사무총장에게 접수된 날부터 발효한다.

- 30 -

제 52 조

당사국은 국제연합 사무총장에 대한 서면통고를 통하여 이 협약을 폐기할 수 있다. 폐기는 사무총장이 통고를 접수한 날부터 1년 후에 발효한다.

제 53 조

국제연합 사무총장은 이 협약의 수탁자로 지명된다.

제 54 조

아랍어, 중국어, 영어, 불어, 러시아어 및 서반아어본이 동등하게 정본인 이 협약의 원본은 국제연합 사무총장에게 기탁된다.

이상의 증거로 아래의 서명 전권대표들은 각국 정부에 의하여 정당하게 권한을 위임받아 이 협약에 서명하였다.

아동의 권리에 관한 협약 비준추진 계획

1991.4.15.(월)
국제법규과

> "아동의 권리에 관한 협약" 국문본에 대한 법제처의 수정안을 91.4.
> 15.(월) 접수함에 따라, 동협약에 대한 비준을 아래와 같이 추진하고자
> 함을 보고드립니다.

1. 국무회의 자료준비
   - 기간 : 4.19.(금) - 5.6.(월)
   - 준비자료
     - 국무회의 의결안건 작성(제안설명서 포함) 및 인쇄의뢰
     - 국무회의 답변자료 작성

2. 장관님 재가 : 5.7.(화) - 5.9.(목)

3. 국무회의 심의의뢰 : 5.9.(목)

4. 국무회의 심의 : 5.23.(목)

5. 청와대 재가상신및 재가 : 5.24.(금) - 5.31.(금)

6. 비준서 송부(주유엔 대표부) : 6.5.(수)

7. 비준서 기탁 : 6.13.(목) 경

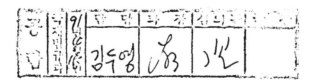

0061

아동의 권리에 관한 협약 한국 가입, 1991.12.20. 전3권 (V.3 1991) 557

외 무 부

종 별 :

번 호 : UNW-1179 　　　　　　　　　일 시 : 91 0508 1530

수 신 : 장 관(국연,보사부)

발 신 : 주 유엔 대사

제 목 : UNICEF 91 집행이사회

　　　연:UNW-1138

　　　연호 표제회의 종합관찰 및 건의사항을 아래보고함.

　　　1. 종합평가

　　　가. 금번회의는 90 년 아동정상회담의 성공적 개최및 아동권리협약의
조기발효에따라 유엔내외에서 고양된 UNICEF 의 지위를 재확인하는 계기가되었음.

　　　나. 그러나 UNICEF 가 전략적 차원에서 시행한 상기 사업이 본연의
PROGRAMDELIVERY 사업에 대한 상대적 관심저하를 우려하는 비판도 심각하게
제기되었음.

　　　다. 특히 북구국가및 일본은 UNICEF 가 최근 합목적적 업무 추진을 이유로
예산행정면에서 방만하게 운영되고 있는데 대하여 문제점을 지적하였으며 사무국측의
주의를 촉구하였음.

　　　라. 또한 일부 선진국은 UNICEF 의 업무영역 확대추세에도 우려를 표명하였으며
타기구 또는 NGO 와의 상호협조 필요성이 강조되었음.

　　　마. 사무국측은 금번회의에서 국제기구 일반관행을 벗어난 문제제기에 상당히
당황한것으로 보였으며 앞으로 제도개선과 예산집행에 더많은 관심을 가지게 될것으로
전망됨.

　　　2. 건의사항

　　　가. 아동권리협약 비준

　　　금번 기조연설에서 아국이 조만간(SHORTLY) 동 협약에 비준하게 될것임을 밝힌바
있으므로 조속한 비준이 요망됨.

　　　나. 실질문제 참여준비

　　　UNICEF 집행이사회는 전문적인 안건을 취급하게 되므로 실질문제 참여확대를

국기국 　　보사부

위하여는 관계부처와 사전에 긴밀히 협조, 충분한 회의준비가 소망스럽다고 판단됨.

　다.UNICEF 국가위원회 설립대책 강구.(생략)끝

　(대사 노창희-국장)

　예고:91.12.31. 까지

발 신 전 보

	분류번호	보존기간

번 호 : WUN-3029   910919 1028 BE   종별 : _____

수 신 : 주   유엔   대사. 총영사

발 신 : 장 관   (협약)

제 목 : 아동권리협약 비준

    1. 91.9. 현재 표제협약 당사국 현황(비준국 및 가입국 수)을 파악
지급 보고바람.

    2. 본부는 금년내 표제협약 비준을 위해 국내절차 추진중임을 참고
바람.   끝.

(국제협약과장 박 병 연)

앙고재	91년 9월 18일	국제협약과	기안자 성명 김두영	과 장 전결	국 장	차 관	장 관

보안통제   ✓

외신과통제

0064

외 무 부

종 별 :

번 호 : UNW-2874   일 시 : 91 0920 2240

수 신 : 장관(협약)

발 신 : 주 유엔 대사

제 목 : 아동권리 협약 당사국 현황

대:WUN-3029

1. 대호 표제협약 당사국 현황은 91.9 현재 비준국 88 개국, 가입국 8 개비국임

2. 비준국 및 가입국명, 유보 사항등 상세는 파편 송부 예정임.끝

(대사 노창희-조약국장)

조약국

* '90년 정기국회 문교체육위원회에서 강성모 위원 질의내용

아동권리에 관한 국제협약에 가입을 추진하고 있는 것으로 아는데 국내 법규와
일부 상충되는 것은 어떻게 조치할 계획인가 ?

답   변

0 아동권리에 관한 국제협약의 내용은 청소년허장의 정신과 부합되기 때문에
   체육청소년부의 입장에서는 청소년정책을 추진하는데 별문제가 없을 것으로
   사료됨

0 다만 협약정신과 부합되지 않는 국내 법규에 대해서는 외무가 주관하여 일부
   유보 또는 국내법 개정문제를 관계부처와 신중히 검토하고 있는것으로 알고있음.

0066

분류기호 문서번호	협약 20411-47126	기 안 용 지 (전화 : 725-0766)	시 행 상 특별취급	
보존기간	영구·준영구. 10. 5. 3. 1.	차 관	장 관	
수 신 처 보존기간				
시행일자	1991. 9. 24.			

보조기관	국 장		협조기관	제1차관보	문서통제
	심의관			제2차관보	ЕОІ.9.30
	과 장			기획관리실장	
기안책임자		김 두 영		국제기구국장	발송인

경 유		발신명의	
수 신	건 의		1991 9 3
참 조			
제 목	"아동의 권리에 관한 협약" 비준		

1. "아동의 권리에 관한 협약"(1989.11.20. 제44차 유엔

총회 채택)은 "아동의 권리에 관한 제네바 선언"(1924.9.26. 국제

연맹 채택)과 "아동의 권리선언"(1959.11.20. 제14차 유엔총회 채택)

의 내용을 국제법상 법전화한 협약으로서, 아동의 기본적 인권보장,

아동의 보호 및 협약 이행상황을 검토하기 위한 유엔내 아동권리

위원회 설치등을 그 주요내용으로 하고 있습니다.   / 계 속...

0067

2. 동 협약은 협약채택 약 9개월후인 1990.9.2. 발효될

정도로 각국으로 부터 광범위하고 신속한 지지를 받아왔는 바,

정부는 동 협약에 대한 이러한 국제적 지지 확산과 아동 및 청소년

문제에 대한 점증하는 국민적 관심을 감안하고, 유엔 주도하에

추진되고 있는 국제적 아동보호 노력에 적극 참여한다는 차원에서

관계부처(외무부, 내무부, 교육부, 보건사회부, 체육청소년부,

법제처)간 합의를 거쳐 1990.9.25 동 협약에 서명하므로써 협약에

대한 참여의사를 이미 표명한 바 있읍니다.

3. 당부는 동 협약 서명이후 현재까지 비준을 위한 관계

부처와의 협의를 필하고, 국내법에 저촉되는 조항의 유보 및 협약

국문본 확정을 위한 검토등 필요한 절차로 완료함에 따라 아래와

같이 비준절차를 취할 것을 건의하오니 재가하여 주시기 바랍니다.

- 아   래 -

가. 동 협약 비준안을 별안과 같이 국무회의에 상정함.

나. 국무회의 심의 및 대통령 재가를 마친후 외무장관 명의의

비준서를 유엔사무총장에게 기탁함.

/ 계 속...

(별안)

수신 : 국무회의의장

참조 : 총무처장관

제목 : 국무회의 안건 상정

      다음 안건을 국무회의에 상정하고자 제출하오니 심의하여

주시기 바랍니다.

1. 안건제목 : "아동의 권리에 관한 협약" 비준

2. 유인물부수 : 45부(별첨).   끝.

C069

대 한 민 국
외 무 부

협약 20411-   725-0766   1991. 9. 30.

수신 국무회의의장

참조 총무처장관

제목 국무회의 안건 상정

　　　다음 안건을 국무회의에 상정하고자 제출하오니 심의하여
주시기 바랍니다.

　　1. 안건제목 : "아동의 권리에 관한 협약" 비준

　　2. 유인물부수 : 45부(별첨).   끝.

외 무 부 장 관

0070

45

議案番號	第　　　號	議決事項
議　決 年　月　日	1991.　.　. (第　　回)	

> "兒童의 權利에 관한 協約"
>
> 批　　准

提　出　者	國務委員 李 相 玉 (外 務 部 長 官)
提出年月日	1991.　.　.

法 制 處 審 査 畢

0071

1. 議決主文

政府는 "兒童의 權利에 關한 協約"을 批准하기로 함(國會同意 不要).

2. 提案理由

兒童基本權의 實效的 保障, 兒童의 원만한 人格發達과 成長에 필요한 特別한 保護와 配慮, 兒童 保護에 관한 國際的 協力強化를 위하여 1989年 第44次 國際聯合 總會가 採擇한 同 協約을 批准하므로써, 우리나라 兒童의 基本權 伸張에 이바지하고 國際聯合이 展開하고 있는 汎世界的 兒童保護努力에 積極 同參하려는 것임.

3. 主要骨子 (前文 및 54個條로 구성)

가. 兒童은 身體的으로나 精神的으로 未熟하여 特別한 保護와 配慮를 필요로 하며, 兒童의 生活與件을 향상시키기 위한 國際的 協力이 重要함 (前文).

나. 當事國은 外國人 兒童을 포함하여 자기나라 管轄權內에 있는 18歲未滿의 모든 兒童을 差別하지 않고 待遇하여야 함(第1條 및 第2條).

다. 當事國은 兒童保護를 위한 立法·司法·行政措置를 취하여야 하며, 이러한 措置를 취함에 있어서는 兒童의 利益을 最優先 考慮하여야 함 (第3條).

라. 經濟的·社會的·文化的 兒童基本權의 경우, 當事國은 可用資源의 범위안에서 最大限度로 필요한 立法 및 行政的 措置를 취하여야 함 (第4條).

마. 當事國은 兒童에 대하여 다음과 같은 市民的·自由權的 基本權을 保障하여야 함.

0072

差別禁止(第2條), 生命權(제6조), 姓名 및 國籍權(第7條), 身分保存權
(第8條), 意思表示權(第12條), 表現의 自由(第13條), 思想·良心 및
宗教의 自由(第14條), 結社·集會의 自由(第15條), 私生活의 保護
(第16條), 情報接近權(第17條), 拷問 및 死刑禁止(第37條), 少年犯의
保護(第40條).

바. 當事國은 다음과 같은 兒童의 社會的·經濟的 및 文化的 基本權을 保障
하여야 함.
家族과의 同居및 父母와의 面接交涉維持權(第9條, 第10條), 健康 및
醫療에 대한 權利(第24條), 社會保障權(第26條), 適正生活水準 享有權
(第27條), 敎育에 대한 權利(第28條), 少數民族 兒童의 固有文化·宗教
및 言語에 대한 權利(第30條), 文化活動權(第31條).

사. 兒童에 대한 다음과 같은 保護를 위하여 當事國은 모든 適切한 措置를
취하여야 함.
兒童의 不法 海外移送 退治(第11條), 缺損家庭 兒童의 保護(第20條),
入養時 兒童의 最善의 利益考慮(第21條), 難民兒童에 대한 適切한 保護
및 人道的 支援(第22條), 障碍兒童의 保護(第23條), 經濟的 搾取 및
危險한 勞動으로부터 保護(第32條), 麻藥으로부터 保護(第33條), 性的
搾取 및 虐待로 부터 保護(第34條), 兒童의 略取誘引·賣買·去來禁止
(第35條), 15歲未滿 兒童의 徵兵禁止 및 武力紛爭으로부터 保護
(第38條).

아. 當事國의 協約履行狀況을 審査하기 위한 兒童權利委員會를 設置함
(제43조).
(1) 委員會는 10名의 專門家로 구성되며, 地理的 配分과 主要法體系를
考慮하여 當事國 國民中에서 選出함.
(2) 委員의 任期는 2年이며 委員會 會議는 每年 開催함.

자. 當事國은 協約에 規定된 兒童의 權利를 施行하기 위하여 취한 措置와
進展狀況에 관한 報告書를 兒童權利委員會에 제출함(第44條).

0073

차. 協約은 署名·加入을 위해 모든 國家에 開放되며, 20番째의 批准書
또는 加入書가 國際聯合事務總長에게 기탁된 날부터 30일째 되는 날
發效함(第46條 내지 第49條).

카. 協約改正案은 國際聯合總會가 承認하고 當事國 3분의 2가 受諾하는
때에 發效함(第50條).

4. 主要討議課題

가. 國會同意 問題
現行 國內關聯 法令과 抵觸되는 條項들을 留保하므로써, 별도 立法
措置가 필요치 아니함에 따라 國會同意 不要

나. 留保條項 : 別添 1

5. 參考事項

가. 立法 및 豫算措置 : 별도措置 不要.

나. 合 議 : 內務部, 法務部, 敎育部, 保健社會部, 體育靑少年部,
法制處와 合議하였음.

다. 其 他

(1) 協約의 採擇 및 發效經緯

o 1989.11.20.   第44次 國際聯合 總會, "兒童의 權利에 관한
協約" 採擇

o 1990. 9. 2.   協約發效

o 1990. 9.25.   우리나라 署名

o 現 當事國 : 96個國

(2) 協約文(國文飜譯文 및 英文本) : 別添 2

0074

(添附 1)

留保條項 및 留保理由

留 保 條 項	留 保 理 由
第9條 第3項(父母와의 面接交涉維持權) - 父母의 一方 또는 雙方으로 부터 떨어진 兒童은 定期的으로 父母와 個人的 關係 및 直接的인 面接 交涉을 維持할 權利를 가짐.	- 民法 第837條의 2는 父母의 面接 交涉權만을 規定하고, 兒童의 面接 交涉權은 認定하지 않고 있음.
第21條 가項(入養許可) - 兒童의 入養은 適用可能한 法律과 節次에 따라서 그리고 신빙성 있는 情報에 基礎하여 關係當局에 의하여서만 許可되어야 함.	- 民法 第871條는 父母의 入養同意 時 家庭法院의 許可를 要하지 않으며, 民法 第878條와 第881條 는 戸籍法에 따른 申告만으로 入養의 效力이 發生한다고 規定함.
第40條 第2項 나號 (5)(上訴權 保障) - 有罪判決을 받은 兒童은 法律에 따라 그 判決 및 그에 따라 賦課 된 모든 措置에 대하여 上級當局 이나 司法機關으로 부터 再審을 받을 權利를 가짐.	- 憲法 第110條 第4項 및 軍事法院法 第534條는 非常戒嚴下에서 單審制 를 認定하고 있으며, 同 條項들은 協約適用對象 兒童中 14歲以上 18歲未滿 兒童에게도 適用될 수 있어 協約 規定과 抵觸됨.

0075

(첨부 2)

협 약 전 문 (국·영문)

0076

아동의권리에관한협약

(국문 번역문)

전 문

이 협약의 당사국은,

국제연합헌장에 선언된 원칙에 따라, 인류사회의 모든 구성원의 고유의
존엄성 및 평등하고 양도할 수 없는 권리를 인정하는 것이 세계의 자유·
정의 및 평화의 기초가 됨을 고려하고,

국제연합체제하의 모든 국민들은 기본적인 인권과 인간의 존엄성 및 가치에
대한 신념을 헌장에서 재확인하였고, 확대된 자유속에서 사회진보와 생활수준의
향상을 촉진하기로 결의하였음에 유념하며,

국제연합이 세계인권선언과 국제인권규약에서 모든 사람은 인종, 피부색,
성별, 언어, 종교, 정치적 또는 기타의 의견, 민족적 또는 사회적 출신, 재산,
출생 또는 기타의 신분등 어떠한 종류 구분에 의한 차별없이 동 선언 및
규약에 규정된 모든 권리와 자유를 누릴 자격이 있음을 선언하고 동의하였음을
인정하고,

국제연합이 세계인권선언에서 아동기에는 특별한 보호와 원조를 받을 권리가
있다고 선언하였음을 상기하며,

사회의 기초집단이며 모든 구성원 특히 아동의 성장과 복지를 위한 자연적
환경으로서의 가족에게는 공동체안에서 그 책임을 충분히 감당할 수 있도록
필요한 보호와 원조가 부여되어야 함을 확신하며,

- 1 -

아동은 완전하고 조화로운 인격 발달을 위하여 가족적 환경과 행복,
사랑 및 이해의 분위기 속에서 성장하여야 함을 인정하고,

아동은 사회에서 한 개인으로서의 삶을 영위할 수 있도록 충분히 준비되어져야
하며, 국제연합헌장에 선언된 이상의 정신과 특히 평화·존엄·관용·자유·
평등·연대의 정신 속에서 양육되어야 함을 고려하고,

아동에게 특별한 보호를 제공하여야 할 필요성은 1924년 아동권리에관한
제네바선언과 1959년 11월 20일 총회에 의하여 채택된 아동권리선언에 명시
되어 있으며, 세계인권선언, 시민적및정치적권리에관한국제규약(특히
제23조 및 제24조), 경제적사회적및문화적권리에관한국제규약(특히 제10조)
및 아동의 복지와 관련된 전문기구와 국제기구의 규정 및 관련문서에서
인정되었음을 유념하고,

아동권리선언에 나타나 있는 바와 같이, "아동은 신체적·정신적 미성숙으로
인하여 출생전후를 막론하고 적절한 법적 보호를 포함한 특별한 보호와 배려를
필요로 한다"는 점에 유념하고,

"국내적또는국제적양육위탁괴입양을별도로규정하는아동의보호와복지에관한
사회적및법적원칙에관한선언"의 제규정, "소년법운영을위한국제연합최소
표준규칙"(베이징규칙) 및 "비상시및무력충돌시부녀자와아동의보호에관한
선언"을 상기하고,

세계 모든 국가에 예외적으로 어려운 여건하에 생활하고 있는 아동들이
있으며, 이 아동들은 특별한 배려를 필요로함을 인정하고,

아동의 보호와 조화로운 발전을 위하여 각 민족의 전통과 문화적 가치의
중요성을 충분히 고려하고,

- 2 -

0078

모든 국가, 특히 개발도상국가 아동의 생활여건을 향상시키기 위한 국제
협력의 중요성을 인정하면서,

다음과 같이 합의하였다.

제 1 부

제 1 조

이 협약의 목적상, "아동"이라함은 아동에게 적용되는 법에 의하여 보다
조기에 성인 연령에 달하지 아니하는 한 18세미만의 모든 사람을 말한다.

제 2 조

1. 당사국은 자국의 관할권안에서 아동 또는 그의 부모나 후견인의 인종,
   피부색, 성별, 언어, 종교, 정치적 또는 기타의 의견, 민족적, 인종적
   또는 사회적 출신, 재산, 무능력, 출생 또는 기타의 신분에 관계없이
   그리고 어떠한 종류의 차별을 함이 없이 이 협약에 규정된 권리를
   존중하고, 각 아동에게 보장하여야 한다.

2. 당사국은 아동이 그의 부모나 후견인 또는 가족 구성원의 신분, 활동,
   표명된 의견 또는 신념을 이유로 하는 모든 형태의 차별이나 처벌로
   부터 보호되도록 보장하는 모든 적절한 조치를 취하여야 한다.

제 3 조

1. 공공 또는 민간 사회복지기관, 법원, 행정당국, 또는 입법기관등에 의하여
   실시되는 아동에 관한 모든 활동에 있어서 아동의 최선의 이익이 최우선적
   으로 고려되어야 한다.

- 3 -

0079

2. 당사국은 아동의 부모, 후견인, 기타 아동에 대하여 법적 책임이 있는
   자의 권리와 의무를 고려하여, 아동복지에 필요한 보호와 배려를 아동에게
   보장하고, 이를 위하여 모든 적절한 입법적·행정적 조치를 취하여야 한다.

3. 당사국은 아동에 대한 배려와 보호에 책임있는 기관, 편의 및 시설이
   관계당국이 설정한 기준, 특히 안전과 위생분야 그리고 직원의 수 및
   적격성은 물론 충분한 감독면에서 기준에 따를 것을 보장하여야 한다.

                              제 4 조

   당사국은 이 협약에서 인정된 권리를 실현하기 위하여 모든 적절한 입법적·
행정적 및 여타의 조치를 취하여야 한다. 경제적·사회적 및 문화적 권리에
관하여 당사국은 가용자원의 최대한도까지 그리고 필요한 경우에는 국제협력의
테두리안에서 이러한 조치를 취하여야 한다.

                              제 5 조

   아동이 이 협약에서 인정된 권리를 행사함에 있어서 당사국은 부모 또는
적용가능한 경우 현지 관습에 의하여 인정되는 확대가족이나 공동체의 구성원,
후견인 기타 아동에 대한 법적 책임자들이 아동의 능력발달에 상응하는
방법으로 적절한 감독과 지도를 행할 책임과 권리 및 의무를 가지고 있음을
존중하여야 한다.

                              - 4 -

                                                        0080

제 6 조

1. 당사국은 모든 아동이 생명에 관한 고유의 권리를 가지고 있음을 인정한다

2. 당사국은 가능한 한 최대한도로 아동의 생존과 발전을 보장하여야 한다.

제 7 조

1. 아동은 출생 후 즉시 등록되어야 하며, 출생시부터 성명권과 국적취득권을
   가지며, 가능한 한 자신의 부모를 알고 부모에 의하여 양육받을 권리를
   가진다.

2. 당사국은 이 분야의 국내법 및 관련국제문서상의 의무에 따라 이러한
   권리가 실행되도록 보장하여야 하며, 권리가 실행되지 아니하여 아동이
   무국적으로 되는 경우에는 특히 그러하다.

제 8 조

1. 당사국은 위법한 간섭을 받지 아니하고, 국적, 성명 및 가족관계를 포함
   하여 법률에 의하여 인정된 신분을 보존할 수 있는 아동의 권리를 존중한다.

2. 아동이 그의 신분요소 중 일부 또는 전부를 불법적으로 박탈당한 경우,
   당사국은 그의 신분을 신속하게 회복하기 위하여 적절한 원조와 보호를
   제공하여야 한다.

0081

제 9 조

1. 당사국은 사법적 심사의 구속을 받는 관계당국이 적용가능한 법률 및 절차에 따라서 분리가 아동의 최선의 이익을 위하여 필요하다고 결정하는 경우외에는, 아동이 그의 의사에 반하여 부모로부터 분리되지 아니하도록 보장하여야 한다. 위의 결정은 부모에 의한 아동 학대 또는 유기의 경우나 부모의 별거로 인하여 아동의 거소에 관한 결정이 내려져야 하는 등 특별한 경우에 필요할 수 있다.

2. 제1항의 규정에 의한 어떠한 절차에서도 모든 이해당사자는 그 절차에 참가하여 자신의 견해를 표시할 기회가 부여되어야 한다.

3. 당사국은 아동의 최선의 이익에 반하는 경우외에는, 부모의 일방 또는 쌍방으로부터 분리된 아동이 정기적으로 부모와 개인적 관계 및 직접적인 면접교섭을 유지할 권리를 가짐을 존중하여야 한다.

4. 그러한 분리가 부모의 일방이나 쌍방 또는 아동의 감금, 투옥, 망명, 강제퇴거 또는 사망(국가가 억류하고 있는 동안 어떠한 원인에 기인한 사망을 포함한다)등과 같이 당사국에 의하여 취하여진 어떠한 조치의 결과인 경우에는, 당사국은 그 정보의 제공이 아동의 복지에 해롭지 아니하는 한, 요청이 있는 경우, 부모, 아동 또는 적절한 경우 다른 가족구성원에게 부재중인 가족구성원의 소재에 관한 필수적인 정보를 제공하여야 한다. 또한 당사국은 그러한 요청의 제출이 그 자체로 관계인에게 불리한 결과를 초래하지 아니하도록 보장하여야 한다.

- 6 -

제 10 조

1. 제9조제1항에 규정된 당사국의 의무에 따라서, 가족의 재결합을 위하여
   아동 또는 그 부모가 당사국에 입국하거나 출국하기 위한 신청은 당사국에
   의하여 긍정적이며 인도적인 방법으로 그리고 신속하게 취급되어야 한다.
   또한 당사국은 이러한 요청의 제출이 신청자와 그의 가족구성원들에게
   불리한 결과를 수반하지 아니하도록 보장하여야 한다.

2. 부모가 타국에 거주하는 아동은 예외적 상황외에는 정기적으로 부모와
   개인적 관계 및 직접적인 면접교섭을 유지할 권리를 가진다. 이러한
   목적에 비추어 그리고 제9조제2항에 규정된 당사국의 의무에 따라서,
   당사국은 아동과 그의 부모가 본국을 포함하여 어떠한 국가로부터 출국할
   수 있고 또한 본국으로 입국할 수 있는 권리를 존중하여야 한다. 어떠한
   국가로부터 출국할 수 있는 권리는 법률에 의하여 규정되고, 국가안보,
   공공질서, 공중보건이나 도덕 또는 타인의 권리와 자유를 보호하기 위하여
   필요하며 이 협약에서 인정된 그밖의 권리에 부합되는 제한에 의하여만
   구속된다.

제 11 조

1. 당사국은 아동의 불법 해외이송 및 미귀환을 퇴치하기 위한 조치를 취하여야
   한다.

2. 이 목적을 위하여 당사국은 양자 또는 다자협정의 체결이나 기존협정에의
   가입을 촉진하여야 한다.

- 7 -

0083

제 12 조

1. 당사국은 자신의 견해를 형성할 능력이 있는 아동에 대하여 본인에게
   영향을 미치는 모든 문제에 있어서 자신의 견해를 자유스럽게 표시할
   권리를 보장하며, 아동의 견해에 대하여는 아동의 연령과 성숙도에 따라
   정당한 비중이 부여되어야 한다.

2. 이러한 목적을 위하여, 아동에게는 특히 아동에게 영향을 미치는 어떠한
   사법적·행정적 절차에 있어서도 직접 또는 대표자나 적절한 기관을
   통하여 진술할 기회가 국내법적 절차에 합치되는 방법으로 주어져야
   한다.

제 13 조

1. 아동은 표현에 대한 자유권을 가진다. 이 권리는 구두, 필기 또는 인쇄,
   예술의 형태 또는 아동이 선택하는 기타의 매체를 통하여 모든 종류의
   정보와 사상을 국경에 관계없이 추구하고 접수하며 전달하는 자유를
   포함한다.

2. 이 권리의 행사는 일정한 제한을 받을 수 있다. 다만 이 제한은 오직
   법률에 의하여 규정되고 또한 다음 사항을 위하여 필요한 것이어야 한다.
   가. 타인의 권리 또는 신망의 존중
   나. 국가안보, 공공질서, 공중보건 또는 도덕의 보호

- 8 -

0084

제 14 조

1. 당사국은 아동의 사상·양심 및 종교의 자유에 대한 권리를 존중하여야
   한다.

2. 당사국은 아동이 권리를 행사함에 있어 부모 및 경우에 따라서는,
   후견인이 아동의 능력발달에 부합하는 방식으로 그를 감독할 수 있는
   권리와 의무를 존중하여야 한다.

3. 종교와 신념을 표현하는 자유는 오직 법률에 의하여 규정되고 공공의
   안전, 질서, 보건이나 도덕 또는 타인의 기본권적 권리와 자유를 보호하기
   위하여 필요한 경우에만 제한될 수 있다.

제 15 조

1. 당사국은 아동의 결사의 자유와 평화적 집회의 자유에 대한 권리를 인정
   한다.

2. 이 권리의 행사에 대하여는 법률에 따라 부과되고 국가안보 또는 공공의
   안전, 공공질서, 공중보건이나 도덕의 보호 또는 타인의 권리와 자유의
   보호를 위하여 민주사회에서 필요한 것외의 어떠한 제한도 과하여져서는
   아니된다.

제 16 조

1. 어떠한 아동도 사생활, 가족, 가정 또는 통신에 대하여 자의적이거나
   위법적인 간섭을 받지 아니하며 또한 명예나 신망에 대한 위법적인 공격을
   받지 아니한다.

- 9 -

0085

아동의 권리에 관한 협약 한국 가입, 1991.12.20. 전3권 (V.3 1991) 581

2. 아동은 이러한 간섭 또는 비난으로부터 법의 보호를 받을 권리를 가진다.

제 17 조

당사국은 대중매체가 수행하는 중요한 기능을 인정하며, 아동이 다양한
국내적 및 국제적 정보원으로부터의 정보와 자료, 특히 아동의 사회적·정신적·
도덕적 복지와 신체적·정신적 건강의 향상을 목적으로 하는 정보와 자료에
대한 접근권을 가짐을 보장하여야 한다. 이 목적을 위하여 당사국은,

   가. 대중매체가 아동에게 사회적·문화적으로 유익하고 제29조의 정신에
        부합되는 정보와 자료를 보급하도록 장려하여야 한다.
   나. 다양한 문화적·국내적 및 국제적 정보원으로부터의 정보와 자료를
        제작·교환 및 보급하는데 있어서의 국제협력을 장려하여야 한다.
   다. 아동도서의 제작과 보급을 장려하여야 한다.
   라. 대중매체로 하여금 소수집단에 속하거나 원주민인 아동의 언어상의
        곤란에 특별한 관심을 기울이도록 장려하여야 한다.
   마. 제13조와 제18조의 규정을 유념하며 아동 복지에 해로운 정보와
        자료로부터 아동을 보호하기 위한 적절한 지침의 개발을 장려하여야
        한다.

제 18 조

1. 당사국은 부모 쌍방이 아동의 양육과 발전에 공동책임을 진다는 원칙이
    인정받을 수 있도록 최선의 노력을 기울여야 한다. 부모 또는 경우에
    따라서 후견인은 아동의 양육과 발달에 일차적 책임을 진다.
    아동의 최선의 이익이 그들의 기본적 관심이 된다.

- 10 -

0086

2. 이 협약에 규정된 권리를 보장하고 촉진시키기 위하여, 당사국은 아동의 양육책임 이행에 있어서 부모와 후견인에게 적절한 지원을 제공하여야 하며, 아동 보호를 위한 기관·시설 및 편의의 개발을 보장하여야 한다.

3. 당사국은 취업부모의 아동들이 이용할 자격이 있는 아동보호를 위한 편의 및 시설로부터 이익을 향유할 수 있는 권리가 있음을 보장하기 위하여 모든 적절한 조치를 취하여야 한다.

제 19 조

1. 당사국은 아동이 부모·후견인 기타 아동양육자의 양육을 받고 있는 동안 모든 형태의 신체적, 정신적 폭력, 상해나 학대, 유기나 유기적 대우, 성적 학대를 포함한 혹사나 착취로부터 아동을 보호하기 위하여 모든 적절한 입법적·행정적·사회적 및 교육적 조치를 취하여야 한다.

2. 이러한 보호조치는 아동 및 아동양육자에게 필요한 지원을 제공하기 위한 사회계획의 수립은 물론, 제1항에 규정된 바와 같은 아동학대 사례를 다른 형태로 방지하거나 확인·보고·조회·조사·처리 및 추적하고 또한 적절한 경우에는 사법적 개입을 가능하게 하는 효과적 절차를 적절히 포함하여야 한다.

제 20 조

1. 일시적 또는 항구적으로 가정환경을 박탈당하거나 가정환경에 있는 것이 스스로의 최선의 이익을 위하여 허용될 수 없는 아동은 국가로부터 특별한 보호와 원조를 부여받을 권리가 있다.

2. 당사국은 자국의 국내법에 따라 이러한 아동을 위한 보호의 대안을 확보
   하여야 한다.

3. 이러한 보호는 특히 양육위탁, 회교법의 카팔라, 입양, 또는 필요한
   경우 적절한 아동 양육기관에 두는 것을 포함한다. 해결책을 모색하는
   경우에는 아동 양육에 있어 계속성의 보장이 바람직하다는 점과 아동의
   인종적·종교적·문화적 및 언어적 배경에 대하여 정당한 고려가
   베풀어져야 한다.

제 21 조

입양제도를 인정하거나 허용하는 당사국은 아동의 최선의 이익이 최우선적으로
고려되도록 보장하여야 하며, 또한 당사국은

가. 아동의 입양은, 적용가능한 법률과 절차에 따라서 그리고 적절하고 신빙성
   있는 모든 정보에 기초하여, 입양이 부모·친척 및 후견인에 대한 아동의
   신분에 비추어 허용될 수 있음을, 그리고 요구되는 경우 관계자들이
   필요한 협의에 의하여 입양에 대한 분별있는 승낙을 하였음을 결정하는
   관계당국에 의하여만 허가되도록 보장하여야 한다.

나. 국제입양은, 아동이 위탁양육자나 입양가족에 두어질 수 없거나 또는
   어떠한 적절한 방법으로도 출신국에서 양육되어질 수 없는 경우, 아동
   양육의 대체수단으로서 고려될 수 있음을 인정하여야 한다.

0088

다. 국제입양에 관계되는 아동이 국내입양의 경우와 대등한 보호와 기준을
   향유하도록 보장하여야 한다.

라. 국제입양에 있어서 양육지정이 관계자들에게 부당한 재정적 이익을 주는
   결과가 되지 아니하도록 모든 적절한 조치를 취하여야 한다.

마. 적절한 경우에는 양자 또는 다자약정이나 협정을 체결함으로써 이 조의
   목적을 촉진시키며, 이러한 테두리안에서 아동의 타국내 양육지정이
   관계당국이나 기관에 의하여 실시되는 것을 확보하기 위하여 노력하여야
   한다.

                              제 22 조

1. 당사국은 난민으로서의 지위를 구하거나 또는 적용가능한 국제법 및
   국내법과 절차에 따라 난민으로 취급되는 아동이, 부모나 기타 다른
   사람과의 동반 여부에 관계없이, 이 협약 및 당해 국가가 당사국인 다른
   국제 인권 또는 인도주의 관련 문서에 규정된 적용가능한 권리를 향유함에
   있어서 적절한 보호와 인도적 지원을 받을 수 있도록 하기 위하여 적절한
   조치를 취하여야 한다.

2. 이 목적을 위하여, 당사국은 국제연합 및 국제연합과 협력하는 그밖의
   권한 있는 정부간 또는 비정부간 기구들이 그러한 아동을 보호, 원조하고
   가족재결합에 필요한 정보를 얻기 위하여 난민 아동의 부모나 다른 가족
   구성원을 추적하는데 기울이는 모든 노력에 대하여도 적절하다고 판단되는
   협조를 제공하여야 한다. 부모나 다른 가족구성원을 발견할 수 없는 경우,
   그 아동은 어떠한 이유로 인하여 영구적 또는 일시적으로 가정환경을
   박탈당한 다른 아동과 마찬가지로 이 협약에 규정된 바와 같은 보호를
   부여받아야 한다.

                          - 13 -

                                              0089

제 23 조

1. 당사국은 정신적 또는 신체적 장애아동이 존엄성이 보장되고 자립이
   촉진되며 적극적 사회참여가 조장되는 여건 속에서 충분히 품위있는
   생활을 누려야 함을 인정한다.

2. 당사국은 장애아동의 특별한 보호를 받을 권리를 인정하며, 신청에
   의하여 그리고 아동의 여건과 부모나 다른 아동양육자의 사정에 적합한
   지원이, 활용가능한 재원의 범위안에서, 이를 받을만한 아동과 그의 양육
   책임자에게 제공될 것을 장려하고 보장하여야 한다.

3. 장애아동의 특별한 어려움을 인식하며, 제2항에 따라 제공된 지원은
   부모나 다른 아동양육자의 재산을 고려하여 가능한 한 무상으로 제공
   되어야 하며, 장애아동의 가능한 한 전면적인 사회참여와 문화적·정신적
   발전을 포함한 개인적 발전의 달성에 이바지하는 방법으로 그 아동이
   교육, 훈련, 건강관리지원, 재활지원, 취업준비 및 오락기회를 효과적으로
   이용하고 제공받을 수 있도록 계획되어야 한다.

4. 당사국은 국제협력의 정신에 입각하여, 그리고 당해 분야에서의 능력과
   기술을 향상시키고 경험을 확대하기 위하여 재활, 교육 및 직업보도
   방법에 관한 정보의 보급 및 이용을 포함하여, 예방의학분야 및 장애아동에
   대한 의학적·심리적·기능적 처치분야에 있어서의 적절한 정보의 교환을
   촉진하여야 한다. 이 문제에 있어서 개발도상국의 필요에 대하여 특별한
   고려가 배풀어져야 한다.

- 14 -

0090

제 24 조

1. 당사국은 도달가능한 최상의 건강수준을 향유하고, 질병의 치료와 건강의 회복을 위한 시설을 사용할 수 있는 아동의 권리를 인정한다. 당사국은 건강관리지원의 이용에 관한 아동의 권리가 박탈되지 아니하도록 노력하여야 한다.

2. 당사국은 이 권리의 완전한 이행을 추구하여야 하며, 특히 다음과 같은 적절한 조치를 취하여야 한다.

   가. 유아와 아동의 사망율을 감소시키기 위한 조치

   나. 기초건강관리의 발전에 중점을 두면서 모든 아동에게 필요한 의료지원과 건강관리의 제공을 보장하는 조치

   다. 환경오염의 위험과 손해를 감안하면서, 기초건강관리 체계 안에서 무엇보다도 쉽게 이용가능한 기술의 적용과 충분한 영양식 및 깨끗한 음료수의 제공 등을 통하여 질병과 영양실조를 퇴치하기 위한 조치

   라. 산모를 위하여 출산 전후의 적절한 건강관리를 보장하는 조치

   마. 모든 사회구성원, 특히 부모와 아동은 아동의 건강과 영양, 모유수유의 이익, 위생 및 환경정화 그리고 사고예방에 관한 기초지식의 활용에 있어서 정보를 제공받고 교육을 받으며 지원을 받을 것을 확보하는 조치

   바. 예방적 건강관리, 부모를 위한 지도 및 가족계획에 관한 교육과 편의를 발전시키는 조치

3. 당사국은 아동의 건강을 해치는 전통관습을 폐지하기 위하여 모든 효과적이고 적절한 조치를 취하여야 한다.

4. 당사국은 이 조에서 인정된 권리의 완전한 실현을 점진적으로 달성하기 위하여 국제협력을 촉진하고 장려하여야 한다. 이 문제에 있어서 개발도상국의 필요에 대하여 특별한 고려가 베풀어져야 한다.

제 25 조

당사국은 신체적·정신적 건강의 관리, 보호 또는 치료의 목적으로 관계당국에 의하여 양육지정 조치된 아동이, 제공되는 치료 및 양육지정과 관련된 그밖의 모든 사정을 정기적으로 심사받을 권리를 가짐을 인정한다.

제 26 조

1. 당사국은 모든 아동이 사회보험을 포함한 사회보장제도의 혜택을 받을 권리를 가짐을 인정하며, 자국의 국내법에 따라 이 권리의 완전한 실현을 달성하기 위하여 필요한 조치를 취하여야 한다.

2. 이러한 혜택은 아동 및 아동에 대한 부양책임자의 자력과 주변사정은 물론 아동에 의하여 직접 행하여지거나 또는 아동을 대신하여 행하여지는 혜택의 신청과 관련된 그밖의 사정을 참작하여 적절한 경우에 부여되어야 한다.

제 27 조

1. 당사국은 모든 아동이 신체적·지적·정신적·도덕적 및 사회적 발달에 적합한 생활수준을 누릴 권리를 가짐을 인정한다.

0092

2. 부모 또는 기타 아동에 대하여 책임이 있는 자는 능력과 재산의 범위안에서 아동 발달에 필요한 생활여건을 확보할 일차적 책임을 진다.

3. 당사국은 국내 여건과 재정의 범위안에서 부모 또는 기타 아동에 대하여 책임있는 자가 이 권리를 실현하는 것을 지원하기 위한 적절한 조치를 취하여야 하며, 필요한 경우에는 특히 영양, 의복 및 주거에 대하여 물질적 보조 및 지원계획을 제공하여야 한다.

4. 당사국은 국내외에 거주하는 부모 또는 기타 아동에 대하여 재정적으로 책임있는 자로부터 아동양육비의 회수를 확보하기 위한 모든 적절한 조치를 취하여야 한다. 특히 아동에 대하여 재정적으로 책임있는 자가 아동이 거주하는 국가와 다른 국가에 거주하는 경우, 당사국은 국제협약의 가입이나 그러한 협약의 체결은 물론 다른 적절한 조치의 강구를 촉진 하여야 한다.

제 28 조

1. 당사국은 아동의 교육에 대한 권리를 인정하며, 점진적으로 그리고 기회 균등의 기초 위에서 이 권리를 달성하기 위하여 특히 다음의 조치를 취하여야 한다.
   가. 초등교육은 의무적이며, 모든 사람에게 무료로 제공되어야 한다.
   나. 일반교육 및 직업교육을 포함한 여러 형태의 중등교육의 발전을 장려하고, 이에 대한 모든 아동의 이용 및 접근이 가능하도록 하며, 무료교육의 도입 및 필요한 경우 재정적 지원을 제공하는 등의 적절한 조치를 취하여야 한다.

- 17 -

다. 고등교육의 기회가 모든 사람에게 능력에 입각하여 개방될 수 있도록 모든 적절한 조치를 취하여야 한다.

라. 교육 및 직업에 관한 정보와 지도를 모든 아동이 이용하고 접근할 수 있도록 조치하여야 한다.

마. 학교에의 정기적 출석과 탈락율 감소를 장려하기 위한 조취를 취하여야 한다.

2. 당사국은 학교 규율이 아동의 인간적 존엄성과 합치하고 이 협약에 부합하도록 운영되는 것을 보장하기 위한 모든 적절한 조치를 취하여야 한다.

3. 당사국은, 특히 전세계의 무지와 문맹의 퇴치에 이바지하고, 과학적·기술적 지식과 현대적 교육방법에의 접근을 쉽게 하기 위하여, 교육에 관련되는 사항에 있어서 국제협력을 촉진하고 장려하여야 한다. 이 문제에 있어서 개발도상국의 필요에 대하여 특별한 고려가 베풀어져야 한다.

제 29 조

1. 당사국은 아동교육이 다음의 목표를 지향하여야 한다는데 동의한다.

가. 아동의 인격, 재능 및 정신적·신체적 능력의 최대한의 계발

나. 인권과 기본적 자유 및 국제연합헌장에 규정된 원칙에 대한 존중의 진전

다. 자신의 부모, 문화적 주체성, 언어 및 가치 그리고 현거주국과 출신국의 국가적 가치 및 이질문명에 대한 존중의 진전

- 18 -

0094

라. 아동이 인종적·민족적·종교적 집단 및 원주민등 모든 사람과의
    관계에 있어서 이해, 평화, 관용, 성(性)의 평등 및 우정의 정신에
    입각하여 자유사회에서 책임있는 삶을 영위하도록 하는 준비

마. 자연환경에 대한 존중의 진전

2. 이조 또는 제28조의 어떠한 부분도 개인 및 단체가, 언제나 제1항에
    규정된 원칙들을 준수하고 당해교육기관에서 실시되는 교육이 국가에
    의하여 설정된 최소한의 기준에 부합하여야 한다는 조건하에, 교육기관을
    설립하여 운영할 수 있는 자유를 침해하는 것으로 해석되어서는 아니된다.

제 30 조

인종적·종교적 또는 언어적 소수자나 원주민이 존재하는 국가에서 이러한
소수자에 속하거나 원주민인 아동은 자기 집단의 다른 구성원과 함께 고유
문화를 향유하고, 고유의 종교를 신앙하고 실천하며, 고유의 언어를 사용할
권리를 부인당하지 아니한다.

제 31 조

1. 당사국은 휴식과 여가를 즐기고, 자신의 연령에 적합한 놀이와 오락활동에
    참여하며, 문화생활과 예술에 자유롭게 참여할 수 있는 아동의 권리를
    인정한다.

2. 당사국은 문화적·예술적 생활에 완전하게 참여할 수 있는 아동의 권리를
    존중하고 촉진하며, 문화, 예술, 오락 및 여가활동을 위한 적절하고
    균등한 기회의 제공을 장려하여야 한다.

제 32 조

1. 당사국은 경제적 착취 및 위험하거나, 아동의 교육에 방해되거나, 아동의
   건강이나 신체적·지적·정신적·도덕적 또는 사회적 발전에 유해한
   여하한 노동의 수행으로부터 보호받을 아동의 권리를 인정한다.

2. 당사국은 이 조의 이행을 보장하기 위한 입법적·행정적·사회적 및
   교육적 조치를 강구하여야 한다. 이 목적을 위하여 그리고 그밖의
   국제문서의 관련 규정을 고려하여 당사국은 특히 다음의 조치를 취하여야
   한다.

   가. 단일 또는 복수의 최저 고용연령의 규정
   나. 고용시간 및 조건에 관한 적절한 규정의 마련
   다. 이 조의 효과적인 실시를 확보하기 위한 적절한 처벌 또는 기타
       제재수단의 규정

제 33 조

   당사국은 관련 국제조약에서 규정하고 있는 마약과 향정신성 물질의 불법적
사용으로부터 아동을 보호하고 이러한 물질의 불법적 생산과 거래에 아동이
이용되는 것을 방지하기 위하여 입법적·행정적·사회적·교육적 조치를 포함한
모든 적절한 조치를 취하여야 한다.

제 34 조

   당사국은 모든 형태의 성적 착취와 성적 학대로부터 아동을 보호할 의무를
진다. 이 목적을 달성하기 위하여 당사국은 특히 다음의 사항을 방지하기
위한 모든 적절한 국내적·양국간·다국간 조치를 취하여야 한다.

가. 아동을 모든 위법한 성적 활동에 종사하도록 유인하거나 강제하는 행위

나. 아동을 매음이나 기타 위법한 성적 활동에 착취적으로 이용하는 행위

다. 아동을 외설스러운 공연 및 자료에 착취적으로 이용하는 행위

제 35 조

당사국은 모든 목적과 형태의 아동의 약취유인이나 매매 또는 거래를
방지하기 위한 모든 적절한 국내적, 양국간, 다국간 조치를 취하여야 한다.

제 36 조

당사국은 아동복지의 어떠한 측면에 대하여라도 해로운 기타 모든 형태의
착취로부터 아동을 보호하여야 한다.

제 37 조

당사국은 다음의 사항을 보장하여야 한다.

가. 어떠한 아동도 고문 또는 기타 잔혹하거나 비인간적이거나 굴욕적인
    대우나 처벌을 받지 아니한다. 사형 또는 석방의 가능성이 없는
    중신형은 18세미만의 사람이 범한 범죄에 대하여 과하여져서는 아니된다.

나. 어떠한 아동도 위법적 또는 자의적으로 자유를 박탈당하지 아니한다.
    아동의 체포, 억류 또는 구금은 법률에 따라 행하여져야 하며, 오직
    최후의 수단으로서 또한 적절한 최단기간 동안만 사용되어야 한다.

다. 자유를 박탈당한 모든 아동은 인도주의와 인간 고유의 존엄성에 대한
    존중에 입각하여 그리고 그들의 연령상의 필요를 고려하여 처우되어야
    한다. 특히 자유를 박탈당한 모든 아동은, 성인으로부터 격리되지
    아니하는 것이 아동의 최선의 이익에 합치된다고 생각되는 경우를
    제외하고는 성인으로부터 격리되어야 하며, 예외적인 경우를 제외하고는
    서신과 방문을 통하여 자기 가족과의 접촉을 유지할 권리를 가진다.

- 21 -

0097

라. 자유를 박탈당한 모든 아동은 법률적 및 기타 적절한 구조에 신속하게
접근할 권리를 가짐은 물론 법원이나 기타 권한있고 독립적이며 공정한
당국 앞에서 자신에 대한 자유박탈의 합법성에 이의를 제기하고 이러한
소송에 대하여 신속한 결정을 받을 권리를 가진다.

제 38 조

1. 당사국은 아동과 관련이 있는 무력분쟁에 있어서, 당사국에 적용가능한
국제인도법의 규칙을 존중하고 동 존중을 보장할 의무를 진다.

2. 당사국은 15세에 달하지 아니한 자가 적대행위에 직접 참여하지 아니할
것을 보장하기 위하여 실행가능한 모든 조치를 취하여야 한다.

3. 당사국은 15세에 달하지 아니한 자의 징병을 삼가야 한다. 15세에
달하였으나 18세에 달하지 아니한 자 중에서 징병하는 경우, 당사국은
최연장자에게 우선순위를 두도록 노력하여야 한다.

4. 무력분쟁에 있어서 민간인 보호를 위한 국제인도법상의 의무에 따라서,
당사국은 무력분쟁의 영향을 받는 아동의 보호 및 배려를 확보하기 위하여
실행가능한 모든 조치를 취하여야 한다.

제 39 조

당사국은 모든 형태의 유기, 착취, 학대, 또는 고문이나 기타 모든 형태의
잔혹하거나 비인간적이거나 굴욕적인 대우나 처벌, 또는 무력분쟁으로 인하여
희생이 된 아동의 신체적·심리적 회복 및 사회복귀를 촉진시키기 위한 모든
적절한 조치를 취하여야 한다.

- 22 -

0098

제 40 조

1. 당사국은 형사피의자나 형사피고인 또는 유죄로 인정받은 모든 아동에 대하여, 아동의 연령 그리고 아동의 사회복귀 및 사회에서의 건설적 역할 담당을 촉진하는 것이 바람직스럽다는 점을 고려하고, 인권과 타인의 기본적 자유에 대한 아동의 존중심을 강화시키며, 존엄과 가치에 대한 아동의 자각을 촉진시키는데 부합하도록 처우받을 권리를 가짐을 인정한다.

2. 이 목적을 위하여 그리고 국제문서의 관련규정을 고려하며, 당사국은 특히 다음 사항을 보장하여야 한다.

   가. 모든 아동은 행위시의 국내법 또는 국제법에 의하여 금지되지 아니한 작위 또는 부작위를 이유로 하여 형사피의자가 되거나 형사기소되거나 유죄로 인정받지 아니한다.

   나. 형사피의자 또는 형사피고인인 모든 아동은 최소한 다음 사항을 보장받는다.

   (1) 법률에 따라 유죄가 입증될 때까지는 무죄로 추정받는다.

   (2) 피의사실을 신속하게 그리고 직접 또는, 적절한 경우, 부모나 후견인을 통하여 통지받으며, 변론의 준비 및 제출시 법률적 또는 기타 적절한 지원을 받는다.

   (3) 권한있고 독립적이며 공평한 기관 또는 사법기관에 의하여 법률적 또는 기타 적당한 지원하에 법률에 따른 공정한 심리를 받아 지체없이 사건이 판결되어야 하며, 아동의 최선의 이익에 반한다고 판단되지 아니하는 경우, 특히 그의 연령이나 주변환경, 부모 또는 후견인등을 고려하여야 한다.

- 23 -

0099

(4) 증언이나 유죄의 자백을 강요당하지 아니하며, 자신에게 불리한 증인을 신문하거나 또는 신문받도록 하며, 대등한 조건하에 자신을 위한 증인의 출석과 신문을 확보한다.

(5) 형법위반으로 간주되는 경우, 그 판결 및 그에 따라 부과된 모든 조치는 법률에 따라 권한있고 독립적이며 공정한 상급당국이나 사법기관에 의하여 심사되어야 한다.

(6) 아동이 사용되는 언어를 이해하지 못하거나 말하지 못하는 경우, 무료로 통역원의 지원을 받는다.

(7) 사법절차의 모든 단계에서 아동의 사생활은 충분히 존중되어야 한다.

3. 당사국은 형사피의자, 형사피고인 또는 유죄로 인정받은 아동에게 특별히 적용될 수 있는 법률, 절차, 기관 및 기구의 설립을 촉진하도록 노력하며, 특히 다음 사항에 노력하여야 한다.

가. 형법위반능력이 없다고 추정되는 최저 연령의 설정

나. 적절하고 바람직스러운 경우, 인권과 법적 보장이 완전히 존중된다는 조건하에 이러한 아동을 사법절차에 의하지 아니하고 다루기 위한 조치

4. 아동이 그들의 복지에 적절하고 그들의 여건 및 범행에 비례하여 취급될 것을 보장하기 위하여 보호, 지도 및 감독명령, 상담, 보호관찰, 보호양육, 교육과 직업훈련계획 및 제도적 보호에 대한 그밖의 대체방안등 여러 가지 처분이 이용가능하여야 한다.

0100

제 41 조

이 협약의 규정은 다음 사항에 포함되어 있는 아동권리의 실현에 보다 공헌할 수 있는 어떠한 규정에도 영향을 미치지 아니한다.

가. 당사국의 법
나. 당사국에 대하여 효력을 가지는 국제법

제 2 부

제 42 조

당사국은 이 협약의 원칙과 규정을 적절하고 적극적인 수단을 통하여 성인과 아동 모두에게 널리 알릴 의무를 진다.

제 43 조

1. 이 협약상의 의무이행을 달성함에 있어서 당사국이 이룩한 진전상황을 심사하기 위하여 이하에 규정된 기능을 수행하는 아동권리위원회를 설립한다.

2. 위원회는 고매한 인격을 가지고 이 협약이 대상으로 하는 분야에서 능력이 인정된 10명의 전문가로 구성된다. 위원회의 위원은 형평한 지리적 배분과 주요 법체계를 고려하여 당사국의 국민중에서 선출되며, 개인적 자격으로 임무를 수행한다.

3. 위원회의 위원은 당사국에 의하여 지명된 자의 명단중에서 비밀투표에 의하여 선출된다. 각 당사국은 자국민중에서 1인을 지명할 수 있다.

4. 위원회의 최초의 선거는 이 협약의 발효일부터 6월이내에 실시되며, 그 이후는 매 2년마다 실시된다. 각 선거일의 최소 4월이전에 국제연합 사무총장은 당사국에 대하여 2월이내에 후보자 지명을 제출하라는 서한을 발송하여야 한다. 사무총장은 지명한 당사국의 표시와 함께 알파벳순으로 지명된 후보들의 명단을 작성하여, 이를 이 협약의 당사국에게 제시하여야 한다.

5. 선거는 국제연합 본부에서 사무총장에 의하여 소집된 당사국 회의에서 실시된다. 이 회의는 당사국의 3분의 2를 의사정족수로 하고, 출석하고 투표한 당사국 대표의 최대다수표 및 절대다수표를 얻는 자가 위원으로 선출된다.

6. 위원회의 위원은 4년 임기로 선출된다. 위원은 재지명된 경우에는 재선될 수 있다. 최초의 선거에서 선출된 위원 중 5인의 임기는 2년후에 종료된다. 이들 5인 위원의 명단은 최초선거후 즉시 동 회의의 의장에 의하여 추첨으로 선정된다.

7. 위원회 위원이 사망, 사퇴 또는 본인이 어떠한 이유로 인하여 위원회의 임무를 더 이상 수행할 수 없다고 선언하는 경우, 그 위원을 지명한 당사국은 위원회의 승인을 조건으로 자국민중에서 잔여 임기를 수행할 다른 전문가를 임명한다.

8. 위원회는 자체의 절차규정을 제정한다.

9. 위원회는 2년 임기의 임원을 선출한다.

10. 위원회의 회의는 통상 국제연합 본부나 위원회가 결정하는 그밖의 편리한 장소에서 개최된다. 위원회는 통상 매년 회의를 한다. 위원회의 회의 기간은 필요한 경우 총회의 승인을 조건으로 이 협약 당사국 회의에 의하여 결정되고 재검토된다.

- 26 -

0102

11. 국제연합 사무총장은 이 협약에 의하여 설립된 위원회의 효과적인 기능 수행을 위하여 필요한 직원과 편의를 제공한다.

12. 이 협약에 의하여 설립된 위원회의 위원은 총회의 승인을 얻고 총회가 결정하는 기간과 조건에 따라 국제연합의 재원으로부터 보수를 받는다.

제 44 조

1. 당사국은 이 협약에서 인정된 권리를 실행하기 위하여 그들이 채택한 조치와 동 권리의 향유와 관련하여 이룩한 진전상황에 관한 보고서를 다음과 같이 국제연합 사무총장을 통하여 위원회에 제출한다.

   가. 관계 당사국에 대하여 이 협약이 발효한 후 2년이내
   나. 그 후 5년마다

2. 이 조에 따라 제출되는 보고서는 이 협약상 의무의 이행정도에 영향을 미치는 요소와 장애가 있을 경우 이를 적시하여야 한다. 보고서는 또한 관계국에서의 협약이행에 관한 포괄적인 이해를 위원회에 제공하기 위한 충분한 정보를 포함하여야 한다.

3. 위원회에 포괄적인 최초의 보고서를 제출한 당사국은, 제1항나호에 의하여 제출하는 후속보고서에 이미 제출된 기초적 정보를 반복할 필요는 없다.

4. 위원회는 당사국으로부터 이 협약의 이행과 관련이 있는 추가정보를 요청할 수 있다.

5. 위원회는 위원회의 활동에 관한 보고서를 2년마다 경제사회이사회를 통하여 총회에 제출한다.

- 27 -

0103

6. 당사국은 자국의 활동에 관한 보고서를 자국내 일반에게 널리 활용가능
   하도록 하여야 한다.

제45조

이 협약의 효과적인 이행을 촉진하고 이 협약이 대상으로 하는 분야에서의
국제협력을 장려하기 위하여

가. 전문기구, 국제연합아동기금 및 국제연합의 그밖의 기관은 이 협약 중
   그들의 권한 범위안에 속하는 규정의 이행에 관한 논의에 대표를 파견할
   권리를 가진다. 위원회는 전문기구, 국제연합아동기금 및 위원회가
   적절하다고 판단하는 그밖의 권한있는 기구에 대하여 각 기구의 권한
   범위에 속하는 분야에 있어서 이 협약의 이행에 관한 전문적인 자문을
   제공하여 줄 것을 요청할 수 있다. 위원회는 전문기구, 국제연합아동기금
   및 국제연합의 그밖의 기관에게 그들의 활동범위에 속하는 분야에서의 이
   협약의 이행에 관한 보고서를 제출할 것을 요청할 수 있다.

나. 위원회는 적절하다고 판단되는 경우 기술적 자문이나 지원을 요청하거나
   그 필요성을 지적하고 있는 당사국의 모든 보고서를 그러한 요청이나
   지적에 대한 위원회의 의견이나 제안이 있으면 동 의견이나 제안과 함께
   전문기구, 국제연합아동기금 및 그밖의 권한있는 기구에 전달하여야 한다.

다. 위원회는 사무총장이 위원회를 대신하여 아동권리와 관련이 있는 특정
   문제를 조사하도록 요청할 것을 총회에 대하여 권고할 수 있다.

라. 위원회는 이 협약 제44조 및 제45조에 의하여 접수한 정보에 기초하여
   제안과 일반적 권고를 할 수 있다. 이러한 제안과 일반적 권고는 당사국의
   논평이 있으면 그 논평과 함께 모든 관계 당사국에 전달되고 총회에 보고
   되어야 한다.

- 28 -

제 3 부

제 46 조

이 협약은 모든 국가에 의한 서명을 위하여 개방된다.

제 47 조

이 협약은 비준되어야 한다. 비준서는 국제연합 사무총장에게 기탁되어야 한다.

제 48 조

이 협약은 모든 국가에 의한 가입을 위하여 개방된다. 가입서는 국제연합 사무총장에게 기탁되어야 한다.

제 49 조

1. 이 협약은 20번째의 비준서 또는 가입서가 국제연합 사무총장에게 기탁 되는 날부터 30일째 되는 날 발효한다.

2. 20번째의 비준서 또는 가입서의 기탁 이후에 이 협약을 비준하거나 가입하는 각 국가에 대하여, 이 협약은 그 국가의 비준서 또는 가입서 기탁 후 30일째 되는 날 발효한다.

제 50 조

1. 모든 당사국은 개정안을 제안하고 이를 국제연합 사무총장에게 제출할
   수 있다. 동 제출에 의하여 사무총장은 당사국에게 동 제안을 심의하고
   표결에 붙이기 위한 당사국회의 개최에 대한 찬성 여부에 관한 의견을
   표시하여 줄 것을 요청하는 것과 함께 개정안을 당사국에게 송부하여야
   한다. 이러한 통보일부터 4월이내에 당사국중 최소 3분의 1이 회의
   개최에 찬성하는 경우 사무총장은 국제연합 주관하에 동 회의를 소집하여야
   한다. 동 회의에 출석하고 표결한 당사국의 과반수에 의하여 채택된 개정안은
   그 승인을 위하여 국제연합 총회에 제출된다.

2. 제1항에 따라서 채택된 개정안은 국제연합 총회에 의하여 승인되고,
   당사국의 3분의 2이상의 다수가 수락하는 때에 발효한다.

3. 개정안은 발효한 때에 이를 수락한 당사국을 구속하며, 그밖의 당사국은
   계속하여 이 협약의 규정 및 이미 수락한 그 이전의 모든 개정에 구속된다.

제 51 조

1. 국제연합 사무총장은 비준 또는 가입시 각국이 행한 유보문을 접수하고
   모든 국가에게 이를 배포하여야 한다.

2. 이 협약의 대상 및 목적과 양립할 수 없는 유보는 허용되지 아니한다.

3. 유보는 국제연합 사무총장에게 발송된 통고를 통하여 언제든지 철회될 수
   있으며, 사무총장은 이를 모든 국가에게 통보하여야 한다. 그러한 통고는
   사무총장에게 접수된 날부터 발효한다.

0106

제 52 조

당사국은 국제연합 사무총장에 대한 서면통고를 통하여 이 협약을 폐기할 수 있다. 폐기는 사무총장이 통고를 접수한 날부터 1년 후에 발효한다.

제 53 조

국제연합 사무총장은 이 협약의 수탁자로 지명된다.

제 54 조

아랍어·중국어·영어·불어·러시아어 및 서반아어본이 동등하게 정본인 이 협약의 원본은 국제연합 사무총장에게 기탁된다.

이상의 증거로 아래의 서명 전권대표들은 각국 정부에 의하여 정당하게 권한을 위임받아 이 협약에 서명하였다.

(서명란은 생략)

Convention on the Rights of the Child

PREAMBLE

The States Parties to the present Convention,

Considering that, in accordance with the principles proclaimed in the Charter of the United Nations, recognition of the inherent dignity and of the equal and inalienable rights of all members of the human family is the foundation of freedom, justice and peace in the world,

Bearing in mind that the peoples of the United Nations have, in the Charter, reaffirmed their faith in fundamental human rights and in the dignity and worth of the human person, and have determined to promote social progress and better standards of life in larger freedom,

Recognizing that the United Nations has, in the Universal Declaration of Human Rights and in the International Covenants on Human Rights, proclaimed and agreed that everyone is entitled to all the rights and freedoms set forth therein, without distinction of any kind, such as race, colour, sex, language, religion, political or other opinion, national or social origin, property, birth or other status,

Recalling that, in the Universal Declaration of Human Rights, the United Nations has proclaimed that childhood is entitled to special care and assistance,

Convinced that the family, as the fundamental group of society and the natural environment for the growth and well-being of all its members and particularly children, should be afforded the necessary protection and assistance so that it can fully assume its responsibilities within the community,

Recognizing that the child, for the full and harmonious development of his or her personality, should grow up in a family environment, in an atmosphere of happiness, love and understanding,

Considering that the child should be fully prepared to live an individual life in society, and brought up in the spirit of the ideals proclaimed in the Charter of the United Nations, and in particular in the spirit of peace, dignity, tolerance, freedom, equality and solidarity,

---

3/   Resolution 217 A (III).

4/   See resolution 2200 A (XXI), annex.

/...

(1)

Bearing in mind that the need to extend particular care to the child has been stated in the Geneva Declaration of the Rights of the Child of 1924 5/ and in the Declaration of the Rights of the Child adopted by the General Assembly on 20 November 1959 2/ and recognized in the Universal Declaration of Human Rights, in the International Covenant on Civil and Political Rights (in particular in articles 23 and 24), 4/ in the International Covenant on Economic, Social and Cultural Rights (in particular in article 10) 4/ and in the statutes and relevant instruments of specialized agencies and international organizations concerned with the welfare of children,

Bearing in mind that, as indicated in the Declaration of the Rights of the Child, "the child, by reason of his physical and mental immaturity, needs special safeguards and care, including appropriate legal protection, before as well as after birth", 6/

Recalling the provisions of the Declaration on Social and Legal Principles relating to the Protection and Welfare of Children, with Special Reference to Foster Placement and Adoption Nationally and Internationally; 7/ the United Nations Standard Minimum Rules for the Administration of Juvenile Justice (The Beijing Rules); 8/ and the Declaration on the Protection of Women and Children in Emergency and Armed Conflict, 9/

Recognizing that, in all countries in the world, there are children living in exceptionally difficult conditions, and that such children need special consideration,

Taking due account of the importance of the traditions and cultural values of each people for the protection and harmonious development of the child,

Recognizing the importance of international co-operation for improving the living conditions of children in every country, in particular in the developing countries,

Have agreed as follows:

5/   See League of Nations, Official Journal, Special Supplement No. 21, October 1924, p. 43.

6/   Resolution 1386 (XIV), third preambular paragraph.

7/   Resolution 41/85, annex.

8/   Resolution 40/33, annex.

9/   Resolution 3318 (XXIX).

0109   /...

(2)

PART I

Article 1

For the purposes of the present Convention, a child means every human being below the age of eighteen years unless, under the law applicable to the child, majority is attained earlier.

Article 2

1.   States Parties shall respect and ensure the rights set forth in the present Convention to each child within their jurisdiction without discrimination of any kind, irrespective of the child's or his or her parent's or legal guardian's race, colour, sex, language, religion, political or other opinion, national, ethnic or social origin, property, disability, birth or other status.

2.   States Parties shall take all appropriate measures to ensure that the child is protected against all forms of discrimination or punishment on the basis of the status, activities, expressed opinions, or beliefs of the child's parents, legal guardians, or family members.

Article 3

1.   In all actions concerning children, whether undertaken by public or private social welfare institutions, courts of law, administrative authorities or legislative bodies, the best interests of the child shall be a primary consideration.

2.   States Parties undertake to ensure the child such protection and care as is necessary for his or her well-being, taking into account the rights and duties of his or her parents, legal guardians, or other individuals legally responsible for him or her, and, to this end, shall take all appropriate legislative and administrative measures.

3.   States Parties shall ensure that the institutions, services and facilities responsible for the care or protection of children shall conform with the standards established by competent authorities, particularly in the areas of safety, health, in the number and suitability of their staff, as well as competent supervision.

Article 4

States Parties shall undertake all appropriate legislative, administrative, and other measures for the implementation of the rights recognized in the present Convention. With regard to economic, social and cultural rights, States Parties shall undertake such measures to the maximum extent of their available resources and, where needed, within the framework of international co-operation.

/...

(3)

C110

Article 5

States Parties shall respect the responsibilities, rights and duties of parents or, where applicable, the members of the extended family or community as provided for by local custom, legal guardians or other persons legally responsible for the child, to provide, in a manner consistent with the evolving capacities of the child, appropriate direction and guidance in the exercise by the child of the rights recognized in the present Convention.

Article 6

1.   States Parties recognize that every child has the inherent right to life.

2.   States Parties shall ensure to the maximum extent possible the survival and development of the child.

Article 7

1.   The child shall be registered immediately after birth and shall have the right from birth to a name, the right to acquire a nationality and, as far as possible, the right to know and be cared for by his or her parents.

2.   States Parties shall ensure the implementation of these rights in accordance with their national law and their obligations under the relevant international instruments in this field, in particular where the child would otherwise be stateless.

Article 8

1.   States Parties undertake to respect the right of the child to preserve his or her identity, including nationality, name and family relations as recognized by law without unlawful interference.

2.   Where a child is illegally deprived of some or all of the elements of his or her identity, States Parties shall provide appropriate assistance and protection, with a view to speedily re-establishing his or her identity.

Article 9

1.   States Parties shall ensure that a child shall not be separated from his or her parents against their will, except when competent authorities subject to judicial review determine, in accordance with applicable law and procedures, that such separation is necessary for the best interests of the child. Such determination may be necessary in a particular case such as one involving abuse or neglect of the child by the parents, or one where the parents are living separately and a decision must be made as to the child's place of residence.

/...

(4)   0111

2. In any proceedings pursuant to paragraph 1 of the present article, all interested parties shall be given an opportunity to participate in the proceedings and make their views known.

3. States Parties shall respect the right of the child who is separated from one or both parents to maintain personal relations and direct contact with both parents on a regular basis, except if it is contrary to the child's best interests.

4. Where such separation results from any action initiated by a State Party, such as the detention, imprisonment, exile, deportation or death (including death arising from any cause while the person is in the custody of the State) of one or both parents or of the child, that State Party shall, upon request, provide the parents, the child\or, if appropriate, another member of the family with the essential information concerning the whereabouts of the absent member(s) of the family unless the provision of the information would be detrimental to the well-being of the child. States Parties shall further ensure that the submission of such a request shall of itself entail no adverse consequences for the person(s) concerned.

Article 10

1. In accordance with the obligation of States Parties under article 9, paragraph 1, applications by a child or his or her parents to enter or leave a State Party for the purpose of family reunification shall be dealt with by States Parties in a positive, humane and expeditious manner. States Parties shall further ensure that the submission of such a request shall entail no adverse consequences for the applicants and for the members of their family.

2. A child whose parents reside in different States shall have the right to maintain on a regular basis, save in exceptional circumstances personal relations and direct contacts with both parents. Towards that end and in accordance with the obligation of States Parties under article 9, paragraph 2, States Parties shall respect the right of the child and his or her parents to leave any country, including their own, and to enter their own country. The right to leave any country shall be subject only to such restrictions as are prescribed by law and which are necessary to protect the national security, public order (ordre public), public health or morals or the rights and freedoms of others and are consistent with the other rights recognized in the present Convention.

Article 11

1. States Parties shall take measures to combat the illicit transfer and non-return of children abroad.

2. To this end, States Parties shall promote the conclusion of bilateral or multilateral agreements or accession to existing agreements.

/...

(5)

0112

Article 12

1.   States Parties shall assure to the child who is capable of forming his or her own views the right to express those views freely in all matters affecting the child, the views of the child being given due weight in accordance with the age and maturity of the child.

2.   For this purpose, the child shall in particular be provided the opportunity to be heard in any judicial and administrative proceedings affecting the child, either directly, or through a representative or an appropriate body, in a manner consistent with the procedural rules of national law.

Article 13

1.   The child shall have the right to freedom of expression; this right shall include freedom to seek, receive and impart information and ideas of all kinds, regardless of frontiers, either orally, in writing or in print, in the form of art, or through any other media of the child's choice.

2.   The exercise of this right may be subject to certain restrictions, but these shall only be such as are provided by law and are necessary:

   (a) For respect of the rights or reputations of others; or

   (b) For the protection of national security or of public order (ordre public), or of public health or morals.

Article 14

1. · States Parties shall respect the right of the child to freedom of thought, conscience and religion.

2.   States Parties shall respect the rights and duties of the parents and, when applicable, legal guardians, to provide direction to the child in the exercise of his or her right in a manner consistent with the evolving capacities of the child.

3.   Freedom to manifest one's religion or beliefs may be subject only to such limitations as are prescribed by law and are necessary to protect public safety, order, health or morals, or the fundamental rights and freedoms of others.

Article 15

1.   States Parties recognize the rights of the child to freedom of association and to freedom of peaceful assembly.

/...

(6)   0113

2.   No restrictions may be placed on the exercise of these rights other than those
imposed in conformity with the law and which are necessary in a democratic society
in the interests of national security or public safety, public order
(ordre public), the protection of public health or morals or the protection of the
rights and freedoms of others.

Article 16

1.   No child shall be subjected to arbitrary or unlawful interference with his or
her privacy, family, home or correspondence, nor to unlawful attacks on his or her
honour and reputation.

2.   The child has the right to the protection of the law against such interference
or attacks.

Article 17

States Parties recognize the important function performed by the mass media
and shall ensure that the child has access to information and material from a
diversity of national and international sources, especially those aimed at the
promotion of his or her social, spiritual and moral well-being and physical and
mental health. To this end, States Parties shall:

(a) Encourage the mass media to disseminate information and material of
social and cultural benefit to the child and in accordance with the spirit of
article 29;

(b) Encourage international co-operation in the production, exchange and
dissemination of such information and material from a diversity of cultural,
national and international sources;

(c) Encourage the production and dissemination of children's books;

(d) Encourage the mass media to have particular regard to the linguistic
needs of the child who belongs to a minority group or who is indigenous;

(e) Encourage the development of appropriate guidelines for the protection of
the child from information and material injurious to his or her well-being, bearing
in mind the provisions of articles 13 and 18.

Article 18

1.   States Parties shall use their best efforts to ensure recognition of the
principle that both parents have common responsibilities for the upbringing and
development of the child. Parents or, as the case may be, legal guardians, have
the primary responsibility for the upbringing and development of the child. The
best interests of the child will be their basic concern.

/...

(7)   0114

2.   For the purpose of guaranteeing and promoting the rights set forth in the
present Convention, States Parties shall render appropriate assistance to parents
and legal guardians in the performance of their child-rearing responsibilities and
shall ensure the development of institutions, facilities and services for the care
of children.

3.   States Parties shall take all appropriate measures to ensure that children of
working parents have the right to benefit from child-care services and facilities
for which they are eligible.

Article 19

1.   States Parties shall take all appropriate legislative, administrative, social
and educational measures to protect the child from all forms of physical or mental
violence, injury or abuse, neglect or negligent treatment, maltreatment or
exploitation, including sexual abuse, while in the care of parent(s), legal
guardian(s) or any other person who has the care of the child.

2.   Such protective measures should, as appropriate, include effective procedures
for the establishment of social programmes to provide necessary support for the
child and for those who have the care of the child, as well as for other forms of
prevention and for identification, reporting, referral, investigation, treatment
and follow-up of instances of child maltreatment described heretofore, and, as
appropriate, for judicial involvement.

Article 20

1.   A child temporarily or permanently deprived of his or her family environment,
or in whose own best interests cannot be allowed to remain in that environment,
shall be entitled to special protection and assistance provided by the State.

2.   States Parties shall in accordance with their national laws ensure alternative
care for such a child.

3.   Such care could include, _inter alia_, foster placement, _kafalah_ of Islamic law,
adoption or if necessary placement in suitable institutions for the care of
children. When considering solutions, due regard shall be paid to the desirability
of continuity in a child's upbringing and to the child's ethnic, religious,
cultural and linguistic background.

Article 21

States Parties that recognize and/or permit the system of adoption shall
ensure that the best interests of the child shall be the paramount consideration
and they shall:

/...

0115

(8)

(a) Ensure that the adoption of a child is authorized only by competent authorities who determine, in accordance with applicable law and procedures and on the basis of all pertinent and reliable information, that the adoption is permissible in view of the child's status concerning parents, relatives and legal guardians and that, if required, the persons concerned have given their informed consent to the adoption on the basis of such counselling as may be necessary;

(b) Recognize that inter-country adoption may be considered as an alternative means of child's care, if the child cannot be placed in a foster or an adoptive family or cannot in any suitable manner be cared for in the child's country of origin;

(c) Ensure that the child concerned by inter-country adoption enjoys safeguards and standards equivalent to those existing in the case of national adoption;

(d) Take all appropriate measures to ensure that, in inter-country adoption, the placement does not result in improper financial gain for those involved in it;

(e) Promote, where appropriate, the objectives of the present article by concluding bilateral or multilateral arrangements or agreements, and endeavour, within this framework, to ensure that the placement of the child in another country is carried out by competent authorities or organs.

Article 22

1.   States Parties shall take appropriate measures to ensure that a child who is seeking refugee status or who is considered a refugee in accordance with applicable international or domestic law and procedures shall, whether unaccompanied or accompanied by his or her parents or by any other person, receive appropriate protection and humanitarian assistance in the enjoyment of applicable rights set forth in the present Convention and in other international human rights or humanitarian instruments to which the said States are Parties.

2.   For this purpose, States Parties shall provide, as they consider appropriate, co-operation in any efforts by the United Nations and other competent intergovernmental organizations or non-governmental organizations co-operating with the United Nations to protect and assist such a child and to trace the parents or other members of the family of any refugee child in order to obtain information necessary for reunification with his or her family. In cases where no parents or other members of the family can be found, the child shall be accorded the same protection as any other child permanently or temporarily deprived of his or her family environment for any reason, as set forth in the present Convention.

(9)

/...

0116

Article 23

1. States Parties recognize that a mentally or physically disabled child should enjoy a full and decent life, in conditions which ensure dignity, promote self-reliance and facilitate the child's active participation in the community.

2. States Parties recognize the right of the disabled child to special care and shall encourage and ensure the extension, subject to available resources, to the eligible child and those responsible for his or her care, of assistance for which application is made and which is appropriate to the child's condition and to the circumstances of the parents or others caring for the child.

3. Recognizing the special needs of a disabled child, assistance extended in accordance with paragraph 2 of the present article shall be provided free of charge, whenever possible, taking into account the financial resources of the parents or others caring for the child, and shall be designed to ensure that the disabled child has effective access to and receives education, training, health care services, rehabilitation services, preparation for employment and recreation opportunities in a manner conducive to the child's achieving the fullest possible social integration and individual development, including his or her cultural and spiritual development.

4. States Parties shall promote, in the spirit of international co-operation, the exchange of appropriate information in the field of preventive health care and of medical, psychological and functional treatment of disabled children, including dissemination of and access to information concerning methods of rehabilitation, education and vocational services, with the aim of enabling States Parties to improve their capabilities and skills and to widen their experience in these areas. In this regard, particular account shall be taken of the needs of developing countries.

Article 24

1. States Parties recognize the right of the child to the enjoyment of the highest attainable standard of health and to facilities for the treatment of illness and rehabilitation of health. States Parties shall strive to ensure that no child is deprived of his or her right of access to such health care services.

2. States Parties shall pursue full implementation of this right and, in particular, shall take appropriate measures:

(a) To diminish infant and child mortality;

(b) To ensure the provision of necessary medical assistance and health care to all children with emphasis on the development of primary health care;

(10)   0117   /...

(c) To combat disease and malnutrition, including within the framework of primary health care, through, *inter alia*, the application of readily available technology and through the provision of adequate nutritious foods and clean drinking-water, taking into consideration the dangers and risks of environmental pollution;

(d) To ensure appropriate pre-natal and post-natal health care for mothers;

(e) To ensure that all segments of society, in particular parents and children, are informed, have access to education and are supported in the use of basic knowledge of child health and nutrition, the advantages of breast-feeding, hygiene and environmental sanitation and the prevention of accidents;

(f) To develop preventive health care, guidance for parents and family planning education and services.

3. States Parties shall take all effective and appropriate measures with a view to abolishing traditional practices prejudicial to the health of children.

4. States Parties undertake to promote and encourage international co-operation with a view to achieving progressively the full realization of the right recognized in the present article. In this regard, particular account shall be taken of the needs of developing countries.

Article 25

States Parties recognize the right of a child who has been placed by the competent authorities for the purposes of care, protection or treatment of his or her physical or mental health, to a periodic review of the treatment provided to the child and all other circumstances relevant to his or her placement.

Article 26

1. States Parties shall recognize for every child the right to benefit from social security, including social insurance, and shall take the necessary measures to achieve the full realization of this right in accordance with their national law.

2. The benefits should, where appropriate, be granted, taking into account the resources and the circumstances of the child and persons having responsibility for the maintenance of the child, as well as any other consideration relevant to an application for benefits made by or on behalf of the child.

(11)

/...

0118

Article 27

1.   States Parties recognize the right of every child to a standard of living
adequate for the child's physical, mental, spiritual, moral and social development.

2.   The parent(s) or others responsible for the child have the primary
responsibility to secure, within their abilities and financial capacities, the
conditions of living necessary for the child's development.

3.   States Parties, in accordance with national conditions and within their means,
shall take appropriate measures to assist parents and others responsible for the
child to implement this right and shall in case of need provide material assistance
and support programmes, particularly with regard to nutrition, clothing and housing.

4.   States Parties shall take all appropriate measures to secure the recovery of
maintenance for the child from the parents or other persons having financial
responsibility for the child, both within the State Party and from abroad.   In
particular, where the person having financial responsibility for the child lives in
a State different from that of the child, States Parties shall promote the
accession to international agreements or the conclusion of such agreements, as well
as the making of other appropriate arrangements.

Article 28

1.   States Parties recognize the right of the child to education, and with a view
to achieving this right progressively and on the basis of equal opportunity, they
shall, in particular:

   (a)   Make primary education compulsory and available free to all;

   (b)   Encourage the development of different forms of secondary education,
including general and vocational education, make them available and accessible to
every child, and take appropriate measures such as the introduction of free
education and offering financial assistance in case of need;

   (c)   Make higher education accessible to all on the basis of capacity by every
appropriate means;

   (d)   Make educational and vocational information and guidance available and
accessible to all children;

   (e)   Take measures to encourage regular attendance at schools and the
reduction of drop-out rates.

2.   States Parties shall take all appropriate measures to ensure that school
discipline is administered in a manner consistent with the child's human dignity
and in conformity with the present Convention.

(12)

/...

0119

3.   States Parties shall promote and encourage international co-operation in matters relating to education, in particular with a view to contributing to the elimination of ignorance and illiteracy throughout the world and facilitating access to scientific and technical knowledge and modern teaching methods. In this regard, particular account shall be taken of the needs of developing countries.

Article 29

1.   States Parties agree that the education of the child shall be directed to:

(a) The development of the child's personality, talents and mental and physical abilities to their fullest potential;

(b) The development of respect for human rights and fundamental freedoms, and for the principles enshrined in the Charter of the United Nations;

(c) The development of respect for the child's parents, his or her own cultural identity, language and values, for the national values of the country in which the child is living, the country from which he or she may originate, and for civilizations different from his or her own;

(d) The preparation of the child for responsible life in a free society, in the spirit of understanding, peace, tolerance, equality of sexes, and friendship among all peoples, ethnic, national and religious groups and persons of indigenous origin;

(e) The development of respect for the natural environment.

2.   No part of the present article or article 28 shall be construed so as to interfere with the liberty of individuals and bodies to establish and direct educational institutions, subject always to the observance of the principles set forth in paragraph 1 of the present article and to the requirements that the education given in such institutions shall conform to such minimum standards as may be laid down by the State.

Article 30

In those States in which ethnic, religious or linguistic minorities or persons of indigenous origin exist, a child belonging to such a minority or who is indigenous shall not be denied the right, in community with other members of his or her group, to enjoy his or her own culture, to profess and practise his or her own religion, or to use his or her own language.

(13)

/...

0120

Article 31

1.   States Parties recognize the right of the child to rest and leisure, to engage in play and recreational activities appropriate to the age of the child and to participate freely in cultural life and the arts.

2.   States Parties shall respect and promote the right of the child to participate fully in cultural and artistic life and shall encourage the provision of appropriate and equal opportunities for cultural, artistic, recreational and leisure activity.

Article 32

1.   States Parties recognize the right of the child to be protected from economic exploitation and from performing any work that is likely to be hazardous or to interfere with the child's education, or to be harmful to the child's health or physical, mental, spiritual, moral or social development.

2.   States Parties shall take legislative, administrative, social and educational measures to ensure the implementation of the present article. To this end, and having regard to the relevant provisions of other international instruments, States Parties shall in particular:

   (a) Provide for a minimum age or minimum ages for admission to employment;

   (b) Provide for appropriate regulation of the hours and conditions of employment;

   (c). Provide for appropriate penalties or other sanctions to ensure the effective enforcement of the present article.

Article 33

   States Parties shall take all appropriate measures, including legislative, administrative, social and educational measures, to protect children from the illicit use of narcotic drugs and psychotropic substances as defined in the relevant international treaties, and to prevent the use of children in the illicit production and trafficking of such substances.

Article 34

   States Parties undertake to protect the child from all forms of sexual exploitation and sexual abuse. For these purposes, States Parties shall in particular take all appropriate national, bilateral and multilateral measures to prevent:.

(14)

/...

0121

(a) The inducement or coercion of a child to engage in any unlawful sexual activity;

(b) The exploitative use of children in prostitution or other unlawful sexual practices;

(c) The exploitative use of children in pornographic performances and materials.

Article 35

States Parties shall take all appropriate national, bilateral and multilateral measures to prevent the abduction of, the sale of or traffic in children for any purpose or in any form.

Article 36

States Parties shall protect the child against all other forms of exploitation prejudicial to any aspects of the child's welfare.

Article 37

States Parties shall ensure that:

(a) No child shall be subjected to torture or other cruel, inhuman or degrading treatment or punishment. Neither capital punishment nor life imprisonment without possibility of release shall be imposed for offences committed by persons below eighteen years of age;

(b) No child shall be deprived of his or her liberty unlawfully or arbitrarily. The arrest, detention or imprisonment of a child shall be in conformity with the law and shall be used only as a measure of last resort and for the shortest appropriate period of time;

(c) Every child deprived of liberty shall be treated with humanity and respect for the inherent dignity of the human person, and in a manner which takes into account the needs of persons of his or her age. In particular, every child deprived of liberty shall be separated from adults unless it is considered in the child's best interest not to do so and shall have the right to maintain contact with his or her family through correspondence and visits, save in exceptional circumstances;

(d) Every child deprived of his or her liberty shall have the right to prompt access to legal and other appropriate assistance, as well as the right to challenge the legality of the deprivation of his or her liberty before a court or other competent, independent and impartial authority, and to a prompt decision on any such action.

(15)

/...

0122

Article 38

1.   States Parties undertake to respect and to ensure respect for rules of international humanitarian law applicable to them in armed conflicts which are relevant to the child.

2.   States Parties shall take all feasible measures to ensure that persons who have not attained the age of fifteen years do not take a direct part in hostilities.

3.   States Parties shall refrain from recruiting any person who has not attained the age of fifteen years into their armed forces. In recruiting among those persons who have attained the age of fifteen years but who have not attained the age of eighteen years, States Parties shall endeavour to give priority to those who are oldest.

4.   In accordance with their obligations under international humanitarian law to protect the civilian population in armed conflicts, States Parties shall take all feasible measures to ensure protection and care of children who are affected by an armed conflict.

Article 39

      States Parties shall take all appropriate measures to promote physical and psychological recovery and social reintegration of a child victim of: any form of neglect, exploitation, or abuse; torture or any other form of cruel, inhuman or degrading treatment or punishment; or armed conflicts. Such recovery and reintegration shall take place in an environment which fosters the health, self-respect and dignity of the child.

Article 40

1.   States Parties recognize the right of every child alleged as, accused of, or recognized as having infringed the penal law to be treated in a manner consistent with the promotion of the child's sense of dignity and worth, which reinforces the child's respect for the human rights and fundamental freedoms of others and which takes into account the child's age and the desirability of promoting the child's reintegration and the child's assuming a constructive role in society.

2.   To this end, and having regard to the relevant provisions of international instruments, States Parties shall, in particular, ensure that:

      (a) No child shall be alleged as, be accused of, or recognized as having infringed the penal law by reason of acts or omissions that were not prohibited by national or international law at the time they were committed;

      (b) Every child alleged as or accused of having infringed the penal law has at least the following guarantees:

(16)

/...

0123

(i)　To be presumed innocent until proven guilty according to law;

(ii)　To be informed promptly and directly of the charges against him or her, and, if appropriate, through his or her parents or legal guardians, and to have legal or other appropriate assistance in the preparation and presentation of his or her defence;

(iii)　To have the matter determined without delay by a competent, independent and impartial authority or judicial body in a fair hearing according to law, in the presence of legal or other appropriate assistance and, unless it is considered not to be in the best interest of the child, in particular, taking into account his or her age or situation, his or her parents or legal guardians;

(iv)　Not to be compelled to give testimony or to confess guilt; to examine or have examined adverse witnesses and to obtain the participation and examination of witnesses on his or her behalf under conditions of equality;

(v)　If considered to have infringed the penal law, to have this decision and any measures imposed in consequence thereof reviewed by a higher competent, independent and impartial authority or judicial body according to law;

(vi)　To have the free assistance of an interpreter if the child cannot understand or speak the language used;

(vii)　To have his or her privacy fully respected at all stages of the proceedings.

3.　States Parties shall seek to promote the establishment of laws, procedures, authorities and institutions specifically applicable to children alleged as, accused of, or recognized as having infringed the penal law, and, in particular:

(a)　The establishment of a minimum age below which children shall be presumed not to have the capacity to infringe the penal law;

(b)　Whenever appropriate and desirable, measures for dealing with such children without resorting to judicial proceedings, providing that human rights and legal safeguards are fully respected.

4.　A variety of dispositions, such as care, guidance and supervision orders; counselling; probation; foster care; education and vocational training programmes and other alternatives to institutional care shall be available to ensure that children are dealt with in a manner appropriate to their well-being and proportionate both to their circumstances and the offence.

(17)

/...

0124

Article 41

Nothing in the present Convention shall affect any provisions which are more conducive to the realization of the rights of the child and which may be contained in:

(a) The law of a State Party; or

(b) International law in force for that State.

PART II

Article 42

States Parties undertake to make the principles and provisions of the Convention widely known, by appropriate and active means, to adults and children alike.

Article 43

1. For the purpose of examining the progress made by States Parties in achieving the realization of the obligations undertaken in the present Convention, there shall be established a Committee on the Rights of the Child, which shall carry out the functions hereinafter provided.

2. The Committee shall consist of ten experts of high moral standing and recognized competence in the field covered by this Convention. The members of the Committee shall be elected by States Parties from among their nationals and shall serve in their personal capacity, consideration being given to equitable geographical distribution, as well as to the principal legal systems.

3. The members of the Committee shall be elected by secret ballot from a list of persons nominated by States Parties. Each State Party may nominate one person from among its own nationals.

4. The initial election to the Committee shall be held no later than six months after the date of the entry into force of the present Convention and thereafter every second year. At least four months before the date of each election, the Secretary-General of the United Nations shall address a letter to States Parties inviting them to submit their nominations within two months. The Secretary-General shall subsequently prepare a list in alphabetical order of all persons thus nominated, indicating States Parties which have nominated them, and shall submit it to the States Parties to the present Convention.

5. The elections shall be held at meetings of States Parties convened by the Secretary-General at United Nations Headquarters. At those meetings, for which two thirds of States Parties shall constitute a quorum, the persons elected to the Committee shall be those who obtain the largest number of votes and an absolute majority of the votes of the representatives of States Parties present and voting.

(18)

/...

0125

6. The members of the Committee shall be elected for a term of four years. They shall be eligible for re-election if renominated. The term of five of the members elected at the first election shall expire at the end of two years; immediately after the first election, the names of these five members shall be chosen by lot by the Chairman of the meeting.

7. If a member of the Committee dies or resigns or declares that for any other cause he or she can no longer perform the duties of the Committee, the State Party which nominated the member shall appoint another expert from among its nationals to serve for the remainder of the term, subject to the approval of the Committee.

8. The Committee shall establish its own rules of procedure.

9. The Committee shall elect its officers for a period of two years.

10. The meetings of the Committee shall normally be held at United Nations Headquarters or at any other convenient place as determined by the Committee. The Committee shall normally meet annually. The duration of the meetings of the Committee shall be determined, and reviewed, if necessary, by a meeting of the States Parties to the present Convention, subject to the approval of the General Assembly.

11. The Secretary-General of the United Nations shall provide the necessary staff and facilities for the effective performance of the functions of the Committee under the present Convention.

12. With the approval of the General Assembly, the members of the Committee established under the present Convention shall receive emoluments from United Nations resources on such terms and conditions as the Assembly may decide.

Article 44

1. States Parties undertake to submit to the Committee, through the Secretary-General of the United Nations, reports on the measures they have adopted which give effect to the rights recognized herein and on the progress made on the enjoyment of those rights:

   (a) Within two years of the entry into force of the Convention for the State Party concerned;

   (b) Thereafter every five years.

2. Reports made under the present article shall indicate factors and difficulties, if any, affecting the degree of fulfilment of the obligations under the present Convention. Reports shall also contain sufficient information to provide the Committee with a comprehensive understanding of the implementation of the Convention in the country concerned.

(19)

/...

0126

3.   A State Party which has submitted a comprehensive initial report to the Committee need not, in its subsequent reports submitted in accordance with paragraph 1 (b) of the present article, repeat basic information previously provided.

4.   The Committee may request from States Parties further information relevant to the implementation of the Convention.

5.   The Committee shall submit to the General Assembly, through the Economic and Social Council, every two years, reports on its activities.

6.   States Parties shall make their reports widely available to the public in their own countries.

Article 45

In order to foster the effective implementation of the Convention and to encourage international co-operation in the field covered by the Convention:

(a)   The specialized agencies, the United Nations Children's Fund, and other United Nations organs shall be entitled to be represented at the consideration of the implementation of such provisions of the present Convention as fall within the scope of their mandate.   The Committee may invite the specialized agencies, the United Nations Children's Fund and other competent bodies as it may consider appropriate to provide expert advice on the implementation of the Convention in areas falling within the scope of their respective mandates.   The Committee may invite the specialized agencies, the United Nations Children's Fund, and other United Nations organs to submit reports on the implementation of the Convention in areas falling within the scope of their activities;

(b)   The Committee shall transmit, as it may consider appropriate, to the specialized agencies, the United Nations Children's Fund and other competent bodies, any reports from States Parties that contain a request, or indicate a need, for technical advice or assistance, along with the Committee's observations and suggestions, if any, on these requests or indications;

(c)   The Committee may recommend to the General Assembly to request the Secretary-General to undertake on its behalf studies on specific issues relating to the rights of the child;

(d)   The Committee may make suggestions and general recommendations based on information received pursuant to articles 44 and 45 of the present Convention. Such suggestions and general recommendations shall be transmitted to any State Party concerned and reported to the General Assembly, together with comments, if any, from States Parties.

(20)

/...

0127

PART III

Article 46

The present Convention shall be open for signature by all States.

Article 47

The present Convention is subject to ratification. Instruments of ratification shall be deposited with the Secretary-General of the United Nations.

Article 48

The present Convention shall remain open for accession by any State. The instruments of accession shall be deposited with the Secretary-General of the United Nations.

Article 49

1. The present Convention shall enter into force on the thirtieth day following the date of deposit with the Secretary-General of the United Nations of the twentieth instrument of ratification or accession.

2. For each State ratifying or acceding to the Convention after the deposit of the twentieth instrument of ratification or accession, the Convention shall enter into force on the thirtieth day after the deposit by such State of its instrument of ratification or accession.

Article 50

1. Any State Party may propose an amendment and file it with the Secretary-General of the United Nations. The Secretary-General shall thereupon communicate the proposed amendment to States Parties, with a request that they indicate whether they favour a conference of States Parties for the purpose of considering and voting upon the proposals. In the event that, within four months from the date of such communication, at least one third of the States Parties favour such a conference, the Secretary-General shall convene the conference under the auspices of the United Nations. Any amendment adopted by a majority of States Parties present and voting at the conference shall be submitted to the General Assembly for approval.

2. An amendment adopted in accordance with paragraph 1 of the present article shall enter into force when it has been approved by the General Assembly of the United Nations and accepted by a two-thirds majority of States Parties.

(21)

/...

0128

3.　When an amendment enters into force, it shall be binding on those States Parties which have accepted it, other States Parties still being bound by the provisions of the present Convention and any earlier amendments which they have accepted.

Article 51

1.　The Secretary-General of the United Nations shall receive and circulate to all States the text of reservations made by States at the time of ratification or accession.

2.　A reservation incompatible with the object and purpose of the present Convention shall not be permitted.

3.　Reservations may be withdrawn at any time by notification to that effect addressed to the Secretary-General of the United Nations, who shall then inform all States.　Such notification shall take effect on the date on which it is received by the Secretary-General.

Article 52

A State Party may denounce the present Convention by written notification to the Secretary-General of the United Nations.　Denunciation becomes effective one year after the date of receipt of the notification by the Secretary-General.

Article 53

The Secretary-General of the United Nations is designated as the depositary of the present Convention.

Article 54

The original of the present Convention, of which the Arabic, Chinese, English, French, Russian and Spanish texts are equally authentic, shall be deposited with the Secretary-General of the United Nations.

In witness thereof the undersigned plenipotentiaries, being duly authorized thereto by their respective Governments, have signed the present Convention.

(22)

0129

주 국 련 대 표 부

주국련   **717**   1991. 9 . 27 .

수신 : 장관

참조 : 조약국장

제목 : 아동권리 협약 당사국 현황

대 : WUN - 3029

연 : UNW - 2874

연호 표제 협약 당사국 현황 상세(비준국 및 가입국명, 유보사항등)를 별첨 송부합니다.

첨 부 : 상기 협약 당사국 현황 1부.   끝.

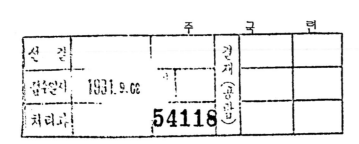

0130

11. CONVENTION ON THE RIGHTS OF THE CHILD

Adopted by the General Assembly of the United Nations on 20 November 1989

ENTRY INTO FORCE: 2 September 1990, in accordance with article 49 (1).
REGISTRATION: 2 September 1990.
TEXT: Doc. A/RES/44/25.

Note: The Convention, of which the Arabic, Chinese, English, French, Russian and Spanish texts are equally authentic, was adopted by resolution No. 44/25 of 20 November 1989 at the forty-fourth session of the General Assembly of the United Nations. The Convention is open for signature by all States at the Headquarters of the United Nations in New York.

Participants	Signature	Ratification, accession (a)	Participants	Signature	Ratification, accession (a)
Afghanistan	27 Sep 1990		Guinea-Bissau	26 Jan 1990	20 Aug 1990
Albania	26 Jan 1990		Guyana	30 Sep 1990	
Algeria	26 Jan 1990		Haiti	26 Jan 1990	
Argentina	29 Jun 1990	4 Dec 1990	Holy See	20 Apr 1990	20 Apr 1990
Angola	14 Feb 1990	5 Dec 1990	Honduras	31 May 1990	19 Aug 1990
Australia	22 Aug 1990	17 Dec 1990	Hungary	14 Mar 1990	
Austria	26 Jan 1990		Iceland	26 Jan 1990	
Bahamas	30 Oct 1990		Indonesia	26 Jan 1990	5 Sep 1990
Bangladesh	26 Jan 1990	3 Aug 1990	Ireland	30 Sep 1990	
Barbados	19 Apr 1990	9 Oct 1990	Israel	3 Jul 1990	
Belize	2 Mar 1990	2 May 1990	Italy	26 Jan 1990	
Belgium	26 Jan 1990		Jamaica	26 Jan 1990	
Benin	25 Apr 1990	3 Aug 1990	Japan	21 Sep 1990	
Bhutan	4 Jun 1990	1 Aug 1990	Jordan	29 Aug 1990	
Bolivia	8 Mar 1990	26 Jun 1990	Kenya	26 Jan 1990	30 Jul 1990
Brazil	26 Jan 1990	20 Sep 1990	Kuwait	7 Jun 1990	
Bulgaria	31 May 1990		Lebanon	26 Jan 1990	
Burkina Faso	26 Jan 1990	31 Aug 1990	Lesotho	21 Aug 1990	
Burundi	8 May 1990	19 Oct 1990	Liberia	26 Apr 1990	
Byelorussian Soviet Socialist Republic	26 Jan 1990	1 Oct 1990	Liechtenstein	30 Sep 1990	
			Luxembourg	21 Mar 1990	
Cameroon	25 Sep 1990		Madagascar	19 Apr 1990	
Canada	28 May 1990		Maldives	21 Aug 1990	
Central African Republic	30 Jul 1990		Mali	26 Jan 1990	
			Malta	26 Jan 1990	30 Sep 1990
Chad	30 Sep 1990	2 Oct 1990	Mauritania	26 Jan 1990	
Chile	26 Jan 1990	13 Aug 1990	Mauritius		26 Jul 1990 a
China	29 Aug 1990		Mexico	26 Jan 1990	21 Sep 1990
Colombia	26 Jan 1990		Mongolia	26 Jan 1990	5 Jul 1990
Comoros	30 Sep 1990		Morocco	26 Jan 1990	
Costa Rica	26 Jan 1990	21 Aug 1990	Mozambique	30 Sep 1990	
Côte d'Ivoire	26 Jan 1990		Namibia	26 Sep 1990	30 Sep 1990
Cuba	26 Jan 1990		Nepal	26 Jan 1990	14 Sep 1990
Cyprus	5 Oct 1990		Netherlands	26 Jan 1990	
Czechoslovakia	30 Sep 1990		New Zealand	1 Oct 1990	
Democratic People's Republic of Korea	23 Aug 1990	21 Sep 1990	Nicaragua	6 Feb 1990	5 Oct 1990
			Niger	26 Jan 1990	30 Sep 1990
Denmark	26 Jan 1990		Nigeria	26 Jan 1990	
Djibouti	30 Sep 1990	6 Dec 1990	Norway	26 Jan 1990	
Dominica	26 Jan 1990		Pakistan	20 Sep 1990	12 Nov 1990
Dominican Republic	8 Aug 1990		Panama	26 Jan 1990	12 Dec 1990
Ecuador	26 Jan 1990	23 Mar 1990	Papua New Guinea	30 Sep 1990	
El Salvador	26 Jan 1990	10 Jul 1990	Paraguay	4 Apr 1990	25 Sep 1990
Egypt	5 Feb 1990	6 Jul 1990	Peru	26 Jan 1990	5 Sep 1990
Finland	26 Jan 1990		Philippines	26 Jan 1990	21 Aug 1990
France	26 Jan 1990	7 Aug 1990	Poland	26 Jan 1990	
Gabon	26 Jan 1990		Portugal	26 Jan 1990	21 Sep 1990
Gambia	5 Feb 1990	8 Aug 1990	Republic of Korea	25 Sep 1990	
Germany[1]	26 Jan 1990		Romania	26 Jan 1990	28 Sep 1990
Ghana	29 Jan 1990	5 Feb 1990	Rwanda	26 Jan 1990	
Greece	26 Jan 1990		Saint Kitts and Nevis	26 Jan 1990	24 Jul 1990
Grenada	21 Feb 1990	5 Nov 1990	Saint Lucia	30 Sep 1990	
Guatemala	26 Jan 1990	6 Jun 1990	Samoa	30 Sep 1990	
Guinea		13 Jul 1990 a	Senegal	26 Jan 1990	30 Jul 1990

0131

Participants	Signature	Ratification, accession (a)	Participants	Signature	Ratification, accession (a)
Seychelles . . .		7 Sep 1990 a	Union of Soviet Socialist Republics . . .	26 Jan 1990	16 Aug 1990
Sierra Leone . .	13 Feb 1990	18 Jun 1990	United Kingdom .	19 Apr 1990	
Spain	26 Jan 1990	6 Dec 1990	United Republic of Tanzania . .	1 Jun 1990	
Sri Lanka	26 Jan 1990		Uruguay	26 Jan 1990	20 Nov 1990
Sudan	24 Jul 1990	3 Aug 1990	Vanuatu	30 Sep 1990	
Suriname	26 Jan 1990		Venezuela	26 Jan 1990	13 Sep 1990
Swaziland	22 Aug 1990		Viet Nam	26 Jan 1990	28 Feb 1990
Sweden	26 Jan 1990	29 Jun 1990	Yemen².	13 Feb 1990	
Syrian Arab Republic	18 Sep 1990		Yugoslavia . . .	26 Jan 1990	
Togo	26 Jan 1990	1 Aug 1990	Zaire	20 Mar 1990	27 Sep 1990
Trinidad and Tobago	30 Sep 1990		Zambia	30 Sep 1990	
Tunisia	26 Feb 1990		Zimbabwe	8 Mar 1990	11 Sep 1990
Turkey	14 Sep 1990				
Uganda	17 Aug 1990	17 Aug 1990			
Ukrainian Soviet Socialist Republics	21 Feb 1990				

DECLARATIONS AND RESERVATIONS

(Unless otherwise indicated, the declarations and reservations were made upon ratification or accession.)

AFGHANISATAN

Upon signature:
Declaration:
"The Government of the Republic of Aghanistan reserves the right to express, upon ratifying the Convention, reservations on all provisions of the Convention that are incompatible with the laws of Islamic Shari'a and the local legisation in effect."

ARGENTINA

Reservation and declarations made upon signature and confirmed upon ratification:
Reservation:
The Argentine Republic enters a reservation to subparagraphs (b), (c), (d) and (e) of article 21 of the Convention on the Rights of the Child and declares that those subparagraphs shall not apply in areas within its jurisdiction because, in its view, before they can be applied a strict mechanism must exist for the legal protection of children in matters of inter-country adoption, in order to prevent trafficking in and the sale of children.
Declarations:
Concerning article 1 of the Convention, the Argentine Republic declares that the article must be interpreted to the effect that a child means every human being from the moment of conception up to the age of eighteen.
Concerning article 38 of the Convention, the Argentine Republic declares that it would have liked the Convention categorically to prohibit the use of children in armed conflicts, such a prohibition exists in its domestic law which, by virtue of article 41 of the Convention, it shall continue to apply in this regard.
Upon ratification:
Declaration:
Concerning subparagraph (f) of article 24 of the Convention, the Argentine Republic considers that questions relating to family planning are the exclusive concern of parents in accordance with ethical and moral principles and understands it to be a State obligation, under this article, to adopt measures providing guidance for parents and education for responsible parenthood.

AUSTRALIA

Reservation:
"Australia accepts the general principles of article 37. In relation to the second sentence of paragraph (c), the obligation to separate children from adults in prison is accepted only to the extent that such imprisonment is considered by the responsible authorities to be feasible and consistent with the obligation that children be able to maintain contact with their families, having regard to the geography and demography of Australia. Australia, therefore ratifies the Convention to the extent that it is unable to comply with the obligation imposed by article 37 (c)."

BAHAMAS

Upon signature:
Reservation:
"The Government of the Commonwealth of The Bahamas upon signing the Convention reserves the right not to apply the Provisions of article 2 of the said Convention insofar as those Provisions relate to the conferment of citizenship upon a child having regard to the Provisions of the Constitution of the Commonwealth of The Bahamas".

BANGALDESH

Reservations:
"[The Government of Bangladesh] ratifies the Convention with a reservation to article 14, paragraph 1.
"Also article 21 would apply subject to the existing laws and practices in Bangladesh."

COLOMBIA

Upon signature:
Declaration:
The Colombian Government considers that, while the minimum age of 15 years for taking part in armed conflicts, set forth in article 38 of the Convention, is the outcome of serious negotiations which reflect various legal, political and cultural systems in the world, it would have been preferable to fix that age at 18 years in

192

0132

accordance with the principles and norms prevailing in various regions and countries, Colombia among them, for which reason the Colombian Government, for the purpose of article 38 of the Convention, shall construe the age in question to be 18 years.

DJIBOUTI

Declaration:
[The Government of Djibouti] shall not consider itself bound by any provisions or articles that are incompatible with its religion and its traditional values.

ECUADOR

Upon signature:[3]
Declaration:
"In signing the Convention on the Rights of the Child, Ecuador reaffirms ... [that it is] especially pleased with the ninth preambular paragraphe of the draft Convention, which pointed to the need to protect the unborn child, and believed that that paragraph should be borne in mind in interpreting all the articles of the Convention, particularly article 24. While the minimum age set in article 38 was, in its view, too low, [the Government of Ecuador] did not wish to endanger the chances for the Convention's adoption by consensus and therefore would not propose any amendment to the text."

EGYPT

Reservation made upon signature and confirmed upon ratification:
Since The Islamic Shariah is one of the fundamental sources of legislation in Eyptian positive law and because the Shariah, in enjoining the provision of every means of protection and care for children by numerous ways and means, does not include among those ways and means the system of adoption existing in certain other bodies of positive law,
The Government of the Arab Republic of Egypt expresses its reservation with respect to all the clauses and provisions relating to adoption in the said Convention, and in particular with respect to the provisions governing adoption in articles 20 and 21 of the Convention.

FRANCE

Declarations and reservation made upon signature and confirmed upon ratification:
(1) The Government of the French Republic declares that this Convention, particularly article 6, cannot be interpreted as constituting any obstacle to the implementation of the provisions of French legislation relating to the voluntary interruption of pregnancy.
(2) The Government of the Republic declares that, in the light of article 2 of the Constitution of the French Republic, article 30 is not applicable so far as the Republic is concerned.
(3) The Government of the Republic construes article 40, paragraph 2 (b) (v), as establishing a general principle to which limited exceptions may be made under law. This is particularly the case for certain non-appealable offences tried by the Police Court and for offences of a criminal nature. None the less, the decisions handed down by the final court of jurisdiction may be appealed before the Court of Cassation, which shall rule on the legality of the decision taken.

GERMANY[1]

Upon signature:[4]
Declaration:
"The Government of the Federal Republic of Germany reserves the right to make, upon ratification, such declarations as it considers necessary, especially with regard to the interpretation of articles 9, 10, 18 and 22."

GUATEMALA

Upon signature:
Declaration:
"The State of Guatemala is signing this Convention out of a humanitarian desire to strengthen the ideals on which the Convention is based, and because it is an instrument which seeks to institutionalize, at the global level, specific norms for the protection of children, who, not being legally of age, must be under the guardianship of the family, society and the State.
"With reference to article 1 of the Convention, and with the aim of giving legal definition to its signing of the Convention, the Government of Guatemala declares that article 3 of its Political Constitution establishes that: "The State guarantees and protects human life from the time of its conception, as well as the integrity and security of the individual.""

HOLY SEE

Reservations:
"a) [The Holy See] interprets the phrase 'Family planning education and services' in article 24.2, to mean only those methods of family planning which it considers morally acceptable, that is, the natural methods of family planning.
"b) [The Holy See] interprets the articles of the Convention in a way which safeguards the primary and inalienable rights of parents, in particular insofar as these rights concern education (articles 13 and 28), religion (article 14), association with others (article 15) and privacy (article 16).
"c) [The Holy See declares] that the application of the Convention be compatible in practice with the particular nature of the Vatican City State and of the sources of its objective law (art. 1, Law of 7 June 1929, n. 11) and, in consideration of its limited extent, with its legislation in the matters of citizenship, access and residence."
Declaration:
"The Holy See regards the present Convention as a proper and laudable instrument aimed at protecting the rights and interests of children, who are 'that precious treasure given to each generation as a challenge to its wisdom and humanity' (Pope John Paul II, 26 April 1984).
"The Holy See recognizes that the Convention represents an enactment of principles previously adopted by the United Nations, and once effective as a ratified instrument, will safeguard the rights of the child before as well as after birth, as expressly affirmed in the 'Declaration of the Rights of the Child' [Res. 136 (XIV)] and restated in the ninth preambular paragraph of the Convention. The Holy See remains confident that the ninth preambular paragraph will serve as the

193

-perspective through which the rest of the Convention will be interpreted, in conformity with article 31 of the Vienna Convention on the Law of Treaties of 23 May 1969.

"By acceding to the Convention on the Rights of the Child, the Holy See intends to give renewed expression to its constant concern for the well-being of children and families. In consideration of its singular nature and position, the Holy See, in acceding to this Convention, does not intend to prescind in any way from its specific mission which is of a religous and moral character."

INDONESIA

Reservation:
The 1945 Constitution of the Republic of Indonesia guarantees the fundamental rights of the child irrespective of their sex, ethnic or race. The Constitution prescribes those rights to be implemented by national laws and regulations.

The ratification of the Convention on the Rights of the Child by the Republic of Indonesia does not imply the acceptance of obligations going beyond the Constitutional limits nor the acceptance of any obligation to introduce any right beyond those prescribed under the Constitution.

With reference to the provisions of articles 1, 14, 16, 17, 21, 22 and 29 of this Convention, the Government of the Republic of Indonesia declares that it will apply these articles in conformity with its Constitution.

IRELAND

Upon signature:
Declaration:
"Ireland reserves the right to make, when ratifying the Convention, such declarations or reservations as it may consider necessary."

KUWAIT

Upon signature:
Reservation:
"[Kuwait expresses] reservations on all provisions of the Convention that are incompatible with the laws of Islamic Shari'a and the local statutes in effect."

MALDIVES

Upon signature:
Reservations:
"1) Since the Islamic Shariah is one of the fundamental sources of Maldivian Law and since Islamic Shariah does not include the system of adoption among the ways and means for the protection and care of children contained in Shariah, the Government of the Republic of Maldives expresses its reservation with respect to all the clauses and provisions relating to adoption in the said Convention on the Rights of the Child.

"2) The Government of the Republic of Maldives expresses its reservation to paragraph 1 of article 14 of the said Convention on the Rights of the Child, since the Constitution and the Laws of the Republic of Maldives stipulate that all Maldivians should be Muslims."

MALI

Reservation:
The Government of the Republic of Mali declares that, in view of the provisions of the Mali Family Code, there is no reason to apply article 16 of the Convention.

MALTA

Reservation:
"Article 26 – The Government of Malta is bound by the obligations arising out of this article to the extent of present social security legislation."

MAURITANIA

Upon signature:
Reservation:
In signing this important Convention, the Islamic Republic of Mauritania is making reservations to articles or provisions which may be contrary to the beliefs and values of Islam, the religion of the Mauritania People and State.

MAURITIUS

Reservation:
"[Mauritius] ... with express reservation with regard to article 22 of the said Convention."

PAKISTAN

Reservation made upon signature and confirmed upon ratification:
"Provisions of the Convention shall be interpreted in the light of the principles of Islamic laws and values."

SPAIN

Declarations:
1. Spain understands that article 21, paragraph (d), of the Convention may never be construed to permit financial benefits other than those needed to cover strictly necessary expenditure which may have arisen from the adoption of children residing in another country.

2. Spain, wishing to make common cause with those States and humanitarian organizations which have manifested their disagreement with the contents of article 38, paragraphs 2 and 3, of the Convention, also wishes to express its disagreement with the age limit fixed therein and to declare that the said limit appears insufficient, by permitting the recruitment and participation in armed conflict of children having attained the age of fifteen years.

TURKEY

Upon signature:
Reservation:
The Republic of Turkey reserves the right to interpret and apply the provisions of articles 17, 29 and 30 of the United Nations Convention on the Rights of the Child according to the letter and the spirit of the Constitution of the Republic of Turkey and those of the Treaty of Lausanne of 24 July 1923.

194

0134

UNITED KINGDOM OF GREAT BRITAIN AND NORTHERN IRELAND

Upon signature:
"The United Kingdom reserves the right to formulate, upon ratifying the Convention, any reservations or interpretative declarations which it might consider necessary."

URUGUAY

Upon signature:
Declaration:
On signing this Convention, Uruguay reaffirms the right to make reservations upon ratification, if it considers it appropriate.
Upon ratification:
Reservation:
The Government of the Eastern Republic of Uruguay affirms, in regard to the provisions of article 38, paragraphs 2 and 3, that in accordance with uruguayan law it would have been desirable for the lower age limit for taking a direct part in hostilities in the event of an armed conflict to be set at 18 years instead of 15 years as provided in the Convention.

Furthermore, the Government of Uruguay declares that, in the exercise of its sovereign will, it will not authorize any persons under its jurisdiction who have not attained the age of 18 years to take a direct part in hostilites and will not under any circumstances recruit persons who have not attained the age of 18 years.

VENEZUELA

Interpretative declarations:
1. Article 21 (b):
The Government of Venezuela understands this provisions as referring to international adoption and in no circumstances to placement in a foster home outside the country. It is also its view that the provision cannot be interpreted to the detriment of the State's obligation to ensure due protection of the child.
2. Article 21 (d):
The Government of Venezuela takes the position that neither the adoption nor the placement of children should in any circumstances result in financial gain for those in any way involved in it.
3. Article 30:
The Government of Venezuela takes the position that this article must be interpreted as a case in which article 2 of the Convention applies.

NOTES:

1/ The German Democratic Republic had signed and ratified the Convention on 7 March 1990 and 2 October 1990, respectively. See also note 11 in chapter I.2.

2/ The formality was effected by the Yemen Arab Republic. See also note 24 in chapter I.2.

3/ Statements delivered by [the Government of Ecuador] on agenda item 108, in the Third Committee on 14 November 1989, particularly as concerns the interpretation to be given to article 24, in the light of the preamble of the Convention, and article 38 (ref:A/C.3/44/SR.41).

4/ In a communication received by the Secretary-General on 15 February 1990, the Government of the Federal Republic of Germany indicated that "it was [its] intention to make the [said] declaration on the occasion of the signing of the Convention on the Rights of the Child". See also note 1 above.

195

IV.11. CONVENTION ON THE RIGHTS OF THE CHILD

Adopted by the General Assembly of the United Nations on 20 November 1989

Actions effected since 1 January 1991

	Participant/Authority	Action	Date	
1.	Malawi	Accession	2 January 1991	
2.	Yugoslavia	Ratification	3 January 1991	1/
3.	Czechoslovakia	Ratification	7 January 1991	2/
4.	Norway	Ratification	8 January 1991	3/
5.	Guyana	Ratification	14 January 1991	
6.	Rwanda	Ratification	24 January 1991	
7.	Colombia	Ratification	28 January 1991	4/
8.	Côte d'Ivoire	Ratification	4 February 1991	
9.	Cyprus	Ratification	7 February 1991	
10.	Maldives	Ratification	11 February 1991	5/
11.	Bahamas	Ratification	20 February 1991	6/
12.	Antigua and Barbuda	Signature	12 March 1991	
13.	Dominica	Ratification	13 March 1991	
14.	Madagascar	Ratification	19 March 1991	
15.	Nigeria	Ratification	19 April 1991	
16.	Switzerland	Signature	1 May 1991	
17.	Yemen	Ratification	1 May 1991	
18.	Lao People's Democratic Republic	Accession	8 May 1991	
19.	Ethiopia	Accession	14 May 1991	
20.	Jamaica	Ratification	14 May 1991	
21.	Lebanon	Ratification	14 May 1991	
22.	Sao Tome and Principe	Accession	14 May 1991	
23.	Mauritania	Ratification	16 May 1991	
24.	Jordan	Ratification	24 May 1991	7/
25.	Bulgaria	Ratification	3 June 1991	
26.	Czech and Slovak Federal Republic	Objection to reservations made by Kuwait upon signature	7 June 1991	
27.	Poland	Ratification	7 June 1991	8/

0136

IV.11. CONVENTION ON THE RIGHTS OF THE CHILD

Adopted by the General Assembly of the United Nations on 20 November 1989

Actions effected since 1 January 1991

	Participant/Authority	Action	Date	
28.	Tanzania	Ratification	10 June	1991
29.	Dominican Republic	Ratification	11 June	1991
30.	Finland	Ratification·	20 June	1991
31.	Sri Lanka	Ratification	12 July	1991
32.	Myanmar	Accession	15 July	1991
33.	Denmark	Ratification	19 July	1991
34.	Finland	Objection to a reservation made by Indonesia upon ratification	25 July	1991
35.	Finland	Objection to the reservation made by Pakistan upon signature	25 July	1991
36.	Cuba	Ratification	21 August	1991
37.	Ukrainian Soviet Socialist Republic	Ratification	28 August	1991
38.	Iran (Islamic Republic of)	Signature	5 September 1991	
39.	Italy	Ratification	5 September 1991	

0137

NOTES:

1/

"The competent authorities (ward authorities) of
the Socialist Federal Republic of Yugoslavia may, under
Article 9, paragraph 1 of the Convention, make decisions to
deprive parents of their right to raise their children and
give them an upbringing without prior judicial determination
in accordance with the internal legislation of the SFR of
Yugoslavia".

2/   "The Government of the Czech and Slovak Federal Republic
interpret the provision of Article 7, paragraph 1, of the Convention
as follows:

In cases of irrevocable adoptions, which are based on the principle
of anonymity of such adoptions, and of artificial fertilization, where
the physician charged with the operation is required to ensure that
the husband and wife on one hand and the donor on the other remain
unknown to each other, the non-communication of a natural parent´s
name or natural parents´ names to the child is not in contradiction
with this provision."

3/   Reservations in respect of Article 40 2 (B) (V).

0138

4/

The Government of Colombia, pursuant to
article 2, paragraph 1 (d) of the Vienna Convention
on the law of treaties, concluded on 23 May 1969,
DECLARES that for the purposes of article 38,
paragraphs 2 and 3 of the CONVENTION ON THE RIGHTS OF
THE CHILD, adopted by the General Assembly of the
United Nations on 20 November 1989, the age referred
to in said paragraphs shall be understood to be
18 years, given the fact that, under Colombian law,
the minimum age for recruitment
into the armed forces of personnel called for
military service is 18 years.

5/ Reservation in respect to ARticle 14 and 21

6/

"The Government of the Commonwealth of
The Bahamas upon signing the Convention
reserves the right not to apply the
Provisions of Article 2 of the said
Convention insofar as those Provisions
relate to the conferment of citizenship
upon a child having regard to the
Provisions of the Constitution of the
Commonwealth of The Bahamas".

7/

The Hashemite Kingdom of Jordan expresses its reservation and does not consider itself bound by articles 14, 20 and 21 of the Convention, which grant the child the right to freedom of choice of religion and concern the question of adoption, since they are at variance with the precepts of the tolerant Islamic Shariah.

0140

8/

Reservations

In ratifying the Convention on the Rights of the Child, adopted by the United Nations General Assembly on 20 November 1989, the Republic of Poland, in accordance with the provision contained in article 51, paragraph 1, of the Convention, registers the following reservations:

- With respect to article 7 of the Convention, the Republic of Poland stipulates that the right of an adopted child to know its natural parents shall be subject to the limitations imposed by binding legal arrangements that enable adoptive parents to maintain the confidentiality of the child's origin;

- The law of the Republic of Poland shall determine the age from which call-up to military or similar service and participation in military operations are permissible. That age limit may not be lower than the age limit set out in article 38 of the Convention.

Declarations

- The Republic of Poland considers that a child's rights as defined in the Convention, in particular the rights defined in articles 12 to 16, shall be exercised with respect for parental authority, in accordance with Polish customs and traditions regarding the place of the child within and outside the family;

- With respect to article 24, paragraph 2 (f), of the Convention, the Republic of Poland considers that family planning and education services for parents should be in keeping with the principles of morality.

0141

외 무 부

'1991년 10월 10일

"아동의 권리에 관한 협약" 비준

1. 건의사항

   "아동의 권리에 관한 협약"의 비준을 위하여
   대통령 재가를 상신함.

2. 주요내용

   o 아동기본권 보장

   o 아동에 대한 특별한 보호 및 배려의 제공

   o '아동권리위원회' 설치

   o 협약이행 상황에 관한 보고서제출

3. 참고사항

   o 협약 내용중 국내법과 저촉되는 3개
     조항('부모와의 면접교섭유지권',
     '입양허가','상소권'관련 규정)은
     유보함.

국제협약과

0142

분류기호 문서번호	협약 20411-	기 안 용 지 (전화 : 725-0766)	시 행 상 특별취급	
보존기간	영구·준영구. 10. 5. 3. 1.	차 관	장 관	
수 신 처 보존기간				
시행일자	1991. 10. 10.			
보 조 기 관	국 장	협 조 기 관	제1차관보	문서통제
	심의관		제2차관보	
	과 장		기획관리실장	
기안책임자	김 두 영		국제기구국장	발 송 인
경 유		발 신 명 의		
수 신	건 의			
참 조				
제 목	"아동의 권리에 관한 협약" 비준			

　

　　　　1991년 10월 9일 제49회 국무회의 심의를 거친 표제 협약

을 비준하기 위하여 아래와 같은 조치를 취할 것을 건의하오니 재가

하여 주시기 바랍니다.

　　　　　　　　-　　　아　　　　　　래　　-

　1. 별첨1과 같이 외무부장관 명의의 비준서를 국제연합 사무총장

에게 기탁함.　　　　　　　　　　　　/　계　　속...

0143

2. 비준서 기탁시 동 협약의 제9조 제3항, 제21조 가항 및 제40조

   제2항 나호(5)의 우리나라에 대한 적용을 유보함.

3. 비준서 기탁일부터 30일째 되는 날 우리나라에 대하여 발효하는

   동 협약을 별첨2와 같이 공포함.

   첨부 : 1. 비준서(안) 1부

        2. 공포안 1부

        3. 국무회의 의결안 1부.   끝.

0144

분류기호 문서번호	협약20411-	(전화번호 : 725-0766)		대 통 령
처리기한		외무부장관	국무총리	
시행일자	1991.10.10.			
보존기간				

협조기관				
				91. 10. 23. 새가

수 신	내 부 결 재	발 신		통 제	

제 목	"아동의 권리에 관한 협약" 비준

1991년 10월 9일 제49회 국무회의 심의를 거친 표제 협약을 비준하기

위하여 아래와 같은 조치를 취할 것을 건의하오니 재가하여 주시기

바랍니다.

- 아 래 -	정서
1. 별첨1과 같이 외무부장관 명의의 비준서를 국제연합 사무총장에게	
기탁함.	관인
2. 비준서 기탁시 동 협약의 제9조 제3항, 제21조 가항 및 제40조	
제2항 나호(5)의 우리나라에 대한 적용을 유보함.	발송

0145

1205-27(2-1) A(1)
1982. 7. 30. 승인

190mm×268mm인쇄용지특급70g/㎡
(조 달 청 20,000매 인 쇄)

3. 비준서 기탁일부터 30일째 되는 날 우리나라에 대하여 발효하는 동

협약을 별첨2와 같이 공포함.

첨부 : 1. 비준서(안) 1부

     2. 공포안 1부

     3. 국무회의 의결안 1부.   끝.

0146

1205-27(2-2) A(1)   "내가아낀 종이 한장 늘어나는 나라살림"   190㎜×268㎜ 인쇄용지 특급 70g/㎡
1982. 7. 30.승인   가 40-41 1990. 11. 29

비 준 서 (안)

아동의 권리에 관한 협약은 1989년 11월 20일 국제연합총회에서 채택되어, 이 협약 제46조에 따라 서명을 위하여 개방되었으며,

이 협약은 비준을 받아야 한다고 제47조에 규정되어 있고,

1990년 9월 25일 당시 대한민국 외무부장관이 이 협약에 서명하였으며,

또한 이 협약의 비준을 위한 대한민국 헌법상의 모든 요건이 충족되었으므로,

대한민국 정부는 이 협약을 심의한 후, 이 협약의 제9조 제3항, 제21조 가항 및 제40조 제2항 나호(5)의 규정을 유보하면서 이 협약을 비준한다.

이상의 증거로, 본인 대한민국 외무부장관 이상옥은 이 비준서에 서명하고 이에 대한민국 외무부 장관인을 날인하였다.

일천구백구십일년   월   일 서울에서 작성하였다.

이 상 옥
외무부장관

0147

INSTRUMENT OF RATIFICATION

WHEREAS the Convention on the Rights of the Child was adopted by the General Assembly of the United Nations on 20 November 1989 and open for signature pursuant to Article 46 thereof;

WHEREAS it is provided in Article 47 that the Convention is subject to ratification;

WHEREAS the then Minister of Foreign Affairs of the Republic of Korea signed the above-mentioned Convention on 25 September 1990;

AND WHEREAS all the constitutional requirements of the Republic of Korea for the ratification of the said Convention have been met;

NOW THEREFORE, the Government of the Repulbic of Korea, having examined the said Convention, hereby ratifies the Convention, considering itself not bound by the provisions of paragraph 3 of Article 9, paragraph (a) of Article 21 and sub-paragraph (b) (v)of paragraph 2 of Article 40.

0148

IN WITNESS WHEREOF, I, LEE Sang-Ock, Minister of Foreign Affairs of the Repulbic of Korea, have signed the present Instrument of Ratification and caused the seal of the Minister of Foreign Affairs of the Republic of Korea to be hereunto affixed

Done at Seoul on this   day of   in the year of one thousand nine hundred and ninety-one.

/Signed/ LEE Sang-Ock
Minister of Foreign Affaris

0149

공 포 안

  1991년 10월 9일 제49회 국무회의 심의를 거치고 1991년   월
   일 국제연합사무총장에게 제9조 제3항, 제21조 가항 및 제40조 제2항
나호(5)를 유보한 이상옥 외무부장관 명의의 비준서를 기탁함으로써 상기
유보조항을 제외하고 1991년   월 일부터 대한민국에 대하여 발효하는
"아동의 권리에 관한 협약"을 이에 공포한다.

           대   통   령   노   태   우
   1991년   월 일

           국 무 총 리   정   원   식

           국 무 위 원   이   상   옥
              (외무부장관)

   조약 제   호
   "아동의 권리에 관한 협약"
   (이하 본문 별첨)

대 한 민 국
외 무 부

비 준 서

아동의 권리에 관한 협약은 1989년 11월 20일 국제연합총회에서
채택되어, 이 협약 제46조에 따라 서명을 위하여 개방되었으며,

이 협약은 비준을 받아야 한다고 제47조에 규정되어 있고,

1990년 9월 25일 당시 대한민국 외무부장관이 이 협약에 서명하였으며,

또한 이 협약의 비준을 위한 대한민국 헌법상의 모든 요건이 충족
되었으므로,

대한민국 정부는 이 협약을 심의한 후, 이 협약의 제9조 제3항,
제21조 가항 및 제40조 제2항 나호(5)의 규정을 유보하면서 이 협약을
비준한다.

0151

이상의 증거로, 본인 대한민국 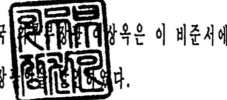 상옥은 이 비준서에
서명하고 이에 대한민국 외무부 장관 명인하였다.

일천구백구십일년 시월 삼십일 서울에서 작성하였다.

외 무 부 장 관

이상옥

0152

(Translation)

INSTRUMENT OF RATIFICATION

WHEREAS the Convention on the Rights of the Child was adopted by the General Assembly of the United Nations on 20 November 1989 and open for signature pursuant to Article 46 thereof;

WHEREAS it is provided in Article 47 that the Convention is subject to ratification;

WHEREAS the then Minister of Foreign Affairs of the Republic of Korea signed the above-mentioned Convention on 25 September 1990;

AND WHEREAS all the constitutional requirements of the Republic of Korea for the ratification of the said Convention have been met;

NOW THEREFORE, the Government of the Republic of Korea, having examined the said Convention, hereby ratifies the Convention, considering itself not bound by the provisions of paragraph 3 of Article 9, paragraph (a) of Article 21 and sub-paragraph (b) (v)of paragraph 2 of Article 40.

IN WITNESS WHEREOF, I, LEE Sang-Ock, Minister of Foreign Affairs of the Republic of Korea, have signed the present Instrument of Ratification and caused the seal of the Minister of Foreign Affairs of the Republic of Korea to be hereunto affixed.

0153

Done at Seoul on this thirtieth day of October in the year of one
thousand nine hundred and ninety-one.

/Signed/   LEE Sang-Ock
Minister of Foreign Affaris

0154

I. 아동의 권리에 관한 협약 개관

1. 협약의 명칭 및 구성

- ㅇ "아동의 권리에 관한 협약" (Convention on the Rights of the Child)

- ㅇ 전문 및 3부, 54개조로 구성

2. 협약의 채택 및 발효 경위

1924.9.26.   국제연맹총회, "아동의 권리에 관한 제네바선언" 채택

1959.11.20.   유엔총회, 결의 제1386(XIV) 호로 제네바 선언을
              기초로 한 10개 항목의 아동권리선언 채택

1976.12.21.   유엔총회, 1979년을 「세계아동의 해」로 지정
              (총회결의 31/169)

1978.12.20.   유엔총회, 인권위원회에 "아동의 권리에 관한 협약"
              초안 작성요청(총회결의 33/166)

1989.11.20.   유엔총회, 콘센서스로 "아동의 권리에 관한 협약" 채택
              (총회결의 44/25)

1990.9.2.   "아동의 권리에 관한 협약" 발효

1990.9.25.   아국서명

3. 협약의 취지 및 주요내용

기. 취지

- ㅇ 18세 미만의 모든 어린이와 청소년에게 필요한 보호와 도움을
  주며 이러한 아동의 인격발달과 복지증진을 위하여 국가와
  사회 및 가정 모두가 특별한 배려를 제공함.

- 3 -   0155

나 . 협약상 보호대상의 범위

　ㅇ 외국인을 포함하여 자국 관할내에 있는 18세 미만의 모든
　　아동

다 . 협약상 보호되는 권리의 내용

　(1) 시민적 권리의 보호

　　ㅇ 생명권 . 국적권, 신분보존권 , 의사표시권, 표현 ·
　　　사상 · 양심 · 종교 · 집회 · 결사의 자유 , 사생활보호 ,
　　　형사처벌의 제한 등

　(2) 사회적 · 경제적 · 문화적 권리의 보호

　　ㅇ 가족과의 동거권 , 양육을 받을 권리 . 입양제도 , 건강
　　　및 의료지원 , 사회보장 · 교육 관련 권리 , 결손가정과
　　　장애아동의 보호 , 문화활동 참여권 등

　(3) 기타 권리의 보호

　　ㅇ 학대 , 유기 , 착취 , 마약 , 약취 · 유인 , 인신매매 , 무력
　　　분쟁 등으로부터의 보호

리 . 협약당사국의 의무

　(1) 협약상 권리실현 조치

　　ㅇ 협약에 규정된 아동의 권리를 실현시키키 위히여 필요한
　　　입법적 . 행정적 , 기타 관련 조치를 취하여야 함 .
　　ㅇ 경제적 . 사회적 . 문화적 권리의 경우 , 가용 지원의
　　　최대 한도내에서 조치를 취할 의무를 부담함.

- 4 -

0156

(2) 정기보고서 제출

　　　　ㅇ 협약 내용과 관련된 국내조치 상황에 관하여 발효 후
　　　　　 2년내에 보고서를 제출하며, 그 이후에는 매5년마다
　　　　　 보고서를 제출하여야 함.

　마. 아동권리위원회 설치

　　　　ㅇ 협약의 이행상황을 검토하기 위하여 아동권리위원회를
　　　　　 설치하며 동 위원회는 임기 4년인 10인의 위원으로 구성함.

　바. 협약의 서명 및 비준

　　　　ㅇ 협약 제46조에 따라 모든 나라에 서명이 개방되어 있으며,
　　　　　 제49조에 따라 20번째 비준서 또는 가입서가 기탁된 후
　　　　　 30일이 되는 날로부터 발효함.

　　　　ㅇ 협약 발효요건 충족후 비준 또는 가입한 국에 대하여도.
　　　　　 당해국의 비준서 또는 가입서 기탁후 30일이 되는 날로부터
　　　　　 발효함.

4. 협약의 특징

　가. 아동을 권리의 주체로 규정

　　　　ㅇ 기존의 법률이 성인의 시각인 보호의 관점에 주로 치중
　　　　　 아동문제를 다루고 있는데 비해, 협약은 아동을 보호의
　　　　　 대상이자. 존엄성과 기본권을 적극 보장 받는 주체로
　　　　　 규정함.

－ 5 －

0157

나. 국제인권규약과의 유사성

o 협약이 당시국에 대하여 국내적 시행의무를 부과하고 있고, 시행여부를 검토하게 될 아동권리 위원회 설치를 예정하고 있는등 구속력있는 규범이 되기 위해 국제인권 규약이 채택하였던 많은 방식을 따르고 있음.

5. 협약의 당시국 현황(1991.1.31. 현재)

o 서명국: 130개국

o 비준국: 66개국

o 가입국: 4개국

o 주요 미서명국

   미국, 인도, 태국, 말레이지아, 싱가포르등

   * 북한은 1990.8.23. 주유엔대사가 서명하였으며, 1990.9.21. 비준서를 기탁함.

Ⅱ. 협약 비준문제 검토

1. 서명추진 경위

o 1990.1.9. 협약 가입관련 관계부처(내무부, 법무부, 문고부, 보건사회부) 의견문의
   - 이견없음 통보

o 1990.3.23. 협약 가입관련 체육부 의견문의
   - 가입찬성 입장 표명

- 6 -

0158

o 1990.6.14. 관계부처(법무부, 문교부, 체육부, 보건사회부,
법제처)회의

- 가입에 원칙적으로 찬성하나 국적법, 사회보장제도,
국내교육현실상의 문제점을 감안 실무적 검토를
계속하며, 우선 서명만 행하는 방안을 추진키로
합의

o 1990.9.6. 서명건의

o 1990.9.18. 대통령 재가

o 1990.9.25. 서명(외무부장관)

2. 비준방안

o 협약 내용중 가족법 등 우리나라 현행 관계법령과 저촉되는
일부조항들에 대하여 유보하는 방식으로 비준

유보대상조항

- 제9조 3항(부모와의 교섭유지권)
  · 민법 제837조의 2는 부모의 면접권만을 보장하고 있을 뿐,
  √ 아동의 면접교섭권은 보장되어 있지 못함.

- 제21조 가항(입양허가)
  · 협약은 관계당국의 허가에 의한 입양만 인정하니 민법 제871조는
  부모의 입양동의시에는 가정법원의 허가를 요하지 않으며 민법
  제878조와 제881조는 호적법에 따른 신고만으로 입양이 기능토록
  허용함.

0159

- 7 -

- 제40조 2항 나호(5) (상소권 보장)
    · 비상계엄하 군사재판에서 단심제를 인정하는 헌법 제110조 4항 및
      및 군사법원법 제534조와 저촉됨.

3. 비준의 의의

    ○ 협약이 조기발효되었으며, 협약기입 및 이행촉구를 위한 "아동을
      위한 세계정상회의" 개최 등, 유엔 주관하에 전개되고 있는
      아동보호를 위한 국제적 노력에 동참함.

    ○ 아동의 건전육성을 위한 특별한 보호와 배려문제에 대한, 국민적
      관심을 제고시킴.

0160

외 무 부

종 별 :

번 호 : GVW-1985   일   시 : 91 1014 1200

수 신 : 장 관(협약,연이)

발 신 : 주 제네바 대사

제 목 : 아동권리 협약 비준

　　　대: WGV-1356

　　　연: GVW-1918

　　　대호 아동권리협약 비준관련, 비준서를 기탁하게될 시기를 당관에 참고로 통보
바람.끝

　　　(대사 박수길-국장)

조약국　　국기국

PAGE 1   91.10.15   07:31 FO

발 신 전 보

번   호 : WGV-1406   911016 1725   FO   종별 :
수   신 : 주 제네바   대사. 총영사/   WUN -3579   (사본 : 주유엔대사)
발   신 : 장 관 (협약)
제   목 : 아동권리 협약 비준

대 : GVW-1985

대호 표제 협약비준서는 늦어도 10월말까지 국내절차 완료후 11월중
으로 기탁할 예정임.   끝.

(조약국장 이 창 호)

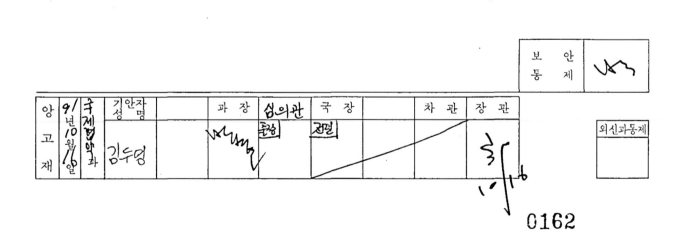

0162

41339

분류기호 문서번호	협약 20411-	기 안 용 지 (전화: 725-0766)	시 행 상 특별취급		
보존기간	영구. 준영구 10. 5. 3. 1.	장 관			
수 신 처 보존기간					
시행일자	1991. 11. 2.				

보 조 기 관	국 장	전 결	협 조 기 관		문 서 통 제
	심의관	출장중			검 열
	과 장				통제관
	기안책임자	김 두 영			발 송 인

경 유		발 신 명 의	
수 신	주유엔대사		
참 조			

제 목	"아동의 권리에 관한 협약" 비준서 기탁

연 : WUN-3579(10.16.)

1. "아동의 권리에 관한 협약"비준서를 별첨과 같이

송부합니다.

/ 계 속...

0163

2. 동 비준서는 협약 비준에 대한 국내적 관심을 감안
하여 협약채택 2주년이 되는 11.20에 가능한한 귀관 차석대사
또는 공사가 기탁하여 주시기 바랍니다.

3. 또한 국내 언론 보도 및 공포조치등과 관련, 참고
코자 하니 11.20. 기탁할 경우 협약의 우리나라에 대한 정확한
발효일을 기탁이전이라도 확인·보고하여 주시기 바랍니다.

첨부 : 비준서 및 사본 1부.   끝.

0164

대 한 민 국
외 무 부

협약 20411-   725-0766   1991. 11. 2.

수신 주유엔대사

제목 "아동의 권리에 관한 협약"비준서 기탁

　　　연 　: 　WUN-3579(10.16.)

　　　1. 　"아동의 권리에 관한 협약"비준서를 별첨과 같이 송부합니다.

　　　2. 　동 비준서는 협약 비준에 대한 국내적 관심을 감안하여 협약 채택 2주년이 되는 11.20에 가능한한 귀관 차석대사 또는 공사가 기탁하여 주시기 바랍니다.

　　　3. 　또한 국내 언론 보도 및 공포조치등과 관련, 참고 코자 하니 11.20. 기탁할 경우 협약의 우리나라에 대한 정확한 발효일을 기탁이전이라도 확인·보고하여 주시기 바랍니다.

첨부 　: 　비준서 및 사본 1부. 　　　끝.

외　무　부　장　관

조 약 국 장 전 결

0165

보 도 자 료

외 무 부

제 91-296 호   문의전화 : 720-2408~10   보도일시 : 91 . 11 . 19 . 10 : 00 시

제 목 :   '아동의 권리에 관한 협약' 비준서 기탁

국제협약과

o 정부는 '아동의 권리에 관한 협약' 비준서를 협약채택 2주년이 되는 신기복
   91.11.20. 국제연합사무총장을 대리한 법률당국자에게 기탁(기탁자 : 주국제
   연합대표부 차석대사)하였으며, 이 협약은 비준서 기탁후 30일째가 되는
   금년 12.20.부터 우리나라에 대하여 발효할 예정이다.

o 아동의 기본권 보장과 아동 보호를 목적으로 89년 제44차 국제연합 총회가
   채택한 이 협약의 비준을 계기로, 정부는 우리나라 아동의 기본권 신장을
   위한 노력을 더욱 강화해 나갈 것이며 아동보호를 위한 국제적 협력에도
   적극 동참할 계획이다.

o 이 협약의 비준으로 아동에 관한 종래 우리사회의 인식이 전환되길 바라며,
   앞으로 정부와 국민 모두가 협약 내용의 충실한 이행을 위하여 확고한 결의를
   가지고 부단히 노력함으로써, 우리사회에서 최근 빈발하고 있는 아동의
   유괴 · 납치 · 학대 · 착취등 아동을 대상으로 한 범죄가 근절되고, 장차 우리
   나라의 주인공이 될 아동들이 보다 건전하고 안전하게 자랄 수 있는 환경이
   조속히 이룩되길 기대한다.

첨부 : 참고자료

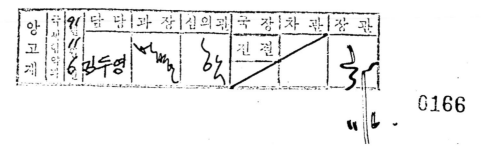

0166

(첨부)

아동의 권리에 관한 협약 비준

1. 협약비준의 의의

아동의 기본권 보장 및 보호에 관한 국제적 약속

o 우리나라는 이번 협약 비준으로 아동의 기본권 보장과 보호를 국제사회에 약속하게 되며, 그 결과 당사국이 되는 12.20.부터는 협약에 규정된 다음과 같은 의무를 이행하여야 함.

- 아동기본권의 실효적 보장 및 아동보호를 위하여 모든 적절한 조치를 취하여야 함.

- 특히 아동의 경제적·사회적 및 문화적 권리의 보장을 위하여 가용 자원을 최대한 활용하고 필요한 경우 국제협력을 강구하여야 함.

- 협약의 이행과 관련하여 이룩한 진전 상황을 '아동권리위원회'에 보고하여야 함.

  · 당사국이 된 후 2년이내에 최초로, 그후부터는 매 5년마다 보고서를 제출

아동보호를 위한 국제협력에의 적극 참여

o 정부는 협약비준을 계기로 국제연합이 추진하고 있는 아동의 생존·보호 및 발달을 위한 주요활동 계획에 적극 호응함으로써 범세계적 아동보호 노력에 동참할 계획임.

o 또한 정부는 국제연합이외 다른 국제기구가 주관하고 있는 아동보호 관련 활동에도 참여를 확대할 계획인 바, 90년부터 '국제사법에 관한 헤이그 회의'가 주관하고 있는 국제입양 전문가회의에 91.4.처음으로 대표단을 파견하였으며, 92.2.제3차 회의에도 대표단을 파견, 국제입양아 보호 협약 입안과정에 적극 참여할 계획임.

1

0167

2. 협약의 주요내용(전문 및 54개조로 구성)

아동에 대한 특별한 보호와 배려 제공

o 아동은 신체적으로나 정신적으로 미숙하여 특별한 보호와 배려를 필요로 하며, 어려운 환경에 처해있는 아동의 생활여건을 향상시키기 위한 국제적 협력이 중요함.

모든 아동에 대한 무차별 대우

o 당사국은 외국인 아동을 포함하여 자기나라 관할권내에 있는 18세 미만의 모든 아동을 차별하지 않고 대우하여야 함.

아동 이익의 최우선 고려

o 당사국은 아동보호를 위한 입법·사법·행정조치를 취함에 있어 아동의 이익을 최우선 고려하여야 함.

아동의 기본권 보장

o 시민적·자유권적 기본권
- 차별금지, 생명권, 성명 및 국적권, 신분보존권, 의사표시권, 표현의 자유, 사상·양심 및 종교의 자유, 결사·집회의 자유, 사생활의 보호, 정보접근권, 고문 및 사형금지, 소년법의 보호
o 사회적·경제적및 문화적 기본권
- 가족과의 동거 및 부모와의 면접교섭 유지권, 건강 및 의료에 대한 권리, 사회보장권, 적정생활수준 향유권, 교육에 대한 권리, 소수민족 아동의 고유문화·종교 및 언어에 대한 권리, 문화생활권

아동 보호를 위한 조치

o 당사국은 다음과 같은 아동보호 조치를 취하여야 함.

- 아동의 불법 해외이송 퇴치, 결손가정 아동의 보호, 입양시 아동의 최선의 이익고려, 난민아동에 대한 적절한 보호 및 인도적 지원, 장애아동의 보호, 경제적 착취 및 위험한 노동으로부터 보호, 마약으로부터 보호, 성적착취 및 학대로부터 보호, 아동의 약취유인·매매·거래금지, 15세미만 아동의 징병금지 및 무력분쟁으로부터 보호.

아동권리위원회 설치

o 협약 이행 상황을 보장하기위한 '아동권리위원회'를 설치함.

o 위원회는 10명의 전문가로 구성되며, 지리적 배분과 주요법체계를 고려하여 당사국 국민중에서 선출함.

o 위원의 임기는 2년이며, 회의는 매년 개최함.

보고서 제출

o 당사국은 협약에 규정된 아동의 권리를 확보하기 위하여 취한 조치와 진전상황에 관한 보고서를 '아동권리위원회'에 제출함

3. 협약의 국제적 이행

가. '아동의 생존·보호 및 발달에 관한 세계 선언' 채택

(1) 선언 채택 경위

o 90.9.29.-9.30. 양일간 국제연합아동기금(UNICEF)주관으로 뉴욕 국제연합본부에서 '아동을 위한 세계정상회의'(World Summit for Children) 개최

3

0169

- 71개국 대통령 또는 수상이 참석
o 동 정상회의는 '아동의 권리에 관한 협약'의 범세계적 시행을
    촉진할 목적으로 90.9.30. '아동의 생존·보호 및 발달에 관한
    세계선언'(World Declaration on the Survival, Protection and
    Development of Children)과 이선언의 구체적 시행을 위한 행동
    계획(Plan of Action)을 채택

(2) 선언 및 행동계획의 주요내용

(선언)

> **아동의 권리보호와 생활개선을 위한 10개항 채택**

① 아동의 권리에 관한 협약의 조기 비준 촉진
② 아동의 건강증진, 출생전 보호, 신생아 및 아동 사망율을 감소
    시키기 위한 국내적·국제적 노력
③ 기아와 영양실조 퇴치를 통한 아동의 적정 성장·발육 추구
④ 아동의 권리보호를 위해 여성의 역할과 지위 강화
⑤ 가정의 역할 강화
⑥ 문맹퇴치와 아동에 대한 교육기회 제공을 위한 프로그램 개발
⑦ 특별히 어려운 상황에 처해있는 수백만 아동의 곤경타개를 위한
    노력
⑧ 전쟁으로부터 아동을 보호하기 위한 조치 강구
⑨ 아동의 안전하고 건강한 미래를 위한 환경보호 조치 강구
⑩ 범세계적 빈곤퇴치 추구

4

(행동계획)

아동의 생존·보호 및 발달을 위한 국제연합의 90년대 주요활동목표

①   5세미만 유아 사망율의 3분 1 감소(1,000명당 50내지 70명)

②   산모 사망율 2분의 1감소

③   영양실조 상태에 있는 5세미만 유아 2분 1로 감소

④   안전한 음료수 공급

⑤   기초교육 보급 및 취학아동의 80%까지 초등교육 확대

⑥   성인문맹율을 90년도 수준의 2분의 1로 감소

⑦   특별히 어려운 처지에 있는 아동에 대한 보호 강화

나. 아동권리위원회 설치

o 협약 이행상황을 심사하게 될 '아동권리위원회'의 위원선거가 91.2.
   실시되어 10명의 전문가를 위원으로 선출함.

o 동위원회는 91.9. 제1차회의를 제네바에서 개최하고 의사규칙과 향후
   활동계획을 개괄적으로 논의함.

o 동위원회의 활동은 현재로서는 짧은 역사때문에 특기할 만한 것이
   없으나, 앞으로 시간이 흐름에 따라 위원회의 활동이 본격화되는
   과정에서 보다 구체화 될 수 있늘 것으로 예상됨.

4. 참고사항

가. 협약의 채택 및 발효경위

o 1924.9.26.   국제연맹총회, '아동의 권리에 관한 제네바선언' 채택

o 1959.11.20. 제14차 국제연합총회, '제네바선언'을 기초로 10개
                항목의 '아동권리 선언' 채택

o 1978.12.20. 제33차 국제연합총회, 인권위원회에 '아동의 권리에
                관한 협약' 초안 작성 요청

5

0171

o 1989.11.20. 제44차 국제연합총회, '아동의 권리에 관한 협약' 채택

o 1990.9.2.   협약 발효

o 1990.9.25. 우리나라 서명

o 현 당사국 : 96개국

나. 유보조항

o 우리 국내법과 저촉되는 협약의 다음 3개조항은 부득이 비준시
유보함.

- 제9조 제3항(부모와의 면접교섭 유지권)

· 우리 민법 제 837조의 2는 부모가 이혼한 경우 부모의 면접
교섭권은 보장하고 있으나, 아동의 면접교섭 유지권은 보장
하지 않고 있음.

- 제21조 가항(입양허가)

· 협약 조항은 관계당국의 허가에 의한 입양만 인정하나, 우리
민법 제871조는 부모의 입양동의가 있을 경우, 가정법원의
허가를 받지 않아도 입양이 가능하다고 규정.

- 제40조 제2항 나호(5)(상소권 보장)

· 협약 조항은 모든 경우에 형사범의 상소권을 보장하고 있으나,
우리 헌법 제110조 제4항과 군사법원법 제534조는 비상계엄하
군사재판에서는 단심제를 인정함.   끝.

발 신 전 보

	분류번호	보존기간

번 호 : WUN-3923　　911113 1554 BE　종별 : ＿＿＿＿＿

수 신 : 주　　유엔　　대사. //총영사　　（이영현선배님）

발 신 : 장 관　　（국제협약과장 박병연）

제 목 : 업연

　　　연 ： 협약 20411-41339(11.2.)

　　　연호 아동권리협약의 비준서를 누가 기탁할 것인지와 우리나라에 대한
정확한 발효일자를 회신 바라며, 선배님의 건승을 기원드립니다.

앙 고 재	국 제 협 약 과 91년4월13일	기 안 자 성 명		과 장		국 장		차 관	장 관

보 안 통 제	⟋

외신과통제	

0173

외 무 부

종 별 :

번 호 : UNW-3838   일 시 : 91 1113 1120

수 신 : 장관 (박병연 국제협약과장)

발 신 : 주유엔대사 (이영현)

제 목 : 업연

　　비준서는 봉상 유엔사무국 조약국에 기탁함으로 절차가 완료되며 기탁후 30일에발효함. 차석대사께서 기탁 예정인바 별전 참고 바라며 건승 기원합니다. 끝

조약국

91.11.14　　04:57 DQ

외신 1과　통제관

0174

외 무 부

국제협약과

종 별 :

번 호 : UNW-3839

일 시 : 91 1113 1120

수 신 : 장관 (협약)

발 신 : 주유엔대사

제 목 : 아동의 권리에 관한 협약 비준서 기탁

대: 협약 20411-41399

대호 신 차석대사가 11.20(수) 표제 비준서를 기탁예정이며 유엔사무국 측에 의하면 발효일은 기탁한 할로부터 30일이 경과한 날이 되므로 아국의경우 12.20. 이라함. 끝

(대사 노창희-국장)

조약국

PAGE 1

91.11.14   04:59 DQ

외신 1과 통제관

0175

兒童의 권리협약 가입
내달 20일에 효력발생

비준서 유엔에 전달

정부는 20일 「아동의 권리에 관한 협약」 비준서를 유엔사무국에 기탁한다.

이 협약은 비준서 기탁후 30일째인 오는 12월 20일부터 韓國에 대해 발효한다.

아동의 기본권 보장과 아동보호를 목적으로 89년 제44차 유엔총회가 채택한 이 협약은 전문및 54개조로 구성돼 아동에 대한 특별한 보호와 배려 제공, 모든 아동에 대한 무차별 대우, 아동이익의 최우선 고려, 아동의 기본권 보장, 아동보호를 위한 조치, 아동권리위원회 설치, 아동권 제출등을 규정하고 있다.

중앙일보

11월 19일 (2면)

정부는 「아동의 권리에

관한 협약」비준서를 20일

유엔사무총장에게 기탁하며 오는12

월20일부터는 이협약이 우

리나라에 대해서도 발효된

다고 외무부가 19일 밝혔

다.

아동의 기본권보장과 보

호를 목적으로 지난89년

제44차 유엔총회에서 채택

된 이 협약은 비준당사국

(韓國포함96개국)들로 하

여금 △아동기본권의 실효

적 보장과 보호를 위한 모

든 적절한 조치를 취하도

록하고 △최초 2년이내, 이

후 每5년마다 이에 관한

보고서를 유엔아동권리위

원회에 제출토록하고있다.

李彰浩 외무부 조약국장

은 「이 협약의 비준과 발

효는 아동의 기본권보장과 보

호를 국제사회에 대해 약속

하는 의미를 갖는다」고 설

명하고 「정부는 그러나 이

협약의 규정중 국내법과

저촉되는 △부모와의 면접

교섭 유지권 △입양허가 △

상소권보장등 3개 조항은

비준을 유보했다」고 밝혔

다.

전문및 54개조로 구성된

이 협약은 특히 아동의 보

△아동의 약취유인 매매거

래금지를 규정하고 있어

비록 강제력은 없다고하나

비준당사국들로 하여금 아

동보호에 더욱 최선을 다

할때 불법해외이송의 퇴치 △입

양시 최선의 이익고려 △성

적착취및 학대로부터 보호

래금지를 규정하고 있어

비록 강제력은 없다고하나

비준당사국들로 하여금 아

동보호에 더욱 최선을 다

하도록 요구하고 있다.

동 아 일 보
11월 19일 (2면)

ROK Ratifies UN Child Rights Convention

The government will deliver its letter of ratification for the Convention on the Rights of the Child with the U.N. Secretariat today, the Foreign Ministry announced yesterday.

The convention will enter into force for Korea on Dec. 20, the 30th day after the instrument of ratification is left with the secretariat.

The instrument of ratification will be delivered by Shin Ki-bok, deputy chief of the Korean mission at the United Nations to legal authorities on behalf of secretary general Javier Perez de Cuellar, according to the Foreign Ministry.

The convention designed to protect the rights of children was adopted at the U.N. General Assembly in 1989 and entered into force in September last year. South Korea signed the convention last year.

The Korea Times
11월 20일 (2면)

0178

외 무 부

110-760 서울 종로구 세종로 77번지   / (02)725-0766

문서번호 협약20410- **43215**

시행일자 1991.11.20.

취급		조 약 국 장	
보존			
국 장	전결		
심의관	한		
과 장			
기안	김 두 영		협조

수신 주유엔대사

제목 '아동의 권리에 관한 협약' 비준

───

대 : UNW-3839(11.13.)

연 : 협약 20410-41339(11.2.)

표제협약 비준서 기탁과 관련, 본부에서 작성·배포(150부)한 보도자료와
일간지에 게재된 관련기사를 별첨과 같이 송부하오니 참고하시기 바랍니다.

첨부 : 1. 보도자료 1부

       2. 관련기사 사본 1부. 끝.

조   약   국   장

0179

외　무　부

110-760 서울 종로구 세종로 77번지　　　／ (02)725-0766

문서번호 협약20410-　 58198
시행일자 1991.11. 20.

수신 수신처 참조

취급		조 약 국 장
보존		대흥
국 장	전 결	
심의관	(서명)	
과 장	(서명)	
기안	김 두 영	협조

제목 '아동의 권리에 관한 협약' 비준

　　1. 우리나라는 91.11.20. '아동의 권리에 관한 협약' 비준서를 국제연합
사무총장에게 기탁하였으며, 협약 제49조 제2항에 따라 이 협약은 비준서 기탁
30일후인 금년 12.20. 부터 우리나라에 대하여 발효할 예정임을 알려드립니다.

　　2. 또한 당부에서 비준 검토자료로 발간한 책자를 별첨과 같이 송부하오니
업무에 참고하시기 바랍니다.

첨부: '아동의 권리에 관한 협약' 비준 관련 책자 1부.　　끝.

수신처 : 내부무·법무부·교육부·문화부·체육청소년부·보건사회부
　　　　　노동부장관, 법제처장

조　약　국　장

0180

외 무 부

종 별 :

번 호 : UNW-3966 　　　　　　　　일 시 : 91 1120 1800

수 신 : 장 관(협약 연일)

발 신 : 주 유엔대사

제 목 : '아동의 권리에 관한 협약' 비준서 기탁

　　　연: UNW-3839

　　　1. 11. 20 신차석대사가 표제 협약 비준서를 유엔사무국에 기탁하였음.

　　　2. 유엔사무국측에 의하면 91. 11. 20 현재 동 협약당사국 현황은 비준국 91 개국(아국포함), 가입국 9개국으로 아국은 100 번째 당사국이 됨. 끝

　　　(대사 노창희-국장)

1차보　　국기국　　외정실　　안기부

PAGE 1

외 무 부

110-760 서울 종로구 세종로 77번지   / (02)725-0766

문서번호 협약 20410- **62478**
시행일자 1991.12.16.

취급		장 관	
보존			
국 장	전 결		
심의관		국제기구국장	
과 장			
기안	김두영		협조

수신 총무처장관
참조 기획관리실장

제목 조약공포의뢰

　　1. 우리나라의 "아동의 권리에 관한 협약" 비준을 위한 국내절차는 동
협약 비준안이 91.10.9. 제49회 국무회의의 심의를 거쳐 91.10.23. 대통령의
재가를 받음으로써 완료되었습니다.

　　2. 이에 따라 당부는 협약 비준서를 주국제연합대표부를 통해 91.11.20.
국제연합사무총장에게 기탁하였으며, 협약은 제49조 제2항에 따라 91.12.20.부터
우리나라에 대하여 발효하게 되는 바, 동 협약을 "법령등 공포에 관한 법률"
제11조에 따라 별첨안과 같이 공포하여 주시기 바랍니다.

　　첨부 : 동 공포안 3부.

0182

공   포   안

　　1991년 10월 9일 제49회 국무회의 심의를 거치고 1991년 11월

20일 국제연합사무총장에게 제9조 제3항, 제21조 가항 및 제40조 제2항

나호(5)를 유보한 이상옥 외무부장관 명의의 비준서를 기탁함으로써 상기

유보조항을 제외하고 1991년 12월 20일부터 대한민국에 대하여 발효하는

"아동의 권리에 관한 협약"을 이에 공포한다.

　　　대　　통　　령　　　　노　　태　　우

1991년 12월　　일

　　　　국　무　총　리　　　　　정　원　　식.

　　　　국　무　위　원　　　　　이　상　옥
　　　　　　（외무부장관）

조약　제 1,072 호

"아동의 권리에 관한 협약"

（이하 본문 별첨）

0183

외 무 부

110-760 서울 종로구 세종로 77번지   / (02)725-0766

문서번호 협약20410-2?

시행일자 1991.12.19.

수신 국제기구국장

취급		장 관	
보존			
국 장	전 결		
심의관			
과 장			
기안	김두영		협조

제목 "아동의 권리에 관한 협약" 발효
_____

"아동의 권리에 관한 협약"이 비준서 기탁 30일후 발효요건에 따라

91.12.20.(금)부터 우리나라에 대하여 발효할 예정임을 알려드립니다. 끝.

0184

대한민국정부

관보는 공문서로서의 효력을 갖는다.

선람	기 관 의 장

제12002호 1991. 12. 23. (월)

조 약

부 령

인 사

고 시

(이면 계속)

회 람								

발행 총무처 (편집 ☎720-4331 보급 ☎754-4332)

1201-4A 1981.12.18. 승인
190×268 신문용지 54g/㎡

0185

조 약

1991년10월9일 제49회 국무회의의 심의를 거치고 1991년11월20일 국제연합사무총장에게 제9조제3항, 제21조 가항 및 제40조제2항 나호(5)를 유보한 이상옥 외무부장관 명의의 비준서를 기탁함으로써 상기 유보조항을 제외하고 1991년12월20일부터 대한민국에 대하여 발효하는 "아동의 권리에 관한 협약"을 이에 공포한다.

대 통 령 노 태 우 ㉑

1991년12월23일
국무총리 정 원 식
국무위원
외무부장관 이 상 옥

◉조약 제1,072호

아동의권리에관한협약

전 문

이 협약의 당사국은,

국제연합헌장에 선언된 원칙에 따라, 인류사회의 모든 구성원의 고유의 존엄성 및 평등하고 양도할 수 없는 권리를 인정하는 것이 세계의 자유·정의 및 평화의 기초가 됨을 고려하고,

국제연합체제하의 모든 국민들은 기본적인 인권과 인간의 존엄성 및 가치에 대한 신념을 헌장에서 재확인하였고, 확대된 자유속에서 사회진보와 생활수준의 향상을 촉진하기로 결의하였음에 유념하며,

국제연합이 세계인권선언과 국제인권규약에서 모든 사람은 인종, 피부색, 성별, 언어, 종교, 정치적 또는 기타의 의견, 민족적 또는 사회적 출신, 재산, 출생 또는 기타의 신분등 어떠한 종류 구분에 의한 차별없이 동 선언 및 규약에 규정된 모든 권리와 자유를 누릴 자격이 있음을 선언하고 동의하였음을 인정하고,

국제연합이 세계인권선언에서 아동기에는 특별한 보호와 원조를 받을 권리가 있다고 선언하였음을 상기하며,

사회의 기초집단이며 모든 구성원 특히 아동의 성장과 복지를 위한 자연적 환경으로서의 가족에게는 공동체안에서 그 책임을 충분히 감당할 수 있도록 필요한 보호와 원조가 부여되어야 함을 확신하며,

아동은 완전하고 조화로운 인격 발달을 위하여 가족적 환경과 행복, 사랑 및 이해의 분위기 속에서 성장하여야 함을 인정하고,

아동은 사회에서 한 개인으로서의 삶을 영위할 수 있도록 충분히 준비되어져야하며, 국제연합헌장에 선언된 이상의 정신과 특히 평화·존엄·관용·자유·평등·연대의 정신 속에서 양육되어야 함을 고려하고,

아동에게 특별한 보호를 제공하여야 할 필요성은 1924년 아동권리에관한 제네바선언과 1959년11월20일 총회에 의하여 채택된 아동권리선언에 명시되어 있으며, 세계인권선언, 시민적및정치적권리에관한국제규약(특히 제23조 및 제24조), 경제적사회적및문화적권리에관한국제규약(특히 제10조)및 아동의 복지와 관련된 전문기구와 국제기구의 규정 및 관련문서에서 인정되었음을 유념하고,

아동권리선언에 나타나 있는 바와 같이, "아동은 신체적·정신적 미성숙으로 인하여 출생전후를 막론하고 적절한 법적 보호를 포함한 특별한 보호와 배려를 필요로 한다"는 점에 유념하고,

"국내적또는국제적양육위탁과입양을별도로규정하는아동의보호와복지에관한사회적및법적원칙에관한선언"의 제규정, "소년법운영을위한 국제연합최소표준규칙"(베이징규칙)및 "비상시및무력충돌시부녀자와아동의보호에관한선언"을 상기하고,

세계 모든 국가에 예외적으로 어려운 여건하에 생활하고 있는 아동들이 있으며, 이 아동들은 특별한 배려를 필요로함을 인정하고,

아동의 보호와 조화로운 발전을 위하여 각 민족의 전통과 문화적 가치의 중요성을 충분히 고려하고,

모든 국가, 특히 개발도상국가 아동의 생활여건을 향상시키기 위한 국제협력의 중요성을 인정하면서, 다음과 같이 협의하였다.

제1부
제1조

이 협약의 목적상, "아동"이라함은 아동에게 적용되는 법에 의하여 보다 조기에 성인 연령에 달하지 아니하는 한 18세미만의 모든 사람을 말한다.

제2조

1. 당사국은 자국의 관할권안에서 아동 또는 그의 부모나 후견인의 인종, 피부색, 성별, 언어, 종교, 정치적 또는 기타의 의견, 민족적, 인종적 또는 사회적 출신, 재산, 무능력, 출생 또는 기타의 신

4

0186

분에 관계없이 그리고 어떠한 종류의 차별을 함이 없이 이 협약에 규정된 권리를 존중하고, 각 아동에게 보장하여야 한다.

2. 당사국은 아동이 그의 부모나 후견인 또는 가족구성원의 신분, 활동, 표명된 의견 또는 신념을 이유로 하는 모든 형태의 차별이나 처벌로 부터 보호되도록 보장하는 모든 적절한 조치를 취하여야 한다.

제3조

1. 공공 또는 민간 사회복지기관, 법원, 행정당국, 또는 입법기관등에 의하여 실시되는 아동에 관한 모든 활동에 있어서 아동의 최선의 이익이 최우선적으로 고려되어야 한다.

2. 당사국은 아동의 부모, 후견인, 기타 아동에 대하여 법적 책임이 있는 자의 권리와 의무를 고려하여, 아동복지에 필요한 보호와 배려를 아동에게 보장하고, 이를 위하여 모든 적절한 입법적·행정적 조치를 취하여야 한다.

3. 당사국은 아동에 대한 배려와 보호에 책임있는 기관, 편의 및 시설이 관계당국이 설정한 기준, 특히 안전과 위생분야 그리고 직원의 수 및 적격성은 물론 충분한 감독면에서 기준에 따를 것을 보장하여야 한다.

제4조

당사국은 이 협약에서 인정된 권리를 실현하기 위하여 모든 적절한 입법적·행정적 및 여타의 조치를 취하여야 한다. 경제적·사회적 및 문화적 권리에 관하여 당사국은 가용자원의 최대한도까지 그리고 필요한 경우에는 국제협력의 테두리안에서 이러한 조치를 취하여야 한다.

제5조

아동이 이 협약에서 인정된 권리를 행사함에 있어서 당사국은 부모 또는 적용가능한 경우 현지 관습에 의하여 인정되는 확대가족이나 공동체의 구성원, 후견인 기타 아동에 대한 법적 책임자들이 아동의 능력발달에 상응하는 방법으로 적절한 감독과 지도를 행할 책임과 권리 및 의무를 가지고 있음을 존중하여야 한다.

제6조

1. 당사국은 모든 아동이 생명에 관한 고유의 권리를 가지고 있음을 인정한다.

2. 당사국은 가능한 한 최대한도로 아동의 생존과 발전을 보장하여야 한다.

제7조

1. 아동은 출생 후 즉시 등록되어야 하며, 출생시부터 성명권과 국적취득권을 가지며, 가능한 한 자신의 부모를 알고 부모에 의하여 양육받을 권리를 가진다.

2. 당사국은 이 분야의 국내법 및 관련국제문서상의 의무에 따라 이러한 권리가 실행되도록 보장하여야 하며, 권리가 실행되지 아니하여 아동이 무국적으로 되는 경우에는 특히 그러하다.

제8조

1. 당사국은 위법한 간섭을 받지 아니하고, 국적, 성명 및 가족관계를 포함하여 법률에 의하여 인정된 신분을 보존할 수 있는 아동의 권리를 존중한다.

2. 아동이 그의 신분요소 중 일부 또는 전부를 불법적으로 박탈당한 경우, 당사국은 그의 신분을 신속하게 회복하기 위하여 적절한 원조와 보호를 제공하여야 한다.

제9조

1. 당사국은 사법적 심사의 구속을 받는 관계당국이 적용가능한 법률 및 절차에 따라서 분리가 아동의 최상의 이익을 위하여 필요하다고 결정하는 경우외에는, 아동이 그의 의사에 반하여 부모로부터 분리되지 아니하도록 보장하여야 한다. 위의 결정은 부모에 의한 아동 학대 또는 유기의 경우나 부모의 별거로 인하여 아동의 거소에 관한 결정이 내려져야 하는등 특별한 경우에 필요할 수 있다.

2. 제1항의 규정에 의한 어떠한 절차에서도 모든 이해당사자는 그 절차에 참가하여 자신의 견해를 표시할 기회가 부여되어야 한다.

3. 당사국은 아동의 최선의 이익에 반하는 경우외에는, 부모의 일방 또는 쌍방으로부터 분리된 아동이 정기적으로 부모와 개인적 관계 및 직접적인 면접교섭을 유지할 권리를 가짐을 존중하여야 한다.

4. 그러한 분리가 부모의 일방이나 쌍방 또는 아동의 감금, 투옥, 망명, 강제퇴거 또는 사망(국가가 억류하고 있는 동안 어떠한 원인에 기인한 사망을 포함한다)등과 같이 당사국에 의하여 취하여진 어떠한 조치의 결과인 경우에는, 당사국은 그 정보의 제공이 아동의 복지에 해롭지 아니하는 한, 요청이 있는 경우, 부모, 아동 또는 적절한 경우 다른 가족구성원에게 부재중인 가족구성원

5

0187

의 소재에 관한 필수적인 정보를 제공하여야 한다. 또한 당사국은 그러한 요청의 제출이 그 자체로 관계인에게 불리한 결과를 초래하지 아니하도록 보장하여야 한다.

제10조

1. 제9조제1항에 규정된 당사국의 의무에 따라서, 가족의 재결합을 위하여 아동 또는 그 부모가 당사국에 입국하거나 출국하기 위한 신청은 당사국에 의하여 긍정적이며 인도적인 방법으로 그리고 신속하게 취급되어야 한다. 또한 당사국은 이러한 요청의 제출이 신청자와 그의 가족구성원들에게 불리한 결과를 수반하지 아니하도록 보장하여야 한다.

2. 부모가 타국에 거주하는 아동은 예외적 상황외에는 정기적으로 부모와 개인적 관계 및 직접적인 면접교섭을 유지할 권리를 가진다. 이러한 목적에 비추어 그리고 제9조제2항에 규정된 당사국의 의무에 따라서, 당사국은 아동과 그의 부모가 본국을 포함하여 어떠한 국가로부터 출국할 수 있고 또한 본국으로 입국할 수 있는 권리를 존중하여야 한다. 어떠한 국가로부터 출국할 수 있는 권리는 법률에 의하여 규정되고, 국가안보, 공공질서, 공중보건이나 도덕 또는 타인의 권리와 자유를 보호하기 위하여 필요하며 이 협약에서 인정된 그밖의 권리에 부합되는 제한에 의하여만 구속된다.

제11조

1. 당사국은 아동의 불법 해외이송 및 미귀환을 퇴치하기 위한 조치를 취하여야 한다.

2. 이 목적을 위하여 당사국은 양자 또는 다자협정의 체결이나 기존협정에의 가입을 촉진하여야 한다.

제12조

1. 당사국은 자신의 견해를 형성할 능력이 있는 아동에 대하여 본인에게 영향을 미치는 모든 문제에 있어서 자신의 견해를 자유스럽게 표시할 권리를 보장하며, 아동의 견해에 대하여는 아동의 연령과 성숙도에 따라 정당한 비중이 부여되어야 한다.

2. 이러한 목적을 위하여, 아동에게는 특히 아동에게 영향을 미치는 어떠한 사법적·행정적 절차에 있어서도 직접 또는 대표자나 적절한 기관을 통하여 진술할 기회가 국내법적 절차에 합치되는 방법으로 주어져야 한다.

제13조

1. 아동은 표현에 대한 자유권을 가진다. 이 권리는 구두, 필기 또는 인쇄, 예술의 형태 또는 아동이 선택하는 기타의 매체를 통하여 모든 종류의 정보와 사상을 국경에 관계없이 추구하고 접수하며 전달하는 자유를 포함한다.

2. 이 권리의 행사는 일정한 제한을 받을 수 있다. 다만 이 제한은 오직 법률에 의하여 규정되고 또한 다음 사항을 위하여 필요한 것이어야 한다.
  가. 타인의 권리 또는 신망의 존중
  나. 국가안보, 공공질서, 공중보건 또는 도덕의 보호

제14조

1. 당사국은 아동의 사상·양심 및 종교의 자유에 대한 권리를 존중하여야 한다.

2. 당사국은 아동이 권리를 행사함에 있어 부모 및 경우에 따라서는, 후견인이 아동의 능력발달에 부합하는 방식으로 그를 감독할 수 있는 권리와 의무를 존중하여야 한다.

3. 종교와 신념을 표현하는 자유는 오직 법률에 의하여 규정되고 공공의 안전, 질서, 보건이나 도덕 또는 타인의 기본권적 권리와 자유를 보호하기 위하여 필요한 경우에만 제한될 수 있다.

제15조

1. 당사국은 아동의 결사의 자유와 평화적 집회의 자유에 대한 권리를 인정한다.

2. 이 권리의 행사에 대하여는 법률에 따라 부과되고 국가안보 또는 공공의 안전, 공공질서, 공중보건이나 도덕의 보호 또는 타인의 권리와 자유의 보호를 위하여 민주사회에서 필요한 것외의 어떠한 제한도 과하여져서는 아니된다.

제16조

1. 어떠한 아동도 사생활, 가족, 가정 또는 통신에 대하여 자의적이거나 위법적인 간섭을 받지 아니하며 또한 명예나 신망에 대한 위법적인 공격을 받지 아니한다.

2. 아동은 이러한 간섭 또는 비난으로부터 법의 보호를 받을 권리를 가진다.

제17조

당사국은 대중매체가 수행하는 중요한 기능을 인정하며, 아동이 다양한 국내적 및 국제적 정보원으로부터의 정보와 자료, 특히 아동의 사회적·정신적·도덕적 복지와 신체적·정신적 건강의 향상을 목적으로 하는 정보와 자료에 대한 접근권을 가짐

6

0188

을 보장하여야 한다. 이 목적을 위하여 당사국은,

가. 대중매체가 아동에게 사회적·문화적으로 유익하고 제29조의 정신에 부합되는 정보와 자료를 보급하도록 장려하여야 한다.

나. 다양한 문화적·국내적 및 국제적 정보원으로부터의 정보와 자료를 제작·교환 및 보급하는데 있어서의 국제협력을 장려하여야 한다.

다. 아동도서의 제작과 보급을 장려하여야 한다.

라. 대중매체로 하여금 소수집단에 속하거나 원주민인 아동의 언어상의 곤란에 특별한 관심을 기울이도록 장려하여야 한다.

마. 제13조와 제18조의 규정을 유념하며 아동 복지에 해로운 정보와 자료로부터 아동을 보호하기 위한 적절한 지침의 개발을 장려하여야 한다.

제18조

1. 당사국은 부모 쌍방이 아동의 양육과 발전에 공동책임을 진다는 원칙이 인정받을 수 있도록 최선의 노력을 기울여야 한다. 부모 또는 경우에 따라서 후견인은 아동의 양육과 발달에 일차적 책임을 진다.

아동의 최선의 이익이 그들의 기본적 관심이 된다.

2. 이 협약에 규정된 권리를 보장하고 촉진시키기 위하여, 당사국은 아동의 양육책임 이행에 있어서 부모와 후견인에게 적절한 지원을 제공하여야 하며, 아동 보호를 위한 기관·시설 및 편의의 개발을 보장하여야 한다.

3. 당사국은 취업부모의 아동들이 이용할 자격이 있는 아동보호를 위한 편의 및 시설로부터 이익을 향유할 수 있는 권리가 있음을 보장하기 위하여 모든 적절한 조치를 취하여야 한다.

제19조

1. 당사국은 아동이 부모·후견인 기타 아동양육자의 양육을 받고 있는 동안 모든 형태의 신체적, 정신적 폭력, 상해나 학대, 유기나 유기적 대우, 성적 학대를 포함한 혹사나 착취로부터 아동을 보호하기 위하여 모든 적절한 입법적·행정적·사회적 및 교육적 조치를 취하여야 한다.

2. 이러한 보호조치는 아동 및 아동양육자에게 필요한 지원을 제공하기 위한 사회계획의 수립은 물론, 제1항에 규정된 바와 같은 아동학대 사례를 다른 형태로 방지하거나 확인·보고·조회·조사·처리 및 추적하고 또한 적절한 경우에는 사법적 개입을 가능하게 하는 효과적 절차를 적절히 포함하여야 한다.

제20조

1. 일시적 또는 항구적으로 가정환경을 박탈당하거나 가정환경에 있는 것이 스스로의 최선의 이익을 위하여 허용될 수 없는 아동은 국가로부터 특별한 보호와 원조를 부여받을 권리가 있다.

2. 당사국은 자국의 국내법에 따라 이러한 아동을 위한 보호의 대안을 확보하여야 한다.

3. 이러한 보호는 특히 양육위탁, 회교법의 카팔라, 입양, 또는 필요한 경우 적절한 아동 양육기관에 두는 것을 포함한다. 해결책을 모색하는 경우에는 아동 양육에 있어 계속성의 보장이 바람직하다는 점과 아동의 인종적·종교적·문화적 및 언어적 배경에 대하여 정당한 고려가 베풀어져야 한다.

제21조

입양제도를 인정하거나 허용하는 당사국은 아동의 최선의 이익이 최우선적으로 고려되도록 보장하여야 하며, 또한 당사국은

가. 아동의 입양은, 적용가능한 법률과 절차에 따라서 그리고 적절하고 신빙성 있는 모든 정보에 기초하여, 입양이 부모·친척 및 후견인에 대한 아동의 신분에 비추어 허용될 수 있음을, 그리고 요구되는 경우 관계자들이 필요한 협의에 의하여 입양에 대한 분별있는 승낙을 하였음을 결정하는 관계당국에 의하여만 허가되도록 보장하여야 한다.

나. 국제입양은, 아동이 위탁양육자나 입양가족에 두어질 수 없거나 또는 어떠한 적절한 방법으로도 출신국에서 양육되어질 수 없는 경우, 아동양육의 대체수단으로서 고려될 수 있음을 인정하여야 한다.

다. 국제입양에 관계되는 아동이 국내입양의 경우와 대등한 보호와 기준을 향유하도록 보장하여야 한다.

라. 국제입양에 있어서 양육지정이 관계자들에게 부당한 재정적 이익을 주는 결과가 되지 아니하도록 모든 적절한 조치를 취하여야 한다.

마. 적절한 경우에는 양자 또는 다자약정이나 협정을 체결함으로써 이 조의 목적을 촉진시키며, 이러한 테두리안에서 아동의 타국내 양육지정이 관계당국이나 기관에 의하여 실시되는 것을 확보하기 위하여 노력하여야 한다.

7

0189

제22조

1. 당사국은 난민으로서의 지위를 구하거나 또는 적용가능한 국제법 및 국내법과 절차에 따라 난민으로 취급되는 아동이, 부모나 기타 다른 사람과의 동반 여부에 관계없이, 이 협약 및 당해 국가가 당사국인 다른 국제 인권 또는 인도주의 관련 문서에 규정된 적용가능한 권리를 향유함에 있어서 적절한 보호와 인도적 지원을 받을 수 있도록 하기 위하여 적절한 조치를 취하여야 한다.

2. 이 목적을 위하여, 당사국은 국제연합 및 국제연합과 협력하는 그밖의 권한 있는 정부간 또는 비정부간 기구들이 그러한 아동을 보호, 원조하고 가족재결합에 필요한 정보를 얻기 위하여 난민 아동의 부모나 다른 가족구성원을 추적하는데 기울이는 모든 노력에 대하여도 적절하다고 판단되는 협조를 제공하여야 한다. 부모나 다른 가족구성원을 발견할 수 없는 경우, 그 아동은 어떠한 이유로 인하여 영구적 또는 일시적으로 가정환경을 박탈당한 다른 아동과 마찬가지로 이 협약에 규정된 바와 같은 보호를 부여받아야 한다.

제23조

1. 당사국은 정신적 또는 신체적 장애아동이 존엄성이 보장되고 자립이 촉진되며 적극적 사회참여가 조장되는 여건 속에서 충분히 품위있는 생활을 누려야 함을 인정한다.

2. 당사국은 장애아동의 특별한 보호를 받을 권리를 인정하며, 신청에 의하여 그리고 아동의 여건과 부모나 다른 아동양육자의 사정에 적합한 지원이, 활용가능한 재원의 범위안에서, 이를 받을 만한 아동과 그의 양육책임자에게 제공될 것을 장려하고 보장하여야 한다.

3. 장애아동의 특별한 어려움을 인식하며, 제2항에 따라 제공된 지원은 부모나 다른 아동양육자의 재산을 고려하여 가능한 한 무상으로 제공되어야 하며, 장애아동의 가능한 한 전면적인 사회참여와 문화적·정신적 발전을 포함한 개인적 발전의 달성에 이바지하는 방법으로 그 아동이 교육, 훈련, 건강관리지원, 재활지원, 취업준비 및 오락기회를 효과적으로 이용하고 제공받을 수 있도록 계획되어야 한다.

4. 당사국은 국제협력의 정신에 입각하여, 그리고 당해 분야에서의 능력과 기술을 향상시키고 경험을 확대하기 위하여 재활, 교육 및 직업보도 방법에 관한 정보의 보급 및 이용을 포함하여, 예방의학분야 및 장애아동에 대한 의학적·심리적·기능적 처치분야에 있어서의 적절한 정보의 교환을 촉진하여야 한다. 이 문제에 있어서 개발도상국의 필요에 대하여 특별한 고려가 베풀어져야 한다.

제24조

1. 당사국은 도달가능한 최상의 건강수준을 향유하고, 질병의 치료와 건강의 회복을 위한 시설을 사용할 수 있는 아동의 권리를 인정한다. 당사국은 건강관리지원의 이용에 관한 아동의 권리가 박탈되지 아니하도록 노력하여야 한다.

2. 당사국은 이 권리의 완전한 이행을 추구하여야 하며, 특히 다음과 같은 적절한 조치를 취하여야 한다.

　가. 유아와 아동의 사망율을 감소시키기 위한 조치

　나. 기초건강관리의 발전에 중점을 두면서 모든 아동에게 필요한 의료지원과 건강관리의 제공을 보장하는 조치

　다. 환경오염의 위험과 손해를 감안하면서, 기초건강관리 체계안에서 무엇보다도 쉽게 이용가능한 기술의 적용과 충분한 영양식 및 깨끗한 음료수의 제공 등을 통하여 질병과 영양실조를 퇴치하기 위한 조치

　라. 산모를 위하여 출산 전후의 적절한 건강관리를 보장하는 조치

　마. 모든 사회구성원, 특히 부모와 아동은 아동의 건강과 영양, 모유 수유의 이익, 위생 및 환경정화 그리고 사고예방에 관한 기초지식의 활용에 있어서 정보를 제공받고 교육을 받으며 지원을 받을 것을 확보하는 조치

　바. 예방적 건강관리, 부모를 위한 지도 및 가족계획에 관한 교육과 편의를 발전시키는 조치

3. 당사국은 아동의 건강을 해치는 전통관습을 폐지하기 위하여 모든 효과적이고 적절한 조치를 취하여야 한다.

4. 당사국은 이 조에서 인정된 권리의 완전한 실현을 점진적으로 달성하기 위하여 국제협력을 촉진하고 장려하여야 한다. 이 문제에 있어서 개발도상국의 필요에 대하여 특별한 고려가 베풀어져야 한다.

8

0190

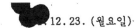

제25조

당사국은 신체적·정신적 건강의 관리, 보호 또는 치료의 목적으로 관계당국에 의하여 양육지정 조치된 아동이, 제공되는 치료 및 양육지정과 관련된 그밖의 모든 사정을 정기적으로 심사받을 권리를 가짐을 인정한다.

제26조

1. 당사국은 모든 아동이 사회보험을 포함한 사회보장제도의 혜택을 받을 권리를 가짐을 인정하며, 자국의 국내법에 따라 이 권리의 완전한 실현을 달성하기 위하여 필요한 조치를 취하여야 한다.

2. 이러한 혜택은 아동 및 아동에 대한 부양책임자의 자력과 주변사정은 물론 아동에 의하여 직접 행하여지거나 또는 아동을 대신하여 행하여지는 혜택의 신청과 관련된 그밖의 사정을 참작하여 적절한 경우에 부여되어야 한다.

제27조

1. 당사국은 모든 아동이 신체적·지적·정신적·도덕적 및 사회적 발달에 적합한 생활수준을 누릴 권리를 가짐을 인정한다.

2. 부모 또는 기타 아동에 대하여 책임이 있는 자는 능력과 재산의 범위안에서 아동 발달에 필요한 생활여건을 확보할 일차적 책임을 진다.

3. 당사국은 국내여건과 재정의 범위안에서 부모 또는 기타 아동에 대하여 책임있는 자가 이 권리를 실현하는 것을 지원하기 위한 적절한 조치를 취하여야 하며, 필요한 경우에는 특히 영양, 의복 및 주거에 대하여 물질적 보조 및 지원계획을 제공하여야 한다.

4. 당사국은 국내외에 거주하는 부모 또는 기타 아동에 대하여 재정적으로 책임있는 자로부터 아동양육비의 회수를 확보하기 위한 모든 적절한 조치를 취하여야 한다. 특히 아동에 대하여 재정적으로 책임있는 자가 아동이 거주하는 국가와 다른 국가에 거주하는 경우, 당사국은 국제협약의 가입이나 그러한 협약의 체결은 물론 다른 적절한 조치의 강구를 촉진하여야 한다.

제28조

1. 당사국은 아동의 교육에 대한 권리를 인정하며, 점진적으로 그리고 기회균등의 기초 위에서 이 권리를 달성하기 위하여 특히 다음의 조치를 취하여야 한다.

가. 초등교육은 의무적이며, 모든 사람에게 무료로 제공되어야 한다.

나. 일반교육 및 직업교육을 포함한 여러 형태의 중등교육의 발전을 장려하고, 이에 대한 모든 아동의 이용 및 접근이 가능하도록 하며, 무료교육의 도입 및 필요한 경우 재정적 지원을 제공하는 등의 적절한 조치를 취하여야 한다.

다. 고등교육의 기회가 모든 사람에게 능력에 입각하여 개방될 수 있도록 모든 적절한 조치를 취하여야 한다.

라. 교육 및 직업에 관한 정보와 지도를 모든 아동이 이용하고 접근할 수 있도록 조치하여야 한다.

마. 학교에의 정기적 출석과 탈락율 감소를 장려하기 위한 조치를 취하여야 한다.

2. 당사국은 학교 규율이 아동의 인간적 존엄성과 합치하고 이 협약에 부합하도록 운영되는 것을 보장하기 위한 모든 적절한 조치를 취하여야 한다.

3. 당사국은, 특히 전세계의 무지와 문맹의 퇴치에 이바지하고, 과학적·기술적 지식과 현대적 교육방법에의 접근을 쉽게 하기 위하여, 교육에 관련되는 사항에 있어서 국제협력을 촉진하고 장려하여야 한다. 이 문제에 있어서 개발도상국의 필요에 대하여 특별한 고려가 베풀어져야 한다.

제29조

1. 당사국은 아동교육이 다음의 목표를 지향하여야 한다는데 동의한다.

가. 아동의 인격, 재능 및 정신적·신체적 능력의 최대한의 계발

나. 인권과 기본적 자유 및 국제연합헌장에 규정된 원칙에 대한 존중의 진전

다. 자신의 부모, 문화적 주체성, 언어 및 가치 그리고 현거주국과 출신국의 국가적 가치 및 이질문명에 대한 존중의 진전

라. 아동이 인종적·민족적·종교적 집단 및 원주민등 모든 사람과의 관계에 있어서 이해, 평화, 관용, 성(性)의 평등 및 우정의 정신에 입각하여 자유사회에서 책임있는 삶을 영위하도록 하는 준비

마. 자연환경에 대한 존중의 진전

2. 이조 또는 제28조의 어떠한 부분도 개인 및 단체가, 언제나 제1항에 규정된 원칙들을 준수하고 당해교육기관에서 실시되는 교육이 국가에 의하여 설정된 최소한의 기준에 부합하여야 한다는 조건하에, 교육기관을 설립하여 운영할 수 있는

9

0191

자유를 침해하는 것으로 해석되어서는 아니된다.

제30조

인종적·종교적 또는 언어적 소수자나 원주민이 존재하는 국가에서 이러한 소수자에 속하거나 원주민인 아동은 자기 집단의 다른 구성원과 함께 고유문화를 향유하고, 고유의 종교를 신앙하고 실천하며, 고유의 언어를 사용할 권리를 부인당하지 아니한다.

제31조

1. 당사국은 휴식과 여가를 즐기고, 자신의 연령에 적합한 놀이와 오락활동에 참여하며, 문화생활과 예술에 자유롭게 참여할 수 있는 아동의 권리를 인정한다.

2. 당사국은 문화적·예술적 생활에 완전하게 참여할 수 있는 아동의 권리를 존중하고 촉진하며, 문화, 예술, 오락 및 여가활동을 위한 적절하고 균등한 기회의 제공을 장려하여야 한다.

제32조

1. 당사국은 경제적 착취 및 위험하거나, 아동의 교육에 방해되거나, 아동의 건강이나 신체적·지적·정신적·도덕적 또는 사회적 발전에 유해한 여하한 노동의 수행으로부터 보호받을 아동의 권리를 인정한다.

2. 당사국은 이 조의 이행을 보장하기 위한 입법적·행정적·사회적 및 교육적 조치를 강구하여야 한다. 이 목적을 위하여 그리고 그밖의 국제문서의 관련 규정을 고려하여 당사국은 특히 다음의 조치를 취하여야 한다.

가. 단일 또는 복수의 최저 고용연령의 규정

나. 고용시간 및 조건에 관한 적절한 규정의 마련

다. 이 조의 효과적인 실시를 확보하기 위한 적절한 처벌 또는 기타 제재수단의 규정

제33조

당사국은 관련 국제조약에서 규정하고 있는 마약과 향정신성 물질의 불법적 사용으로부터 아동을 보호하고 이러한 물질의 불법적 생산과 거래에 아동이 이용되는 것을 방지하기 위하여 입법적·행정적·사회적·교육적 조치를 포함한 모든 적절한 조치를 취하여야 한다.

제34조

당사국은 모든 형태의 성적 착취와 성적 학대로부터 아동을 보호할 의무를 진다. 이 목적을 달성하기 위하여 당사국은 특히 다음의 사항을 방지하기 위한 모든 적절한 국내적·양국간·다국간 조치를 취하여야 한다.

가. 아동을 모든 위법한 성적 활동에 종사하도록 유인하거나 강제하는 행위

나. 아동을 매음이나 기타 위법한 성적 활동에 착취적으로 이용하는 행위

다. 아동을 외설스러운 공연 및 자료에 착취적으로 이용하는 행위

제35조

당사국은 모든 목적과 형태의 아동의 약취유인이나 매매 또는 거래를 방지하기 위한 모든 적절한 국내적, 양국간, 다국간 조치를 취하여야 한다.

제36조

당사국은 아동복지의 어떠한 측면에 대하여라도 해로운 기타 모든 형태의 착취로부터 아동을 보호하여야 한다.

제37조

당사국은 다음의 사항을 보장하여야 한다.

가. 어떠한 아동도 고문 또는 기타 잔혹하거나 비인간적이거나 굴욕적인 대우나 처벌을 받지 아니한다. 사형 또는 석방의 가능성이 없는 종신형은 18세미만의 사람이 범한 범죄에 대하여 과하여져서는 아니된다.

나. 어떠한 아동도 위법적 또는 자의적으로 자유를 박탈당하지 아니한다. 아동의 체포, 억류 또는 구금은 법률에 따라 행하여져야 하며, 오직 최후의 수단으로서 또한 적절한 최단기간동안만 사용되어야 한다.

다. 자유를 박탈당한 모든 아동은 인도주의와 인간 고유의 존엄성에 대한 존중에 입각하여 그리고 그들의 연령상의 필요를 고려하여 처우되어야 한다. 특히 자유를 박탈당한 모든 아동은, 성인으로부터 격리되지 아니하는 것이 아동의 최선의 이익에 합치된다고 생각되는 경우를 제외하고는 성인으로부터 격리되어야 하며, 예외적인 경우를 제외하고는 서신과 방문을 통하여 자기 가족과의 접촉을 유지할 권리를 가진다.

라. 자유를 박탈당한 모든 아동은 법률적 및 기타 적절한 구조에 신속하게 접근할 권리를 가짐은 물론 법원이나 기타 권한있고 독립적이며 공정한 당국 앞에서 자신에 대한 자유박탈의 합법성에 이의를 제기하고 이러한 소송에 대하여 신속한 결정을 받을 권리를 가진다.

10

제38조

1. 당사국은 아동과 관련이 있는 무력분쟁에 있어서, 당사국에 적용가능한 국제인도법의 규칙을 존중하고 동 존중을 보장할 의무를 진다.

2. 당사국은 15세에 달하지 아니한 자가 적대행위에 직접 참여하지 아니할 것을 보장하기 위하여 실행가능한 모든 조치를 취하여야 한다.

3. 당사국은 15세에 달하지 아니한 자의 징병을 삼가야 한다. 15세에 달하였으나 18세에 달하지 아니한 자 중에서 징병하는 경우, 당사국은 최연장자에게 우선순위를 두도록 노력하여야 한다.

4. 무력분쟁에 있어서 민간인 보호를 위한 국제인도법상의 의무에 따라서, 당사국은 무력분쟁의 영향을 받는 아동의 보호 및 배려를 확보하기 위하여 실행가능한 모든 조치를 취하여야 한다.

제39조

당사국은 모든 형태의 유기, 착취, 학대, 또는 고문이나 기타 모든 형태의 잔혹하거나 비인간적이거나 굴욕적인 대우나 처벌, 또는 무력분쟁으로 인하여 희생이 된 아동의 신체적·심리적 회복 및 사회복귀를 촉진시키기 위한 모든 적절한 조치를 취하여야 한다.

제40조

1. 당사국은 형사피의자나 형사피고인 또는 유죄로 인정받은 모든 아동에 대하여, 아동의 연령 그리고 아동의 사회복귀 및 사회에서의 건설적 역할 담당을 촉진하는 것이 바람직스럽다는 점을 고려하고, 인권과 타인의 기본적 자유에 대한 아동의 존중심을 강화시키며, 존엄과 가치에 대한 아동의 자각을 촉진시키는데 부합하도록 처우받을 권리를 가짐을 인정한다.

2. 이 목적을 위하여 그리고 국제문서의 관련규정을 고려하며, 당사국은 특히 다음 사항을 보장하여야 한다.

   가. 모든 아동은 행위시의 국내법 또는 국제법에 의하여 금지되지 아니한 작위 또는 부작위를 이유로 하여 형사피의자가 되거나 형사기소되거나 유죄로 인정받지 아니한다.

   나. 형사피의자 또는 형사피고인인 모든 아동은 최소한 다음 사항을 보장받는다.

   (1) 법률에 따라 유죄가 입증될 때까지는 무죄로 추정받는다.

   (2) 피의사실을 신속하게 그리고 직접 또는, 적절한 경우, 부모나 후견인을 통하여 통지

받으며, 변론의 준비 및 제출시 법률적 또는 기타 적절한 지원을 받는다.

   (3) 권한있고 독립적이며 공평한 기관 또는 사법기관에 의하여 법률적 또는 기타 적당한 지원하에 법률에 따른 공정한 심리를 받아 지체없이 사건이 판결되어야 하며, 아동의 최선의 이익에 반한다고 판단되지 아니하는 경우, 특히 그의 연령이나 주변환경, 부모 또는 후견인등을 고려하여야 한다.

   (4) 증언이나 유죄의 자백을 강요당하지 아니하며, 자신에게 불리한 증인을 신문하거나 또는 신문받도록 하며, 대등한 조건하에 자신을 위한 증인의 출석과 신문을 확보한다.

   (5) 형법위반으로 간주되는 경우, 그 판결 및 그에 따라 부과된 여하한 조치는 법률에 따라 권한있고 독립적이며 공정한 상급당국이나 사법기관에 의하여 심사되어야 한다.

   (6) 아동이 사용되는 언어를 이해하지 못하거나 말하지 못하는 경우, 무료로 통역원의 지원을 받는다.

   (7) 사법절차의 모든 단계에서 아동의 사생활은 충분히 존중되어야 한다.

3. 당사국은 형사피의자, 형사피고인 또는 유죄로 인정받은 아동에게 특별히 적용될 수 있는 법률, 절차, 기관 및 기구의 설립을 촉진하도록 노력하며, 특히 다음 사항에 노력하여야 한다.

   가. 형법위반능력이 없다고 추정되는 최저 연령의 설정

   나. 적절하고 바람직스러운 경우, 인권과 법적 보장이 완전히 존중된다는 조건하에 이러한 아동을 사법절차에 의하지 아니하고 다루기 위한 조치

4. 아동이 그들의 복지에 적절하고 그들의 여건 및 범행에 비례하여 취급될 것을 보장하기 위하여 보호, 지도 및 감독명령, 상담, 보호관찰, 보호양육, 교육과 직업훈련계획 및 제도적 보호에 대한 그밖의 대체방안등 여러가지 처분이 이용가능하여야 한다.

제41조

이 협약의 규정은 다음 사항에 포함되어 있는 아동권리의 실현에 보다 공헌할 수 있는 어떠한 규정에도 영향을 미치지 아니한다.

   가. 당사국의 법

   나. 당사국에 대하여 효력을 가지는 국제법

11

0193

제2부
제42조

당사국은 이 협약의 원칙과 규정을 적절하고 적극적인 수단을 통하여 성인과 아동 모두에게 널리 알릴 의무를 진다.

제43조

1. 이 협약상의 의무이행을 달성함에 있어서 당사국이 이룩한 진전상황을 심사하기 위하여 이하에 규정된 기능을 수행하는 아동권리위원회를 설립한다.

2. 위원회는 고매한 인격을 가지고 이 협약이 대상으로 하는 분야에서 능력이 인정된 10명의 전문가로 구성된다. 위원회의 위원은 형평한 지리적 배분과 주요 법체제를 고려하여 당사국의 국민중에서 선출되며, 개인적 자격으로 임무를 수행한다.

3. 위원회의 위원은 당사국에 의하여 지명된 자의 명단중에서 비밀투표에 의하여 선출된다. 각 당사국은 자국민중에서 1인을 지명할 수 있다.

4. 위원회의 최초의 선거는 이 협약의 발효일부터 6월이내에 실시되며, 그 이후는 매2년마다 실시된다. 각 선거일의 최소 4월이전에 국제연합사무총장은 당사국에 대하여 2월이내에 후보자 지명을 제출하라는 서한을 발송하여야 한다. 사무총장은 지명한 당사국의 표시와 함께 알파벳순으로 지명된 후보들의 명단을 작성하여, 이를 이 협약의 당사국에게 제시하여야 한다.

5. 선거는 국제연합 본부에서 사무총장에 의하여 소집된 당사국 회의에서 실시된다. 이 회의는 당사국의 3분의 2를 의사정족수로 하고, 출석하고 투표한 당사국 대표의 최대다수표 및 절대다수표를 얻는 자가 위원으로 선출된다.

6. 위원회의 위원은 4년 임기로 선출된다. 위원은 재지명된 경우에는 재선될 수 있다. 최초의 선거에서 선출된 위원 중 5인의 임기는 2년후에 종료된다. 이들 5인 위원의 명단은 최초선거후 즉시 동 회의의 의장에 의하여 추첨으로 선정된다.

7. 위원회 위원이 사망, 사퇴 또는 본인이 어떠한 이유로 인하여 위원회의 임무를 더 이상 수행할 수 없다고 선언하는 경우, 그 위원을 지명한 당사국은 위원회의 승인을 조건으로 자국민중에서 잔여 임기를 수행할 다른 전문가를 임명한다.

8. 위원회는 자체의 절차규정을 제정한다.

9. 위원회는 2년 임기의 임원을 선출한다.

10. 위원회의 회의는 통상 국제연합 본부나 위원회가 결정하는 그밖의 편리한 장소에서 개최된다. 위원회는 통상 매년 회의를 한다. 위원회의 회의기간은 필요한 경우 총회의 승인을 조건으로 이 협약 당사국 회의에 의하여 결정되고 재검토된다.

11. 국제연합 사무총장은 이 협약에 의하여 설립된 위원회의 효과적인 기능수행을 위하여 필요한 직원과 편의를 제공한다.

12. 이 협약에 의하여 설립된 위원회의 위원은 총회의 승인을 얻고 총회가 결정하는 기간과 조건에 따라 국제연합의 재원으로부터 보수를 받는다.

제44조

1. 당사국은 이 협약에서 인정된 권리를 실행하기 위하여 그들이 채택한 조치와 동 권리의 향유와 관련하여 이룩한 진전상황에 관한 보고서를 다음과 같이 국제연합 사무총장을 통하여 위원회에 제출한다.

　가. 관계 당사국에 대하여 이 협약의 발효한 후 2년이내

　나. 그 후 5년마다

2. 이 조에 따라 제출되는 보고서는 이 협약상 의무의 이행정도에 영향을 미치는 요소와 장애가 있을 경우 이를 적시하여야 한다. 보고서는 또한 관계국에서의 협약이행에 관한 포괄적인 이해를 위원회에 제공하기 위한 충분한 정보를 포함하여야 한다.

3. 위원회에 포괄적인 최초의 보고서를 제출한 당사국은, 제1항나호에 의하여 제출하는 후속보고서에 이미 제출된 기초적 정보를 반복할 필요는 없다.

4. 위원회는 당사국으로부터 이 협약의 이행과 관련이 있는 추가정보를 요청할 수 있다.

5. 위원회는 위원회의 활동에 관한 보고서를 2년마다 경제사회이사회를 통하여 총회에 제출한다.

6. 당사국은 자국의 활동에 관한 보고서를 자국내 일반에게 널리 활용가능하도록 하여야 한다.

제45조

이 협약의 효과적인 이행을 촉진하고 이 협약이 대상으로 하는 분야에서의 국제협력을 장려하기 위하여

　가. 전문기구, 국제연합아동기금 및 국제연합의 그밖의 기관은 이 협약 중 그들의 권한 범위

12

0194

안에 속하는 규정의 이행에 관한 논의에 대표를 파견할 권리를 가진다. 위원회는 전문기구, 국제연합아동기금 및 위원회가 적절하다고 판단하는 그밖의 권한있는 기구에 대하여 각 기구의 권한 범위에 속하는 분야에 있어서 이 협약의 이행에 관한 전문적인 자문을 제공하여 줄 것을 요청할 수 있다. 위원회는 전문기구, 국제연합아동기금 및 국제연합의 그밖의 기관에게 그들의 활동범위에 속하는 분야에서의 이 협약의 이행에 관한 보고서를 제출할 것을 요청할 수 있다.

나. 위원회는 적절하다고 판단되는 경우 기술적 자문이나 지원을 요청하거나 그 필요성을 지적하고 있는 당사국의 모든 보고서를 그러한 요청이나 지적에 대한 위원회의 의견이나 제안이 있으면 동 의견이나 제안과 함께 전문기구, 국제연합아동기금 및 그밖의 권한있는 기구에 전달하여야 한다.

다. 위원회는 사무총장이 위원회를 대신하여 아동권리와 관련이 있는 특정문제를 조사하도록 요청할 것을 총회에 대하여 권고할 수 있다.

라. 위원회는 이 협약 제44조 및 제45조에 의하여 접수한 정보에 기초하여 제안과 일반적 권고를 할 수 있다. 이러한 제안과 일반적 권고는 당사국의 논평이 있으면 그 논평과 함께 모든 관계 당사국에 전달되고 총회에 보고되어야 한다.

제3부
제46조
이 협약은 모든 국가에 의한 서명을 위하여 개방된다.
제47조
이 협약은 비준되어야 한다. 비준서는 국제연합 사무총장에게 기탁되어야 한다.
제48조
이 협약은 모든 국가에 의한 가입을 위하여 개방된다. 가입서는 국제연합 사무총장에게 기탁되어야 한다.
제49조
1. 이 협약은 20번째의 비준서 또는 가입서가 국제연합 사무총장에게 기탁되는 날부터 30일째 되는 날 발효한다.
2. 20번째의 비준서 또는 가입서의 기탁 이후에 이 협약을 비준하거나 가입하는 각 국가에 대하여,

이 협약은 그 국가의 비준서 또는 가입서 기탁 후 30일째 되는 날 발효한다.
제50조
1. 모든 당사국은 개정안을 제안하고 이를 국제연합 사무총장에게 제출할 수 있다. 동 제출에 의하여 사무총장은 당사국에게 동 제안을 심의하고 표결에 붙이기 위한 당사국회의 개최에 대한 찬성 여부에 관한 의견을 표시하여 줄 것을 요청하는 것과 함께 개정안을 당사국에게 송부하여야 한다. 이러한 통보일부터 4월이내에 당사국 중 최소 3분의 1이 회의 개최에 찬성하는 경우 사무총장은 국제연합 주관하에 동 회의를 소집하여야 한다. 동 회의에 출석하고 표결한 당사국의 과반수에 의하여 채택된 개정안은 그 승인을 위하여 국제연합 총회에 제출된다.
2. 제1항에 따라서 채택된 개정안은 국제연합 총회에 의하여 승인되고, 당사국의 3분의 2이상의 다수가 수락하는 때에 발효한다.
3. 개정안은 발효한 때에 이를 수락한 당사국을 구속하며, 그밖의 당사국은 계속하여 이 협약의 규정 및 이미 수락한 그 이전의 모든 개정에 구속된다.
제51조
1. 국제연합 사무총장은 비준 또는 가입시 각국이 행한 유보문을 접수하고 모든 국가에게 이를 배포하여야 한다.
2. 이 협약의 대상 및 목적과 양립할 수 없는 유보는 허용되지 아니한다.
3. 유보는 국제연합 사무총장에게 발송된 통고를 통하여 언제든지 철회될 수 있으며, 사무총장은 이를 모든 국가에게 통보하여야 한다. 그러한 통고는 사무총장에게 접수된 날부터 발효한다.
제52조
당사국은 국제연합 사무총장에 대한 서면통고를 통하여 이 협약을 폐기할 수 있다. 폐기는 사무총장이 통고를 접수한 날부터 1년 후에 발효한다.
제53조
국제연합 사무총장은 이 협약의 수탁자로 지명된다.
제54조
아랍어·중국어·영어·불어·러시아어 및 서반아어본이 동등하게 정본인 이 협약의 원본은 국제연합 사무총장에게 기탁된다.
이상의 증거로 아래의 서명 전권대표들은 각국 정부에 의하여 정당하게 권한을 위임받아 이 협약에 서명하였다.
(서명란은 생략)

13

0195

Convention on the Rights of the Child

PREAMBLE

The States Parties to the present Convention,

Considering that, in accordance with the principles proclaimed in the Charter of the United Nations, recognition of the inherent dignity and of the equal and inalienable rights of all members of the human family is the foundation of freedom, justice and peace in the world,

Bearing in mind that the peoples of the United Nations have, in the Charter, reaffirmed their faith in fundamental human rights and in the dignity and worth of the human person, and have determined to promote social progress and better standards of life in larger freedom,

Recognizing that the United Nations has, in the Universal Declaration of Human Rights and in the International Covenants on Human Rights, proclaimed and agreed that everyone is entitled to all the rights and freedoms set forth therein, without distinction of any kind, such as race, colour, sex, language, religion, political or other opinion, national or social origin, property, birth or other status,

Recalling that, in the Universal Declaration of Human Rights, the United Nations has proclaimed that childhood is entitled to special care and assistance,

Convinced that the family, as the fundamental group of society and the natural environment for the growth and well-being of all its members and particularly children, should be afforded the necessary protection and assistance so that it can fully assume its responsibilities within the community,

Recognizing that the child, for the full and harmonious development of his or her personality, should grow up in a family environment, in an atmosphere of happiness, love and understanding,

Considering that the child should be fully prepared to live an individual life in society, and brought up in the spirit of the ideals proclaimed in the Charter of the United Nations, and in particular in the spirit of peace, dignity, tolerance, freedom, equality and solidarity,

Bearing in mind that the need to extend particular care to the child has been stated in the Geneva Declaration of the Rights of the Child of 1924 and in the Declaration of the Rights of the Child adopted by the General Assembly on 20 November 1959 and recognized in the Universal Declaration of Human Rights, in the International Covenant on Civil and Political Rights (in particular in articles 23 and 24), in the International Covenant on Economic, Social and Cultural Rights (in particular in article 10) and in the statutes and relevant instruments of specialized agencies and international organizations concerned with the welfare of children,

Bearing in mind that, as indicated in the Declaration of the Rights of the Child, "the child, by reason of his physical and mental immaturity, needs special safeguards and care, including appropriate legal protection, before as well as after birth",

Recalling the provisions of the Declaration on Social and Legal Principles relating to the Protection and Welfare of Children, with Special Reference to Foster Placement and Adoption Nationally and Internationally; the United Nations Standard Minimum Rules for the Administration of Juvenile Justice (The Beijing Rules); and the Declaration on the Protection of Women and Children in Emergency and Armed Conflict,

14

0196

Recognizing that, in all countries in the world, there are children living in exceptionally difficult conditions, and that such children need special consideration,

Taking due account of the importance of the traditions and cultural values of each people for the protection and harmonious development of the child,

Recognizing the importance of international co-operation for improving the living conditions of children in every country, in particular in the developing countries,

Have agreed as follows:

PART I

Article 1

For the purposes of the present Convention, a child means every human being below the age of eighteen years unless, under the law applicable to the child, majority is attained earlier.

Article 2

1. States Parties shall respect and ensure the rights set forth in the present Convention to each child within their jurisdiction without discrimination of any kind, irrespective of the child's or his or her parent's or legal guardian's race, colour, sex, language, religion, political or other opinion, national, ethnic or social origin, property, disability, birth or other status.

2. States Parties shall take all appropriate measures to ensure that the child is protected against all forms of discrimination or punishment on the basis of the status, activities, expressed opinions, or beliefs of the child's parents, legal guardians, or family members.

Article 3

1. In all actions concerning children, whether undertaken by public or private social welfare institutions, courts of law, administrative authorities or legislative bodies, the best interests of the child shall be a primary consideration.

2. States Parties undertake to ensure the child such protection and care as is necessary for his or her well-being, taking into account the rights and duties of his or her parents, legal guardians, or other individuals legally responsible for him or her, and, to this end, shall take all appropriate legislative and administrative measures.

3. States Parties shall ensure that the institutions, services and facilities responsible for the care or protection of children shall conform with the standards established by competent authorities, particularly in the areas of safety, health, in the number and suitability of their staff, as well as competent supervision.

Article 4

States Parties shall undertake all appropriate legislative, administrative, and other measures for the implementation of the rights recognized in the present Convention. With regard to economic, social and cultural rights, States Parties shall undertake such measures to the maximum extent of their available resources and, where needed, within the framework of international co-operation.

Article 5

States Parties shall respect the responsibilities, rights and duties of parents or, where applicable, the members of the extended family or community as provided for by local custom, legal guardians or other persons legally responsible for the child, to provide, in a manner consistent with the evolving capacities of the child, appropriate direction and guidance in the exercise by the child of the rights recognized in the present Convention.

Article 6

1. States Parties recognize that every child has the inherent right to life.

2. States Parties shall ensure to the maximum extent possible the survival and development of the child.

Article 7

1. The child shall be registered immediately after birth and shall have the right from birth to a name, the right to acquire a nationality and, as far as possible, the right to know and be cared for by his or her parents.

2. States Parties shall ensure the implementation of these rights in accordance with their national law and their obligations under the relevant international instruments in this field, in particular where the child would otherwise be stateless.

Article 8

1. States Parties undertake to respect the right of the child to preserve his or her identity, including nationality, name and family relations as recognized by law without unlawful interference.

2. Where a child is illegally deprived of some or all of the elements of his or her identity, States Parties shall provide appropriate assistance and protection, with a view to speedily re-establishing his or her identity.

Article 9

1. States Parties shall ensure that a child shall not be separated from his or her parents against their will, except when competent authorities subject to judicial review determine, in accordance with applicable law and procedures, that such separation is necessary for the best interests of the child. Such determination may be necessary in a particular case such as one involving abuse or neglect of the child by the parents, or one where the parents are living separately and a decision must be made as to the child's place of residence.

2. In any proceedings pursuant to paragraph 1 of the present article, all interested parties shall be given an opportunity to participate in the proceedings and make their views known.

3. States Parties shall respect the right of the child who is separated from one or both parents to maintain personal relations and direct contact with both parents on a regular basis, except if it is contrary to the child's best interests.

4. Where such separation results from any action initiated by a State Party, such as the detention, imprisonment, exile, deportation or death (including death arising from any cause while the person is in the custody of the State) of one or both parents or of the child, that State Party shall, upon request, provide the parents, the child or, if appropriate, another member of the family with the essential information concerning the whereabouts of the absent member(s) of the family unless the provision of the information would be detrimental to the well-being of the child. States Parties shall further ensure that the submission of such a request shall of itself entail no adverse consequences for the person(s) concerned.

Article 10

1. In accordance with the obligation of States Parties under article 9,

16

0198

paragraph 1, applications by a child or his or her parents to enter or leave a State Party for the purpose of family reunification shall be dealt with by States Parties in a positive, humane and expeditious manner. States Parties shall further ensure that the submission of such a request shall entail no adverse consequences for the applicants and for the members of their family.

2.   A child whose parents reside in different States shall have the right to maintain on a regular basis, save in exceptional circumstances personal relations and direct contacts with both parents. Towards that end and in accordance with the obligation of States Parties under article 9, paragraph 2, States Parties shall respect the right of the child and his or her parents to leave any country, including their own, and to enter their own country. The right to leave any country shall be subject only to such restrictions as are prescribed by law and which are necessary to protect the national security, public order (ordre public), public health or morals or the rights and freedoms of others and are consistent with the other rights recognized in the present Convention.

Article 11

1.   States Parties shall take measures to combat the illicit transfer and non-return of children abroad.

2.   To this end, States Parties shall promote the conclusion of bilateral or multilateral agreements or accession to existing agreements.

Article 12

1.   States Parties shall assure to the child who is capable of forming his or her own views the right to express those views freely in all matters affecting the child, the views of the child being given due weight in accordance with the age and maturity of the child.

2.   For this purpose, the child shall in particular be provided the opportunity to be heard in any judicial and administrative proceedings affecting the child, either directly, or through a representative or an appropriate body, in a manner consistent with the procedural rules of national law.

Article 13

1.   The child shall have the right to freedom of expression; this right shall include freedom to seek, receive and impart information and ideas of all kinds, regardless of frontiers, either orally, in writing or in print, in the form of art, or through any other media of the child's choice.

2.   The exercise of this right may be subject to certain restrictions, but these shall only be such as are provided by law and are necessary:

    (a) For respect of the rights or reputations of others; or

    (b) For the protection of national security or of public order (ordre public), or of public health or morals.

Article 14

1.   States Parties shall respect the right of the child to freedom of thought, conscience and religion.

2.   States Parties shall respect the rights and duties of the parents and, when applicable, legal guardians, to provide direction to the child in the exercise of his or her right in a manner consistent with the evolving capacities of the child.

3.   Freedom to manifest one's religion or beliefs may be subject only to such limitations as are prescribed by law and are necessary to protect public safety, order, health or morals, or the fundamental rights and freedoms of others.

17

0199

Article 15

1.   States Parties recognize the rights of the child to freedom of association and to freedom of peaceful assembly.

2.   No restrictions may be placed on the exercise of these rights other than those imposed in conformity with the law and which are necessary in a democratic society in the interests of national security or public safety, public order (ordre public), the protection of public health or morals or the protection of the rights and freedoms of others.

Article 16

1.   No child shall be subjected to arbitrary or unlawful interference with his or her privacy, family, home or correspondence, nor to unlawful attacks on his or her honour and reputation.

2.   The child has the right to the protection of the law against such interference or attacks.

Article 17

States Parties recognize the important function performed by the mass media and shall ensure that the child has access to information and material from a diversity of national and international sources, especially those aimed at the promotion of his or her social, spiritual and moral well-being and physical and mental health.   To this end, States Parties shall:

(a)   Encourage the mass media to disseminate information and material of social and cultural benefit to the child and in accordance with the spirit of article 29;

(b)   Encourage international co-operation in the production, exchange and dissemination of such information and material from a diversity of cultural, national and international sources;

(c)   Encourage the production and dissemination of children's books;

(d)   Encourage the mass media to have particular regard to the linguistic needs of the child who belongs to a minority group or who is indigenous;

(e)   Encourage the development of appropriate guidelines for the protection of the child from information and material injurious to his or her well-being, bearing in mind the provisions of articles 13 and 18.

Article 18

1.   States Parties shall use their best efforts to ensure recognition of the principle that both parents have common responsibilities for the upbringing and development of the child.   Parents or, as the case may be, legal guardians, have the primary responsibility for the upbringing and development of the child.   The best interests of the child will be their basic concern.

2.   For the purpose of guaranteeing and promoting the rights set forth in the present Convention, States Parties shall render appropriate assistance to parents and legal guardians in the performance of their child-rearing responsibilities and shall ensure the development of institutions, facilities and services for the care of children.

3.   States Parties shall take all appropriate measures to ensure that children of working parents have the right to benefit from child-care services and facilities for which they are eligible.

Article 19

1.   States Parties shall take all appropriate legislative, administrative, social

18

and educational measures to protect the child from all forms of physical or mental violence, injury or abuse, neglect or negligent treatment, maltreatment or exploitation, including sexual abuse, while in the care of parent(s), legal guardian(s) or any other person who has the care of the child.

2. Such protective measures should, as appropriate, include effective procedures for the establishment of social programmes to provide necessary support for the child and for those who have the care of the child, as well as for other forms of prevention and for identification, reporting, referral, investigation, treatment and follow-up of instances of child maltreatment described heretofore, and, as appropriate, for judicial involvement.

Article 20

1. A child temporarily or permanently deprived of his or her family environment, or in whose own best interests cannot be allowed to remain in that environment, shall be entitled to special protection and assistance provided by the State.

2. States Parties shall in accordance with their national laws ensure alternative care for such a child.

3. Such care could include, inter alia, foster placement, kafalah of Islamic law, adoption or if necessary placement in suitable institutions for the care of children. When considering solutions, due regard shall be paid to the desirability of continuity in a child's upbringing and to the child's ethnic, religious, cultural and linguistic background.

Article 21

States Parties that recognize and/or permit the system of adoption shall ensure that the best interests of the child shall be the paramount consideration and they shall:

(a) Ensure that the adoption of a child is authorized only by competent authorities who determine, in accordance with applicable law and procedures and on the basis of all pertinent and reliable information, that the adoption is permissible in view of the child's status concerning parents, relatives and legal guardians and that, if required, the persons concerned have given their informed consent to the adoption on the basis of such counselling as may be necessary;

(b) Recognize that inter-country adoption may be considered as an alternative means of child's care, if the child cannot be placed in a foster or an adoptive family or cannot in any suitable manner be cared for in the child's country of origin;

(c) Ensure that the child concerned by inter-country adoption enjoys safeguards and standards equivalent to those existing in the case of national adoption;

(d) Take all appropriate measures to ensure that, in inter-country adoption, the placement does not result in improper financial gain for those involved in it;

(e) Promote, where appropriate, the objectives of the present article by concluding bilateral or multilateral arrangements or agreements, and endeavour, within this framework, to ensure that the placement of the child in another country is carried out by competent authorities or organs.

Article 22

1. States Parties shall take appropriate measures to ensure that a child who is seeking refugee status or who is considered a refugee in accordance with applicable international or domestic law and procedures shall, whether unaccompanied or accompanied by his or her parents or by any other person, receive appropriate protection and humanitarian assistance in the enjoyment of applicable rights set

forth in the present Convention and in other international human rights or humanitarian instruments to which the said States are Parties.

2.   For this purpose, States Parties shall provide, as they consider appropriate, co-operation in any efforts by the United Nations and other competent intergovernmental organizations or non-governmental organizations co-operating with the United Nations to protect and assist such a child and to trace the parents or other members of the family of any refugee child in order to obtain information necessary for reunification with his or her family. In cases where no parents or other members of the family can be found, the child shall be accorded the same protection as any other child permanently or temporarily deprived of his or her family environment for any reason, as set forth in the present Convention.

Article 23

1.   States Parties recognize that a mentally or physically disabled child should enjoy a full and decent life, in conditions which ensure dignity, promote self-reliance and facilitate the child's active participation in the community.

2.   States Parties recognize the right of the disabled child to special care and shall encourage and ensure the extension, subject to available resources, to the eligible child and those responsible for his or her care, of assistance for which application is made and which is appropriate to the child's condition and to the circumstances of the parents or others caring for the child.

3.   Recognizing the special needs of a disabled child, assistance extended in accordance with paragraph 2 of the present article shall be provided free of charge, whenever possible, taking into account the financial resources of the parents or others caring for the child, and shall be designed to ensure that the disabled child has effective access to and receives education, training, health care services, rehabilitation services, preparation for employment and recreation opportunities in a manner conducive to the child's achieving the fullest possible social integration and individual development, including his or her cultural and spiritual development.

4.   States Parties shall promote, in the spirit of international co-operation, the exchange of appropriate information in the field of preventive health care and of medical, psychological and functional treatment of disabled children, including dissemination of and access to information concerning methods of rehabilitation, education and vocational services, with the aim of enabling States Parties to improve their capabilities and skills and to widen their experience in these areas. In this regard, particular account shall be taken of the needs of developing countries.

Article 24

1.   States Parties recognize the right of the child to the enjoyment of the highest attainable standard of health and to facilities for the treatment of illness and rehabilitation of health. States Parties shall strive to ensure that no child is deprived of his or her right of access to such health care services.

2.   States Parties shall pursue full implementation of this right and, in particular, shall take appropriate measures:

   (a) To diminish infant and child mortality;

   (b) To ensure the provision of necessary medical assistance and health care to all children with emphasis on the development of primary health care;

   (c) To combat disease and malnutrition, including within the framework of primary health care, through, inter alia, the application of readily available technology and through the provision of adequate nutritious foods and clean drinking-water, taking into consideration the dangers and risks of environmental pollution;

20

0202

(d) To ensure appropriate pre-natal and post-natal health care for mothers;

(e) To ensure that all segments of society, in particular parents and children, are informed, have access to education and are supported in the use of basic knowledge of child health and nutrition, the advantages of breast-feeding, hygiene and environmental sanitation and the prevention of accidents;

(f) To develop preventive health care, guidance for parents and family planning education and services.

3.　States Parties shall take all effective and appropriate measures with a view to abolishing traditional practices prejudicial to the health of children.

4.　States Parties undertake to promote and encourage international co-operation with a view to achieving progressively the full realization of the right recognized in the present article. In this regard, particular account shall be taken of the needs of developing countries.

Article 25

States Parties recognize the right of a child who has been placed by the competent authorities for the purposes of care, protection or treatment of his or her physical or mental health, to a periodic review of the treatment provided to the child and all other circumstances relevant to his or her placement.

Article 26

1.　States Parties shall recognize for every child the right to benefit from social security, including social insurance, and shall take the necessary measures to achieve the full realization of this right in accordance with their national law.

2.　The benefits should, where appropriate, be granted, taking into account the resources and the circumstances of the child and persons having responsibility for the maintenance of the child, as well as any other consideration relevant to an application for benefits made by or on behalf of the child.

Article 27

1.　States Parties recognize the right of every child to a standard of living adequate for the child's physical, mental, spiritual, moral and social development.

2.　The parent(s) or others responsible for the child have the primary responsibility to secure, within their abilities and financial capacities, the conditions of living necessary for the child's development.

3.　States Parties, in accordance with national conditions and within their means, shall take appropriate measures to assist parents and others responsible for the child to implement this right and shall in case of need provide material assistance and support programmes, particularly with regard to nutrition, clothing and housing.

4.　States Parties shall take all appropriate measures to secure the recovery of maintenance for the child from the parents or other persons having financial responsibility for the child, both within the State Party and from abroad. In particular, where the person having financial responsibility for the child lives in a State different from that of the child, States Parties shall promote the accession to international agreements or the conclusion of such agreements, as well as the making of other appropriate arrangements.

Article 28

1.　States Parties recognize the right of the child to education, and with a view to achieving this right progressively and on the basis of equal opportunity, they shall, in particular:

21

0203

(a) Make primary education compulsory and available free to all;

(b) Encourage the development of different forms of secondary education, including general and vocational education, make them available and accessible to every child, and take appropriate measures such as the introduction of free education and offering financial assistance in case of need;

(c) Make higher education accessible to all on the basis of capacity by every appropriate means;

(d) Make educational and vocational information and guidance available and accessible to all children;

(e) Take measures to encourage regular attendance at schools and the reduction of drop-out rates.

2. States Parties shall take all appropriate measures to ensure that school discipline is administered in a manner consistent with the child's human dignity and in conformity with the present Convention.

3. States Parties shall promote and encourage international co-operation in matters relating to education, in particular with a view to contributing to the elimination of ignorance and illiteracy throughout the world and facilitating access to scientific and technical knowledge and modern teaching methods. In this regard, particular account shall be taken of the needs of developing countries.

Article 29

1. States Parties agree that the education of the child shall be directed to:

(a) The development of the child's personality, talents and mental and physical abilities to their fullest potential;

(b) The development of respect for human rights and fundamental freedoms, and for the principles enshrined in the Charter of the United Nations;

(c) The development of respect for the child's parents, his or her own cultural identity, language and values, for the national values of the country in which the child is living, the country from which he or she may originate, and for civilizations different from his or her own;

(d) The preparation of the child for responsible life in a free society, in the spirit of understanding, peace, tolerance, equality of sexes, and friendship among all peoples, ethnic, national and religious groups and persons of indigenous origin;

(e) The development of respect for the natural environment.

2. No part of the present article or article 28 shall be construed so as to interfere with the liberty of individuals and bodies to establish and direct educational institutions, subject always to the observance of the principles set forth in paragraph 1 of the present article and to the requirements that the education given in such institutions shall conform to such minimum standards as may be laid down by the State.

Article 30

In those States in which ethnic, religious or linguistic minorities or persons of indigenous origin exist, a child belonging to such a minority or who is indigenous shall not be denied the right, in community with other members of his or her group, to enjoy his or her own culture, to profess and practise his or her own religion, or to use his or her own language.

22

0204

Article 31

1.   States Parties recognize the right of the child to rest and leisure, to engage in play and recreational activities appropriate to the age of the child and to participate freely in cultural life and the arts.

2.   States Parties shall respect and promote the right of the child to participate fully in cultural and artistic life and shall encourage the provision of appropriate and equal opportunities for cultural, artistic, recreational and leisure activity.

Article 32

1.   States Parties recognize the right of the child to be protected from economic exploitation and from performing any work that is likely to be hazardous or to interfere with the child's education, or to be harmful to the child's health or physical, mental, spiritual, moral or social development.

2.   States Parties shall take legislative, administrative, social and educational measures to ensure the implementation of the present article. To this end, and having regard to the relevant provisions of other international instruments, States Parties shall in particular:

(a) Provide for a minimum age or minimum ages for admission to employment;

(b) Provide for appropriate regulation of the hours and conditions of employment;

(c) Provide for appropriate penalties or other sanctions to ensure the effective enforcement of the present article.

Article 33

States Parties shall take all appropriate measures, including legislative, administrative, social and educational measures, to protect children from the illicit use of narcotic drugs and psychotropic substances as defined in the relevant international treaties, and to prevent the use of children in the illicit production and trafficking of such substances.

Article 34

States Parties undertake to protect the child from all forms of sexual exploitation and sexual abuse. For these purposes, States Parties shall in particular take all appropriate national, bilateral and multilateral measures to prevent:

(a) The inducement or coercion of a child to engage in any unlawful sexual activity;

(b) The exploitative use of children in prostitution or other unlawful sexual practices;

(c) The exploitative use of children in pornographic performances and materials.

Article 35

States Parties shall take all appropriate national, bilateral and multilateral measures to prevent the abduction of, the sale of or traffic in children for any purpose or in any form.

Article 36

States Parties shall protect the child against all other forms of exploitation prejudicial to any aspects of the child's welfare.

23

0205

Article 37

States Parties shall ensure that:

(a) No child shall be subjected to torture or other cruel, inhuman or degrading treatment or punishment. Neither capital punishment nor life imprisonment without possibility of release shall be imposed for offences committed by persons below eighteen years of age;

(b) No child shall be deprived of his or her liberty unlawfully or arbitrarily. The arrest, detention or imprisonment of a child shall be in conformity with the law and shall be used only as a measure of last resort and for the shortest appropriate period of time;

(c) Every child deprived of liberty shall be treated with humanity and respect for the inherent dignity of the human person, and in a manner which takes into account the needs of persons of his or her age. In particular, every child deprived of liberty shall be separated from adults unless it is considered in the child's best interest not to do so and shall have the right to maintain contact with his or her family through correspondence and visits, save in exceptional circumstances;

(d) Every child deprived of his or her liberty shall have the right to prompt access to legal and other appropriate assistance, as well as the right to challenge the legality of the deprivation of his or her liberty before a court or other competent, independent and impartial authority, and to a prompt decision on any such action.

Article 38

1.   States Parties undertake to respect and to ensure respect for rules of international humanitarian law applicable to them in armed conflicts which are relevant to the child.

2.   States Parties shall take all feasible measures to ensure that persons who have not attained the age of fifteen years do not take a direct part in hostilities.

3.   States Parties shall refrain from recruiting any person who has not attained the age of fifteen years into their armed forces. In recruiting among those persons who have attained the age of fifteen years but who have not attained the age of eighteen years, States Parties shall endeavour to give priority to those who are oldest.

4.   In accordance with their obligations under international humanitarian law to protect the civilian population in armed conflicts, States Parties shall take all feasible measures to ensure protection and care of children who are affected by an armed conflict.

Article 39

States Parties shall take all appropriate measures to promote physical and psychological recovery and social reintegration of a child victim of: any form of neglect, exploitation, or abuse; torture or any other form of cruel, inhuman or degrading treatment or punishment; or armed conflicts. Such recovery and reintegration shall take place in an environment which fosters the health, self-respect and dignity of the child.

Article 40

1.   States Parties recognize the right of every child alleged as, accused of, or recognized as having infringed the penal law to be treated in a manner consistent with the promotion of the child's sense of dignity and worth, which reinforces the child's respect for the human rights and fundamental freedoms of others and which

24

takes into account the child's age and the desirability of promoting the child's reintegration and the child's assuming a constructive role in society.

2.　To this end, and having regard to the relevant provisions of international instruments, States Parties shall, in particular, ensure that:

　　(a)　No child shall be alleged as, be accused of, or recognized as having infringed the penal law by reason of acts or omissions that were not prohibited by national or international law at the time they were committed;

　　(b)　Every child alleged as or accused of having infringed the penal law has at least the following guarantees:

　　(i)　To be presumed innocent until proven guilty according to law;

　　(ii)　To be informed promptly and directly of the charges against him or her, and, if appropriate, through his or her parents or legal guardians, and to have legal or other appropriate assistance in the preparation and presentation of his or her defence;

　(iii)　To have the matter determined without delay by a competent, independent and impartial authority or judicial body in a fair hearing according to law, in the presence of legal or other appropriate assistance and, unless it is considered not to be in the best interest of the child, in particular, taking into account his or her age or situation, his or her parents or legal guardians;

　(iv)　Not to be compelled to give testimony or to confess guilt; to examine or have examined adverse witnesses and to obtain the participation and examination of witnesses on his or her behalf under conditions of equality;

　　(v)　If considered to have infringed the penal law, to have this decision and any measures imposed in consequence thereof reviewed by a higher competent, independent and impartial authority or judicial body according to law;

　(vi)　To have the free assistance of an interpreter if the child cannot understand or speak the language used;

　(vii)　To have his or her privacy fully respected at all stages of the proceedings.

3.　States Parties shall seek to promote the establishment of laws, procedures, authorities and institutions specifically applicable to children alleged as, accused of, or recognized as having infringed the penal law, and, in particular:

　　(a)　The establishment of a minimum age below which children shall be presumed not to have the capacity to infringe the penal law;

　　(b)　Whenever appropriate and desirable, measures for dealing with such children without resorting to judicial proceedings, providing that human rights and legal safeguards are fully respected.

4.　A variety of dispositions, such as care, guidance and supervision orders; counselling; probation; foster care; education and vocational training programmes and other alternatives to institutional care shall be available to ensure that children are dealt with in a manner appropriate to their well-being and proportionate both to their circumstances and the offence.

Article 41

　　Nothing in the present Convention shall affect any provisions which are more conducive to the realization of the rights of the child and which may be contained in:

25

0207

(a) The law of a State Party; or

(b) International law in force for that State.

PART II

Article 42

States Parties undertake to make the principles and provisions of the Convention widely known, by appropriate and active means, to adults and children alike.

Article 43

1. For the purpose of examining the progress made by States Parties in achieving the realization of the obligations undertaken in the present Convention, there shall be established a Committee on the Rights of the Child, which shall carry out the functions hereinafter provided.

2. The Committee shall consist of ten experts of high moral standing and recognized competence in the field covered by this Convention. The members of the Committee shall be elected by States Parties from among their nationals and shall serve in their personal capacity, consideration being given to equitable geographical distribution, as well as to the principal legal systems.

3. The members of the Committee shall be elected by secret ballot from a list of persons nominated by States Parties. Each State Party may nominate one person from among its own nationals.

4. The initial election to the Committee shall be held no later than six months after the date of the entry into force of the present Convention and thereafter every second year. At least four months before the date of each election, the Secretary-General of the United Nations shall address a letter to States Parties inviting them to submit their nominations within two months. The Secretary-General shall subsequently prepare a list in alphabetical order of all persons thus nominated, indicating States Parties which have nominated them, and shall submit it to the States Parties to the present Convention.

5. The elections shall be held at meetings of States Parties convened by the Secretary-General at United Nations Headquarters. At those meetings, for which two thirds of States Parties shall constitute a quorum, the persons elected to the Committee shall be those who obtain the largest number of votes and an absolute majority of the votes of the representatives of States Parties present and voting.

6. The members of the Committee shall be elected for a term of four years. They shall be eligible for re-election if renominated. The term of five of the members elected at the first election shall expire at the end of two years; immediately after the first election, the names of these five members shall be chosen by lot by the Chairman of the meeting.

7. If a member of the Committee dies or resigns or declares that for any other cause he or she can no longer perform the duties of the Committee, the State Party which nominated the member shall appoint another expert from among its nationals to serve for the remainder of the term, subject to the approval of the Committee.

8. The Committee shall establish its own rules of procedure.

9. The Committee shall elect its officers for a period of two years.

10. The meetings of the Committee shall normally be held at United Nations Headquarters or at any other convenient place as determined by the Committee. The Committee shall normally meet annually. The duration of the meetings of the Committee shall be determined, and reviewed, if necessary, by a meeting of the

26

0208

States Parties to the present Convention, subject to the approval of the General Assembly.

11. The Secretary-General of the United Nations shall provide the necessary staff and facilities for the effective performance of the functions of the Committee under the present Convention.

12. With the approval of the General Assembly, the members of the Committee established under the present Convention shall receive emoluments from United Nations resources on such terms and conditions as the Assembly may decide.

Article 44

1. States Parties undertake to submit to the Committee, through the Secretary-General of the United Nations, reports on the measures they have adopted which give effect to the rights recognized herein and on the progress made on the enjoyment of those rights:

    (a) Within two years of the entry into force of the Convention for the State Party concerned;

    (b) Thereafter every five years.

2. Reports made under the present article shall indicate factors and difficulties, if any, affecting the degree of fulfilment of the obligations under the present Convention. Reports shall also contain sufficient information to provide the Committee with a comprehensive understanding of the implementation of the Convention in the country concerned.

3. A State Party which has submitted a comprehensive initial report to the Committee need not, in its subsequent reports submitted in accordance with paragraph 1 (b) of the present article, repeat basic information previously provided.

4. The Committee may request from States Parties further information relevant to the implementation of the Convention.

5. The Committee shall submit to the General Assembly, through the Economic and Social Council, every two years, reports on its activities.

6. States Parties shall make their reports widely available to the public in their own countries.

Article 45

In order to foster the effective implementation of the Convention and to encourage international co-operation in the field covered by the Convention:

    (a) The specialized agencies, the United Nations Children's Fund, and other United Nations organs shall be entitled to be represented at the consideration of the implementation of such provisions of the present Convention as fall within the scope of their mandate. The Committee may invite the specialized agencies, the United Nations Children's Fund and other competent bodies as it may consider appropriate to provide expert advice on the implementation of the Convention in areas falling within the scope of their respective mandates. The Committee may invite the specialized agencies, the United Nations Children's Fund, and other United Nations organs to submit reports on the implementation of the Convention in areas falling within the scope of their activities;

    (b) The Committee shall transmit, as it may consider appropriate, to the specialized agencies, the United Nations Children's Fund and other competent bodies, any reports from States Parties that contain a request, or indicate a need, for technical advice or assistance, along with the Committee's observations and

27

0209

suggestions, if any, on these requests or indications;

(c) The Committee may recommend to the General Assembly to request the Secretary-General to undertake on its behalf studies on specific issues relating to the rights of the child;

(d) The Committee may make suggestions and general recommendations based on information received pursuant to articles 44 and 45 of the present Convention. Such suggestions and general recommendations shall be transmitted to any State Party concerned and reported to the General Assembly, together with comments, if any, from States Parties.

PART III

Article 46

The present Convention shall be open for signature by all States.

Article 47

The present Convention is subject to ratification. Instruments of ratification shall be deposited with the Secretary-General of the United Nations.

Article 48

The present Convention shall remain open for accession by any State. The instruments of accession shall be deposited with the Secretary-General of the United Nations.

Article 49

1. The present Convention shall enter into force on the thirtieth day following the date of deposit with the Secretary-General of the United Nations of the twentieth instrument of ratification or accession.

2. For each State ratifying or acceding to the Convention after the deposit of the twentieth instrument of ratification or accession, the Convention shall enter into force on the thirtieth day after the deposit by such State of its instrument of ratification or accession.

Article 50

1. Any State Party may propose an amendment and file it with the Secretary-General of the United Nations. The Secretary-General shall thereupon communicate the proposed amendment to States Parties, with a request that they indicate whether they favour a conference of States Parties for the purpose of considering and voting upon the proposals. In the event that, within four months from the date of such communication, at least one third of the States Parties favour such a conference, the Secretary-General shall convene the conference under the auspices of the United Nations. Any amendment adopted by a majority of States Parties present and voting at the conference shall be submitted to the General Assembly for approval.

2. An amendment adopted in accordance with paragraph 1 of the present article shall enter into force when it has been approved by the General Assembly of the United Nations and accepted by a two-thirds majority of States Parties.

3. When an amendment enters into force, it shall be binding on those States Parties which have accepted it, other States Parties still being bound by the provisions of the present Convention and any earlier amendments which they have accepted.

Article 51

1. The Secretary-General of the United Nations shall receive and circulate to all States the text of reservations made by States at the time of ratification or accession.

28

0210

2.　A reservation incompatible with the object and purpose of the present Convention shall not be permitted.

3.　Reservations may be withdrawn at any time by notification to that effect addressed to the Secretary-General of the United Nations, who shall then inform all States.　Such notification shall take effect on the date on which it is received by the Secretary-General.

Article 52

A State Party may denounce the present Convention by written notification to the Secretary-General of the United Nations.　Denunciation becomes effective one year after the date of receipt of the notification by the Secretary-General.

Article 53

The Secretary-General of the United Nations is designated as the depositary of the present Convention.

Article 54

The original of the present Convention, of which the Arabic, Chinese, English, French, Russian and Spanish texts are equally authentic, shall be deposited with the Secretary-General of the United Nations.

In witness thereof the undersigned plenipotentiaries, being duly authorized thereto by their respective Governments, have signed the present Convention.

0211

외교문서 비밀해제: 한국 인권문제 5
한국 인권문제 아동 권리에 관한 협약 가입

초판인쇄 2024년 03월 15일
초판발행 2024년 03월 15일

지은이 한국학술정보(주)
펴낸이 채종준
펴낸곳 한국학술정보(주)
주 소 경기도 파주시 회동길 230(문발동)
전 화 031-908-3181(대표)
팩 스 031-908-3189
홈페이지 http://ebook.kstudy.com
E-mail 출판사업부 publish@kstudy.com
등 록 제일산-115호(2000. 6. 19)

ISBN   979-11-7217-059-2 94340
        979-11-7217-054-7 94340 (set)